CEDU(쎄듀)는 A **C**omprehensive **E**nglish e**DU**cation(종합적 영어교육)의 약자입니다.

저자

김기훈 現 ㈜쎄듀 대표이사

　　　現 메가스터디 영어영역 대표강사

　　　前 서울특별시 교육청 외국어 교육정책자문위원회 위원

저서 천일문 / 천일문 Training Book / 천일문 GRAMMAR

　　　어법끝 / 어휘끝 / 첫단추 / 쎈쓰업 / 파워업 / 빈칸백서 / 오답백서

　　　쎄듀 본영어 / 문법의 골든룰 101 / ALL씀 서술형 / 수능실감

　　　거침없이 Writing / Grammar Q / Reading Q / Listening Q 등

쎄듀 영어교육연구센터

쎄듀 영어교육센터는 영어 콘텐츠에 대한 전문지식과 경험을 바탕으로

최고의 교육 콘텐츠를 만들고자 최선의 노력을 다하는 전문가 집단입니다.

장혜승 선임연구원

감수

유원호 (서강대 영미어문과 교수)

마케팅	콘텐츠 마케팅 사업본부
영업	문병구
제작	정승호
인디자인 편집	올댓에디팅
디자인	윤혜영
내지 일러스트	그림숲
영문교열	Janna Christie

LISTENING Q

중학영어듣기
모의고사 24회

1

PREVIEW

STEP 1 최신 기출을 완벽 분석한 유형별 공략

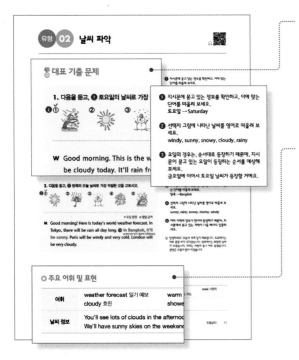

🏅 대표 기출 문제

- 최근 〈시·도교육청 주관 영어듣기능력평가〉에 출제되는 모든 문제 유형을 철저히 분석하여, 유형별 문제 풀이 방법을 제시합니다.
- 오답 함정과 정답 근거를 확인해보며, 각 유형에 대한 이해도를 높일 수 있습니다.

✪ 주요 어휘 및 표현

- 유형별로 가장 많이 출제된 중요 표현과 어휘를 정리하였습니다.
- 시험 바로 전에 빠르게 훑어볼 수 있습니다.

STEP 2 실전 모의고사로 문제 풀이 감각 익히기

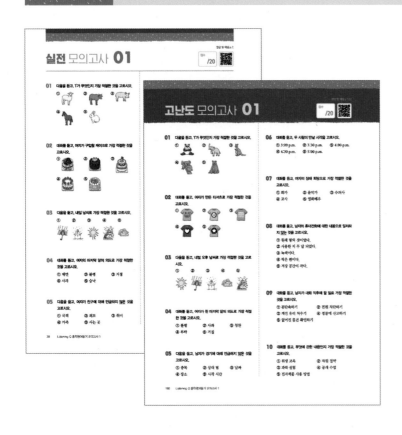

실전 모의고사 20회

- 전국 16개 〈시·도 교육청 주관 영어듣기능력평가〉 최신 5개년 출제 경향이 완벽 반영된 실전 모의고사를 수록했습니다.
- 실전과 동일한 유형 배치 및 엄선된 문항을 통해 영어듣기 평가를 대비하는 동시에 듣기의 기본기를 쌓을 수 있습니다.

고난도 모의고사 4회

점진적으로 문제 풀이 능력을 키워나갈 수 있도록 실전보다 높은 난이도의 문제로 실력을 점검합니다.

STEP 3 받아쓰기 훈련으로 듣기 실력 Up!

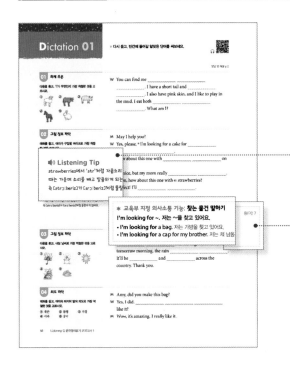

매회 Dictation 수록

- 문제 풀이에 중요한 단서가 되는 핵심 어휘 및 표현들을 연습할 수 있습니다.
- 들은 내용을 다시 한번 확인하며, 중요 표현들과 놓치기 쉬운 연음 등의 집중적인 학습이 가능합니다.

◀) Listening Tip

듣기의 기본기를 쌓을 수 있도록, 더 잘 들리는 발음 팁을 수록하였습니다.

✻ 교육부 지정 의사소통 기능

개정교과서에 수록된 의사소통 기능 표현을 정리하였습니다.
중요 표현들이 실제 대화에서 어떻게 쓰이는지 확인할 수 있으며,
다른 예시 문장을 제시하여 응용해 볼 수 있도록 구성했습니다.

STEP 4 자세한 해설로 완벽 복습

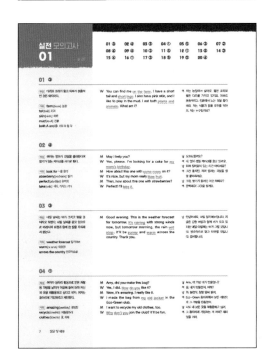

학습자 혼자서도 충분한 학습이 가능하도록 자세한
해설과 대본 및 해석을 제공합니다.

CEDU MP3 PLAYER

QR코드 하나로 배속 및 문항 선택 재생

- 〈Listening Q 중학영어듣기 모의고사〉 시리즈는 효율적인 듣기 학습을 위해 MP3 PLAYER 기능이 적용되어 있습니다.
- 교재 안에 있는 QR코드를 휴대전화로 인식하면, 기본 배속과 1.2배속, 1.4배속 세 가지 속도 중에 원하는 속도를 선택하여 음원 재생이 가능합니다.
- 각 문항별 파일도 선택하여 재생 가능하기 때문에 더욱 편리하게 받아쓰기를 연습할 수 있습니다.

무료 부가서비스

www.cedubook.com에서 무료 부가서비스 자료를 다운로드하세요.
• MP3 파일 • 어휘리스트 • 어휘테스트

CONTENTS

PART. 03

고난도 모의고사

[책속책] 정답 및 해설

기출 문제 유형 분석표

2024 ← → 2019

1학년	2024년 1회	2023년 2회	2023년 1회	2022년 2회	2022년 1회	2021년 2회	2021년 1회	2020년 2회	2020년 1회	2019년 2회	2019년 1회
화제 추론	1	1	1	1	1	1	1	1	1	1	1
그림 정보 파악	1	1	1	1	1	1	1	1	1	1	1
날씨 파악	1	1	1	1	1	1	1	1	1	1	1
의도 파악	1	1	1	1	1	1	1	1	1	1	1
언급하지 않은 내용 찾기	1	1	1	1	1	1	1		1	1	1
숫자 정보 파악 (시각)	1	1	1	1	1	1	1	1	1	1	1
장래 희망 파악	1	1	1	1	1	1	1	1	1	1	1
일치하지 않는 내용 찾기										1	1
심정 추론	1	1	1	1	1	1	1	1	1		
할 일 파악	1	2	2	1	1	2	1	1	1	1	1
주제 추론	1	1	1	1	1	1	1	1	1	1	1
교통수단 찾기	1	1	1	1	1	1	1	1	1	1	1
이유 파악	1	1	1	1	1	1	1	1	1	1	1
관계 추론										1	
대화 장소 추론	1	1	1	1	1	1	1	1	1		1
위치 찾기 (길 찾기)	1		1		1		1		1		1
위치 찾기 (물건 찾기)		1		1		1		1		1	
부탁 파악	1	1	1	1	1	1	1	1	1	1	1
제안 파악	1	1	1	1	1	1	1	1	1	1	1
어색한 대화 고르기											
특정 정보 파악								1			
한 일 파악	1			1	1		1		1	1	1
직업 추론	1	1	1	1	1	1	1	1	1	1	1
이어질 응답 찾기	2	2	2	2	2	2	2	2	2	2	2

Study Planner

영어듣기평가 전에 학습한 날짜와 획득한 점수를 적으면서
듣기 실력을 확인해보세요.

●● 영어듣기평가 D-25일

1일차	2일차	3일차	4일차	5일차
유형공략	실전 모의고사 1회	실전 모의고사 2회	실전 모의고사 3회	실전 모의고사 4회
◯월 ◯일	◯월 ◯일 _____점	◯월 ◯일 _____점	◯월 ◯일 _____점	◯월 ◯일 _____점
6일차	7일차	8일차	9일차	10일차
실전 모의고사 5회	실전 모의고사 6회	실전 모의고사 7회	실전 모의고사 8회	실전 모의고사 9회
◯월 ◯일 _____점	◯월 ◯일 _____점	◯월 ◯일 _____점	◯월 ◯일 _____점	◯월 ◯일 _____점
11일차	12일차	13일차	14일차	15일차
실전 모의고사 10회	실전 모의고사 11회	실전 모의고사 12회	실전 모의고사 13회	실전 모의고사 14회
◯월 ◯일 _____점	◯월 ◯일 _____점	◯월 ◯일 _____점	◯월 ◯일 _____점	◯월 ◯일 _____점
16일차	17일차	18일차	19일차	20일차
실전 모의고사 15회	실전 모의고사 16회	실전 모의고사 17회	실전 모의고사 18회	실전 모의고사 19회
◯월 ◯일 _____점	◯월 ◯일 _____점	◯월 ◯일 _____점	◯월 ◯일 _____점	◯월 ◯일 _____점
21일차	22일차	23일차	24일차	25일차
실전 모의고사 20회	고난도 모의고사 1회	고난도 모의고사 2회	고난도 모의고사 3회	고난도 모의고사 4회
◯월 ◯일 _____점	◯월 ◯일 _____점	◯월 ◯일 _____점	◯월 ◯일 _____점	◯월 ◯일 _____점

●● 영어듣기평가 D-15일

1일차	2일차	3일차	4일차	5일차
유형공략	실전 모의고사 1, 2회	실전 모의고사 3, 4회	실전 모의고사 5, 6회	실전 모의고사 7, 8회
◯월 ◯일	◯월 ◯일 _____점	◯월 ◯일 _____점	◯월 ◯일 _____점	◯월 ◯일 _____점
6일차	7일차	8일차	9일차	10일차
실전 모의고사 9, 10회	실전 모의고사 11, 12회	실전 모의고사 13, 14회	실전 모의고사 15, 16회	실전 모의고사 17, 18회
◯월 ◯일 _____점	◯월 ◯일 _____점	◯월 ◯일 _____점	◯월 ◯일 _____점	◯월 ◯일 _____점
11일차	12일차	13일차	14일차	15일차
실전 모의고사 19, 20회	고난도 모의고사 1회	고난도 모의고사 2회	고난도 모의고사 3회	고난도 모의고사 4회
◯월 ◯일 _____점	◯월 ◯일 _____점	◯월 ◯일 _____점	◯월 ◯일 _____점	◯월 ◯일 _____점

PART. 01

Listening Q

^ ^ ^

중학영어듣기 모의고사

유형공략

×

영어듣기능력 평가에 자주 출제되는
15가지 대표 유형을 기출문제와 함께 살펴보자!

🏅 대표 기출 문제

1. 대화를 듣고, 남자가 만든 열쇠고리로 가장 적절한 것을 고르시오.

① ② ✓③ ④ ⑤

✗ 오답 함정   o 정답 근거

W Yoonho, what's that?

M It's my key ring.

W ❷ **The star shape looks pretty. Did you make it?**
→ 남자가 만든 열쇠고리 모양은 별 모양이네요.

M Yes, I made it after school.

W I thought ❸ **you liked diamond shapes.**

M No, I like stars more.
→ 다이아몬드 모양보다 별 모양을 더 좋다는 내용이에요.

❶ 선택지 그림에 등장한 모양 또는 패턴을 의미하는 단어를 떠올려 보세요.
heart, diamond, star, circle, triangle

❷ 모양에 대한 내용이 초반에 등장하더라도 확실하게 정답임을 알 수 있을 때까지 기다리세요.

❸ 다른 모양을 언급하여 오답을 유도할 수 있어요. 마지막에 결정적인 힌트가 등장하기도 하니 섣불리 정답을 고르지 않도록 유의하세요.

여 윤호야, 그게 뭐니?
남 이건 내 열쇠고리야.
여 별 모양이 예쁘다. 네가 만들었니?
남 응, 방과 후에 만들었어.
여 나는 네가 다이아몬드 모양을 좋아하는 줄 알았어.
남 아니, 나는 별을 더 좋아해.

2. 대화를 듣고, 여자가 설명하는 담요로 가장 적절한 것을 고르시오.

① ✓② ③ ④ ⑤

✗ 오답 함정   o 정답 근거

W Dad, did you see my blanket? I can't find it.

M What does it look like, Amy?

W It has a dog on it.
→ 개가 그려진 것 중 정답이 있어요.

M Does it have anything else?

W It also has my name under the dog.
→ 이름 Amy가 개 아래에 있는 것이 여자가 설명하는 담요예요.

M Okay. Let's find it together.

❶ 선택지 그림에 나타나는 모양과 위치를 영어로 떠올려 보세요.
dog, Amy, bird, under, on, top

❷ 단서를 두 번에 걸쳐 언급하는 경우가 있으므로 끝까지 집중해서 들으세요.

여 아빠, 제 담요 보셨어요? 찾을 수가 없어요.
남 어떻게 생겼는데, Amy?
여 그 위에 개가 그려져 있어요.
남 또 다른 건 없니?
여 개 밑에 제 이름도 있어요.
남 알겠어. 같이 찾아보자.

⭐ 주요 어휘

모양/무늬	round 둥근 diamond 다이아몬드	circle 원형 star 별	triangle 삼각형 heart 하트	square 정사각형 stripes 줄무늬	rectangle 직사각형 polka dots 물방울무늬
위치	on ~ 위에 with ~이 달린[붙은/있는]	in ~ 안에 next to ~ 옆에	under ~ 아래에 in the middle 가운데	in front of ~ 앞에 around 주변에	behind ~ 뒤에

 **유형 02 날씨 파악**

🎖 대표 기출 문제

1. 다음을 듣고, ❶ 토요일의 날씨로 가장 적절한 것을 고르시오.

❷① ② ③ ④ ⑤

                    ✗오답 함정 ○정답 근거

W Good morning. This is the weekly weather report. It'll be cloudy today. It'll rain from tomorrow morning to Thursday. On Friday, the weather will be warm. ❸ **On Saturday, there will be strong winds all day,** but on
➜ 이어지는 날씨 정보에 주목하세요.
Sunday, we can enjoy a beautiful clear sky.

❶ 지시문에 묻고 있는 정보를 확인하고, 이에 맞는 단어를 떠올려 보세요.
토요일 → Saturday

❷ 선택지 그림에 나타난 날씨를 영어로 떠올려 보세요.
windy, sunny, snowy, cloudy, rainy

❸ 요일의 경우는, 순서대로 등장하기 때문에, 지시문이 묻고 있는 요일이 등장하는 순서를 예상해 보세요.
금요일에 이어서 토요일 날씨가 등장할 거예요.

여 안녕하세요. 주간 일기 예보입니다. 오늘 날씨는 흐리겠습니다. 내일 아침부터 목요일까지는 비가 오겠습니다. 금요일에는 날씨가 따뜻하겠습니다. 토요일에는 하루 종일 바람이 강하게 불겠으나 일요일에는 아름답고 맑은 하늘을 즐기실 수 있겠습니다.

2. 다음을 듣고, ❶ 방콕의 오늘 날씨로 가장 적절한 것을 고르시오.

❷① ② ③ ④ ⑤

                    ✗오답 함정 ○정답 근거

M Good morning! Here is today's world weather forecast. In Tokyo, there will be rain all day long. ❸ **In Bangkok, it'll**
➜ 이어지는 날씨 정보에 주목하세요.
be sunny. Paris will be windy and very cold. London will be very cloudy.

❶ 지시문에서 묻고 있는 정보를 먼저 파악하고 맞는 단어를 떠올려 보세요.
방콕 → Bangkok

❷ 선택지 그림에 나타난 날씨를 영어로 떠올려 보세요.
sunny, rainy, snowy, stormy, windy

❸ 여러 지역의 정보가 연이어 등장하기 때문에, 지시문에서 묻고 있는 지역이 나올 때까지 집중하세요.

남 안녕하세요! 오늘의 세계 일기 예보입니다. 도쿄에서는 하루 종일 비가 내리겠습니다. 방콕에서는 화창한 날씨가 되겠습니다. 파리는 바람이 불고 매우 춥겠습니다. 런던은 구름이 많이 끼겠습니다.

✪ 주요 어휘 및 표현

어휘	weather forecast 일기 예보	warm 따뜻한	sunny 맑은	hot 더운	cool 시원한
	cloudy 흐린	shower 소나기	windy 바람이 부는	snowy 눈 오는	
날씨 정보	You'll see lots of clouds in the afternoon. 오후에는 구름이 많을 것입니다. We'll have sunny skies on the weekend. 주말에는 맑은 하늘을 볼 수 있을 겁니다.				

🎖 대표 기출 문제

대화를 듣고, ❶ 남자가 한 마지막 말의 의도로 가장 적절한 것을 고르시오.

① 사과　　② 거절　　③ 위로　　④ 감사　　⑤ 칭찬

✕ 오답 함정　○ 정답 근거

W Dad, I heard some ❷ bad news.
　　➜ 나쁜 소식이니 분위기가 좋진 않네요.

M What is it, Jiwon?

W You know my best friend, Sumi? She's moving to another town.

M I'm sorry to hear that. When is she going to move?

W Next Wednesday. I feel so sad.

M ❸ Don't worry. You can still keep in touch.
　　➜ 친구가 이사를 가서 여자가 슬퍼하자 남자가 위로하고 있네요.

❶ 마지막 말을 하게 되는 사람이 남자이므로, 남자의 마지막 말에 결정적인 정답 근거가 등장해요.

❷ 전체적인 분위기나 상황을 따라가며 흐름을 놓치지 마세요.
여자의 친구가 이사를 가는 상황
➜ I'm sorry to hear that.은 상대방을 위로할 때 쓰는 대표적인 표현이에요.

❸ 상황별 표현을 미리 익혀두면 보다 쉽게 말하는 사람의 의도를 알 수 있어요.

여 아빠, 저 안 좋은 소식을 들었어요.
남 그게 뭔데, 지원아?
여 제 가장 친한 친구 수미 아시죠? 걔가 다른 도시로 이사 간대요.
남 안됐구나. 언제 이사 가니?
여 다음 주 수요일이요. 저 너무 슬퍼요.
남 걱정하지 마. 계속 연락하고 지내면 되지.

✪ 주요 표현

당부	Don't forget to turn off the lights when you leave. 네가 나갈 때 불을 끄는 것을 잊지 말아라.
감사	Thanks for trying to cheer me up, Dad. 격려해주셔서 감사해요, 아빠.
제안	Why don't we invite him to our school festival? 걔를 학교 축제에 초대하는 건 어때? You should read the book, too. 너도 그 책을 읽는 것이 좋을 것 같아.
허락	Sure. Go ahead. 물론이지. 그렇게 해.
동의	That's a good idea. Let's do it. 그건 좋은 생각이다. 그렇게 하자.
승낙	Okay, I'll buy it for you this weekend. 알겠어. 이번 주말에 너를 위해 그걸 사올게.
거절	I'd love to, but I can't. I have to go home now. 나도 그렇고 싶지만, 안 될 것 같아. 지금 집에 가야 하거든.
위로	I'm sorry to hear that. I hope you get better. 그거 참 안됐다. 네가 낫기를 바랄게.

유형 04 언급하지 않거나 일치하지 않는 내용 찾기 🎧

🎖 대표 기출 문제

1. 다음을 듣고, 남자가 장미축제에 대해 언급하지 **않은** 것을 고르시오.

❶ ① 장소   ② 날짜   ③ 운영시간
④ 입장료   ⑤ 프로그램

✕ 오답 함정   ○ 정답 근거

M Let me tell you about the rose festival ❷ **at Center Park**.
                                   ➔ 장소: Center 공원
It'll be **on May 10th**. It'll be **from 9 a.m. to 6 p.m.** The
     ➔ 날짜: 5월 10일   ➔ 운영시간: 오전 9시~저녁 6시
festival will show many kinds of roses. And it'll also have
many interesting **programs**, like a **magic performance**.
                             ➔ 프로그램: 마술 공연

2. 대화를 듣고, ❶ 남자가 다녀온 여행에 대한 내용으로 일치하지 **않는** 것을 고르시오.

❷ ① 제주도에 다녀왔다.   ② 해산물을 먹었다.   ③ 박물관을 방문했다.
④ 한라산에 갔다.   ⑤ 바다에서 수영했다.

✕ 오답 함정   ○ 정답 근거

W Minho, I heard you ❸ **went to Jeju**.
               ➔ 제주도에 다녀왔다(① 일치)
M Yes, it was wonderful! I **ate lots of seafood**.
               ➔ 해산물을 먹었다(② 일치)
W That's nice. What else did you do there?
M I **visited many museums**.
       ➔ 박물관을 방문했다(③ 일치)
W Did you **go to Halla Mountain**?
M No, I didn't.
       ➔ 한라산에 갔다(④ 불일치)
W Then, what did you do?
M I **swam in the sea**.
       ➔ 바다에서 수영했다(⑤ 일치)

---

① 주어진 선택지를 보면서 어떤 내용들이 등장하는지 미리 예상해 보세요.
at 장소, on 날짜, from 시각 to 시각, ticket, price, program

② 언급되는 항목은 선택지에서 하나씩 제거해 보세요.

남 Center 공원에서 하는 장미축제에 대해 말씀드리겠습니다. 축제는 5월 10일에 열립니다. 그건 오전 9시에서 저녁 6시까지 진행될 것입니다. 축제는 많은 종류의 장미를 선보일 것입니다. 그리고 마술 공연과 같은 많은 재미있는 프로그램도 있을 예정입니다.

① 남자가 다녀온 여행에 대한 내용이니 남자의 말에 집중하세요.

② 선택지를 살펴본 후, 관련 어휘들을 하나씩 떠올려 보세요.
went, ate seafood, visited museums, Halla Mountain, swam in the sea

③ 일치하는 내용은 선택지에서 하나씩 제거해보세요.
*불일치 유형에서는 일치하는 내용이 오답에요.

여 민호야, 네가 제주도에 갔었다고 들었어.
남 응, 아주 좋았어! 나는 해산물을 많이 먹었지.
여 그거 좋네. 그 밖에 다른 걸 뭘 했니?
남 나는 여러 박물관을 방문했어.
여 한라산에 갔어?
남 아니, 가지 않았어.
여 그러면 뭘 했어?
남 바다에서 수영을 했어.

⚙ 주요 표현

이름	Let me introduce my friend, Jenna. 제 친구 Jenna를 소개할게요.
출신, 사는 곳	He is from Canada, but lives in Korea. 그는 캐나다 출신이지만, 한국에서 살아요.
취미	She loves to read books in her free time. 그녀는 여가 시간에 책을 읽는 것을 정말 좋아해요.
장소	The club meeting will be in the room 201. 동아리 회의는 201호실에서 진행될 예정입니다.
일시	The parade will start at 5 p.m. tomorrow. 퍼레이드는 내일 오후 5시에 시작할거예요.
활동 내용	There are many fun activities like swimming and fishing. 수영과 낚시와 같은 재미있는 활동들이 있습니다.

유형 05 숫자 정보 파악 (시각)

🏅 대표 기출 문제

대화를 듣고, 여자가 ① 집을 떠난 시각을 고르시오.

① 3:00 p.m.　　　② 3:30 p.m.　　　③ 4:00 p.m.

④ 4:30 p.m.　　　⑤ 5:00 p.m.

✗오답 함정　◯정답 근거

[Cell phone rings.]

W Hello, Hojin. Sorry, but I'll be a little late.

M It's already ❷ 4:30 p.m. Where are you?
→ 현재 4시 30분이에요.

W I'm almost there. I'll be there soon.

M Did you leave home late?

W No. I ❸ left home at 3:30 p.m., but I took the wrong bus.
→ 3시 30분에 집에서 떠났다고 하네요.

M Okay, then I'll see you soon.

❶ 어떤 숫자 정보를 파악해야 하는지 지시문을 확인하세요.
left home

❷ 여러 번 다른 시각을 언급하기 때문에 대화를 들으면서 시각과 내용을 메모하세요.

❸ 지시문이 묻고 있는 것과 일치하는 시각을 고르는 것이 중요해요.

*정확한 시각보다는 계산을 요구하는 경우도 있으니, 꼭 메모하면서 정답을 찾도록 하세요.

[휴대전화가 울린다.]
여 여보세요, 호진아. 미안, 나 조금 늦을 것 같아.
남 벌써 4:30분이네. 너 어디야?
여 나 거의 다 왔어. 곧 도착할거야.
남 집에서 늦게 나왔어?
여 아니. 3:30분에 집에서 나왔는데 버스를 잘못 탔어.
남 알았어, 그럼 이따 보자.

⭐ 주요 어휘 및 표현

시간 앞에 쓰이는 전치사	at ~에	until ~까지	after ~후에	before ~ 전에	past ~ 지나서	around ~쯤에	in ~ 후에

시각을 나타내는 표현	1:00 = 1 o'clock = 1 a.m.[p.m.] = 1 in the morning[afternoon] 3:10 = three ten = ten past[after] three 5:15 = five fifteen = a quarter past[after] five 7:30 = seven thirty = half past[after] seven

시간 관련 주요 어휘	noon 정오	midnight 자정	hour 한 시간	minute (시간 단위의) 분
	half 30분	quarter 15분	early 이른; 빨리, 일찍	late 늦은; 늦게
	on time 정각에, 시간을 어기지 않고	make it (어떤 곳에 간신히) 시간 맞춰 가다		

유형 06 장래 희망 · 직업 파악

🏅 대표 기출 문제

1. 대화를 듣고, ❶ 남자의 장래 희망으로 가장 적절한 것을 고르시오.

❷ ① 화가   ② 모델   ③ 정원사

④ 성악가   ⑤ 건축가

✕ 오답 함정   ○ 정답 근거

M Welcome to my house.

W Thank you. Oh, the sunflower picture is beautiful. Did you take it?

M Actually, I **painted** it.

W Wow, it looks like a photo! You're really **good at painting**.
→ 그림 그리기를 잘한다고 칭찬하네요.

M Thanks. ❸ **I want to be a painter** like Van Gogh someday.
→ 남자는 화가가 되고 싶다고 하네요.

W I believe you will.

2. 대화를 듣고, ❶ 남자의 직업으로 가장 적절한 것을 고르시오.

① 경찰관   ② 소방관   ③ 요리사

④ 미술 교사   ⑤ 잡지기자

✕ 오답 함정   ○ 정답 근거

W Hello. I'm Mina, the student ❷ **reporter**. Thank you for this interview.

M It's my pleasure.

W Would you tell me about your job?

M Sure. ❸ **I save people from fires**.
→ 남자는 화재로부터 사람들을 구하는 일을 하네요.

W Great! Could you show me **your fire truck**?

M Okay. Let's go outside.

---

❶ 여자와 남자 중에서 남자의 장래 희망을 묻고 있으므로 남자의 말에 집중하세요.

❷ 직접적으로 직업명을 언급하면서 장래 희망을 표현하기 때문에, 주어진 선택지를 보면서 영어를 떠올려 보세요.
painter, model, gardener, singer[vocalist], architect

❸ 취미와 관심사를 나타내는 말 이후에 장래 희망이 언급돼요.
[기출] I want to be ~. 나는 ~가 되고 싶어.

남 우리 집에 온 걸 환영해.
여 고마워. 아, 해바라기 사진이 아름답다. 네가 직접 찍은 거니?
남 사실은 내가 그린 거야.
여 와, 사진인 것 같아! 너 정말 그림을 잘 그리는구나.
남 고마워. 언젠가 반 고흐와 같은 화가가 되고 싶어.
여 반드시 될 거라고 믿어.

❶ 여자와 남자 중에서 누구의 직업을 묻는 지 확인하세요.

❷ 일부 어휘나 표현만 보고 오답 함정에 빠지지 않도록 주의하세요.

❸ 대화 속 상황이나 흐름을 바탕으로 정답을 찾아 보세요.

*해당 직업이 하는 일에 대해 설명하거나, 주어진 상황 속에서 오고 가는 대화 내용을 통해 알아내야 할 때도 있어요. 따라서 레스토랑, 도서관 등 특정 장소에서 자주 쓰이는 표현을 익히는 것이 중요해요.

여 안녕하세요. 저는 학생 기자인 미나입니다. 인터뷰에 응해주셔서 감사합니다.
남 아니에요. 제가 오히려 기뻐요.
여 하시는 일에 대해 말씀해 주시겠어요?
남 물론이죠. 저는 화재로부터 사람들을 구조합니다.
여 멋져요! 소방차를 보여주실 수 있나요?
남 그래요. 밖으로 나갑시다.

✪ 주요 어휘 및 표현

직업명		
engineer 엔지니어	fashion designer 패션 디자이너	computer programmer 컴퓨터 프로그래머
lawyer 변호사	photographer 사진작가	musician 음악가
songwriter 작곡가	cartoonist 만화가	news reporter 뉴스기자

주요 표현	
I take care of sick animals. 저는 아픈 동물들을 돌봐요. ⇒ 수의사(animal doctor, vet)	
I design and make houses and buildings. 저는 집과 빌딩을 디자인해서 만들어요. ⇒ 건축가(architect)	
What would you like to do with your hair? 머리 어떻게 하고 싶으세요? ⇒ 미용사(hairdresser)	

 **유형 07 화자의 심정**

🏅 대표 기출 문제

대화를 듣고, ❶ 여자의 심정으로 가장 적절한 것을 고르시오.

❷ ① 신남　　　　② 행복함　　　　③ 수줍음
④ 자랑스러움　　✔⑤ 걱정스러움

✗ 오답 함정　ㅇ 정답 근거

M　Stella, what's wrong?
W　David, ❸ **my cat is sick**. It couldn't eat anything yesterday.
　　→ 기르는 고양이가 아픈 상황이네요.
M　How about today?
W　No, nothing. I'm really **worried**.
　　→ 여자가 직접적으로 걱정된다고 말하네요.
M　Oh, that's too bad. Did you go and see an animal doctor?
W　Yes, but my cat's still sick.
M　**Don't worry** too much. I'm sure it'll be fine soon.
　　→ 남자가 걱정하지 말라고 위로의 말을 건네고 있어요.

❶ 여자의 심정을 묻고 있으므로, 여자의 말에 집중하세요.

❷ 직접적으로 심정을 말하는 경우도 있으니, 선택지의 내용을 영어로 떠올려 보세요.
excited, happy, shy, proud, worried

*영문으로 선택지가 주어지거나, 간접적으로 심정을 표현하는 경우가 대부분이니, 심정을 나타내는 어휘나 표현을 익혀두는 것이 중요해요.

❸ 주어진 상황이 긍정인지 부정인지를 알면, 심정을 쉽게 파악할 수 있어요.

남　Stella, 무슨 일이니?
여　David, 우리 고양이가 아파. 어제 아무것도 먹지 못했어.
남　오늘은 먹었어?
여　아니, 아무것도. 정말로 걱정이 돼.
남　아, 안됐다. 수의사한테 진료는 받았어?
여　응, 그런데 고양이가 아직도 아파.
남　너무 걱정하지 마. 분명 곧 괜찮아 질 거야.

⚙️ 주요 어휘 및 표현

심정을 나타내는 어휘	shy 수줍은, 부끄럼 타는 interested 관심 있는 surprised 놀란 worried 걱정스러운 tired 피곤한	proud 자랑스러운 excited 신이 난 angry 화난 upset 속상한, 마음이 상한 scared 겁먹은	happy 행복한 pleased 기쁜 bored 지루한 lonely 외로운	thankful 감사하는 relaxed 느긋한, 긴장을 푼 sad 슬픈 nervous 긴장된, 초조한
심정을 나타내는 표현 및 상황	Wow, I can't wait! 와, 기대된다! ⇒ **신이 난** My mom bought me a new computer. 우리 엄마가 새 컴퓨터를 사 주셨어. ⇒ **기쁜** I want to go out. There is nothing to do at home. 외출하고 싶어요. 집에서 할 게 없어요. ⇒ **지루한** I have an important test tomorrow. 내일 중요한 시험이 있어요. ⇒ **긴장된** My sister broke my guitar. 내 동생이 제 기타를 부러뜨렸어요. ⇒ **화난** I am very proud of her. 난 그녀가 정말 자랑스러워. ⇒ **자랑스러운**			

🎖 대표 기출 문제

1. 대화를 듣고, ❶ 여자가 겨울방학에 한 일로 가장 적절한 것을 고르시오.

❷ ① 스키타기　　　② 도자기 만들기　　　③ 축제 참가하기
　 ④ 가족 여행 가기　 ✓⑤ 아기 모자 만들기

✗오답 함정　ㅇ정답 근거

W Jinho, how was your winter vacation?

M Fantastic! I ❸ **went skiing** with my family. What about
　→ 남자는 스키를 타러 갔네요.
　you?

W I ❹ **made baby hats** for my little brother at home.
　　→ 여자는 아기 모자를 만들었어요.

M Wow! How long did it take to make them?

W It took around two days for each hat.

❶ 누가, 언제 한 일을 묻고 있는 지 확인하세요.

❷ 선택지 내용을 영어로 떠올려 보세요. 한 일은 과거를 의미해요.
went skiing, made pottery, festival, family trip, baby hat

❸ 남자가 한 일로 정답을 고르지 않도록 주의하세요.

❹ 남자의 질문에 이어지는 여자가 한 일을 잘 들었다면 정답을 고를 수 있어요.
→ What about you? 너는 어때?

여 진호야, 겨울 방학은 잘 보냈니?
남 끝내줬어! 가족하고 스키를 타러 갔거든. 넌 어떻게 보냈니?
여 나는 집에서 남동생에게 줄 아기 모자를 만들었어.
남 와! 그걸 만드는 데 얼마나 걸렸니?
여 모자 하나 당 이틀 씩 걸렸어.

---

2. 대화를 듣고, ❶ 여자가 대화 직후에 할 일로 가장 적절한 것을 고르시오.

❷ ① 병원 가기　　　② 스트레칭하기　　　③ 다른 영화 찾기
　 ④ 친구에게 전화하기　⑤ 휴대전화 전원 끄기

✗오답 함정　ㅇ정답 근거

W Dad! My neck really hurts.

M Why?

W I don't know. I was just ❸ **watching movies** on my
　cell phone.

M Oh, maybe you looked down too much.

W Ow! The pain is so strong.

M Then, **you should try stretching your neck.**
　　　　　　　　　　　　→ 스트레칭 하라고 충고하네요.

W Okay. ❹ **I'll do that now.**
　　　　→ 지금 스트레칭 하겠다고 말하는 내용이에요.

❶ 누가, 언제 할 일을 묻는지 확인하세요.

❷ 선택지 내용을 영어로 떠올려 보세요.
hospital, stretch, movie, friend, cell phone

❸ 선택지의 일부 내용이 대화에 등장해요. 오답 함정에 빠지지 않도록 유의하세요.

❹ 할 일은 앞으로 미래에 하게 될 일이에요. 미래를 나타내는 표현을 기억해두세요.
[기출] I'll[I will] ~ now. 지금 ~ 할게요.

여 아빠! 목이 너무 아파요.
남 왜 그러는데?
여 모르겠어요. 그냥 휴대폰으로 영화를 보고 있었거든요.
남 아, 네가 고개를 너무 밑으로 숙여서 그런가 보다.
여 아야! 고통이 너무 심해요.
남 그러면 목을 스트레칭 해보렴.
여 알겠어요. 지금 할게요.

⭐ 주요 표현

go skiing/camping/swimming/shopping 스키 타러/캠핑하러/수영하러/쇼핑하러 가다

walk the dog 개를 산책시키다	**send an email** 이메일을 보내다	**carry the box** 상자를 옮기다
ask for directions 길을 묻다	**wear a seatbelt** 안전벨트를 매다	**see a doctor** 진료를 받다
take a picture 사진을 찍다	**bring the map** 지도를 가져오다	**make a candle** 양초를 만들다

유형 09 화제 · 주제 추론

🏅 대표 기출 문제

1. 다음을 듣고, 'I'가 무엇인지 가장 적절한 것을 고르시오.

① ② ③ ④ ⑤

❶ 선택지 그림에 등장한 동물이나 사물의 특징을 나타내는 단어나 표현을 떠올려 보세요.
long nose, large, long legs, hard, soft, fur

❷ 간접적으로 설명하는 내용으로 시작하다가 점차 후반에는 결정적인 정답 근거를 제시해요. 언급된 특징을 모두 종합하여 정답을 찾으세요.

✗오답 함정 ○정답 근거

M I have ❷ four legs and large ears. I'm big and heavy.
My nose is very long, so I can hold anything with my
→ 코가 길고 코로 물건을 잡을 수 있는 동물이 정답이에요.
nose. I eat a lot. What am I?

남 나는 네 개의 다리와 큰 귀를 가지고 있어요. 크고 무겁기도 하지요. 내 코는 아주 길어서 무엇이든 잡을 수 있어요. 나는 많이 먹어요. 나는 누구일까요?

---

2. 대화를 듣고, 무엇에 관한 내용인지 가장 적절한 것을 고르시오.

① 수업 시간표　　② 축제 일정표　　③ 체험 학습 안내문
④ 동아리 모집 공고문　⑤ 미래 직업 포스터

❶ 선택지를 보고 핵심 주제들을 빠르게 훑어보세요. 일부라도 가능한 단어들은 영어로 한번 떠올려 보세요.
class, festival, field trip, club, future job, poster

❷ 주제를 나타내는 단어나 어구가 직접적으로 언급되거나, 여러 번 등장하기도 해요.
*주로 일상생활 소재로 한 대화 내용이지만, 간혹 특정 주제에 관한 내용도 등장해요.

✗오답 함정 ○정답 근거

W What are those posters on the wall, Junghoon?

M Hi, Mia. We made ❷ posters about future jobs during
→ 미래 직업에 관한 포스터라고 하네요.
class.

W Wow, there will be a lot of new jobs in the future!

M Yes. And this is my group's poster. It's about a drone
designer. → 남자가 만든 미래 직업 포스터는 드론 디자이너에 관한 것이에요.

W It looks nice.

여 정훈아, 벽에 있는 저 포스터들은 뭐니?
남 안녕, Mia. 우리 수업 시간에 미래의 직업에 대한 포스터를 만들었어.
여 와, 미래에는 새로운 직업들이 많이 있구나!
남 응. 그리고 이게 우리 그룹에서 만든 포스터야. 드론 디자이너에 관한 거야.
여 멋진 것 같아.

⭐ 주요 어휘 및 표현

특징과 쓰임	I am very tall and have a long neck. 나는 키가 아주 크고 긴 목이 있어요 I'm big and green. I live near rivers. 나는 크고 초록색이에요. 강 근처에서 살아요 You can see yourself in this. 당신은 이것 안에서 당신의 모습을 볼 수 있어요. Many people use this when they read at night. 많은 사람들은 밤에 독서를 할 때 이것을 사용해요.
자주 등장하는 일상 주제	hobby 취미　　club activities 동아리 활동　　volunteer 봉사활동　　sports day 운동회 holiday[vacation] plan 휴가 계획　　future job 미래 직업　　dream house 꿈의 집

🏅 대표 기출 문제

대화를 듣고, 두 사람이 함께 이용할 교통수단으로 가장 적절한 것을 고르시오.

① ① 기차　② 택시　③ 버스　④ 자전거　⑤ 지하철

✗ 오답 함정　o 정답 근거

M Hana, let's go to the history museum tomorrow.

W Okay. ❷ Do you want to take the subway?

M Hmm... The museum is far from the subway station.

W Then, ❸ what about taking a bus? It stops near the museum.

M Good. We can meet at the bus stop at 8.

W Okay. See you then.

❶ 선택지에 등장한 교통수단을 영어로 떠올려 보세요.

❷ 처음으로 언급되는 교통수단은 오답일 가능성이 높아요. 이어지는 내용을 집중하여 오답인지 확인해야 해요.
The museum is far from the subway station.
지하철역이 멀다고 말하면서 제안을 거절하네요.

❸ 다른 교통수단을 제안하는 내용이 등장해요. 이번 제안을 상대방이 수락하는지 확인하세요.

남　하나야, 내일 역사박물관에 가자.
여　그래. 지하철 타고 갈래?
남　음… 그 박물관은 지하철에서 멀어.
여　그러면 버스를 타는 게 어때? 박물관 근처에 정차하거든.
남　좋아. 버스 정류장에서 8시에 보면 돼.
여　알겠어. 그때 봐.

⚙ 주요 어휘 및 표현

교통수단	bus 버스	school bus 스쿨버스	shuttle bus 셔틀버스	city tour bus 시티투어버스
	train 기차	subway 지하철	railroad 철도	ship 배
	boat (작은) 배	airplane 비행기	air 항공	motorcycle 오토바이
	car 자동차	bicycle[bike] 자전거	on foot 걸어서	

빈출 표현	A: Why don't we take the subway? 우리 지하철 타는 게 어때? B: That's a great idea. The station is over there. 그거 좋은 생각이다. 그 역은 저쪽에 있어. A: I'll take you by car. 내가 차로 널 데려다줄게. B: Thanks. That will be great. 고마워요. 그게 좋을 것 같아요. A: How did you look around Seoul? 서울 주변을 어떻게 둘러봤어? B: I took the city tour bus. 시티투어버스를 탔어.

🏅 대표 기출 문제

대화를 듣고, 남자가 ❶ 야구장에 갈 수 <u>없는</u> 이유로 가장 적절한 것을 고르시오.

❷ ① 다리를 다쳐서　　　② 숙제를 해야 해서
③ 야구 경기가 취소되어서　　④ 표를 구하지 못해서
✓ ⑤ 할머니 댁을 방문해야 해서

✗오답 함정　O정답 근거

M Mom, can I go to the baseball stadium this Saturday?

W This Saturday? I'm afraid you can't.

M ❸ Why not?
　　➡이유를 묻고 있어요. 이어서 이에 대한 이유가 등장할 거예요.

W We should go to your grandmother's house for her
　　　　　　➡할머니 댁을 방문해야 해서 야구장에 갈 수 없네요.
birthday.

M Oh, is it this Saturday? I thought it was next Saturday.

W Why don't you go to the stadium on another day?

M Okay.

---

❶ 지시문에서 어떠한 이유를 묻고 있는 지 확인하세요.

❷ 선택지 내용을 영어로 떠올려 보세요.
hurt my leg, do homework, baseball game, ticket, grandmother's house

❸ 의문사 why를 사용하여 직접적으로 이유를 묻기도 하지만, 그렇지 않은 경우도 있어요.
전체 대화 흐름을 이해하고 말하는 사람이 처한 상황에 대해 정확하게 파악하는 것이 중요해요.

남 엄마, 이번 주 토요일에 야구장에 가도 될까요?
여 이번 주 토요일? 못 갈 것 같구나.
남 왜 안돼요?
여 우리는 할머니 생신이라 할머니 댁에 가야 해.
남 아, 그게 이번 주 토요일이에요? 다음 주 토요일인줄 알았어요.
여 야구장에는 다른 날에 가는 게 어떨까?
남 알겠어요.

⭐ 주요 표현

A: Why did you go to the train station? 왜 기차역에 갔니?
B: I went there to see my dad. 우리 아빠 보러 그곳에 갔어.

A: I'm going home from school. 학교에서 집에 가는 길이야.
B: Did you have classes today? 오늘 수업이 있었니?
A: No, I played basketball with my friends. 아니, 친구들이랑 농구했어.

A: You look tired. What did you do last night? 너 피곤해 보인다. 어젯밤에 무얼 했니?
B: My dog was sick, so I had to take care of him almost all night. 우리 개가 아파서, 거의 밤새 돌봐야 했어.

A: Could you help me with my math homework at lunch time? 점심시간에 내 수학 숙제 좀 도와줄래?
B: I'd love to, but I can't. I have a club meeting in the art room then. 그렇고 싶지만 할 수 없을 것 같아. 그때 미술실에서 동아리 모임이 있거든.

A: How can I help you? 무엇을 도와줄까?
B: I'd like to join the school singing contest. 저는 학교 노래 대회에 참가하고 싶어요.

🎖 대표 기출 문제

1. 대화를 듣고, 두 사람이 대화하는 장소로 가장 적절한 곳을 고르시오.

❶ ① 서점　　② 우체국　　③ 옷가게　　✓④ 미용실　　⑤ 체육관

✗오답 함정　O정답 근거

M　Hello. What can I do for you?

W　I'd like to ❷ get a haircut.
　　　　　→ 머리를 자르러 왔네요.

M　How short do you want it?

W　I want to **cut it about 5 centimeters**, so it's just **at my shoulders.**

M　Okay. Anything else?

W　No, that's all for today.

❶ 선택지에 제시된 장소를 확인해보세요. 특정 장소에 자주 사용되는 어휘나 표현들이 등장하기 때문에 미리 예상해 보면서 대화를 들어보세요.

❷ 두 사람 중 한 명은 대화 장소에서 일하는 사람일 가능성이 커요. 그 사람의 말에 집중하다 보면 쉽게 장소를 파악할 수 있어요.

남　안녕하세요. 무엇을 도와드릴까요?
여　머리를 자르고 싶은데요.
남　얼마나 짧게 자르고 싶으세요?
여　5센티미터 정도 잘라서 제 어깨 길이로 오게 하고 싶어요.
남　알겠습니다. 또 다른 건요?
여　아뇨, 오늘은 그게 전부입니다.

2. 대화를 듣고, 두 사람의 관계로 가장 적절한 것을 고르시오.

❶ ① 동요 작곡가 – 가수　　② 드라마 작가 – 연출가
　③ 오디션 참가자 – 심사 위원　　④ 오케스트라 단원 – 지휘자
　✓⑤ 공원 캠핑장 이용객 – 관리인

✗오답 함정　O정답 근거

W　Excuse me, sir. Can I ❷ set up my tent here?

M　No. One of ❸ **our park rules** is that you cannot set up tents here.
　　　　　→ 남자는 공원에서 일하는 사람임을 알 수 있어요.

W　Then, where should I go?

M　Look at this map. The ❸ **camping zone** is on the other side of the park.
　　　　　→ 여자에게 캠핑장 위치를 알려주네요.

W　Thank you.

❶ 선택지에 제시된 관계들을 확인해 보세요. 특정 직업을 가진 사람이 자주 사용하는 어휘나 표현들이 있으니 선택지들을 보면서 미리 등장할 어휘나 표현을 예상해 보세요.

❷ 첫 대화 초반부터 정답에 대한 힌트가 드러나기도 하지만 그렇지도 않은 경우도 있으니 유의하세요.

❸ 곳곳에 등장하는 장소나 직업에 대한 정보를 통해 관계를 알아낼 수 있어요.

여　실례합니다. 텐트를 여기에 설치해도 되나요?
남　안 됩니다. 저희 공원 규칙 중 하나가 이곳에 텐트를 설치하실 수 없는 겁니다.
여　그러면 어디로 가야 하나요?
남　이 지도를 보세요. 캠핑장은 공원 반대편에 있습니다.
여　감사합니다.

⚙ 주요 표현

동물 병원 (수의사와 동물 주인)	A: Doctor, my dog can't walk well. 선생님, 저희 개가 잘 못 걸어요. B: Let me see. What happened to her? 한 번 볼게요. 무슨 일이 있었나요?
서점 (점원과 손님)	A: I'm looking for a present for my son. 제 아들에게 줄 선물을 찾고 있어요. B: How about this? It's a book about history. 이건 어때요? 역사에 관한 책이에요.
자동차 정비소 (정비사와 차주인)	A: What's wrong with my car? 제 차에 무슨 문제가 있나요? B: I think you need to change the battery. 배터리를 교체하셔야 할 것 같아요.

유형 13 위치 찾기

🎖 대표 기출 문제

× 오답 함정 ○ 정답 근거

1. 대화를 듣고, 여자가 찾고 있는 버스 카드의 위치로 가장 적절한 것을 고르시오.

× 오답 함정 ○ 정답 근거

M Sumi, are you ready? We're in a hurry.

W Dad, did you see my bus card?

M Your bus card? Isn't it **on the table**?
→ 이어지는 응답을 보고 테이블 위에 있는지 확인하세요.

W No. I already checked but I couldn't find it.

M How about **next to the TV**?

W Um... *[Pause]* Oh, I found it. It's **on the sofa**.
→ 찾았다는 말에 이어서 위치에 대한 설명이 이어지네요.

---

❶ 그림 안에 있는 가구들을 살펴보고, 선택지가 있는 위치를 확인하여, 관련 어휘들을 떠올려 보세요.
on the floor, on the bookshelf, next to the TV, on the sofa, on the table

❷ 위치에 관해 여러 번 언급돼요. 이어지는 응답을 확인하여, 맞는 위치인지 아닌지를 파악해야 해요.

❸ '찾았다', '보인다' 등의 대사가 등장할 때까지 섣불리 정답을 고르지 않도록 유의하세요.

남 수미야, 준비 되었니? 우리 서둘러야 한다.
여 아빠, 제 버스 카드 보셨어요?
남 네 버스 카드? 그거 테이블 위에 있지 않니?
여 없어요. 이미 확인해봤는데, 찾을 수 없었어요.
남 TV 옆은 찾아봤니?
여 음… *[잠시 후]* 아, 찾았어요. 그건 소파 위에 있네요.

⭐ 주요 어휘

위치	on ~위에	under ~ 아래에	between A and B A와 B 사이에	next to ~옆에
	behind ~ 뒤에	in front of	across from ~ 맞은편에	

2. 대화를 듣고, 병원의 위치로 가장 알맞은 곳을 고르시오.

✗오답 함정 ○정답 근거

W Hi, Ted. What's wrong?

M I don't know. I'm not feeling very well. Is there a hospital around here?

W Yes, ❷ **go straight two blocks and turn right on Pine Street.**

M On Pine Street?

W Yes, it'll be **on your left.** It's ❸ **next to the bank.**

➜ 목적지는 왼편, 은행 옆에 있어요.

M Thank you.

❶ 지도를 살펴보면서, 출발점, 거리 이름, 주변 건물들의 위치를 확인하세요.

❷ 방향이나 위치를 나타내는 표현을 들으면서 지도 위의 출발점에서부터 길을 따라가면서 목적지를 찾아보세요.

*길 찾기에 자주 등장하는 표현은 미리 익혀두는 것이 좋아요.

❸ 목적지 주변 건물들의 위치를 확인하면서 정답을 고르세요.

여 안녕, Ted. 무슨 일 있니?
남 모르겠어. 나 별로 몸이 좋지 않아. 이 근처에 병원이 있니?
여 응, 똑바로 두 블록을 가서 Pine 가에서 오른쪽으로 돌아.
남 Pine 가에서?
여 응, 너의 왼편에 있을 거야. 은행 옆에 있어.
남 고마워.

☺ 주요 표현

길 묻기	I'm looking for a bookstore. 저는 서점을 찾고 있어요. Where is the nearest bus stop? 가장 가까운 버스 정류장은 어디에 있나요? How can I get to the hotel? 그 호텔에 어떻게 가나요? Is there any bank around here? 여기 주변에 은행이 있나요? Can you tell me the way to the flower shop? 꽃집으로 가는 길을 설명해주실래요?
길 설명하기	Go straight (for) two blocks and turn right[left]. 두 블록 직진해서 오른쪽[왼쪽]으로 도세요. Walk along this street. 이 길 따라 걸어가세요. It'll be on your right[left]. 그건 오른편[왼편]에 있을 거예요. It's across from the museum. 그건 박물관 맞은편에 있어요. You can't miss it. 쉽게 찾을 수 있어요.

대표 기출 문제

1. 대화를 듣고, ❶ 여자가 남자에게 부탁한 일로 가장 적절한 것을 고르시오.

❷ ① 화초 물 주기　② 책 반납하기　③ 설거지하기
✓ ④ 숙제 도와주기　⑤ 거실 청소하기

✕오답 함정　○정답 근거

W Dad, I'm ready to check today's to-do list.

M Okay. Did you ❸ water the plants?

W Yes. I also did the dishes after that.

M Good. What about your homework?

W No, I didn't do it. ❹ Can you help me with it?

M Sure. Let's start right away.　➜숙제를 도와달라고 부탁하고 있어요. 대명사 it은 homework를 가리켜요.

❶ 여자가 남자에게 부탁하는 것이니, 여자의 말에 집중해야 해요.

❷ 선택지 내용을 확인 후, 관련 단어들을 미리 떠올려 보세요.

❸ 오답 선택지 내용이 등장하는 경우가 있어요. 오답을 유도하는 함정일 뿐 정답으로 선택하지 않도록 주의하세요.

❹ 부탁한 일을 찾는 것이니, 부탁을 의미하는 표현을 익혀두면 쉽게 정답을 찾을 수 있어요.
　기출　Can[Could] you ~? ~ 해주실래요?

여 아빠, 오늘 해야 할 일 목록을 확인할 준비 됐어요.
남 그래. 화분에 물은 줬니?
여 네. 그러고 나서 설거지도 했어요.
남 잘했네. 숙제는 했니?
여 아뇨, 못했어요. 숙제 하는 것 도와주실래요?
남 물론이지. 당장 시작하자.

---

2. 대화를 듣고, ❶ 남자가 여자에게 제안한 것으로 가장 적절한 것을 고르시오.

❷ ① 풍선 불기　② 수박 자르기　③ 초대장 만들기
✓ ④ 케이크 사기　⑤ 테이블 정리하기

✕오답 함정　○정답 근거

M Nancy, what other things do we need for the party?

W Something to drink and a dessert.

M Okay, I'll bring some ❸ watermelon juice.

W Then, we'll need a cake for dessert.

M ❹ What about buying one from the bakery?
　➜케이크를 사자고 제안하네요. 대명사 one은 앞에서 언급된 cake를 가리켜요.

W Yeah, that sounds good.

❶ 남자가 여자에게 제안한 것이니, 남자의 말에 집중하세요.

❷ 선택지 내용을 확인 후, 관련 단어들을 미리 떠올려 보세요.

❸ 오답을 유도하는 함정이 등장하네요. 정답으로 선택하지 않도록 끝까지 집중해서 들어보세요.

❹ 제안을 의미하는 표현을 미리 익혀두세요.
　기출　What[How] about ~? ~은 어때?

남 Nancy, 파티에 필요한 물건이 또 뭐가 있지?
여 음료하고 디저트가 필요해.
남 알겠어, 내가 수박 주스를 좀 가져올게.
여 그러면 우리 디저트로 케이크가 필요할 거야.
남 빵집에서 하나 사는 게 어때?
여 응, 그게 좋겠어.

주요 표현

부탁 · 요청	Can you open the window? 창문을 열어줄래? Could you hold the door? 그 문을 잡아주시겠어요? Will you pass me the book? 그 책을 나한테 전달해줄래?
제안	Why don't you ask her? 그녀에게 물어보는 게 어때? Let's meet at the library then. 그때 도서관에서 만나자. How about buying some cookies here? 여기서 쿠키를 좀 사는 게 어때?

🎖 대표 기출 문제

1. 대화를 듣고, 남자의 마지막 말에 이어질 여자의 말로 가장 적절한 것을 고르시오.

Woman: _____

❶ ① He's fine.　　　　　✓② Sounds good.

③ It's cold now.　　　　④ Long time no see.

⑤ How are you doing?

✗오답 함정　O정답 근거

W　Justin, what do you want to write about for our science group report?

M　How about robots?

W　That's a good idea.

M　Let's write the first part of the report together.

W　Good. **How about tomorrow afternoon?**
　　➔ 여자가 먼저 내일 오후 시간을 제안했어요.

M　Actually, I have a club meeting at 2. ❷ **Let's meet at 4.**
　　　➔ 남자는 다른 일정 때문에, 다른 시간대를 제안해요.
　　　　제안에 이어서 승낙이나 거절의 응답이 자연스러워요.

W　_____

❶ 선택지가 영문으로 제시되기 때문에, 미리 훑어보는 것이 중요해요.

❷ 이어질 응답을 예상하기 위해서는 남자의 마지막 말을 잘 들어야 해요.

　*결정적인 정답 근거는 남자의 마지막 말에 등장하기도 하지만, 그렇지 않은 경우도 있으니 대화 전체 내용을 파악하고 흐름을 이해하는 것이 중요해요.

여　Justin, 우리 과학 그룹 과제로 뭘 작성하고 싶니?
남　로봇에 대해서 작성하는 게 어때?
여　좋은 생각이야.
남　같이 과제 첫 부분을 작성하자.
여　좋아. 내일 오후에 어때?
남　사실 나는 2시에 동아리 모임이 있어. 4시에 만나자.
여　_____

① 걔는 괜찮아.　② 좋은 것 같아.　③ 지금은 추워.
④ 오랜만이야.　⑤ 어떻게 지내?

---

2. 대화를 듣고, 남자의 마지막 말에 이어질 여자의 말로 가장 적절한 것을 고르시오.

Woman: _____

❶ ① I like winter.　　　　② My hobby is singing.

③ He wants to be a doctor.　④ She has a stomachache.

✓⑤ Let's go to Min's Restaurant.

✗오답 함정　O정답 근거

W　Paul, what do you want to **eat for dinner?**

M　I want some noodles.

W　What about some Vietnamese noodles?

M　Vietnamese noodles? Are they good?

W　Yes, you'll love them just like me. ❷ **Let's go get some.**
　　　　　　　➔ some은 Vietnamese noodles를 가리켜요.

M　Okay. ❸ **Where can we go?**
　　➔ 의문사 where에 대한 응답으로 장소에 대한 내용이 자연스러워요.

W　_____

❶ 선택지를 훑어보고 어떤 내용의 대화가 이어질지 예상해 보세요.

❷ 질문 – 대답의 흐름을 놓치지 마세요.
　저녁으로 무엇을 먹을지 의논하는 내용이에요.

❸ 마지막 말이 의문사 의문문일 경우, 의문사는 결정적인 정답 근거예요.

여　Paul, 저녁으로 무엇을 먹고 싶니?
남　나는 국수가 먹고 싶어.
여　베트남 국수를 먹는 게 어때?
남　베트남 국수 말이야? 그거 맛있어?
여　응, 너도 나처럼 좋아할 거야. 먹으러 가자.
남　좋아. 어디로 가면 되지?
여　_____

① 난 겨울이 좋아.
② 내 취미는 노래 부르기야.
③ 그는 의사가 되고 싶어 해.
④ 그녀는 배가 아파.
⑤ Min's 레스토랑에 가자.

PART. 02

Listening Q

^^^

중학영어듣기 모의고사

실전 모의고사

✕

실제 시험과 동일한 실전 모의고사 20회로 문제 풀이 감각을 익히고,
받아쓰기 훈련으로 듣기 실력 UP!

실전 모의고사 01

01 다음을 듣고, 'I'가 무엇인지 가장 적절한 것을 고르시오.

①   ②   ③

④   ⑤

02 대화를 듣고, 여자가 구입할 케이크로 가장 적절한 것을 고르시오.

①   ②   ③

④   ⑤

03 다음을 듣고, 내일 날씨로 가장 적절한 것을 고르시오.

①   ②   ③   ④   ⑤

04 대화를 듣고, 여자의 마지막 말의 의도로 가장 적절한 것을 고르시오.

① 제안   ② 불평   ③ 거절
④ 사과   ⑤ 승낙

05 다음을 듣고, 여자가 친구에 대해 언급하지 않은 것을 고르시오.

① 국적   ② 외모   ③ 취미
④ 가족   ⑤ 사는 곳

06 대화를 듣고, 두 사람이 만날 시각을 고르시오.

① 3:00 p.m.   ② 3:30 p.m.
③ 4:00 p.m.   ④ 4:30 p.m.
⑤ 5:00 p.m.

07 대화를 듣고, 여자의 장래 희망으로 가장 적절한 것을 고르시오.

① 기자   ② 건축가
③ 화가   ④ 패션 디자이너
⑤ 사업가

08 대화를 듣고, 남자의 휴가에 대한 내용으로 일치하지 않는 것을 고르시오.

① 가족과 함께 보냈다.
② 바닷가로 갔다.
③ 날씨가 화창하고 더웠다.
④ 바다에서 수영했다.
⑤ 모래에서 놀았다.

09 대화를 듣고, 남자가 대화 직후에 할 일로 가장 적절한 것을 고르시오.

① 입장권 구매하기   ② 정원 보러 가기
③ 공원에서 산책하기   ④ 지도 가져오기
⑤ 장미 사진 찍기

10 대화를 듣고, 무엇에 관한 내용인지 가장 적절한 것을 고르시오.

① 봉사활동 계획하기
② 새 친구 소개하기
③ 동아리 소개하기
④ 동아리 행사 의논하기
⑤ 학교 안내하기

11 대화를 듣고, 두 사람이 함께 이용할 교통수단으로 가장 적절한 것을 고르시오.

① 버스   ② 도보   ③ 지하철
④ 자전거   ⑤ 택시

12 대화를 듣고, 남자가 오늘 아침에 일찍 일어난 이유로 가장 적절한 것을 고르시오.

① 시험공부를 하기 위해서
② 학교에 일찍 가기 위해서
③ 기차 시간에 맞추기 위해서
④ 아빠와 운동하기 위해서
⑤ 일찍 일어나는 습관을 만들기 위해서

13 대화를 듣고, 두 사람의 관계로 가장 적절한 것을 고르시오.

① 팀장 – 팀원   ② 발명가 – 기자
③ 요리사 – 손님   ④ 매니저 – 가수
⑤ 교사 – 학생

14 대화를 듣고, 구내식당의 위치로 가장 알맞은 것을 고르시오.

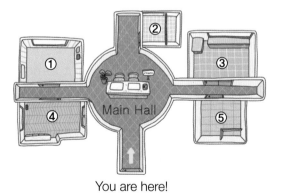

You are here!

15 대화를 듣고, 여자가 남자에게 부탁한 일로 가장 적절한 것을 고르시오.

① 교복 빨래하기   ② 거실 청소하기
③ 쿠키 사 오기   ④ 버터 건네주기
⑤ 설거지하기

16 대화를 듣고, 남자가 여자에게 제안한 것으로 가장 적절한 것을 고르시오.

① 요리하기   ② 장보러 가기
③ 피자 주문하기   ④ 요리책 사기
⑤ 도서관 같이 가기

17 대화를 듣고, 여자가 휴일에 한 일로 가장 적절한 것을 고르시오.

① 공원 청소하기   ② 공연 연습하기
③ 놀이기구 타기   ④ 영화 보러 가기
⑤ 숙제하기

18 대화를 듣고, 남자의 직업으로 가장 적절한 것을 고르시오.

① 헬스 트레이너   ② 배우
③ 파티 기획자   ④ 스포츠 기자
⑤ 축구팀 감독

[19-20] 대화를 듣고, 여자의 마지막 말에 이어질 남자의 응답으로 가장 적절한 것을 고르시오.

19 Man: _____

① Good. I'll take it.
② That's too bad.
③ It's so expensive.
④ I'd like to, but I can't.
⑤ All right. The T-shirt's $22.

20 Man: _____

① It's too late now.
② It's almost 5 o'clock.
③ I'm leaving in an hour.
④ We are going next Monday.
⑤ We should get ready before noon.

◇ 다시 듣고, 빈칸에 들어갈 알맞은 단어를 써보세요.

정답 및 해설 p.2

01 화제 추론

다음을 듣고, 'I'가 무엇인지 가장 적절한 것을 고르시오.

① ② ③
④ ⑤

W You can find me _____ _____
_____. I have a short tail and _____
_____. I also have pink skin, and I like to play in
the mud. I eat both _____ _____
_____. What am I?

02 그림 정보 파악

대화를 듣고, 여자가 구입할 케이크로 가장 적절한 것을 고르시오.

① ② ③
④ ⑤

🔊 **Listening Tip**
strawberries에서 'str'처럼 자음소리 3개가 뭉쳐 있을 때는 가운데 소리를 빼고 발음하게 되는 경우가 많아요. 즉 [strɔ:beriz]가 [srɔ:beriz]처럼 들릴 수가 있어요.

M May I help you?
W Yes, please. *I'm looking for a cake for _____
_____ _____.
M How about this one with _____ _____ on
it?
W It's nice, but my mom really _____ _____.
M Then, how about this one with 🔊 strawberries?
W Perfect! I'll _____ _____.

┌───
* **교육부 지정 의사소통 기능: 찾는 물건 말하기**   동(이) 7
I'm looking for ~. 저는 ~을 찾고 있어요.
• **I'm looking for** a bag. 저는 가방을 찾고 있어요.
• **I'm looking for** a cap for my brother. 저는 제 남동생이 쓸 모자를 찾고 있어요.
└───

03 그림 정보 파악

다음을 듣고, 내일 날씨로 가장 적절한 것을 고르시오.

① ② ③
④ ⑤

M Good evening. This is the weather forecast for tomorrow.
_____ _____ with strong winds now, but
tomorrow morning, the rain _____ _____.
It'll be _____ and _____ across the
country. Thank you.

04 의도 파악

대화를 듣고, 여자의 마지막 말의 의도로 가장 적절한 것을 고르시오.

① 제안 ② 불평 ③ 거절
④ 사과 ⑤ 승낙

M Amy, did you make this bag?
W Yes, I did. _____ _____ _____
like it?
M Wow, it's amazing. I really like it.

W I made the bag from _____ _____ _____ in the Eco-Green club.

M I want to recycle my old clothes, too.

W _____ _____ _____ join the club? It'll be fun.

---

05 언급하지 않은 내용 찾기

다음을 듣고, 여자가 친구에 대해 언급하지 <u>않은</u> 것을 고르시오.

① 국적 ② 외모 ③ 취미
④ 가족 ⑤ 사는 곳

W Hi, everyone. Let me introduce my best friend Emma. She's from Canada. She has _____ _____ _____ . Her _____ is riding a bike. She and I often _____ _____ _____ along the river. She has 2 _____ _____ . They are very cute and friendly. I really like her and _____ _____ .

---

06 숫자 정보 파악 (시각)

대화를 듣고, 두 사람이 만날 시각을 고르시오.

① 3:00 p.m.   ② 3:30 p.m.
③ 4:00 p.m.   ④ 4:30 p.m.
⑤ 5:00 p.m.

🔊 **Listening Tip**

we can ... 의 can은 조동사라서 문장 안에서 강세가 없어서 /캔/이 아니라 /큰/으로 발음해요. can이 의문문에 쓰일 때는 조동사이더라도 문장 강세가 있어서 /캔/에 가깝게 발음하지요.

M Suji, do you want to go to the library tomorrow afternoon?

W That sounds good. I have to borrow a book.

M That's great. What time _____ _____ _____ ?

W How about 3 p.m.?

M Sorry, I have a _____ _____ _____ 3:30.

W Then we 🔊 can _____ _____ 4 o'clock.

M Okay. Let's meet _____ _____ _____ the library.

---

07 장래 희망 파악

대화를 듣고, 여자의 장래 희망으로 가장 적절한 것을 고르시오.

① 기자   ② 건축가
③ 화가   ④ 패션 디자이너
⑤ 사업가

M Jane, can I see _____ _____ ?

W Sure. Here you are.

M Wow, you drew _____ _____ _____ in your sketchbook.

W Yes, I want to _____ _____ in the future.

M I think you'll be a great architect.

대화를 듣고, 남자의 휴가에 대한 내용으로 일치하지 <u>않는</u> 것을 고르시오.

① 가족과 함께 보냈다.
② 바닷가로 갔다.
③ 날씨가 화창하고 더웠다.
④ 바다에서 수영했다.
⑤ 모래에서 놀았다.

W How was your vacation with your family, Ben?
M It was good. We went to the beach.
W How was _____ _____?
M It was _____ and _____.
W Did you _____ _____?
M No, I didn't.
W Then what did you do there?
M I _____ _____ _____
   _____.

대화를 듣고, 남자가 대화 직후에 할 일로 가장 적절한 것을 고르시오.

① 입장권 구매하기
② 정원 보러 가기
③ 공원에서 산책하기
④ 지도 가져오기
⑤ 장미 사진 찍기

W Here we are! This is Getty Park.
M This park is _____ _____.
W Dad, can we go to the rose garden, first? I want to see
   _____ _____.
M Of course. First, let's _____ _____
   _____.
W Right. [Pause] The maps are over there.
M I'll go and _____ _____.

대화를 듣고, 무엇에 관한 내용인지 가장 적절한 것을 고르시오.

① 봉사활동 계획하기
② 새 친구 소개하기
③ 동아리 소개하기
④ 동아리 행사 의논하기
⑤ 학교 안내하기

W Hi. I'm Mina. Let me introduce the Happy Club.
M Okay. What do you do in _____ _____?
W We help people _____ _____. We put on plays to raise money.
M _____ _____ do you practice?
W We practice every Thursday _____ _____.
M Cool. Can I join your club?
W Of course.

대화를 듣고, 두 사람이 함께 이용할 교통수단으로 가장 적절한 것을 고르시오.

① 버스   ② 도보   ③ 지하철
④ 자전거   ⑤ 택시

W Matt, where is Sam's birthday party?
M It's at Thomas Pizza.
W It's _____ _____ from here. Let's
   _____ _____.
M But it's already 4:40. The party starts at 5 o'clock.

W I see. Shall we _____ _____ _____ then?

M Sure. *[Pause]* Here comes a taxi. Let's take _____ _____ .

12 이유 파악

대화를 듣고, 남자가 오늘 아침에 일찍 일어난 이유로 가장 적절한 것을 고르시오.

① 시험공부를 하기 위해서
② 학교에 일찍 가기 위해서
③ 기차 시간에 맞추기 위해서
④ 아빠와 운동하기 위해서
⑤ 일찍 일어나는 습관을 만들기 위해서

W You look tired. What's wrong?

M I _____ _____ at 5 this morning.

W Why did you get up so early?

M I had to _____ _____ _____ _____ .

W So that's why you look tired. I usually _____ _____ _____ 6 in the morning.

M Really? Why?

W I _____ _____ with my dad every morning.

13 관계 추론

대화를 듣고, 두 사람의 관계로 가장 적절한 것을 고르시오.

① 팀장 – 팀원   ② 발명가 – 기자
③ 요리사 – 손님   ④ 매니저 – 가수
⑤ 교사 – 학생

M Does anyone have any questions about the group project?

W I _____ _____ _____ , Mr. Carter.

M Yes, Maggie?

W How many people are there in a group?

M There are 4 people. _____ _____ _____ has to be the team leader.

W Okay.

M All right. That's all for today. See you _____ _____ .

14 그림 정보 파악 (위치)

대화를 듣고, 구내식당의 위치로 가장 알맞은 것을 고르시오.

M Excuse me. Where did you get that coffee?

W I got it from the cafeteria.

M It's my first day here. Can you tell me _____ _____ _____ there?

W Sure. Go _____ and _____ _____ at the Main Hall.

M Turn right?

W Yes. You'll find the cafeteria _____ _____ _____ .

M Thanks.

대화를 듣고, 여자가 남자에게 부탁한 일로 가장
적절한 것을 고르시오.

① 교복 빨래하기　　② 거실 청소하기
③ 쿠키 사 오기　　④ 버터 건네주기
⑤ 설거지하기

M Mom, did you wash my school uniform?
W Yes, I ＿＿＿＿＿＿ ＿＿＿＿＿＿. It's in the living room.
M Thanks. What are you making?
W I'm making ＿＿＿＿＿＿ ＿＿＿＿＿＿.
M I love your cookies. Do you ＿＿＿＿＿＿ ＿＿＿＿＿＿?
W Oh, yes. Can you ＿＿＿＿＿＿ ＿＿＿＿＿＿ the butter?
It's in the bowl.
M Sure. No problem.

대화를 듣고, 남자가 여자에게 제안한 것으로 가
장 적절한 것을 고르시오.

① 요리하기　　② 장보러 가기
③ 피자 주문하기　　④ 요리책 사기
⑤ 도서관 같이 가기

M Anna, I made this pizza. Do you ＿＿＿＿＿＿
＿＿＿＿＿＿ ＿＿＿＿＿＿ it?
W Sure. [Pause] It's really good.
M Thanks. Do you like cooking?
W I do, but I am ＿＿＿＿＿＿ ＿＿＿＿＿＿ ＿＿＿＿＿＿
＿＿＿＿＿＿.
M I can teach you. Let's ＿＿＿＿＿＿ ＿＿＿＿＿＿
＿＿＿＿＿＿.
W That's a great idea.

대화를 듣고, 여자가 휴일에 한 일로 가장 적절한
것을 고르시오.

① 공원 청소하기　　② 공연 연습하기
③ 놀이기구 타기　　④ 영화 보러 가기
⑤ 숙제하기

M *What did you do ＿＿＿＿＿＿ ＿＿＿＿＿＿
＿＿＿＿＿＿, Emily?
W I went to Seoul Grand Park ＿＿＿＿＿＿ ＿＿＿＿＿＿
＿＿＿＿＿＿.
M That sounds great! What did you do ＿＿＿＿＿＿
＿＿＿＿＿＿ ＿＿＿＿＿＿?
W We went on ＿＿＿＿＿＿ ＿＿＿＿＿＿ and watched fun
shows.
M What ride did you go on?
W I went on the roller coaster many times. It was
＿＿＿＿＿＿ ＿＿＿＿＿＿ ＿＿＿＿＿＿.

＊ **교육부 지정 의사소통 기능: 과거에 한 일 묻기**　　동(윤) 4 | 동(이) 4 | 천(이) 5 | 미 4 | Y(박) 3

What did you do ~? 너는 (과거 ~ 시점에) 무엇을 했니?
• **What did you do** yesterday? 너는 어제 무엇을 했니?
• **What did you do** last weekend? 너는 지난 주말에 무엇을 했니?

18 직업 추론

대화를 듣고, 남자의 직업으로 가장 적절한 것을 고르시오.

① 헬스 트레이너　　② 배우
③ 파티 기획자　　　④ 스포츠 기자
⑤ 축구팀 감독

M　Lisa, you did _____ _____ _____ today!

W　Thank you. I'm so glad we _____ _____ _____.

M　Your goal saved our team. You _____ _____ _____ so well.

W　_____ _____ was helpful, Coach.

M　I'm happy to hear that. Don't forget about the party tonight.

W　I won't. I'll see you there.

19 이어질 응답 찾기

대화를 듣고, 여자의 마지막 말에 이어질 남자의 응답으로 가장 적절한 것을 고르시오.

Man: _____

① Good. I'll take it.
② That's too bad.
③ It's so expensive.
④ I'd like to, but I can't.
⑤ All right. The T-shirt's $22.

M　May I help you?

W　Do you have this T-shirt _____ _____?

M　Of course. What size would you like?

W　I'd like _____ _____ _____, please.

M　Here you are. The fitting room is _____ _____.

W　That's okay. I don't need to _____ _____ _____.

20 이어질 응답 찾기

대화를 듣고, 여자의 마지막 말에 이어질 남자의 응답으로 가장 적절한 것을 고르시오.

Man: _____

① It's too late now.
② It's almost 5 o'clock.
③ I'm leaving in an hour.
④ We are going next Monday.
⑤ We should get ready before noon.

◀》 **Listening Tip**
'nt'나 'nd'가 단어 가운데 올 때 [t] 소리는 [n] 소리에 동화되어 거의 들리지 않아요. winter가 /윈터/보다 /위널/로 들릴 때가 많을 거예요.

W　Do you have any plans for this ◀》 winter break?

M　I'm _____ _____ with my friends. Do you want to _____ _____?

W　I'm not sure. I'm not a good skier.

M　You should _____ _____. I can help you. It's really easy.

W　Okay, I'll join you. _____ _____ _____ _____ to go?

실전 모의고사 02

01 다음을 듣고, 'this'가 가리키는 것으로 가장 적절한 것을 고르시오.

① 　② 　③

④ 　⑤

02 대화를 듣고, 여자가 만들고 있는 가방으로 가장 적절한 것을 고르시오.

① 　② 　③

④ 　⑤

03 다음을 듣고, 내일 아침 날씨로 가장 적절한 것을 고르시오.

①　②　③　④　⑤

04 대화를 듣고, 여자의 마지막 말의 의도로 가장 적절한 것을 고르시오.

① 사과　② 감사　③ 격려
④ 충고　⑤ 축하

05 다음을 듣고, 남자가 영화에 대해 언급하지 않은 것을 고르시오.

① 제목　② 장르　③ 주인공 이름
④ 상영 시간　⑤ 상영 장소

06 대화를 듣고, 회의가 시작되는 시각을 고르시오.

① 2:40 p.m.　② 2:50 p.m.　③ 3:00 p.m.
④ 3:10 p.m.　⑤ 3:20 p.m.

07 대화를 듣고, 남자의 장래 희망으로 가장 적절한 것을 고르시오.

① 도서관 사서　② 사진작가
③ 광고 기획자　④ 소설가
⑤ 생물학자

08 대화를 듣고, 남자의 심정으로 가장 적절한 것을 고르시오.

① 기쁨　② 화남　③ 부러움
④ 걱정스러움　⑤ 자랑스러움

09 대화를 듣고, 남자가 대화 직후에 할 일로 가장 적절한 것을 고르시오.

① 토스트 만들기　② 채소 다듬기
③ 상 차리기　④ 음식 맛보기
⑤ 아빠 불러오기

10 대화를 듣고, 무엇에 관한 내용인지 가장 적절한 것을 고르시오.

① 동물 보호하기　② 미술 숙제하기
③ 프로젝트 분담하기　④ 동아리 방 꾸미기
⑤ 컴퓨터 구입하기

11 대화를 듣고, 두 사람이 함께 이용할 교통수단으로 가장 적절한 것을 고르시오.

① 택시   ② 버스   ③ 지하철
④ 자전거   ⑤ 도보

12 대화를 듣고, 남자가 제빵 동아리에 가입한 이유로 가장 적절한 것을 고르시오.

① 선생님이 추천해서
② 제빵사가 되기 위해서
③ 빵을 잘 만들고 싶어서
④ 빵과 케이크를 좋아해서
⑤ 사과 파이를 선물하기 위해서

13 대화를 듣고, 두 사람이 대화하는 장소로 가장 적절한 곳을 고르시오.

① 식당   ② 박물관   ③ 관광안내소
④ 공항   ⑤ 기차역

14 대화를 듣고, 남자가 찾고 있는 자동차 열쇠의 위치로 가장 적절한 것을 고르시오.

15 대화를 듣고, 여자가 남자에게 부탁한 일로 가장 적절한 것을 고르시오.

① 문 열어주기   ② 창문 닫기
③ 함께 외출하기   ④ 날씨 알려주기
⑤ 따뜻한 차 가져오기

16 대화를 듣고, 여자가 남자에게 제안한 것으로 가장 적절한 것을 고르시오.

① 함께 개 찾기   ② 개 산책시키기
③ 경찰에 신고하기   ④ 동물병원에 전화하기
⑤ 유기견 입양하기

17 대화를 듣고, 여자가 어제 한 일로 가장 적절한 것을 고르시오.

① TV 보기   ② 숙제하기
③ 콘서트 가기   ④ 동생 숙제 도와주기
⑤ 운동경기 관람하기

18 대화를 듣고, 남자의 직업으로 가장 적절한 것을 고르시오.

① 경찰관   ② 수의사   ③ 자원봉사자
④ 신문기자   ⑤ 동물 훈련사

[19-20] 대화를 듣고, 남자의 마지막 말에 이어질 여자의 말로 가장 적절한 것을 고르시오.

19 Woman: _____

① That's very kind of you.
② I'm glad to hear the news.
③ Thank you for your advice.
④ I hope you get better soon.
⑤ Sure, I love to watch soccer games.

20 Woman: _____

① Thank you so much.
② I have lunch at 2 o'clock.
③ I'm sorry, but I'm too busy.
④ I'm free all day this Saturday.
⑤ The tomato soup is very delicious.

Dictation 02

◆ 다시 듣고, 빈칸에 들어갈 알맞은 단어를 써보세요.

정답 및 해설 p.8

01 화제 추론

다음을 듣고, 'this'가 가리키는 것으로 가장 적절한 것을 고르시오.

① ② ③
④ ⑤

M This is a vegetable. People collect this _____ _____ _____. Some people _____ _____ with this. This tastes a little sweet, but many children _____ _____ this. This is usually long and orange. People usually call this _____ _____. What is this?

02 그림 정보 파악

대화를 듣고, 여자가 만들고 있는 가방으로 가장 적절한 것을 고르시오.

① ② ③
④ ⑤

M What are you doing, Jimin?
W I'm _____ _____ _____ for my brother.
M Wow! This is really nice. Is his birthday coming up?
W Yes, it's tomorrow.
M I really like the cat _____ _____ _____.
W Thanks, I hope he _____ _____, too.

03 날씨 파악

다음을 듣고, 내일 아침 날씨로 가장 적절한 것을 고르시오.

① ② ③
④ ⑤

W Hello. Here is the weather report for today and tomorrow. It is _____ _____. But this afternoon _____ _____ _____ and later tonight it'll ◀) start raining. The rain will continue _____ _____. But it will stop tomorrow afternoon.

◀) Listening Tip

'st', 'sp', 'sk'로 시작하는 단어에서 [t], [p], [k] 소리는 /ㄸ/, /ㅃ/, /ㄲ/와 같은 된소리로 발음해요. start는 /스타트/보다는 /스따트/로 들릴 거예요.

✱ 교육부 지정 의사소통 기능: 날씨 말하기   동(윤) 5 | 천(이) 1

It is ~. (날씨가) ~하다.
• **It's sunny.** 날씨가 화창하다.   • **It's raining.** 비가 오고 있다.

04 의도 파악

대화를 듣고, 여자의 마지막 말의 의도로 가장 적절한 것을 고르시오.

① 사과 ② 감사 ③ 격려
④ 충고 ⑤ 축하

M Sarah, you don't look so well. Is something wrong?
W I think I _____ _____ _____.
M That's too bad. Do you _____ _____ _____?

W Yes, and I have a headache, too.

M Oh no! You should _____ _____

_____.

W You're right. I'll go and talk to the teacher.

M *I hope you _____ _____ soon.

W _____. I'll see you later.

※ 교육부 지정 의사소통 기능: **희망·기대 표현하기**   금 8ㅣ다 6

I hope ~. ~하기를 바랄게요.

• **I hope** you like it. 마음에 들면 좋겠어요.
• **I hope** you'll have a good time. 좋은 시간이 되기를 바랄게.

---

05 언급하지 않은 내용 찾기

다음을 듣고, 남자가 영화에 대해 언급하지 <u>않은</u> 것을 고르시오.

① 제목   ② 장르
③ 주인공 이름   ④ 상영 시간
⑤ 상영 장소

M I'll talk about the movie *My Father*. The movie is a _____ _____. It is about a 15-year-old boy and _____ _____ _____. The movie is 2 _____ _____, but you'll laugh, cry and enjoy it. You can watch the movie _____ _____ now.

---

06 숫자 정보 파악 (시각)

대화를 듣고, 회의가 시작되는 시각을 고르시오.

① 2:40 p.m.   ② 2:50 p.m.
③ 3:00 p.m.   ④ 3:10 p.m.
⑤ 3:20 p.m.

W What time _____ _____ now?

M It's 10 to 3.

W 10 to 3? We should _____ _____.
We are late for the meeting.

M What time does the meeting start?

W It _____ _____ 3 o'clock.

M Don't worry. We still have _____ _____.

---

07 장래 희망 파악

대화를 듣고, 남자의 장래 희망으로 가장 적절한 것을 고르시오.

① 도서관 사서   ② 사진작가
③ 광고 기획자   ④ 소설가
⑤ 생물학자

W Jiho, what are you reading?

M I'm reading a book _____ _____.

W Are you interested in taking pictures?

M Yes, I am. _____ _____ _____ be a photographer and _____ _____ _____ nature.

W Great! I hope your dream _____ _____.

M Thank you.

08 심정 파악

대화를 듣고, 남자의 심정으로 가장 적절한 것을 고르시오.

① 기쁨　　　② 화남
③ 부러움　　④ 걱정스러움
⑤ 자랑스러움

M Wow, I really like your T-shirt. How much did it cost?

W Not very much. It _____ _____
_____.

M Where did you _____ _____?

W I got it from the _____ _____ on the
corner.

M I want to get a new T-shirt like yours.

W The shop has many things, and _____
_____ _____ good.

09 할 일 파악

대화를 듣고, 남자가 대화 직후에 할 일로 가장 적절한 것을 고르시오.

① 토스트 만들기　② 채소 다듬기
③ 상 차리기　　　④ 음식 맛보기
⑤ 아빠 불러오기

M Mom, I'm hungry. What's _____ _____?

W I'm making garlic toast. You and your dad like it.

M Wow! I really love your toast. Do you need _____
_____?

W Yes. Can you _____ _____ _____
for me?

M Okay.

10 주제 추론

대화를 듣고, 무엇에 관한 내용인지 가장 적절한 것을 고르시오.

① 동물 보호하기
② 미술 숙제하기
③ 프로젝트 분담하기
④ 동아리 방 꾸미기
⑤ 컴퓨터 구입하기

W Our club room _____ _____
_____. Do you have any suggestions?

M How about painting on _____ _____?

W That's a great idea. What should _____
_____?

M Our club is a computer club. So I think we should paint
computers on the walls.

W That's not a bad idea. Let's ask _____
_____ _____ _____, too.

11 교통수단 찾기

대화를 듣고, 두 사람이 함께 이용할 교통수단으로 가장 적절한 것을 고르시오.

① 택시　　② 버스　　③ 지하철
④ 자전거　⑤ 도보

W Sam, what time is it now?

M It's 3 o'clock now. The movie starts at 3:30.

W *Why don't we walk to the movie theater? We
_____ _____ _____.

M No, we don't. We have to buy popcorn, too. How about
_____ _____ _____?

W You're right. Then let's hurry to _____

_____ _____.

M Okay.

12 이유 파악

대화를 듣고, 남자가 제빵 동아리에 가입한 이유
로 가장 적절한 것을 고르시오.

① 선생님이 추천해서
② 제빵사가 되기 위해서
③ 빵을 잘 만들고 싶어서
④ 빵과 케이크를 좋아해서
⑤ 사과 파이를 선물하기 위해서

W Jay, which club are you in?

M I'm in the _____ _____.

W Are you good at baking?

M Not really. I joined the club because I want to _____ _____ _____ it.

W Oh, I see.

M We are baking _____ _____ tomorrow. I'll bring you some.

W Sure. I _____ _____!

13 장소 추론

대화를 듣고, 두 사람이 대화하는 장소로 가장 적
절한 곳을 고르시오.

① 식당　　② 박물관　　③ 관광안내소
④ 공항　　⑤ 기차역

M _____ _____ _____ here 30 minutes ago, but my bag is not here yet.

W Let me check for you, sir. Where did _____ _____ _____?

M I came from Washington.

W Okay. *[Pause]* Oh, are you Tony Jones?

M Yes, I am.

W Somebody _____ _____ _____ by mistake, but later returned it.

M That's great. Where is it?

W _____ _____ _____. I'll take you there.

14 그림 정보 파악 (위치)

대화를 듣고, 남자가 찾고 있는 자동차 열쇠의 위
치로 가장 적절한 것을 고르시오.

M Oh, I'm going to _____ _____ _____ work. Did you see my car key?

W Isn't it _____ _____ _____?

M No, it's not.

W Dad, there it is. It's _____ _____ _____.

M On the books? I _____ _____ _____ books here.

W The books are on the chair.

M Oh, I see them. Thanks.

15 부탁 파악

대화를 듣고, 여자가 남자에게 부탁한 일로 가장 적절한 것을 고르시오.

① 문 열어주기　② 창문 닫기
③ 함께 외출하기　④ 날씨 알려주기
⑤ 따뜻한 차 가져오기

W Henry, can you _____ _____ _____ _____?

M Of course. What is it?

W Can you please _____ _____ _____? I have a cold, and it's _____ _____ today.

M Sure. No problem.

W Thanks.

16 제안 파악

대화를 듣고, 여자가 남자에게 제안한 것으로 가장 적절한 것을 고르시오.

① 함께 개 찾기
② 개 산책시키기
③ 경찰에 신고하기
④ 동물병원에 전화하기
⑤ 유기견 입양하기

W Bill, is _____ _____?

M I lost my dog Sena yesterday.

W I'm sorry to hear that. Where did you 🔊 lose her?

M In the park _____ _____ _____.

W Why don't we go back to the park and _____ _____ _____? I'm free all day.

M Really? Thanks.

🔊 **Listening Tip**

lose her에서 대명사인 her는 역할어라서 강세가 없어요. 강세가 없을 때 'h'는 발음하지 않으므로 앞 단어인 lose와 연음되어 /루절/로 발음되어요.

17 한 일 파악

대화를 듣고, 여자가 어제 한 일로 가장 적절한 것을 고르시오.

① TV 보기
② 숙제하기
③ 콘서트 가기
④ 동생 숙제 도와주기
⑤ 운동경기 관람하기

W What did you do after school yesterday?

M Well, I _____ _____ _____ with her homework at home. Then I watched TV before bedtime. What about you?

W I went to the BTC _____ _____ _____ _____.

M Wow, my sister wanted to _____ _____, too. How was it?

W It was so much fun. We _____ _____ _____ along.

대화를 듣고, 남자의 직업으로 가장 적절한 것을 고르시오.

① 경찰관   ② 수의사   ③ 자원봉사자
④ 신문기자   ⑤ 동물 훈련사

M _____ _____ with your dog?

W My dog Baru won't _____ _____. I'm worried about him, Dr. Kim.

M What happened? Did he eat _____ _____?

W No, I don't think so.

M Then let me _____ _____ _____ at him.

대화를 듣고, 남자의 마지막 말에 이어질 여자의 말로 가장 적절한 것을 고르시오.

Woman: _____

① That's very kind of you.
② I'm glad to hear the news.
③ Thank you for your advice.
④ I hope you get better soon.
⑤ Sure, I love to watch soccer games.

W Do you have a hobby, Jack?

M Yes, I do. I like to _____ _____. How about you?

W I like to _____ _____ _____.

M Do you play any sports?

W No, I don't. I'm not _____ _____ _____.

M Do you like _____ _____ then?

대화를 듣고, 남자의 마지막 말에 이어질 여자의 말로 가장 적절한 것을 고르시오.

Woman: _____

① Thank you so much.
② I have lunch at 2 o'clock.
③ I'm sorry, but I'm too busy.
④ I'm free all day this Saturday.
⑤ The tomato soup is very delicious.

W This pizza is very delicious. Where did you order it?

M I _____ _____ at home.

W You did? _____ _____ can you make?

M Well, I can make tomato soup. That's easy.

W Can you _____ _____? I want to make some for my mom.

M Sure. _____ _____ _____ have time?

실전 모의고사 **03**

점수 /20

01 다음을 듣고, 'these'가 가리키는 것으로 가장 적절한 것을 고르시오.

① 　② 　③

④ 　⑤

02 대화를 듣고, 남자가 구입할 모자로 가장 적절한 것을 고르시오.

① 　② 　③

④ 　⑤

03 다음을 듣고, 오늘 시드니의 날씨로 가장 적절한 것을 고르시오.

①　②　③　④　⑤

04 대화를 듣고, 남자의 마지막 말의 의도로 가장 적절한 것을 고르시오.

① 충고　　② 감사　　③ 용서
④ 사과　　⑤ 제안

05 다음을 듣고, 여자가 자신이 사는 곳에 대해 언급하지 않은 것을 고르시오.

① 주거 형태　　② 동네 이름
③ 학교까지 거리　　④ 주변 환경
⑤ 이웃 사람들

06 대화를 듣고, 남자가 탈 버스의 출발 시각을 고르시오.

① 8:00 a.m.　② 9:15 a.m.　③ 9:20 a.m.
④ 9:50 a.m.　⑤ 12:00 p.m.

07 대화를 듣고, 여자의 장래 희망으로 가장 적절한 것을 고르시오.

① 의사　　② 아나운서　　③ 소방관
④ 경찰관　　⑤ 뉴스 리포터

08 대화를 듣고, 여자가 한 봉사활동에 대한 내용으로 일치하지 <u>않는</u> 것을 고르시오.

① 동아리 활동이었다.
② 동물센터에서 일했다.
③ 개들을 산책시켰다.
④ 개집을 청소했다.
⑤ 이번 주 토요일에 다시 갈 예정이다

09 대화를 듣고, 남자가 대화 직후에 할 일로 가장 적절한 것을 고르시오.

① 후식 주문하기　　② 과일 사러 가기
③ 점심 먹기　　④ 애플파이 가져오기
⑤ 양치질하기

10 대화를 듣고, 무엇에 관한 내용인지 가장 적절한 것을 고르시오.

① 교복　　② 담임 선생님
③ 대중교통　　④ 좋아하는 색
⑤ 좋아하는 패션

11 대화를 듣고, 여자가 이용할 교통수단으로 가장 적절한 것을 고르시오.

① 기차　　② 버스　　③ 택시

④ 배　　⑤ 비행기

12 대화를 듣고, 여자가 전화한 이유로 가장 적절한 것을 고르시오.

① 식사를 예약하기 위해서

② 잃어버린 스카프를 찾기 위해서

③ 새 담요를 사기 위해서

④ 새로운 메뉴를 알아보기 위해서

⑤ 특별식을 주문하기 위해서

13 대화를 듣고, 두 사람의 관계로 가장 적절한 것을 고르시오.

① 교사 – 학생　　② 독자 – 작가

③ 면접관 – 지원자　　④ 경찰관 – 신고자

⑤ 영화감독 – 배우

14 대화를 듣고, 남자가 찾고 있는 티셔츠의 위치로 가장 적절한 것을 고르시오.

15 대화를 듣고, 여자가 남자에게 부탁한 일로 가장 적절한 것을 고르시오.

① 마중 나오기　　② 방 청소하기

③ 샌드위치 만들기　　④ 집에 일찍 오기

⑤ 차 태워주기

16 대화를 듣고, 남자가 여자에게 제안한 것으로 가장 적절한 것을 고르시오.

① 같이 숙제하기

② 좋은 친구 사귀기

③ 성적에 얽매이지 말기

④ 선생님의 조언 구하기

⑤ 스터디 그룹에 참여하기

17 대화를 듣고, 여자가 주말에 한 일로 가장 적절한 것을 고르시오.

① 스키 강습 받기　　② 만화 보기

③ 스케이트 타기　　④ 미술관 가기

⑤ 그림 그리기

18 대화를 듣고, 남자의 직업으로 가장 적절한 것을 고르시오.

① 교통 경찰관　　② 열차 매표원

③ 비행기 승무원　　④ 입국 심사관

⑤ 관광 가이드

[19-20] 대화를 듣고, 남자의 마지막 말에 이어질 여자의 말로 가장 적절한 것을 고르시오.

19 Woman: _____

① That sounds good!

② That's too bad.

③ I'll wait for her.

④ Congratulations!

⑤ I'm sorry, but I'm too busy.

20 Woman: _____

① Okay. I'll take you home.

② Of course. You can use my car.

③ No problem. I'll give you a hand.

④ You'll find it in the living room.

⑤ Sure. The bathroom is next to the kitchen.

Dictation 03

◆ 다시 듣고, 빈칸에 들어갈 알맞은 단어를 써보세요.

정답 및 해설 p.14

---

01 화제 추론

다음을 듣고, 'these'가 가리키는 것으로 가장 적절한 것을 고르시오.

① ② ③

④ ⑤

W You need these when you're ＿＿＿＿＿＿ ＿＿＿＿＿＿ ＿＿＿＿＿＿. You usually wear these in the summer ＿＿＿＿＿＿ ＿＿＿＿＿＿ ＿＿＿＿＿＿. These have ＿＿＿＿＿＿ ＿＿＿＿＿＿. Some people wear these as fashion accessories. What are these?

---

02 그림 정보 파악

대화를 듣고, 남자가 구입할 모자로 가장 적절한 것을 고르시오.

① ② ③

④ ⑤

W How may I help you?

M ＿＿＿＿＿＿ ＿＿＿＿＿＿ ＿＿＿＿＿＿ a baseball cap for my little sister.

W I see. What about ＿＿＿＿＿＿ ＿＿＿＿＿＿ ＿＿＿＿＿＿ the letter "K" on it?

M Well, I think she'll like that one ＿＿＿＿＿＿ ＿＿＿＿＿＿ ＿＿＿＿＿＿ on it.

W Good choice.

---

03 날씨 파악

다음을 듣고, 오늘 시드니의 날씨로 가장 적절한 것을 고르시오.

① ② ③

④ ⑤

M Good morning! Here's today's world weather forecast. In New York, it is going to ＿＿＿＿＿＿ ＿＿＿＿＿＿ ＿＿＿＿＿＿. In London, it'll be ＿＿＿＿＿＿ ＿＿＿＿＿＿ ＿＿＿＿＿＿. But the weather in Sydney will be very nice. If you are in Sydney, you will enjoy ＿＿＿＿＿＿ ＿＿＿＿＿＿ all day long.

---

04 의도 파악

대화를 듣고, 남자의 마지막 말의 의도로 가장 적절한 것을 고르시오.

① 충고   ② 감사   ③ 용서
④ 사과   ⑤ 제안

M Sara, where are you going now?

W I'm going to ＿＿＿＿＿＿ ＿＿＿＿＿＿ ＿＿＿＿＿＿ with Kate.

M Did you ＿＿＿＿＿＿ ＿＿＿＿＿＿ ＿＿＿＿＿＿?

W Well, I will finish it tonight.

M You should ＿＿＿＿＿＿ ＿＿＿＿＿＿ ＿＿＿＿＿＿ ＿＿＿＿＿＿ before you go out.

---

05 언급하지 않은 내용 찾기

다음을 듣고, 여자가 자신이 사는 곳에 대해 언급하지 <u>않은</u> 것을 고르시오.

① 주거 형태   ② 동네 이름
③ 학교까지 거리   ④ 주변 환경
⑤ 이웃 사람들

W *Let me introduce my place. I live _____ _____ _____ in Yurim-dong. My house is _____ _____ my school. _____ _____ 10 minutes on foot. There are a park _____ _____ _____ near my house. Isn't my neighborhood nice?

> ※ 교육부 지정 의사소통 기능: **자기/다른 사람 소개하기**   천(정) 1|다 1
>
> **Let me introduce ~. ~를 소개할게요.**
> • **Let me introduce** myself. 제 소개를 할게요.
> • **Let me introduce** my friend. 제 친구를 소개할게요.

06 숫자 정보 파악 (시각)

대화를 듣고, 남자가 탈 버스의 출발 시각을 고르시오.

① 8:00 a.m.   ② 9:15 a.m.
③ 9:20 a.m.   ④ 9:50 a.m.
⑤ 12:00 p.m.

M Excuse me. Can I get the 9:20 bus to Sokcho?

W I'm sorry, but _____ _____ _____ already.

M Oh no. Isn't it 9:15 now?

W It's 9:20. Would you like a ticket for _____ _____ _____ ?

M What time is the next bus? I have to be in Sokcho _____ _____ .

W Let me see. It's at 9:50. That bus will get you _____ _____ _____ .

M Okay. One ticket, please.

07 장래 희망 파악

대화를 듣고, 여자의 장래 희망으로 가장 적절한 것을 고르시오.

① 의사   ② 아나운서
③ 소방관   ④ 경찰관
⑤ 뉴스 리포터

W Did you watch the news on TV? There was a fire in our neighborhood.

M So what happened?

W Luckily, firefighters _____ _____ _____ _____ , and no one was hurt.

M Wow, that's great! The firefighters are real heroes.

W I want to _____ _____ _____ .

M Oh, didn't you want to be a police officer?

W Yes, I did. But now I'm more _____ _____ _____ people from fires.

08 일치하지 않는 내용 찾기

대화를 듣고, 여자가 한 봉사활동에 대한 내용으로 일치하지 <u>않는</u> 것을 고르시오.

① 동아리 활동이었다.
② 동물센터에서 일했다.
③ 개들을 산책시켰다.
④ 개집을 청소했다.
⑤ 이번 주 토요일에 다시 갈 예정이다.

M Hi, Sojin. How was your weekend?

W Really good. I went to an animal center with my volunteer club.

M That's great. What did you do there?

W Lots of things. I _____ _____ _____, washed them and cleaned _____ _____.

M Wow! I'd like to _____ _____ next time.

W You should. We're going _____ _____ _____.

09 할 일 파악

대화를 듣고, 남자가 대화 직후에 할 일로 가장 적절한 것을 고르시오.

① 후식 주문하기   ② 과일 사러 가기
③ 점심 먹기   ④ 애플파이 가져오기
⑤ 양치질하기

M Semi, did you _____ _____?

W Yes, but I'm _____ _____. I want to eat something more.

M Would you like _____ _____? I have some apple pie.

W I'd love it!

M Great. I'll _____ _____ right away.

10 주제 추론

대화를 듣고, 무엇에 관한 내용인지 가장 적절한 것을 고르시오.

① 교복   ② 담임 선생님
③ 대중교통   ④ 좋아하는 색
⑤ 좋아하는 패션

M Anna, how's your new school?

W It's great. It only takes 15 minutes to go there by bus.

M That's good. How do you like your _____ _____?

W I like it a lot. We wear _____ _____ _____ gray pants.

M Oh, we have a blue jacket _____ _____.

W Jeans? I think they are _____ _____ _____.

M I think so, too.

11 교통수단 찾기

대화를 듣고, 여자가 이용할 교통수단으로 가장 적절한 것을 고르시오.

① 기차   ② 버스   ③ 택시
④ 배   ⑤ 비행기

W I need 2 tickets for the 10:30 train to Pohang.

M I'm sorry, but we only have _____ _____ _____.

W Oh no! What should I do?

M You can _____ _____ _____ to Pohang, too.

Listening Tip

we'll go by bus에서 대화의 흐름상 가장 중요한 단어는 'bus'입니다. 이 문제 정답의 근거가 되기도 하고요. 문장에서 의미를 전달하는 가장 중요한 단어는 크고 높게 발음해요.

W _____ _____ _____ get the tickets for it?

M The bus terminal is _____ _____.

W Really? Then, we'll go by 🔊 bus. Thank you.

---

12 이유 파악

대화를 듣고, 여자가 전화한 이유로 가장 적절한 것을 고르시오.

① 식사를 예약하기 위해서
② 잃어버린 스카프를 찾기 위해서
③ 새 담요를 사기 위해서
④ 새로운 메뉴를 알아보기 위해서
⑤ 특별식을 주문하기 위해서

[Telephone rings.]

M Eureka Restaurant. How may I help you?

W Hi. I think I _____ _____ _____ in your restaurant yesterday.

M Okay. What does _____ _____ _____?

W _____ _____ _____ looks like a blanket.

M We have it here. You can come and pick it up anytime.

W Oh! Thank you so much.

---

13 관계 추론

대화를 듣고, 두 사람의 관계로 가장 적절한 것을 고르시오.

① 교사 – 학생   ② 독자 – 작가
③ 면접관 – 지원자   ④ 경찰관 – 신고자
⑤ 영화감독 – 배우

W I'm _____ _____ _____ working with you, Mr. Wilson.

M Thank you. I really want to _____ _____.

W We're always looking for people like you. When can you _____ _____?

M Well, I can start next Monday if you'd like.

W Great! Do you _____ _____ _____ for me?

---

14 그림 정보 파악 (위치)

대화를 듣고, 남자가 찾고 있는 티셔츠의 위치로 가장 적절한 것을 고르시오.

W Harry, you're going to be _____ _____ _____. Hurry up.

M All right. *[Pause]* Mom, _____ _____ _____ blue T-shirt?

W I think I saw it in the closet.

M But I _____ _____ _____ there.

W Did you check _____ _____ _____?

M No. *[Pause]* Oh, I found it. Thanks, Mom.

15 부탁 파악

대화를 듣고, 여자가 남자에게 부탁한 일로 가장 적절한 것을 고르시오.

① 마중 나오기　② 방 청소하기
③ 샌드위치 만들기　④ 집에 일찍 오기
⑤ 차 태워주기

[Cell phone rings.]

M　Hello.

W　Hello, Dad. What are you doing?

M　I'm cleaning the house. Are you _____ _____?

W　Yes, I'm _____ _____ _____ now.

M　Will you help me when you get home?

W　Sure. And can you _____ _____ _____ for me? I'm really hungry.

M　Okay. I'll do it right away.

16 제안 파악

대화를 듣고, 남자가 여자에게 제안한 것으로 가장 적절한 것을 고르시오.

① 같이 숙제하기
② 좋은 친구 사귀기
③ 성적에 얽매이지 말기
④ 선생님의 조언 구하기
⑤ 스터디 그룹에 참여하기

M　Jane, you look upset. Is something wrong?

W　I got a 50 on _____ _____ _____. How about you?

M　I got a 90.

W　That's great. _____ _____ _____ study math?

M　I have _____ _____ _____ with Ted and Sujin. Why don't you _____ _____?

W　Really? Thank you.

17 한 일 파악

대화를 듣고, 여자가 주말에 한 일로 가장 적절한 것을 고르시오.

① 스키 강습 받기　② 만화 보기
③ 스케이트 타기　④ 미술관 가기
⑤ 그림 그리기

W　Hi, Tom. What did you do last weekend?

M　I took _____ _____ _____ with my brother.

W　That sounds great. Did you _____ _____?

M　Yes, of course! I really enjoyed it. How was your weekend?

W　It was great! I went to _____ _____ _____ _____ _____ van Gogh's paintings.

M　Wow! That sounds exciting.

대화를 듣고, 남자의 직업으로 가장 적절한 것을 고르시오.

① 교통 경찰관　　② 열차 매표원
③ 비행기 승무원　④ 입국 심사관
⑤ 관광 가이드

M Hi, may I see your passport, please?

W Yes. Here you are.

M Okay. Let me ask a few questions. _____ _____ _____ _____ the U.S.?

W I'm here _____ _____.

M How long are you _____ _____?

W I'm staying for 7 days.

M All right. Here's your passport. _____ _____ the U.S.

---

19 이어질 응답 찾기

대화를 듣고, 남자의 마지막 말에 이어질 여자의 말로 가장 적절한 것을 고르시오.

Woman: _____

① That sounds good!
② That's too bad.
③ I'll wait for her.
④ Congratulations!
⑤ I'm sorry, but I'm too busy.

W Jacob, what are you doing tomorrow?

M I'm planning to _____ _____.

W What are you going to buy?

M I need to buy _____ _____ _____ for my sister. Her birthday is coming up.

W Oh, I _____ _____ _____ find a good present for her.

M Really? Then, can we meet _____ _____ tomorrow?

---

20 이어질 응답 찾기

대화를 듣고, 남자의 마지막 말에 이어질 여자의 말로 가장 적절한 것을 고르시오.

Woman: _____

① Okay. I'll take you home.
② Of course. You can use my car.
③ No problem. I'll give you a hand.
④ You'll find it in the living room.
⑤ Sure. The bathroom is next to the kitchen.

W Hi, Tim. Thank you for coming to my party.

M You're welcome, Sora. Thank you for _____ _____.

W Did you _____ _____?

M No, I walked here. It took only 20 minutes.

W Good. I hope you're hungry. We have _____ _____ _____.

M Great! Can I _____ _____ _____ first?

실전 모의고사 **04**

---

01 다음을 듣고, 'this'가 가리키는 것으로 가장 적절한 것을 고르시오.

①   ②   ③

④   ⑤

02 대화를 듣고, 여자가 구입할 스웨터로 가장 적절한 것을 고르시오.

①   ②   ③

④   ⑤

03 다음을 듣고, 오늘 저녁의 날씨로 가장 적절한 것을 고르시오.

①　　②　　③　　④　　⑤

04 대화를 듣고, 여자의 마지막 말의 의도로 가장 적절한 것을 고르시오.

① 승낙　　② 감사　　③ 위로
④ 축하　　⑤ 의심

05 다음을 듣고, 여자가 자신의 개에 대해 언급하지 <u>않은</u> 것을 고르시오.

① 이름　　② 품종　　③ 생김새
④ 성격　　⑤ 좋아하는 것

06 대화를 듣고, 남자가 예약한 시각을 고르시오.

① 2:00 p.m.　② 2:30 p.m.　③ 3:00 p.m.
④ 3:30 p.m.　⑤ 4:00 p.m.

07 대화를 듣고, 여자의 장래 희망으로 가장 적절한 것을 고르시오.

① 배우　　② 사진작가　　③ 작가
④ 패션모델　　⑤ 영화감독

08 대화를 듣고, 여자의 심정으로 가장 적절한 것을 고르시오.

① proud　　② bored　　③ worried
④ happy　　⑤ thankful

09 대화를 듣고, 여자가 대화 직후에 할 일로 가장 적절한 것을 고르시오.

① 셔츠 사러 가기　　② 디자인 골라주기
③ 선물 포장해주기　　④ 작은 사이즈 가져오기
⑤ 세일 품목 알려주기

10 대화를 듣고, 무엇에 관한 내용인지 가장 적절한 것을 고르시오.

① 책 반납하기　　② 수업 신청하기
③ 물건 구매하기　　④ 길 묻기
⑤ 아르바이트하기

11 대화를 듣고, 여자가 어젯밤에 이용한 교통수단으로 가장 적절한 것을 고르시오.

① 버스   ② 택시   ③ 지하철
④ 승용차   ⑤ 도보

12 대화를 듣고, 남자가 전화한 이유로 가장 적절한 것을 고르시오.

① 진료 예약을 하려고
② 안부를 묻기 위해서
③ 자동차 수리를 의뢰하기 위해서
④ 교통사고를 신고하기 위해서
⑤ 경찰관을 인터뷰하기 위해서

13 대화를 듣고, 두 사람이 대화하는 장소로 가장 적절한 곳을 고르시오.

① 우체국   ② 학교   ③ 도서관
④ 빵집   ⑤ 백화점

14 대화를 듣고, Royal Bank의 위치로 가장 적절한 것을 고르시오.

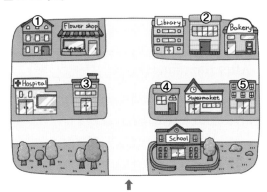

You are here!

15 대화를 듣고, 여자가 남자에게 부탁한 일로 가장 적절한 것을 고르시오.

① 프로젝트 도와주기   ② 학교 데려다주기
③ 아침 식사 준비하기   ④ 일찍 깨우기
⑤ 일찍 잠자리에 들기

16 대화를 듣고, 여자가 남자에게 제안한 것으로 가장 적절한 것을 고르시오.

① 따뜻한 물로 목욕하기
② 일찍 잠자리에 들기
③ 따뜻한 수건 눈에 올리기
④ 맑은 공기 마시기
⑤ 눈에 좋은 음식 먹기

17 대화를 듣고, 여자가 주말에 한 일로 가장 적절한 것을 고르시오.

① 서점에서 책 사기
② 도서관에서 책 빌리기
③ 가족과 놀이동산 가기
④ 동생 돌보기
⑤ 아동 병원에서 책 읽어 주기

18 대화를 듣고, 여자의 직업으로 가장 적절한 것을 고르시오.

① 상점 점원   ② 부동산 중개인
③ 호텔 접수원   ④ 건축가
⑤ 아파트 경비원

[19-20] 대화를 듣고, 남자의 마지막 말에 이어질 여자의 말로 가장 적절한 것을 고르시오.

19 Woman: _____

① Yes, that'll be fine.
② I'll come back later.
③ Thank you for waiting.
④ You should get up at 7.
⑤ I'm sorry, but that's too early.

20 Woman: _____

① Sure, I'll help you.
② I don't like to cook.
③ Yes, I would love to.
④ No, I don't have a basketball.
⑤ No, it's next to the soccer field.

Dictation 04

◇ 다시 듣고, 빈칸에 들어갈 알맞은 단어를 써보세요.

정답 및 해설 p.20

01 화제 추론

다음을 듣고, 'this'가 가리키는 것으로 가장 적절한 것을 고르시오.

① ② ③ ④ ⑤

W This is a useful tool. This shows the days, dates, and _____ _____ _____ _____. People use this to _____ _____ _____. Some people write _____ _____ on this. What is this?

02 그림 정보 파악

대화를 듣고, 여자가 구입할 스웨터로 가장 적절한 것을 고르시오.

① ② ③ ④ ⑤

M Hello, how may I help you?
W I'm looking for a V-neck sweater for my daughter.
M Okay. How about this one _____ _____ _____ on it?
W Hmm... I think she has a similar one. [Pause] Oh, this one with a star _____ _____.
M That's one of _____ _____ _____ items.
W Okay, I'll take it.

03 날씨 파악

다음을 듣고, 오늘 저녁의 날씨로 가장 적절한 것을 고르시오.

① ② ③ ④ ⑤

M Good morning, listeners. I'm Matthew Brown. Here is today's weather report. _____ _____ a lot now, but it's going to _____ _____ _____. After the rain, it'll be _____ _____ _____. So ◀))don't forget to bring gloves and a scarf.

◀)) Listening Tip

'n' 뒤에 오는 't'는 거의 발음이 되지 않아요. don't는 /돈트/가 아니라 /돈/으로 들리겠죠. winter 같은 단어도 /윈터/가 아니라 /위널/로 발음해요.

04 의도 파악

대화를 듣고, 여자의 마지막 말의 의도로 가장 적절한 것을 고르시오.

① 승낙   ② 감사   ③ 위로
④ 축하   ⑤ 의심

W Hi, Philip. You look really happy. What's up?
M I just heard _____ _____.
W Really? What is it?
M I won _____ _____ at the speech contest.

So my father bought me _____ _____

_____.

W Wow. That's wonderful! Congratulations!

---

05 언급하지 않은 내용 찾기

다음을 듣고, 여자가 자신의 개에 대해 언급하지 않은 것을 고르시오.

① 이름　　② 품종　　③ 생김새
④ 성격　　⑤ 좋아하는 것

W Hello, everyone. Let me introduce my dog Jingu. He's from Jindo. He is a Korean Jindo dog. He has _____ _____, beautiful eyes, and a _____ _____. He is very _____ _____ _____. He's my best friend.

---

06 숫자 정보 파악 (시각)

대화를 듣고, 남자가 예약한 시각을 고르시오.

① 2:00 p.m.　　② 2:30 p.m.
③ 3:00 p.m.　　④ 3:30 p.m.
⑤ 4:00 p.m.

[Telephone rings.]

W Dr. Moon's office. What can I do for you?

M Hello. This is Ted Davis. _____ _____ _____ make an appointment.

W Let me see. *[Pause]* How about 2:30 _____ _____?

M I don't think I _____ _____ it. Can I _____ _____ 3:30?

W Okay. See you then.

---

07 장래 희망 파악

대화를 듣고, 여자의 장래 희망으로 가장 적절한 것을 고르시오.

① 배우　　② 사진작가　　③ 작가
④ 패션모델　　⑤ 영화감독

M Did you hear the news? Junho Kim won the best director award.

W Yes, I saw it on the news. I love _____ _____.

M Me, too. His movies _____ _____.

W *I want to _____ _____ like him.

M I'm sure you'll be a great _____ _____.

✱ 교육부 지정 의사소통 기능: 소망 말하기　　동(윤) 6 | 동(이) 6 | 천(이) 7 | 천(정) 7 | 미 7 | 능(김) 5

I want to ~. 나는 ~하고 싶어.

• **I want to** be a scientist. 나는 과학자가 되고 싶어.
• **I want to** go to Egypt. 나는 이집트에 가고 싶어.

대화를 듣고, 여자의 심정으로 가장 적절한 것을 고르시오.

① proud ② bored ③ worried
④ happy ⑤ thankful

🔊 Listening Tip

if you에서처럼 [f], [v], [θ], [ð] 소리로 끝나는 단어 뒤에 y로 시작되는 단어가 오면 두 소리를 합쳐서 /퓨/, /뷰/, /듀/, /듀/처럼 발음해요. if you가 /이프 유/가 아니라 /이퓨/로 들리는지 다시 들어보세요.

W Matt, are you ready to _____ _____?
M Kate, you heard the weather report, right? It's _____ _____ _____ outside.
W But I don't want to stay inside.
M Well, you will catch a cold 🔊 if you play outside.
W But there's _____ _____ _____ _____ at home.

---

09 할 일 파악

대화를 듣고, 여자가 대화 직후에 할 일로 가장 적절한 것을 고르시오.

① 셔츠 사러 가기
② 디자인 골라주기
③ 선물 포장해주기
④ 작은 사이즈 가져오기
⑤ 세일 품목 알려주기

W Hello. May I help you with something?
M Hi, I'd like to _____ _____ _____.
W All right. Is something wrong with the shirt?
M It's _____ _____ for me.
W I see. Would you like to exchange it for _____ _____ _____, instead?
M Yes, please.
W Okay. _____ _____ _____ a smaller one. Just a moment, please.

---

10 주제 추론

대화를 듣고, 무엇에 관한 내용인지 가장 적절한 것을 고르시오.

① 책 반납하기 ② 수업 신청하기
③ 물건 구매하기 ④ 길 묻기
⑤ 아르바이트하기

W How can I help you?
M Where should I go to _____ _____?
W You can _____ _____ to me.
M Okay. I think that they are late.
W That's right. These are 4 days late. You _____ _____ _____ $2.
M Okay, here you are.

---

11 교통수단 찾기

대화를 듣고, 여자가 어젯밤에 이용한 교통수단으로 가장 적절한 것을 고르시오.

① 버스 ② 택시 ③ 지하철
④ 승용차 ⑤ 도보

M Ella, you look tired.
W Yes, I am. I got home _____ _____ _____. I went to the Seven Boys concert.
M Really? What time did the concert end?
W It finished after 11 o'clock.

M So how did you go home? By bus or _____ _____ ?

W My dad picked me up _____ _____ _____ .

---

12 이유 파악

대화를 듣고, 남자가 전화한 이유로 가장 적절한 것을 고르시오.

① 진료 예약을 하려고
② 안부를 묻기 위해서
③ 자동차 수리를 의뢰하기 위해서
④ 교통사고를 신고하기 위해서
⑤ 경찰관을 인터뷰하기 위해서

W One-one-nine.

M Hello. I want to report _____ _____ .

W Yes. Go ahead.

M There was a car accident. I think a man _____ _____ .

W Okay. Where did it happen?

M It's _____ _____ _____ of Queen Street and Hawaii Avenue.

W We'll _____ _____ _____ .

---

13 장소 추론

대화를 듣고, 두 사람이 대화하는 장소로 가장 적절한 곳을 고르시오.

① 우체국　② 학교　③ 도서관
④ 빵집　⑤ 백화점

🔊 **Listening Tip**

try에서처럼 'r' 바로 앞에 있는 't'는 /추/로 발음하는 경우가 많아요. try를 /트라이/가 아니라 /추롸이/에 가깝게 발음해요.

W Hi, Mike.

M Hi, Susan. How are you?

W I'm good. Do you _____ _____ often?

M Yes, I do. This place has _____ _____ _____ in our town.

W You should also 🔊 try _____ _____ and cheese bread. They are good, too.

M Oh, okay. Thanks.

---

14 그림 정보 파악 (길 찾기)

대화를 듣고, Royal Bank의 위치로 가장 적절한 것을 고르시오.

You are here!

W Excuse me, how can I get to Royal Bank?

M Oh, I know where it is. _____ , _____ _____ two blocks. Then, turn right.

W All right.

M Then walk about a minute. _____ _____ _____ _____ on your left. It's _____ _____ the supermarket.

W Thank you very much.

15 부탁 파악

대화를 듣고, 여자가 남자에게 부탁한 일로 가장 적절한 것을 고르시오.

① 프로젝트 도와주기
② 학교 데려다주기
③ 아침 식사 준비하기
④ 일찍 깨우기
⑤ 일찍 잠자리에 들기

M Jisu, it's _____ _____ _____. It's already 11:30.

W Dad, I have to finish my science project.

M But it's _____ _____. You can do it early tomorrow morning.

W Well, could you _____ _____ _____ at 6 in the morning?

M Of course, I will.

16 제안 파악

대화를 듣고, 여자가 남자에게 제안한 것으로 가장 적절한 것을 고르시오.

① 따뜻한 물로 목욕하기
② 일찍 잠자리에 들기
③ 따뜻한 수건 눈에 올리기
④ 맑은 공기 마시기
⑤ 눈에 좋은 음식 먹기

W Ben, is something wrong with your eyes?

M Yes, my eyes are _____ _____.

W They are red, too.

M That's because I slept very little last night.

W Why don't you put _____ _____ _____ over your eyes? It _____ _____ _____ your eyes.

M Thanks. I will try it at home.

17 한 일 파악

대화를 듣고, 여자가 주말에 한 일로 가장 적절한 것을 고르시오.

① 서점에서 책 사기
② 도서관에서 책 빌리기
③ 가족과 놀이동산 가기
④ 동생 돌보기
⑤ 아동 병원에서 책 읽어 주기

M Semi, did you have a good weekend?

W It was great. I went to volunteer at the Yaho Children's Hospital.

M That sounds great. What did _____ _____ _____?

W I _____ _____ to the children. They really enjoyed it.

M That's wonderful. I will _____ _____ _____ _____.

대화를 듣고, 여자의 직업으로 가장 적절한 것을
고르시오.

① 상점 점원   ② 부동산 중개인
③ 호텔 접수원   ④ 건축가
⑤ 아파트 경비원

W How can I help you?
M I'm _____ _____ a 3-bedroom apartment near here.
W There is one near Central Park.
M Oh, great. What is _____ _____ _____?
W It's on the 7th floor. It's clean and new. It also has

_____ _____ _____

_____. Would you like to _____

_____ _____?
M Yes, please.

대화를 듣고, 남자의 마지막 말에 이어질 여자의
말로 가장 적절한 것을 고르시오.

Woman: _____

① Yes, that'll be fine.
② I'll come back later.
③ Thank you for waiting.
④ You should get up at 7.
⑤ I'm sorry, but that's too early.

[Telephone rings.]

M Thank you for calling Matt's Kitchen. How may I help you?
W Hi, I want to _____ _____ _____ for 6 p.m. this Friday.
M How many will be in _____ _____?
W It will be for 5 people.
M I can _____ _____ _____ for 7 p.m. Would that _____ _____?

대화를 듣고, 남자의 마지막 말에 이어질 여자의
말로 가장 적절한 것을 고르시오.

Woman: _____

① Sure, I'll help you.
② I don't like to cook.
③ Yes, I would love to.
④ No, I don't have a basketball.
⑤ No, it's next to the soccer field.

M Jennifer, what do you do in your free time?
W I usually read books or _____ _____ _____. How about you?
M I _____ _____ with my friends at the park.
W Where is the park?
M It's next to the mall. Do you _____ _____ _____ _____?

실전 모의고사 05

점수 /20

01 다음을 듣고, 'I'가 무엇인지 가장 적절한 것을 고르시오.

①   ②   ③

④   ⑤

02 대화를 듣고, 여자가 만든 눈사람으로 가장 적절한 것을 고르시오.

①   ②   ③

④   ⑤

03 다음을 듣고, 뉴욕의 오늘 날씨로 가장 적절한 것을 고르시오.

①   ②   ③   ④   ⑤

04 대화를 듣고, 남자의 마지막 말의 의도로 가장 적절한 것을 고르시오.

① 불평   ② 감사   ③ 위로
④ 축하   ⑤ 의심

05 다음을 듣고, 여자의 언니에 대해 언급하지 않은 것을 고르시오.

① 직장   ② 성격   ③ 외모
④ 취미   ⑤ 좋아하는 영화

06 대화를 듣고, 두 사람이 만날 시각을 고르시오.

① 6:30 p.m.   ② 7:00 p.m.   ③ 7:30 p.m.
④ 8:00 p.m.   ⑤ 8:30 p.m.

07 대화를 듣고, 여자의 장래 희망으로 가장 적절한 것을 고르시오.

① 사진작가   ② 무용수   ③ 가수
④ 뮤지컬 배우   ⑤ 운동선수

08 대화를 듣고, 여자의 재킷에 대한 내용으로 일치하지 않는 것을 고르시오.

① 갈색이다.   ② 어제 구입했다.
③ 주머니가 2개이다.   ④ 가격은 60달러이다.
⑤ 학교 근처에서 구입했다.

09 대화를 듣고, 남자가 대화 직후에 할 일로 가장 적절한 것을 고르시오.

① 외출하기   ② 화장실 청소하기
③ 쓰레기통 비우기   ④ 식사 준비하기
⑤ 창문 닫기

10 대화를 듣고, 무엇에 관한 내용인지 가장 적절한 것을 고르시오.

① 취미   ② 농구 경기 관람
③ 장래 희망   ④ 동아리 가입
⑤ 주말 약속

11 대화를 듣고, 두 사람이 함께 이용할 교통수단으로 가장 적절한 것을 고르시오.

① 버스
② 택시
③ 도보
④ 지하철
⑤ 자전거

12 대화를 듣고, 여자가 놀이공원에 간 이유로 가장 적절한 것을 고르시오.

① 놀이기구를 타기 위해서
② 전시회를 보기 위해서
③ 기념품을 사기 위해서
④ 춤 공연을 보기 위해서
⑤ 퍼레이드를 보기 위해서

13 대화를 듣고, 두 사람이 대화하는 장소로 가장 적절한 곳을 고르시오.

① 옷가게
② 가구점
③ 공항
④ 교실
⑤ 신발가게

14 대화를 듣고, 서점의 위치로 가장 알맞은 것을 고르시오.

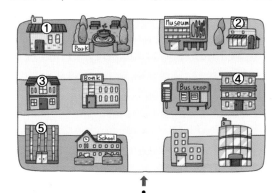

You are here!

15 대화를 듣고, 여자가 남자에게 부탁한 일로 가장 적절한 것을 고르시오.

① 팬케이크 만들기
② 재료 준비하기
③ 우유 사 오기
④ 함께 운동하기
⑤ 외식하러 가기

16 대화를 듣고, 남자가 여자에게 제안한 일로 가장 적절한 것을 고르시오.

① 집에서 쉬기
② 낚시하기
③ 해산물 요리하기
④ 공원 산책하기
⑤ 수영하러 가기

17 대화를 듣고, 남자가 주말에 한 일로 가장 적절한 것을 고르시오.

① 요리하기
② 집에서 쉬기
③ 등산하기
④ 친척집 방문하기
⑤ 스노보드 배우기

18 대화를 듣고, 남자의 직업으로 가장 적절한 것을 고르시오.

① 상담 교사
② 수의사
③ 제빵사
④ 치과의사
⑤ 약사

[19-20] 대화를 듣고, 여자의 마지막 말에 이어질 남자의 말로 가장 적절한 것을 고르시오.

19 Man: _____

① Let's go together.
② That's great news!
③ I'm happy to hear that.
④ Yes. I heard that already.
⑤ Really? That can't be true!

20 Man: _____

① Have a safe trip.
② I hope I see you again.
③ I'll leave around 10 a.m.
④ Okay. See you on Sunday.
⑤ I'm going to finish it today.

Dictation 05

◆ 다시 듣고, 빈칸에 들어갈 알맞은 단어를 써보세요.

정답 및 해설 p.26

---

01 화제 추론

다음을 듣고, 'I'가 무엇인지 가장 적절한 것을 고르시오.

① ② ③
④ ⑤

M I have soft brown fur and a _____ _____.
I usually live in the mountains. I'm good at _____
_____. I like to eat nuts. I carry a lot of food
_____ _____ _____. What am I?

---

02 그림 정보 파악

대화를 듣고, 여자가 만든 눈사람으로 가장 적절한 것을 고르시오.

① ② ③
④ ⑤

M Wow, did you make a snowman?

W Yes, I did. Do you like it?

M Of course. He's wearing _____ _____
_____ _____ _____.

W Yes, he is. I borrowed them from _____
_____.

M Nice. Oh, where is _____ _____?

W Well, I couldn't find any stones so I didn't make it.

---

03 날씨 파악

다음을 듣고, 뉴욕의 오늘 날씨로 가장 적절한 것을 고르시오.

① ② ③
④ ⑤

W Here is the world weather report for today. In Seoul, it will
be _____ _____ _____. In Paris,
it will _____ _____ and it'll rain. In New
York, there will be _____ _____
_____ _____. So, watch out for icy roads.

---

04 의도 파악

대화를 듣고, 남자의 마지막 말의 의도로 가장 적절한 것을 고르시오.

① 불평　② 감사　③ 위로
④ 축하　⑤ 의심

M Lily, you look upset. Is something wrong?

W Yes. I _____ _____ right now.

M What happened?

W I made a Valentine's Day cake for Jake, but he _____

🔊 **Listening Tip**

water에서 't'처럼 모음 사이에 오는 강세가 없는 음절의 [t], [d]는 / ㄹ /로 발음해요. 그래서 better도 /베터/가 아니라 /베러/로 발음해요.

_____ _____.

M   I'm _____ _____ _____ that.
I hope you feel 🔊better soon.

---

05 언급하지 않은 내용 찾기

다음을 듣고, 여자의 언니에 대해 언급하지 않은 것을 고르시오.

① 직장   ② 성격   ③ 외모
④ 취미   ⑤ 좋아하는 영화

W   Hello, everyone. I'd like to talk about my sister. Her name is Susie. She _____ _____ a computer company. She _____ _____ to everyone. Her hobby is _____ _____. She likes horror movies. We often go and _____ _____ together.

---

06 숫자 정보 파악 (시각)

대화를 듣고, 두 사람이 만날 시각을 고르시오.

① 6:30 p.m.   ② 7:00 p.m.
③ 7:30 p.m.   ④ 8:00 p.m.
⑤ 8:30 p.m.

[Telephone rings.]

M   Hello.
W   Hello, Justin. _____ _____, Joanna. Are you _____ now?
M   No. What's up?
W   My dog is ill. But my car _____ _____ yesterday.
M   I see. I _____ _____ you to the animal doctor.
W   Thanks.
M   It's 6:30 now. I'll be there in 30 minutes.
W   Great. See you then.

---

07 장래 희망 파악

대화를 듣고, 여자의 장래 희망으로 가장 적절한 것을 고르시오.

① 사진작가   ② 무용수
③ 가수   ④ 뮤지컬 배우
⑤ 운동선수

W   This is a picture _____ _____ in a musical.
M   How cute! How old were you?
W   I was 7 years old.
M   Did you like singing and dancing?
W   Yes. I _____ _____ every day.
M   That's great! Do you want to be _____ _____?
W   No. I want to be _____ _____ _____.

08 일치하지 않는 내용 찾기

대화를 듣고, 여자의 재킷에 대한 내용으로 일치하지 <u>않는</u> 것을 고르시오.

① 갈색이다.
② 어제 구입했다.
③ 주머니가 2개이다.
④ 가격은 60달러이다.
⑤ 학교 근처에서 구입했다.

M Wow! I like _____ _____ _____.

W Thanks. I bought it yesterday.

M It has 4 pockets. _____ _____
_____?

W It was $60.

M Really? Where did you buy it?

W I bought it at a store _____ _____.

09 할 일 파악

대화를 듣고, 남자가 대화 직후에 할 일로 가장 적절한 것을 고르시오.

① 외출하기   ② 화장실 청소하기
③ 쓰레기통 비우기   ④ 식사 준비하기
⑤ 창문 닫기

W Junho, we need to _____ _____
_____. We have visitors tomorrow.

M Okay. Should I clean _____ _____?

W I did that already. Can you _____ _____
the garbage?

M Okay, I'll _____ _____ right now.

W Thanks.

10 주제 추론

대화를 듣고, 무엇에 관한 내용인지 가장 적절한 것을 고르시오.

① 취미   ② 농구 경기 관람
③ 장래 희망   ④ 동아리 가입
⑤ 주말 약속

M *Do you like sports, Sumin?

W Yes. I like _____ _____.

M Really? Me, too. _____ _____
_____ the basketball club together?

W That _____ _____!

M We should visit Mr. Jackson to join the club. Let's go
_____ _____ _____ him after
school.

W Okay.

✱ 교육부 지정 의사소통 기능: 좋아하는 것 묻기   동(윤) 1 | 동(이) 1 | 미 3 | 능(김) 1 | 비 1

Do you like ~? 너는 ~을 좋아하니?
• **Do you like** this cold weather? 너는 이렇게 추운 날씨를 좋아하니?
• **Do you like** pets? 너는 반려동물을 좋아하니?

11 교통수단 찾기

대화를 듣고, 두 사람이 함께 이용할 교통수단으로 가장 적절한 것을 고르시오.

① 버스   ② 택시   ③ 도보
④ 지하철   ⑤ 자전거

W Chris, why are you so late?

M I'm really sorry. I missed the bus.

W It's okay. So, _____ _____ _____
going to the market?

M It's _____ _____ _____ here. Let's take a bus.

W Hmm... Why don't we _____ _____ _____ instead?

M Sure. That's good, too.

12 이유 파악

대화를 듣고, 여자가 놀이공원에 간 이유로 가장 적절한 것을 고르시오.

① 놀이기구를 타기 위해서
② 전시회를 보기 위해서
③ 기념품을 사기 위해서
④ 춤 공연을 보기 위해서
⑤ 퍼레이드를 보기 위해서

M Mina, how was your holiday?

W Great! I went to an amusement park with _____ _____.

M That sounds interesting. What did you ride there?

W Actually, I didn't go there _____ _____ _____.

M Then, why did you _____ _____?

W I visited _____ _____ the Halloween parade.

13 장소 추론

대화를 듣고, 두 사람이 대화하는 장소로 가장 적절한 곳을 고르시오.

① 옷가게　② 가구점　③ 공항
④ 교실　⑤ 신발가게

M Hi, I'm looking for _____ _____ for my room.

W How about this one? This one is _____ _____ _____.

M Hmm... Can I _____ _____ _____ for a second?

W Go ahead.

M It is very comfortable but a little big. Do you have _____ _____ _____?

W Sure. Come this way.

14 그림 정보 파악 (길 찾기)

대화를 듣고, 서점의 위치로 가장 알맞은 것을 고르시오.

You are here!

W Excuse me. Is there a bookstore nearby?

M Yes. Go down this street for two blocks and _____ _____ _____.

W Could you please repeat that?

M Okay. Go straight two blocks and _____ _____. You'll see the bookstore _____ _____ _____ _____.

W Thanks a lot.

대화를 듣고, 여자가 남자에게 부탁한 일로 가장 적절한 것을 고르시오.

① 팬케이크 만들기 ② 재료 준비하기
③ 우유 사 오기 ④ 함께 운동하기
⑤ 외식하러 가기

[Cell phone rings.]

M　Hello.

W　Ben, where are you?

M　I'm ＿＿＿＿＿ ＿＿＿＿＿. What is it, Mom?

W　I'm making pancakes, but we're ＿＿＿＿＿

　　＿＿＿＿＿ ＿＿＿＿＿.

M　Oh, really?

W　Could you buy ＿＿＿＿＿ ＿＿＿＿＿ on your way home?

M　All right. I'll go to ＿＿＿＿＿ ＿＿＿＿＿ and get it.

W　Thanks.

대화를 듣고, 남자가 여자에게 제안한 일로 가장 적절한 것을 고르시오.

① 집에서 쉬기 ② 낚시하기
③ 해산물 요리하기 ④ 공원 산책하기
⑤ 수영하러 가기

M　What shall we do today?

W　I don't know. Do you have ＿＿＿＿＿ ＿＿＿＿＿?

M　How about ＿＿＿＿＿ ＿＿＿＿＿?

W　Well, I'm ＿＿＿＿＿ ＿＿＿＿＿ ＿＿＿＿＿ fishing.

M　Then how about ＿＿＿＿＿ ＿＿＿＿＿ at the beach? I know you like swimming.

W　That's a good idea!

대화를 듣고, 남자가 주말에 한 일로 가장 적절한 것을 고르시오.

① 요리하기 ② 집에서 쉬기
③ 등산하기 ④ 친척집 방문하기
⑤ 스노보드 배우기

W　Hi, Taeho. How was your weekend?

M　It was great. I ＿＿＿＿＿ ＿＿＿＿＿ a ski resort with my family.

W　Oh, did you have ＿＿＿＿＿ ＿＿＿＿＿ ＿＿＿＿＿?

M　Yes. I learned ＿＿＿＿＿ ＿＿＿＿＿ ＿＿＿＿＿. It was fun.

W　Wow! That sounds cool.

직업 추론

대화를 듣고, 남자의 직업으로 가장 적절한 것을 고르시오.

① 상담 교사   ② 수의사   ③ 제빵사
④ 치과의사   ⑤ 약사

M What's wrong with you?

W I have a _____ _____.

M Please open _____ _____.

W Okay.

M Do you eat a lot of sweet things?

W Yes, I like ice cream and cake.

M They're not good for _____ _____.
You should also _____ _____
_____ 3 times a day.

W Okay. I will.

19 이어질 응답 찾기

대화를 듣고, 여자의 마지막 말에 이어질 남자의 말로 가장 적절한 것을 고르시오.

Man: _____

① Let's go together.
② That's great news!
③ I'm happy to hear that.
④ Yes. I heard that already.
⑤ Really? That can't be true!

M Are you going to _____ _____
_____ tomorrow?

W Yes. I'm going with my parents. What about you?

M Me, too. I'm _____ _____ to see my
favorite singer.

W Who is your _____ _____?

M It's Melissa Song. She is coming tomorrow.

W Didn't you hear the news? She's _____
_____.

20 이어질 응답 찾기

대화를 듣고, 여자의 마지막 말에 이어질 남자의 말로 가장 적절한 것을 고르시오.

Man: _____

① Have a safe trip.
② I hope I see you again.
③ I'll leave around 10 a.m.
④ Okay. See you on Sunday.
⑤ I'm going to finish it today.

W Hey, Jack. I heard that you are going to leave on Friday. Did
you _____ _____ everything?

M Yes. I finished yesterday.

W That's good. I still _____ _____ you're
going to go back to California.

M I know. Time files.

W I want to go to the airport with you. _____
_____ are you going to _____
_____ the airport?

실전 모의고사 **06**

01 다음을 듣고, 'I'가 무엇인지 가장 적절한 것을 고르시오.

①   ②   ③

④   ⑤

02 대화를 듣고, 남자가 구입할 블라우스로 가장 적절한 것을 고르시오.

①   ②   ③

④   ⑤

03 다음을 듣고, 대구의 내일 날씨로 가장 적절한 것을 고르시오.

①   ②   ③   ④   ⑤

04 대화를 듣고, 여자의 마지막 말의 의도로 가장 적절한 것을 고르시오.

① 감사　　② 당부　　③ 허락
④ 칭찬　　⑤ 제안

05 다음을 듣고, 여자가 졸업식에 대해 언급하지 <u>않은</u> 것을 고르시오.

① 요일　　　　　② 장소
③ 수상자 명단　　④ 행사 내용
⑤ 축하 영상 내용

06 대화를 듣고, 두 사람이 영화를 볼 시각을 고르시오.

① 6:00 p.m.　② 6:30 p.m.　③ 6:40 p.m.
④ 8:10 p.m.　⑤ 8:20 p.m.

07 대화를 듣고, 남자의 장래 희망으로 가장 적절한 것을 고르시오.

① 교사　　　　② 야구 선수　　③ 야구 감독
④ 피아니스트　⑤ 스포츠 기자

08 대화를 듣고, 여자의 지난 여행에 대한 내용으로 일치하지 <u>않는</u> 것을 고르시오.

① 가족과 함께 갔다.
② 중국에 갔다.
③ 날씨가 좋지 않았다.
④ 음식이 싸고 맛있었다.
⑤ 숙소가 붐볐다.

09 대화를 듣고, 여자가 대화 직후에 할 일로 가장 적절한 것을 고르시오.

① 병원 가기　　　② 약 먹기
③ 침대에 눕기　　④ 의자 가져오기
⑤ 휴지 가져오기

10 대화를 듣고, 무엇에 관한 내용인지 가장 적절한 것을 고르시오.

① 좋아하는 음식　　② 건강에 좋은 음식
③ 하루 일과　　　　④ 아침식사 습관
⑤ 다이어트 방법

11 대화를 듣고, 남자가 이용할 교통수단으로 가장 적절한 것을 고르시오.

① 배 　　② 승용차 　　③ 버스
④ 기차 　　⑤ 비행기

12 대화를 듣고, 남자가 사진 동아리에 가입하려는 이유로 가장 적절한 것을 고르시오.

① 친구가 권유해서
② 부모님이 원해서
③ 상을 받기 위해서
④ 사진을 잘 찍고 싶어서
⑤ 과제를 만드는 데 도움이 돼서

13 대화를 듣고, 두 사람이 대화하는 장소로 가장 적절한 곳을 고르시오.

① 서점\　　② 은행 　　③ 도서관
④ 박물관 　　⑤ 유적지

14 대화를 듣고, Sunset Plaza의 위치로 가장 알맞은 것을 고르시오.

You are here!

15 대화를 듣고, 남자가 여자에게 부탁한 일로 가장 적절한 것을 고르시오.

① 기타 연주하기 　　② 연주회 함께 가기
③ 음악 동아리 만들기 　　④ 기타 가르쳐주기
⑤ 바이올린 가르쳐주기

16 대화를 듣고, 여자가 남자에게 제안한 것으로 가장 적절한 것을 고르시오.

① 일기예보 확인하기
② 울릉도에 대해 알아보기
③ 여행가방 간단히 싸기
④ 두꺼운 외투 가져가기
⑤ 모자와 장갑 가져가기

17 대화를 듣고, 남자가 주말에 한 일로 가장 적절한 것을 고르시오.

① 연 만들기 　　② 연날리기
③ 집 청소하기 　　④ 친구 병문안하기
⑤ 여동생 숙제 도와주기

18 대화를 듣고, 남자의 직업으로 가장 적절한 것을 고르시오.

① 배우 　　② 모델 　　③ 미용사
④ 판매원 　　⑤ 피부과 의사

[19-20] 대화를 듣고, 여자의 마지막 말에 이어질 남자의 말로 가장 적절한 것을 고르시오.

19 Man: _____

① Cheer up!
② Good for you!
③ How are you doing?
④ Nice to meet you.
⑤ You'll do better next time.

20 Man: _____

① Because it'll be very hot.
② Because you'll be very tired.
③ Because you don't want to fly.
④ Because you're very busy with work.
⑤ Because it's not expensive to travel there.

Dictation 06

◇ 다시 듣고, 빈칸에 들어갈 알맞은 단어를 써보세요.

정답 및 해설 p.32

01 화제 추론

다음을 듣고, 'I'가 무엇인지 가장 적절한 것을 고르시오.

① ② ③ ④ ⑤

W I come from Africa. I have long legs and a _____ _____. I am tall, but I'm _____ _____ _____. I'm a bird, but I _____ _____. My eggs are _____ _____. What am I?

02 그림 정보 파악

대화를 듣고, 남자가 구입할 블라우스로 가장 적절한 것을 고르시오.

① ② ③ ④ ⑤

W How may I help you?
M I am looking for a blouse for my grandmother.
W How about _____ _____ with dots on it?
M It looks nice. But she _____ _____ dots.
W Okay. *What do you think about this one with _____ _____ _____?
M It's great. _____ _____ _____ in a size 9.

★ 교육부 지정 의사소통 기능: 의견 묻기   동(윤) 8 | 동(이) 8 | 천(이) 6 | 능(김) 6 | Y(박) 7 | 금 6

What do you think about ~? 너는 ~에 대해 어떻게 생각해?
• **What do you think about** our school lunch? 너는 우리 학교 급식에 대해 어떻게 생각해?
• **What do you think about** him? 너는 그 사람에 대해 어떻게 생각해?

03 날씨 파악

다음을 듣고, 대구의 내일 날씨로 가장 적절한 것을 고르시오.

① ② ③ ④ ⑤

W Welcome to the weather channel. Here's the weather report _____ _____. In Seoul, it's warm and sunny now. This will continue _____ _____. Gwangju will _____ _____, and Daejeon will have sunny skies. However, it _____ _____ heavily in Daegu. Thank you.

04 의도 파악

대화를 듣고, 여자의 마지막 말의 의도로 가장 적절한 것을 고르시오.

① 감사   ② 당부   ③ 허락
④ 칭찬   ⑤ 제안

M Mom, I like _____ _____. What about you?
W I'm not sure. The color 🔊 seems _____ _____ for you.

◀)) Listening Tip

명사의 복수형과 동사의 3인칭 단수형의 '-s'는 유성음 뒤에
서는 [z]로, 무성음 뒤에서는 [s]로 발음하고 [z], [s],
[ʒ], [ʃ], [dʒ], [tʃ] 소리 다음에서는 [iz]로 발음해요.
seems는 /씸즈/로 발음하겠죠.

M Then, how about this one? It's the _____ _____.

W Hmm... That's too expensive.

M Can I buy this one? It's _____ _____. It's 40% off.

W Yes, you can get it.

---

05 언급하지 않은 내용 찾기

다음을 듣고, 여자가 졸업식에 대해 언급하지 <u>않</u>은 것을 고르시오.

① 요일   ② 장소
③ 수상자 명단   ④ 행사 내용
⑤ 축하 영상 내용

W We're going to have a graduation ceremony _____ _____. It'll take place at _____ _____ _____ from 11 to 12. We'll give out awards and _____ _____ together. After that, we'll _____ _____ to celebrate your school days. Thank you.

---

06 숫자 정보 파악 (시각)

대화를 듣고, 두 사람이 영화를 볼 시각을 고르시오.

① 6:00 p.m.   ② 6:30 p.m.
③ 6:40 p.m.   ④ 8:10 p.m.
⑤ 8:20 p.m.

W Would you like to go to the movies tonight?

M Of course. What _____ _____ _____ to see?

W How about *Sherlock Holmes*?

M Great! I love mystery _____ _____.

W There are shows at 6:30 and 8:20.

M I'd like to see the one at 6:30. Is that okay?

W _____ _____.

---

07 장래 희망 파악

대화를 듣고, 남자의 장래 희망으로 가장 적절한 것을 고르시오.

① 교사   ② 야구 선수
③ 야구 감독   ④ 피아니스트
⑤ 스포츠 기자

W Jamie, how was your baseball game last night?

M It was great. Our team won. I'm _____ _____ my team.

W You must _____ _____ _____ playing baseball.

M Well, I really like playing baseball.

W Do you _____ _____ _____ a baseball player, then?

M No. I'm also interested in teaching. So I want to be _____ _____ _____.

08 일치하지 않는 내용 찾기

대화를 듣고, 여자의 지난 여행에 대한 내용으로 일치하지 않는 것을 고르시오.

① 가족과 함께 갔다.
② 중국에 갔다.
③ 날씨가 좋지 않았다.
④ 음식이 싸고 맛있었다.
⑤ 숙소가 붐볐다.

M Amy, how did you enjoy your _____ _____ to China?

W I was really disappointed. The weather was terrible. It was _____ _____ _____.

M That's too bad. Did you enjoy the food?

W Yes, but it _____ _____.

M What a pity! How was the hotel?

W There were _____ _____ _____. It was very noisy.

09 할 일 파악

대화를 듣고, 여자가 대화 직후에 할 일로 가장 적절한 것을 고르시오.

① 병원 가기   ② 약 먹기
③ 침대에 눕기   ④ 의자 가져오기
⑤ 휴지 가져오기

W You don't look well. Are you all right?

M I have a runny nose and _____ _____.

W That's no good. Here, _____ _____ _____.

M Thanks.

W Can I _____ _____ anything?

M *Can you _____ _____ _____ _____, please?

W Sure. I'll be right back.

---

* **교육부 지정 의사소통 기능: 도움 요청하기**   동(윤) 3 | 천(이) 4 | 천(정) 5 | 능(양) 6 | 비 3 | Y(송) 2

Can you ~? 너 ~해 줄래?
• **Can you** please do the dishes? 너 설거지 좀 해줄래?
• **Can you** move this box? 너 이 상자 좀 옮겨줄래?
• **Can you** wash the vegetables? 너 야채 좀 씻어줄래?

10 주제 추론

대화를 듣고, 무엇에 관한 내용인지 가장 적절한 것을 고르시오.

① 좋아하는 음식   ② 건강에 좋은 음식
③ 하루 일과   ④ 아침식사 습관
⑤ 다이어트 방법

W What do you usually have _____ _____, Minho?

M I usually eat rice and soup. How about you?

W I like having blueberry yogurt for breakfast. But I often _____ _____.

M Why do you do that? Aren't you hungry?

W Yes, but I always _____ _____ _____. I don't have time for it.

11 교통수단 찾기

대화를 듣고, 남자가 이용할 교통수단으로 가장 적절한 것을 고르시오.

① 배   ② 승용차   ③ 버스
④ 기차   ⑤ 비행기

W What are you going to do on Chuseok?
M I'm going to _____ _____ _____ in Daejeon with my family.
W Nice. How are you _____ _____? By train?
M Well, we couldn't get _____ _____, so we're going there _____ _____.
W I see.

12 이유 파악

대화를 듣고, 남자가 사진 동아리에 가입하려는 이유로 가장 적절한 것을 고르시오.

① 친구가 권유해서
② 부모님이 원해서
③ 상을 받기 위해서
④ 사진을 잘 찍고 싶어서
⑤ 과제를 만드는 데 도움이 돼서

W Rick, _____ _____ do you want to join?
M I'd like to join the photography club.
W That sounds interesting. Why do you want to join it?
M My dream is to _____ _____ _____. So I want to learn how to _____ _____ _____.
W That's great.

13 장소 추론

대화를 듣고, 두 사람이 대화하는 장소로 가장 적절한 곳을 고르시오.

① 서점   ② 은행   ③ 도서관
④ 박물관   ⑤ 유적지

🔊 **Listening Tip**

look it up은 /루 끼 럽/으로 발음해요. 모음으로 시작하는 단어(it)는 앞 단어(look)의 끝 자음과 연음이 되고, it up에서 두 모음 사이에 낀 [t]는 /ㄹ/로 발음되기 때문이에요.

W What can I do for you?
M I want to _____ _____ _____, but I can't find it.
W You should 🔊look it up on _____ _____.
M I already did.
W Well, let me check. It might be in _____ _____.
M Thank you.

14 그림 정보 파악 (길 찾기)

대화를 듣고, Sunset Plaza의 위치로 가장 알맞은 것을 고르시오.

You are here!

W Excuse me. Is Sunset Plaza _____ _____ _____?
M No, it takes about 10 minutes on foot.
W How can I _____ _____?
M _____ _____ _____ to Lake Street and turn left.
W Turn left at Lake Street?

M Yes. It'll be on _____ _____.
_____ _____ the school and the
bookstore.

W Thank you.

15 부탁 파악

대화를 듣고, 남자가 여자에게 부탁한 일로 가장
적절한 것을 고르시오.

① 기타 연주하기
② 연주회 함께 가기
③ 음악 동아리 만들기
④ 기타 가르쳐주기
⑤ 바이올린 가르쳐주기

W Wow! You are really good at _____ _____
_____.

M Thanks. Can you play the violin?

W No, I can't. But I can play _____ _____.

M Really? I _____ _____ _____
the guitar, too.

W You should try it. It is really easy.

M Can you teach me _____ _____
_____ the guitar later?

W Sure.

16 제안 파악

대화를 듣고, 여자가 남자에게 제안한 것으로 가
장 적절한 것을 고르시오.

① 일기예보 확인하기
② 울릉도에 대해 알아보기
③ 여행가방 간단히 싸기
④ 두꺼운 외투 가져가기
⑤ 모자와 장갑 가져가기

W Are you ready for _____ _____ to
Ulleung-do today?

M Yes. I already checked the weather forecast.

W How's the weather there?

M It's snowing. It _____ _____
_____ in the winter there.

W Then you should take _____ _____
_____ _____.

M Okay, Mom. Thanks.

17 한 일 파악

대화를 듣고, 남자가 주말에 한 일로 가장 적절한
것을 고르시오.

① 연 만들기   ② 연날리기
③ 집 청소하기   ④ 친구 병문안하기
⑤ 여동생 숙제 도와주기

M What did you do over the weekend?

W I made a kite and _____ _____ at the park.

M Did you enjoy it?

W Yes, it _____ _____. My kite was great!
What did you do over the weekend?

M I helped with _____ _____
during the weekend.

W You are very nice.

18 직업 추론

대화를 듣고, 남자의 직업으로 가장 적절한 것을 고르시오.

① 배우   ② 모델   ③ 미용사
④ 판매원   ⑤ 피부과 의사

M Long time _____ _____, Sandy. How are you doing?

W Fine, thanks. And you?

M Great, thanks. What _____ _____ _____ for you today?

W I'd like to change my hairstyle.

M Jason will _____ _____ _____ first, and then I'll be _____ _____.

W All right.

19 이어질 응답 찾기

대화를 듣고, 여자의 마지막 말에 이어질 남자의 말로 가장 적절한 것을 고르시오.

Man: _____

① Cheer up!
② Good for you!
③ How are you doing?
④ Nice to meet you.
⑤ You'll do better next time.

M You look very happy today. What's going on?

W I just got my _____ _____.

M How are your grades?

W I did _____ _____. That's why I'm _____ _____.

M Did your grades _____ _____?

W Yes, they did. I worked _____ _____.

20 이어질 응답 찾기

대화를 듣고, 여자의 마지막 말에 이어질 남자의 말로 가장 적절한 것을 고르시오.

Man: _____

① Because it'll be very hot.
② Because you'll be very tired.
③ Because you don't want to fly.
④ Because you're very busy with work.
⑤ Because it's not expensive to travel there.

M Do you have any plans for _____ _____?

W I'm going to travel abroad with my cousin.

M Did you decide _____ _____ _____ yet?

W Not yet, but I don't want to spend _____ _____ _____.

M Then you should go to a country in Southeast Asia.

W _____ _____ _____ say that?

실전 모의고사 **07**

점수 /20

01 다음을 듣고, 'this'가 가리키는 것으로 가장 적절한 것을 고르시오.

①   ②   ③

④   ⑤

02 대화를 듣고, 남자가 구입할 스카프로 가장 적절한 것을 고르시오.

①   ②   ③

④   ⑤

03 다음을 듣고, 오늘 오후의 날씨로 가장 적절한 것을 고르시오.

①   ②   ③   ④   ⑤

04 대화를 듣고, 여자가 한 마지막 말의 의도로 가장 적절한 것을 고르시오.

① 사과   ② 감사   ③ 승낙
④ 동의   ⑤ 실망

05 다음을 듣고, 남자가 동아리에 대해 언급하지 <u>않은</u> 것을 고르시오.

① 회원 자격   ② 이름   ③ 활동 내용
④ 모임 장소   ⑤ 가입 방법

06 대화를 듣고, Daniel이 있는 곳의 현재 시각을 고르시오.

① 1:00 a.m.   ② 2:00 a.m.   ③ 1:00 p.m.
④ 2:00 p.m.   ⑤ 4:00 p.m.

07 대화를 듣고, 여자의 장래 희망으로 가장 적절한 것을 고르시오.

① 건축가   ② 리포터   ③ 요리사
④ 만화가   ⑤ 과학자

08 대화를 듣고, 사진 속의 개에 대한 내용으로 일치하지 <u>않는</u> 것을 고르시오.

① 이름이 Coco이다.
② 작년에 도그 쇼에 참가했다.
③ 두 살이다.
④ 아주 똑똑하다.
⑤ 도그 쇼에서 상을 탔다.

09 대화를 듣고, 여자가 대화 직후에 할 일로 가장 적절한 것을 고르시오.

① 야구 경기 보러 가기
② 야구 연습하기
③ 아빠한테 외출 허락받기
④ 예매한 티켓 취소하기
⑤ 온라인으로 티켓 사기

10 대화를 듣고, 무엇에 관한 내용인지 가장 적절한 것을 고르시오.

① 주말 계획   ② 요리 강습   ③ 생일 파티
④ 파티 참가   ⑤ 음식 주문

11 대화를 듣고, 남자가 이용할 교통수단으로 가장 적절한 것을 고르시오.

① 택시   ② 버스   ③ 지하철
④ 자가용   ⑤ 기차

12 대화를 듣고, 남자가 일찍 일어난 이유로 가장 적절한 것을 고르시오.

① 축구 연습을 하기 위해서
② 축구 경기를 보기 위해서
③ 시험공부를 하기 위해서
④ 가족여행을 가기 위해서
⑤ 아침 식사를 준비하기 위해서

13 대화를 듣고, 두 사람의 관계로 가장 적절한 것을 고르시오.

① 교통 경찰관 – 운전자
② 택시 운전기사 – 승객
③ 자동차 판매원 – 고객
④ 과학자 – 리포터
⑤ 자동차 연구원 – 디자이너

14 대화를 듣고, 남자가 찾고 있는 휴대전화의 위치로 가장 알맞은 것을 고르시오.

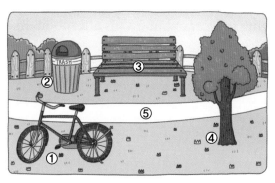

15 대화를 듣고, 여자가 남자에게 부탁한 일로 가장 적절한 것을 고르시오.

① 수학 문제 풀기   ② 할머니 방문하기
③ 개 산책시키기   ④ 화장실 청소하기
⑤ 동생 돌보기

16 대화를 듣고, 여자가 남자에게 제안한 것으로 가장 적절한 것을 고르시오.

① 외식하기   ② 빌린 책 반납하기
③ 동영상 시청하기   ④ 티켓 예매하기
⑤ 도서관에서 만나기

17 대화를 듣고, 남자가 오후에 한 일로 가장 적절한 것을 고르시오.

① 수영하기   ② 과학책 읽기
③ 과학박물관 가기   ④ 독후감 쓰기
⑤ 과학자 인터뷰하기

18 대화를 듣고, 남자의 직업으로 가장 적절한 것을 고르시오.

① 의사   ② 신문 기자   ③ 소설가
④ 통역사   ⑤ 서점 주인

[19-20] 대화를 듣고, 여자의 마지막 말에 이어질 남자의 말로 가장 적절한 것을 고르시오.

19 Man: _____

① Sure. That's a good idea.
② No. The party is over already.
③ Okay. I'll call the police right away.
④ We should cut down these trees.
⑤ There are too many people here.

20 Man: _____

① I'll read it for you.
② I need to study harder.
③ What was your name again?
④ I need to gain more weight.
⑤ Actually, I broke them yesterday.

Dictation 07

◇ 다시 듣고, 빈칸에 들어갈 알맞은 단어를 써보세요.

정답 및 해설 p.38

01 화제 추론

다음을 듣고, 'this'가 가리키는 것으로 가장 적절한 것을 고르시오.

① ② ③ ④ ⑤

M This is a popular _____ _____. You need green onions, eggs, flour, and _____ _____ to make this. Because this looks like a _____ _____ _____, some foreigners call this a Korean pancake. What is this?

02 그림 정보 파악

대화를 듣고, 남자가 구입할 스카프로 가장 적절한 것을 고르시오.

① ② ③ ④ ⑤

W Good afternoon. May I help you?

M Yes, please. I'm looking for _____ _____ for my mom.

W How do you like this one with _____ _____ _____?

M I like it. But the one with stripes _____ _____. I'll take it.

W Excellent. I'm sure she'll _____ _____.

03 날씨 파악

다음을 듣고, 오늘 오후의 날씨로 가장 적절한 것을 고르시오.

① ② ③ ④ ⑤

M Here is the weather report for our area. We'll have _____ _____ _____ this morning, but there's nothing to worry about. This afternoon, it's going to be warm, and we'll have _____ _____. You don't have to wear a _____ _____ today.

04 의도 파악

대화를 듣고, 여자가 한 마지막 말의 의도로 가장 적절한 것을 고르시오.

① 사과   ② 감사   ③ 승낙
④ 동의   ⑤ 실망

M Seri, why don't we _____ _____ this afternoon?

W This afternoon? I'm afraid _____ _____.

M Why not?

W Going skating is fun, but I have to finish _____ _____ _____.

M Then we should go _____ _____.

W That sounds great.

다음을 듣고, 남자가 동아리에 대해 언급하지 않은 것을 고르시오.

① 회원 자격　　② 이름
③ 활동 내용　　④ 모임 장소
⑤ 가입 방법

M Do you like music? Do you play any musical instruments? Then why don't you join our _____ _____, Rhythm Factory. We practice after school _____ _____ and perform _____ _____ _____. If you want to join us, talk to Mr. Green. Let's _____ _____ together!

대화를 듣고, Daniel이 있는 곳의 현재 시각을 고르시오.

① 1:00 a.m.　　② 2:00 a.m.
③ 1:00 p.m.　　④ 2:00 p.m.
⑤ 4:00 p.m.

W Chad, who are you chatting with?

M I am chatting with _____ _____ Daniel in Austin, in the U.S.

W _____ _____ is it there?

M Let me see. It's 4 p.m. here, so it's 1 a.m. there.

W 1 a.m.? Does he _____ _____ _____ late?

M Yes, he always goes to bed at around 2 a.m.

대화를 듣고, 여자의 장래 희망으로 가장 적절한 것을 고르시오.

① 건축가　　② 리포터　　③ 요리사
④ 만화가　　⑤ 과학자

W James, *are you good at cooking?

M I think so. I love food and enjoy making it, too.

W Do you want to _____ _____ _____ in the future?

M Yes, I do. What about you, Amy?

W I want to be a cartoonist. I love _____ _____.

M That sounds great! I'm sure you'll be _____ _____ _____.

✱ **교육부 지정 의사소통 기능: 능력 여부 묻기**　　동(이) 1 | 천(정) 6 | 지 1 | 금 3

Are you good at ~? 너는 ~을 잘 하니?

• **Are you good at** singing? 너는 노래를 잘 부르니?
• **Are you good at** writing? 너는 글을 잘 쓰니?

대화를 듣고, 사진 속의 개에 대한 내용으로 일치하지 않는 것을 고르시오.

① 이름이 Coco이다.
② 작년에 도그 쇼에 참가했다.
③ 두 살이다.
④ 아주 똑똑하다.
⑤ 도그 쇼에서 상을 탔다.

W Look at this picture, Jay.
M Oh, is that _____ _____ Coco?
W Yes. He was in the dog show _____ _____.
M Really? _____ _____ was he?
W He was only 2 years old then. But he was _____ _____.
M Did he win a prize?
W No, he _____ _____ a prize.
M That's too bad.

대화를 듣고, 여자가 대화 직후에 할 일로 가장 적절한 것을 고르시오.

① 야구 경기 보러 가기
② 야구 연습하기
③ 아빠한테 외출 허락받기
④ 예매한 티켓 취소하기
⑤ 온라인으로 티켓 사기

W Do you have any plans for this Saturday?
M No, _____ _____. How about you?
W I'm going to watch _____ _____ _____ with my dad.
M That sounds like fun. Do you have tickets?
W No. I'm going to buy them _____ _____.
M You should hurry if you want to get good seats.
W All right. _____ _____ _____ now.

대화를 듣고, 무엇에 관한 내용인지 가장 적절한 것을 고르시오.

① 주말 계획   ② 요리 강습
③ 생일 파티   ④ 파티 참가
⑤ 음식 주문

M Julie, _____ _____ is your birthday. What do you want to do?
W I want to invite a few friends over for _____ _____ _____.
M How many friends do you want to invite?
W Maybe 4 or 5.
M What kind _____ _____ should I prepare?
W Just snacks _____ _____. Thanks, Dad.

대화를 듣고, 남자가 이용할 교통수단으로 가장 적절한 것을 고르시오.

① 택시   ② 버스   ③ 지하철
④ 자가용   ⑤ 기차

M Mom, I'm going to meet Cindy _____ _____ _____.
W Okay. Are you going to take _____ _____?
M Yes. Then I have to walk from the ◀)) bus stop to the mall for

■)) **Listening Tip**

bus stop에서처럼 앞 단어의 끝과 뒤 단어의 시작이 같은 자음일 때는 두 번 발음하지 않고 약간 길게 한 번만 발음해요. 즉, /버스 스땁/이 아니라 /버스~땁/에 가깝게 발음합니다.

10 minutes.

W Why don't you take the subway? The subway station connects to the mall, so _____ _____.

M Really? I'll take _____ _____ then.

---

12 이유 파악

대화를 듣고, 남자가 일찍 일어난 이유로 가장 적절한 것을 고르시오.

① 축구 연습을 하기 위해서
② 축구 경기를 보기 위해서
③ 시험공부를 하기 위해서
④ 가족여행을 가기 위해서
⑤ 아침 식사를 준비하기 위해서

W Suho, you look tired.

M Yes. I'm a bit tired. I _____ _____ _____ these days.

W Why do you get up early?

M I have _____ _____ at school. It starts at 6:30 in the morning.

W Oh, that's right. You have a _____ _____ next week. Good luck.

---

13 관계 추론

대화를 듣고, 두 사람의 관계로 가장 적절한 것을 고르시오.

① 교통 경찰관 – 운전자
② 택시 운전기사 – 승객
③ 자동차 판매원 – 고객
④ 과학자 – 리포터
⑤ 자동차 연구원 – 디자이너

W Can I help you?

M Yes. I'm interested in _____ _____.

W This is _____ _____ _____. It _____ _____ _____ and electricity.

M That's very interesting. _____ _____ explain more about it?

W Sure. Let me open the car door first.

---

14 그림 정보 파악 (위치)

대화를 듣고, 남자가 찾고 있는 휴대전화의 위치로 가장 알맞은 것을 고르시오.

W Honey, it's _____ _____. Let's go home.

M Wait. I think I lost my cell phone here.

W Did you check _____ _____ _____?

M Yes, I did. But it wasn't there.

W Did you look _____ _____ _____?

M Yes. *[Pause]* Oh, there it is. It's _____ _____ the trash can.

15 부탁 파악

대화를 듣고, 여자가 남자에게 부탁한 일로 가장
적절한 것을 고르시오.

① 수학 문제 풀기　② 할머니 방문하기
③ 개 산책시키기　④ 화장실 청소하기
⑤ 동생 돌보기

[Cell phone rings.]

M　Hello.

W　Hello, Kyle. Did you ＿＿＿＿＿ ＿＿＿＿＿
＿＿＿＿＿?

M　Yes, I did. Why?

W　I have to visit your grandmother after work. So I'll
＿＿＿＿＿ ＿＿＿＿＿ ＿＿＿＿＿.

M　Okay.

W　Can you ＿＿＿＿＿ ＿＿＿＿＿ ＿＿＿＿＿
please? I didn't do it this morning.

M　Sure. I'll do it.

16 제안 파악

대화를 듣고, 여자가 남자에게 제안한 것으로 가
장 적절한 것을 고르시오.

① 외식하기　② 빌린 책 반납하기
③ 동영상 시청하기　④ 티켓 예매하기
⑤ 도서관에서 만나기

W　Do you have any plans for tomorrow?

M　No, nothing. Why?

W　I have free tickets to the magic show. Do you ＿＿＿＿＿
＿＿＿＿＿ ＿＿＿＿＿?

M　Sure, I'd love to go.

W　Great. ＿＿＿＿＿ ＿＿＿＿＿ ＿＿＿＿＿ 6, so
we should meet at 4:30.

M　Okay. Where do you want to meet?

W　How about ＿＿＿＿＿ ＿＿＿＿＿ ＿＿＿＿＿
＿＿＿＿＿?

M　＿＿＿＿＿ ＿＿＿＿＿ ＿＿＿＿＿.

17 한 일 파악

대화를 듣고, 남자가 오후에 한 일로 가장 적절한
것을 고르시오.

① 수영하기　② 과학책 읽기
③ 과학박물관 가기　④ 독후감 쓰기
⑤ 과학자 인터뷰하기

W　Tim, where were you in the afternoon?

M　I was in ＿＿＿＿＿ ＿＿＿＿＿.

W　Why were you there?

M　I had to read some science books. It's for ＿＿＿＿＿
＿＿＿＿＿ ＿＿＿＿＿.

W　Were there any ＿＿＿＿＿ ＿＿＿＿＿?

M　Sure. I read a book about ＿＿＿＿＿ ＿＿＿＿＿.
It was interesting.

18 직업 추론

대화를 듣고, 남자의 직업으로 가장 적절한 것을 고르시오.

① 의사   ② 신문 기자   ③ 소설가
④ 통역사   ⑤ 서점 주인

🔊 **Listening Tip**

동사의 과거형의 -ed는 -ed 바로 앞의 소리가 유성음이면 [d]로, 무성음이면 [t]로 발음하지요. finished에서 'sh'는 [ʃ] 즉 무성음이므로 이때 -ed는 [t]로 발음해요.

[Cell phone rings]

M Hello.

W Hello, Steven. It's Lisa. How are you?

M Great. I 🔊 finished _____ _____ this morning.

W Oh, really? Congratulations!

M Thanks. I _____ _____ it to you by e-mail.

W Great. I'll _____ _____ right away.

M I hope my readers love my _____ _____.

W I hope so, too.

19 이어질 응답 찾기

대화를 듣고, 여자의 마지막 말에 이어질 남자의 말로 가장 적절한 것을 고르시오.

Man: _____

① Sure. That's a good idea.
② No. The party is over already.
③ Okay. I'll call the police right away.
④ We should cut down these trees.
⑤ There are too many people here.

M This park is so beautiful!

W I know. Look at all _____ _____.
They're very tall.

M There's even a little pond here.

W I'm glad that this park is really _____ _____ my house.

M Yes, I should come here _____ _____.
This place is perfect _____ _____.

W You're right. _____ _____ _____ here next weekend.

20 이어질 응답 찾기

대화를 듣고, 여자의 마지막 말에 이어질 남자의 말로 가장 적절한 것을 고르시오.

Man: _____

① I'll read it for you.
② I need to study harder.
③ What was your name again?
④ I need to gain more weight.
⑤ Actually, I broke them yesterday.

M Can you do me a favor, Anna?

W Of course. What is it, Dad?

M Can you read this _____ _____ for me?

W Sure. Are the letters too small to read?

M Yes, they're too small _____ _____.

W Well, you should wear your glasses. _____ _____ _____ put them?

실전 모의고사 08

01 다음을 듣고, 'this'가 가리키는 것으로 가장 적절한 것을 고르시오.

①   ②   ③

④   ⑤

02 대화를 듣고, 여자가 만든 사진첩 표지로 가장 적절한 것을 고르시오.

①   ②   ③

④   ⑤

03 다음을 듣고, 제주도의 날씨로 가장 적절한 것을 고르시오.

①   ②   ③   ④   ⑤

04 대화를 듣고, 여자의 마지막 말의 의도로 가장 적절한 것을 고르시오.

① 감사　② 칭찬　③ 제안
④ 사과　⑤ 불평

05 다음을 듣고, 남자가 김치 축제에 대해 언급하지 않은 것을 고르시오.

① 개최 시기　② 개최 장소　③ 축제 기간
④ 참가 자격　⑤ 행사 내용

06 대화를 듣고, 두 사람이 만날 시각을 고르시오.

① 4:00 p.m.　② 4:30 p.m.　③ 5:00 p.m.
④ 5:30 p.m.　⑤ 6:00 p.m.

07 대화를 듣고, 여자의 장래 희망으로 가장 적절한 것을 고르시오.

① 아나운서　　　② 여행 작가
③ 여행 가이드　　④ 소설가
⑤ 발명가

08 대화를 듣고, 남자의 심정으로 가장 적절한 것을 고르시오.

① disappointed　② nervous
③ bored　　　　④ proud
⑤ sad

09 대화를 듣고, 여자가 대화 직후에 할 일로 가장 적절한 것을 고르시오.

① 재료 사오기　　② 피자 주문하기
③ 음식 포장해 가기　④ 샐러드 만들기
⑤ 영화 보러 가기

10 대화를 듣고, 무엇에 관한 내용인지 가장 적절한 것을 고르시오.

① 직업 체험　② 냉장고 구입　③ 반품 문의
④ 수리 의뢰　⑤ 택배 접수

11 대화를 듣고, 두 사람이 함께 이용할 교통수단으로 가장 적절한 것을 고르시오.

① 버스 　　② 지하철 　　③ 택시
④ 자전거 　　⑤ 도보

12 대화를 듣고, 여자가 전화를 받지 <u>못한</u> 이유로 가장 적절한 것을 고르시오.

① 잠을 자고 있어서
② 전화기가 고장 나서
③ 밴드 연습 중이어서
④ 영화 보러 나가서
⑤ 콘서트를 관람하고 있어서

13 대화를 듣고, 두 사람이 대화하는 장소로 가장 적절한 곳을 고르시오.

① 박물관 　　② 서점 　　③ 빵집
④ 동물 병원 　　⑤ 동물원

14 대화를 듣고, 안경이 있는 위치로 가장 알맞은 것을 고르시오.

15 대화를 듣고, 남자가 여자에게 부탁한 일로 가장 적절한 것을 고르시오.

① 선물 포장해주기 　　② 가격 할인해주기
③ 영수증 보여주기 　　④ 집으로 배달해주기
⑤ 다른 색 셔츠 보여주기

16 대화를 듣고, 여자가 남자에게 제안한 것으로 가장 적절한 것을 고르시오.

① 외식하기 　　② 농구하기
③ TV 보기 　　④ 보드게임하기
⑤ 집 청소하기

17 대화를 듣고, 여자가 어제 한 일로 가장 적절한 것을 고르시오.

① 쇼핑하기 　　② 병문안하기
③ 파자마 파티하기 　　④ 수학 공부하기
⑤ 콘서트 보러 가기

18 대화를 듣고, 여자의 직업으로 가장 적절한 것을 고르시오.

① 기자 　　② 방송 진행자
③ 영화배우 　　④ 연예인 매니저
⑤ 호텔 접수원

[19-20] 대화를 듣고, 여자의 마지막 말에 이어질 남자의 말로 가장 적절한 것을 고르시오.

19 Man: _____

① Yes, we'd better do that.
② Yes, I'll get some more ice.
③ No, it's not too hot for me.
④ We should wait until the sun sets.
⑤ No, I already checked the weather.

20 Man: _____

① Let's meet at 5:30.
② I knew that already.
③ I'll see you next week.
④ 4:30 sounds good then.
⑤ I'm going to be late.

---

01 화제 추론

다음을 듣고, 'this'가 가리키는 것으로 가장 적절한 것을 고르시오.

① ② ③
④ ⑤

M This is a piece of special glass. This comes in many _____ _____ and sizes. You can find this at home or _____ _____ _____.
When you look in this, you can _____ _____. You usually use this before you go out.
What is this?

---

02 그림 정보 파악

대화를 듣고, 여자가 만든 사진첩 표지로 가장 적절한 것을 고르시오.

① ② Happy Family ③
Happy Family
④ Family Album ⑤
Family Album

M Ann, what are you doing?
W I'm making a cover for my _____ _____ _____. Can you help me?
M Sure. How about putting your family's picture _____ _____ _____?
W Okay. Now I want to put a title _____ _____ _____.
M Good idea! How about "_____ _____"?
W That's a good title.

---

03 날씨 파악

다음을 듣고, 제주도의 날씨로 가장 적절한 것을 고르시오.

① ② ③
④ ⑤

W Welcome to today's weather forecast. In Seoul, it's very _____ and _____. In Daegu, it is sunny now, but it'll _____ _____ this afternoon.
In Busan, the snow will stop _____ _____ _____, and there will be sunny skies. In Jeju-do, _____ _____ all day.

---

04 의도 파악

대화를 듣고, 여자의 마지막 말의 의도로 가장 적절한 것을 고르시오.

① 감사   ② 칭찬   ③ 제안
④ 사과   ⑤ 불평

W Eric, do you know any good restaurants?
M Of course. _____ _____ _____ _____ would you like to eat?
W I'd like to eat some Chinese food.
M There's a Chinese restaurant _____ _____ the street.

W Great. _____ _____ _____ eat lunch there tomorrow?

05 언급하지 않은 내용 찾기

다음을 듣고, 남자가 김치 축제에 대해 언급하지 **않은** 것을 고르시오.

① 개최 시기　　② 개최 장소
③ 축제 기간　　④ 참가 자격
⑤ 행사 내용

M If you like kimchi, don't miss the World Kimchi Festival. This festival takes place _____ _____ in Gwangju in Korea. It'll _____ _____ 3 days this year. At the festival, visitors _____ _____ different kinds of kimchi and _____ _____.

06 숫자 정보 파악 (시각)

대화를 듣고, 두 사람이 만날 시각을 고르시오.

① 4:00 p.m.　　② 4:30 p.m.
③ 5:00 p.m.　　④ 5:30 p.m.
⑤ 6:00 p.m.

W I'm going to _____ _____ after school. Do you want to go with me?

M Sure. What time _____ _____ _____?

W Let's meet at 4 o'clock.

M Well, I have a taekwondo lesson from 4 to 5. _____ _____ 5:30?

W All right. Let's meet at _____ _____ _____.

M Okay.

07 장래 희망 파악

대화를 듣고, 여자의 장래 희망으로 가장 적절한 것을 고르시오.

① 아나운서　　② 여행 작가
③ 여행 가이드　　④ 소설가
⑤ 발명가

M What are you watching?

W I'm watching a video clip _____ _____.

M Do you like traveling?

W Yes, *I'm interested in visiting new places and _____ _____ _____.

M Then do you want to be a _____ _____ in the future?

W I actually want to be _____ _____ _____.

＊ **교육부 지정 의사소통 기능: 관심 말하기**　　동(윤) 6 | 동(이) 6 | 천(이) 7 | 능(양) 2 | Y(송) 7 | 지 5 | 다 5

I'm interested in ~. 나는 ~에 관심이[흥미가] 있어.

• **I'm interested in** solving puzzles. 나는 퍼즐을 푸는 것에 관심이 있어.
• **I'm interested in** making clothes. 나는 옷 만드는 데 관심 있어.

08 심정 파악

대화를 듣고, 남자의 심정으로 가장 적절한 것을
고르시오.

① disappointed   ② nervous
③ bored   ④ proud
⑤ sad

M Mom, look at this!

W What is it, Minsu?

M I drew this at school. It's about _____

_____.

W Wow, it _____ _____.

M I also got _____ _____ in my class. So the
teacher is going to put _____ _____ in the
classroom.

W Really? That sounds wonderful.

09 할 일 파악

대화를 듣고, 여자가 대화 직후에 할 일로 가장 적
절한 것을 고르시오.

① 재료 사오기   ② 피자 주문하기
③ 음식 포장해 가기 ④ 샐러드 만들기
⑤ 영화 보러 가기

W Why don't we make some food for dinner?

M I forgot to go to the supermarket this week. There is
_____ _____ _____ with.

W Then _____ _____ _____ some
food?

M Okay. I'd like to eat pizza.

W Me, too. _____ _____ _____
now.

10 주제 추론

대화를 듣고, 무엇에 관한 내용인지 가장 적절한
것을 고르시오.

① 직업 체험   ② 냉장고 구입
③ 반품 문의   ④ 수리 의뢰
⑤ 택배 접수

🔊 **Listening Tip**
printer에서처럼 'n' 뒤에 오는 't'는 거의 발음되지 않아
요. 그래서 printer는 /프린터/가 아니라 /프뤼널/로 들릴
때가 많아요.

[Telephone rings.]

M Ace Computer Shop.

W Hello. Do _____ _____ printers?

M Sure. What's _____ _____ ?

W I changed the ink. But the 🔊printer keeps saying

_____ _____.

M I see. We can _____ _____ at 3 o'clock this
afternoon. Is that okay?

W Yes, that's fine.

11 교통수단 찾기

대화를 듣고, 두 사람이 함께 이용할 교통수단으
로 가장 적절한 것을 고르시오.

① 버스   ② 지하철   ③ 택시
④ 자전거 ⑤ 도보

M I'm so excited to see _____ _____

_____ today.

W Me, too. How can we get to Jamsil Stadium?

M We can get there by _____ _____

_____.

W Then let's _____ _____ _____.

The bus stop is just around the corner.

M Okay.

---

12 이유 파악

대화를 듣고, 여자가 전화를 받지 못한 이유로 가장 적절한 것을 고르시오.

① 잠을 자고 있어서
② 전화기가 고장 나서
③ 밴드 연습 중이어서
④ 영화 보러 나가서
⑤ 콘서트를 관람하고 있어서

M I called you 3 times last night, but you didn't answer.

W Sorry, I _____ _____ at that time. I left my cell phone _____ _____.

M Where did you go?

W I _____ _____ _____ a movie with my parents.

M Oh, what movie did you watch?

W *The Queen.* It was _____ _____ _____ of the year.

---

13 장소 추론

대화를 듣고, 두 사람이 대화하는 장소로 가장 적절한 곳을 고르시오.

① 박물관   ② 서점   ③ 빵집
④ 동물 병원 ⑤ 동물원

W Come and look at this koala!

M How cute! He's _____ _____ _____ _____!

W Oh, look under the tree! Do you see the kangaroos?

M Yes. Wow, they're so big. Oh, can you _____ _____ _____ of me with them?

W Sure. But don't get _____ _____. They might bite you.

M Okay. I won't.

---

14 그림 정보 파악 (위치)

대화를 듣고, 안경이 있는 위치로 가장 알맞은 것을 고르시오.

W Chris, I lost my glasses. Did you see them?

M No, Grandma.

W I put them _____ _____ _____, but they're not there.

M Did you check _____ _____ _____?

W Yes, but I _____ _____ them.

M Oh! They are on the chair over there.

W _____ _____ _____. Thank you, Jamie.

---

15 부탁 파악

대화를 듣고, 남자가 여자에게 부탁한 일로 가장 적절한 것을 고르시오.

① 선물 포장해주기
② 가격 할인해주기
③ 영수증 보여주기
④ 집으로 배달해주기
⑤ 다른 색 셔츠 보여주기

🔊 **Listening Tip**

I'll take it.에서 I'll은 I will의 축약형으로, 소리도 /아일/ 처럼 will이 빠르고 약하게 발음되므로 잘 들리지 않을 수도 있으니 주의해서 들어야 해요.

W May I help you?

M Hi. I'm looking for _____ _____ _____ my dad.

W All right. How about this blue one?

M It looks nice. How much is it?

W It's _____ _____, so now it's $40.

M Great! 🔊 I'll take it. Can you _____ _____ _____ as a gift?

W Of course.

---

16 제안 파악

대화를 듣고, 여자가 남자에게 제안한 것으로 가장 적절한 것을 고르시오.

① 외식하기   ② 농구하기
③ TV 보기   ④ 보드게임하기
⑤ 집 청소하기

W Ben, don't you have a piano lesson today?

M My teacher _____ _____, so she canceled my lesson today.

W Oh, then what will you do instead?

M I don't know. I just want to _____ _____ at home.

W Why don't we _____ _____ _____ _____ ?

M That's _____ _____ _____.

---

17 한 일 파악

대화를 듣고, 여자가 어제 한 일로 가장 적절한 것을 고르시오.

① 쇼핑하기   ② 병문안하기
③ 파자마 파티하기   ④ 수학 공부하기
⑤ 콘서트 보러 가기

W Brad, how was your day yesterday?

M It was boring. I _____ _____ _____ _____. How about you?

W I _____ _____ Kate's house with my pillows and pajamas.

M Wow, you had a pajama party.

W Yes. We _____ _____ _____. It was really fun.

18 직업 추론

대화를 듣고, 여자의 직업으로 가장 적절한 것을 고르시오.

① 기자
② 방송 진행자
③ 영화배우
④ 연예인 매니저
⑤ 호텔 접수원

M Hi. My name is Jiho. Nice to meet you.

W Nice to meet you, too.

M I really liked your recent movie. How do you feel about _____ _____ _____ ?

W I feel happy to be _____ _____ _____ the movie.

M What's _____ _____ _____ about?

W It's an action movie. _____ _____ a reporter like you.

19 이어질 응답 찾기

대화를 듣고, 여자의 마지막 말에 이어질 남자의 말로 가장 적절한 것을 고르시오.

Man: _____

① Yes, we'd better do that.
② Yes, I'll get some more ice.
③ No, it's not too hot for me.
④ We should wait until the sun sets.
⑤ No, I already checked the weather.

W Why is it so cold today?

M *I have no idea. It keeps getting _____ _____ _____ these days.

W It's only November. But _____ _____ _____ winter is almost here.

M You're right.

W Should we go home and _____ _____ _____ ?

> ✱ 교육부 지정 의사소통 기능: **모르고 있음 표현하기** 비 5
> **I have no idea.** 나는 전혀 모르겠어.
> A: What floor is the flower shop on? 그 꽃집이 몇 층에 있어?
> B: **I have no idea.** Let's ask somebody. 난 전혀 모르겠어. 다른 사람한테 물어보자.

20 이어질 응답 찾기

대화를 듣고, 여자의 마지막 말에 이어질 남자의 말로 가장 적절한 것을 고르시오.

Man: _____

① Let's meet at 5:30.
② I knew that already.
③ I'll see you next week.
④ 4:30 sounds good then.
⑤ I'm going to be late.

W Do you want to _____ _____ _____ to finish our project?

M Yes. What time do you want to meet?

W How about _____ _____ _____ ?

M Oh, I can't meet at 4:30 tomorrow. I have to _____ _____ _____ 6 o'clock tomorrow.

W It will only _____ _____ _____ .

실전 모의고사 09

01 다음을 듣고, 'this'가 가리키는 것이 무엇인지 가장 적절한 것을 고르시오.

02 대화를 듣고, 남자가 구입할 필통으로 가장 적절한 것을 고르시오.

03 다음을 듣고, 내일 날씨로 가장 적절한 것을 고르시오.

① ② ③ ④ ⑤

04 대화를 듣고, 남자가 한 마지막 말의 의도로 가장 적절한 것을 고르시오.
① 사과 ② 격려 ③ 부정
④ 칭찬 ⑤ 부탁

05 다음을 듣고, 남자가 코트에 대해 언급하지 <u>않은</u> 것을 고르시오.
① 무게 ② 색깔 ③ 크기
④ 가격 ⑤ 판매 장소

06 대화를 듣고, 오늘 요가 수업이 시작되는 시각을 고르시오.
① 10:00 a.m. ② 10:30 a.m.
③ 11:00 a.m. ④ 11:30 a.m.
⑤ 12:00 p.m.

07 대화를 듣고, 여자의 장래 희망으로 가장 적절한 것을 고르시오.
① 리포터 ② 건축가 ③ 탐험가
④ 수의사 ⑤ 교사

08 대화를 듣고, 남자의 시계에 대한 내용으로 일치하지 <u>않는</u> 것을 고르시오.
① 할아버지가 주셨다.
② 숫자가 없다.
③ 단순한 디자인으로 유명하다.
④ 아주 가볍다.
⑤ 끈이 갈색이다.

09 대화를 듣고, 여자가 대화 직후에 할 일로 가장 적절한 것을 고르시오.
① 거실 청소하기 ② 손님 초대하기
③ 음식 준비하기 ④ 장보러 가기
⑤ 아이 목욕시키기

10 대화를 듣고, 무엇에 관한 내용인지 가장 적절한 것을 고르시오.
① 스트레칭 방법 ② 하루 일과
③ 봉사활동 계획 ④ 청소년 건강의 중요성
⑤ 건강한 수면 습관

11 대화를 듣고, 남자가 이용할 교통수단으로 가장 적절한 것을 고르시오.

① 버스   ② 지하철   ③ 택시
④ 도보   ⑤ 기차

12 대화를 듣고, 남자가 슬픈 이유로 가장 적절한 것을 고르시오.

① 시험을 망쳐서
② 개를 잃어버려서
③ 개를 키우지 못하게 돼서
④ 동생이 다쳐서
⑤ 친구가 이사를 가서

13 대화를 듣고, 두 사람의 관계로 가장 적절한 것을 고르시오.

① 전자제품 판매원 – 손님
② 승무원 – 승객
③ 교사 – 학생
④ 공연장 안내원 – 관객
⑤ 웨이터 – 손님

14 대화를 듣고, 도시락이 있는 위치로 가장 알맞은 것을 고르시오.

15 대화를 듣고, 여자가 남자에게 부탁한 일로 가장 적절한 것을 고르시오.

① 방해하지 말기   ② 요리법 알려주기
③ 식료품 사 오기   ④ 저녁 식사 준비하기
⑤ 보고서 작성 도와주기

16 대화를 듣고, 여자가 남자에게 제안한 것으로 가장 적절한 것을 고르시오.

① 계단으로 가기   ② 산책하기
③ 체중 줄이기   ④ 함께 조깅하기
⑤ 자전거 타기

17 대화를 듣고, 여자가 주말에 한 일로 가장 적절한 것을 고르시오.

① 영화 보기   ② 책 읽기
③ 낚시하기   ④ 친구 만나기
⑤ 캐치볼 하기

18 대화를 듣고, 남자의 직업으로 가장 적절한 것을 고르시오.

① 요리사   ② 레스토랑 매니저
③ 배달원   ④ 아파트 경비원
⑤ 호텔 직원

[19-20] 대화를 듣고, 남자의 마지막 말에 이어질 여자의 말로 가장 적절한 것을 고르시오.

19 Woman: _____

① I don't live in Korea.
② London is an amazing city.
③ Let's go to London next week.
④ You should visit Seoul again.
⑤ Korea has many beautiful places.

20 Woman: _____

① I have a cat.
② I don't like dogs.
③ Your dog is so big.
④ I'm scared of animals.
⑤ My parents don't like dogs.

Dictation 09

◆ 다시 듣고, 빈칸에 들어갈 알맞은 단어를 써보세요.

정답 및 해설 p.50

01 화제 추론

다음을 듣고, 'this'가 가리키는 것이 무엇인지 가장 적절한 것을 고르시오.

① ② ③
④ ⑤

W You can see this in _____ _____. People use this when they want to _____ _____. When you use this, you put food in this and the food _____ _____. This also _____ _____ _____ when the food is ready. What is this?

02 그림 정보 파악

대화를 듣고, 남자가 구입할 필통으로 가장 적절한 것을 고르시오.

① ② ③
④ ⑤

M Excuse me. I'm looking for _____ _____ _____ for my sister.

W How about this one with _____ _____ on it? It's very popular with girls.

M She has _____ _____ _____. How much is this one?

W Do you mean the carrot-shaped one?

M Yes. I think she'll like it.

W It's $8.

M Okay. _____ _____ _____.

03 날씨 파악

다음을 듣고, 내일 날씨로 가장 적절한 것을 고르시오.

① ② ③
④ ⑤

W Good evening, everyone! Here is tomorrow's weather report. It's _____ _____ _____ right now, but the snow _____ _____ _____. However, it will be very cold and we will have _____ _____ all day tomorrow.

04 의도 파악

대화를 듣고, 남자가 한 마지막 말의 의도로 가장
적절한 것을 고르시오.

① 사과   ② 격려   ③ 부정
④ 칭찬   ⑤ 부탁

M How was the math test?

W Oh, Dad. I _____ _____ so well.

M Didn't you _____ _____ for it?

W Yes, but maybe I was too nervous.

M Don't worry, Jane. You'll do better _____
_____.

05 언급하지 않은 내용 찾기

다음을 듣고, 남자가 코트에 대해 언급하지 않은
것을 고르시오.

① 무게   ② 색깔   ③ 크기
④ 가격   ⑤ 판매 장소

🔊 **Listening Tip**

숫자를 들어야 할 때 fifty(50)와 fifteen(15)처럼 비슷하
게 들리는 단어들이 있어요. fifty의 발음은 [fífti]로 앞에
강세가 있고, fifteen은 뒤에 강세가 있어서 [fiftí:n]으
로 발음되니까 단어의 소리를 끝까지 잘 들으면 구분할 수 있
어요.

M Let me tell you about this amazing coat. It is _____
_____. It's only 700 grams. There are 3 different
colors, _____, _____, and gray. And it
comes in 3 _____ _____, small, medium,
and large. You can get one for only 🔊 $50.

06 숫자 정보 파악 (시각)

대화를 듣고, 오늘 요가 수업이 시작되는 시각을
고르시오.

① 10:00 a.m.   ② 10:30 a.m.
③ 11:00 a.m.   ④ 11:30 a.m.
⑤ 12:00 p.m.

M Hurry up! We're going to be late for the yoga class.

W What's _____ _____? It's 10:30.

M Yes. And _____ _____ _____ at
11.

W Really? Doesn't it start _____ _____?

M No, that's our _____ _____ on Tuesdays.

07 장래 희망 파악

대화를 듣고, 여자의 장래 희망으로 가장 적절한
것을 고르시오.

① 리포터   ② 건축가   ③ 탐험가
④ 수의사   ⑤ 교사

W Jinho, you look busy.

M Hi, Somi. I'm writing about _____ _____
_____.

W Can I see it? [Pause] Oh, do you want to be an architect?

M Yes, I do. How about you?

W I want to become _____ _____ in the
future.

M I think _____ _____ _____ a
good teacher.

일치하지 않는 내용 찾기

대화를 듣고, 남자의 시계에 대한 내용으로 일치하지 <u>않는</u> 것을 고르시오.

① 할아버지가 주셨다.
② 숫자가 없다.
③ 단순한 디자인으로 유명하다.
④ 아주 가볍다.
⑤ 끈이 갈색이다.

W Peter, can I see your new watch?

M Sure, but be careful. It's a gift from my grandfather.

W Okay. Oh, it doesn't have _____ _____

_____ _____.

M Yes. _____ _____ _____ its

simple design. It's also _____ _____.

W I like the color of the band. _____ _____.

M Yes, it's my favorite color.

---

09 할 일 파악

대화를 듣고, 여자가 대화 직후에 할 일로 가장 적절한 것을 고르시오.

① 거실 청소하기   ② 손님 초대하기
③ 음식 준비하기   ④ 장보러 가기
⑤ 아이 목욕시키기

W Honey, the living room is not clean at all.

M Oh no! _____ _____ will be here soon.

W We'd better hurry then.

M Don't worry. I'll clean _____ _____

_____.

W Okay, then I'll start _____ _____

_____.

---

10 주제 추론

대화를 듣고, 무엇에 관한 내용인지 가장 적절한 것을 고르시오.

① 스트레칭 방법
② 하루 일과
③ 봉사활동 계획
④ 청소년 건강의 중요성
⑤ 건강한 수면 습관

W What time do you usually _____ _____

_____?

M I go to sleep at 10 and wake up at 6 every day.

W Wow! How do you do that?

M I don't _____ _____ _____

_____.

W Okay, and?

M I drink a glass of _____ _____, too.

W Okay. I'll try it tonight.

---

11 교통수단 찾기

대화를 듣고, 남자가 이용할 교통수단으로 가장 적절한 것을 고르시오.

① 버스   ② 지하철   ③ 택시
④ 도보   ⑤ 기차

M Excuse me. Where's the nearest _____

_____?

W You have to go straight for 10 minutes.

M 10 minutes? That's _____ _____!

W Where are you going?

M I'm going to the city museum.

W Why don't you _____ _____
_____? The subway station is closer from here.

M Oh, I'll _____ _____ _____ then.

12 이유 파악

대화를 듣고, 남자가 슬픈 이유로 가장 적절한 것을 고르시오.

① 시험을 망쳐서
② 개를 잃어버려서
③ 개를 키우지 못하게 돼서
④ 동생이 다쳐서
⑤ 친구가 이사를 가서

W Why do you look so sad, Henry?

M Do you remember my dog Max?

W Yes, of course. He's such _____ _____
_____.

M I took him to a park yesterday.

W And did _____ _____ to Max?

M He _____ _____ another dog, and I
_____ _____.

W Oh, I'm so sorry to hear that.

13 관계 추론

대화를 듣고, 두 사람의 관계로 가장 적절한 것을 고르시오.

① 전자제품 판매원 – 손님
② 승무원 – 승객
③ 교사 – 학생
④ 공연장 안내원 – 관객
⑤ 웨이터 – 손님

W What would you like _____ _____, sir?

M I'll just have a glass of water, please.

W Of course. [Pause] Here you are.

M Thank you very much.

W Sir, we _____ _____ _____ New
York soon. Could you please put on _____
_____ _____?

M Sure.

14 그림 정보 파악 (위치)

대화를 듣고, 도시락이 있는 위치로 가장 알맞은 것을 고르시오.

M Sophia, did you see my lunch box?

W I didn't. Where did you _____ _____?

M I put it _____ _____ _____ when
I got home.

W [Pause] Look! It's in the sink. I think Mom put it in there to
_____ _____.

M Oh, there _____ _____. Thank you.

15 부탁 파악

대화를 듣고, 여자가 남자에게 부탁한 일로 가장 적절한 것을 고르시오.

① 방해하지 말기
② 요리법 알려주기
③ 식료품 사 오기
④ 저녁 식사 준비하기
⑤ 보고서 작성 도와주기

🔊 **Listening Tip**

조동사 can은 I can do it.과 같은 문장 안에서는 강세가 없어서 /큰/으로 발음되는데, Can I help you with that? 에서와 같이 can이 의문문으로 쓰일 때는 강세를 받기 때문에 /캔/으로 길게 발음해요.

M What are you doing, Claire?

W I'm doing my science homework, Dad.

M You need to finish it _____ _____, right?

W Yes, I do.

M 🔊 Can I help you _____ _____?

W No, it's all right. Oh, can you _____ _____ instead? Mom is going to be home soon.

M Okay. I'll _____ _____ _____!

16 제안 파악

대화를 듣고, 여자가 남자에게 제안한 것으로 가장 적절한 것을 고르시오.

① 계단으로 가기   ② 산책하기
③ 체중 줄이기   ④ 함께 조깅하기
⑤ 자전거 타기

W Jay, what's the problem?

M The elevator _____ _____, so I used the stairs to get here.

W _____ _____ do you exercise?

M Well, I ride my bike every weekend.

W I don't think that's _____ _____. Why don't you _____ _____ with me?

M I'll think about that.

17 한 일 파악

대화를 듣고, 여자가 주말에 한 일로 가장 적절한 것을 고르시오.

① 영화 보기   ② 책 읽기
③ 낚시하기   ④ 친구 만나기
⑤ 캐치볼 하기

W How was your weekend, Hojun?

M It was nice. _____ _____ _____?

W I had a great time.

M What did you do?

W I went to _____ _____ with my uncle. He taught me _____ _____ _____.

M Oh, that sounds fun! Did you _____ _____?

W No, I didn't. It wasn't easy.

18 직업 추론

대화를 듣고, 남자의 직업으로 가장 적절한 것을 고르시오.

① 요리사 　　　② 레스토랑 매니저
③ 배달원 　　　④ 아파트 경비원
⑤ 호텔 직원

[Doorbell rings.]

W　Who is it?

M　_____ _____ is here.

W　Excuse me? I _____ _____ any pizza.

M　Let me see... Isn't this apartment number 404?

W　No, this is 504.

M　Oh, I'm sorry. I think I have _____ _____

_____.

W　That's okay.

19 이어질 응답 찾기

대화를 듣고, 남자의 마지막 말에 이어질 여자의 말로 가장 적절한 것을 고르시오.

Woman: _____

① I don't live in Korea.
② London is an amazing city.
③ Let's go to London next week.
④ You should visit Seoul again.
⑤ Korea has many beautiful places.

W　Hi, my name is Sujin. What is _____

_____?

M　My name is Jason. Nice to meet you.

W　Nice to meet you too, Jason. Are you from here?

M　Yes, I'm _____ _____. Where are you from?

W　I'm from Seoul, Korea.

M　Oh, I want to visit Korea some day. _____

_____ _____ _____?

20 이어질 응답 찾기

대화를 듣고, 남자의 마지막 말에 이어질 여자의 말로 가장 적절한 것을 고르시오.

Woman: _____

① I have a cat.
② I don't like dogs.
③ Your dog is so big.
④ I'm scared of animals.
⑤ My parents don't like dogs.

M　Do you have _____ _____, Janice?

W　No, I don't. How about you?

M　Yes, I have _____ _____.

W　_____ _____ is your dog?

M　He's pretty small.

W　I love small dogs. They are so cute!

M　_____ _____ _____ get a dog?

실전 모의고사 **10**

01 다음을 듣고, 'I'가 무엇인지 가장 적절한 것을 고르시오.

①   ②   ③

④   ⑤

02 대화를 듣고, 남자가 잃어버린 강아지로 가장 적절한 것을 고르시오.

①   ②   ③

④   ⑤

03 다음을 듣고, 수요일의 날씨로 가장 적절한 것을 고르시오.

①   ②   ③   ④   ⑤

04 대화를 듣고, 여자가 한 마지막 말의 의도로 가장 적절한 것을 고르시오.

① 축하   ② 사과   ③ 격려
④ 거절   ⑤ 불평

05 다음을 듣고, 남자가 회의에 대해 언급하지 <u>않은</u> 것을 고르시오.

① 회의 주제   ② 시작 시간   ③ 종료 시간
④ 당부 내용   ⑤ 점심 식사

06 대화를 듣고, 두 사람이 만날 시각을 고르시오.

① 7:00 a.m.   ② 7:30 a.m.
③ 8:00 a.m.   ④ 8:30 a.m.
⑤ 9:00 a.m

07 대화를 듣고, 여자의 장래 희망으로 가장 적절한 것을 고르시오.

① 자동차 디자이너   ② 미용사
③ 사진작가   ④ 패션 디자이너
⑤ 메이크업 아티스트

08 대화를 듣고, 미술관에 대한 내용으로 일치하지 <u>않는</u> 것을 고르시오.

① 새로 생겼다.
② 월요일에도 열린다.
③ 오후 6시에 닫는다.
④ 입장료는 10달러이다.
⑤ 한국 화가들의 미술품이 있다.

09 대화를 듣고, 여자가 대화 직후에 할 일로 가장 적절한 것을 고르시오.

① 쇼핑하기   ② 안전벨트 매기
③ 친구에게 전화하기   ④ 택시비 준비하기
⑤ 대중교통 이용하기

10 대화를 듣고, 무엇에 관한 내용인지 가장 적절한 것을 고르시오.

① 현장 학습   ② 촬영 제한 안내
③ 신제품 홍보   ④ 화재 예방 방법
⑤ 공연 시간 변경

11 대화를 듣고, 여자가 이용할 교통수단을 고르시오.

① 오토바이   ② 버스   ③ 자동차
④ 지하철   ⑤ 자전거

12 대화를 듣고, 여자가 요리를 배우는 이유로 가장 적절한 것을 고르시오.

① 요리사가 되고 싶어서
② 요리하는 것을 좋아해서
③ 가족들에게 요리를 해주려고
④ 건강에 좋은 음식을 먹으려고
⑤ 다양한 나라의 요리를 배우고 싶어서

13 대화를 듣고, 대화의 장소로 가장 적절한 것을 고르시오.

① 옷가게   ② 커피숍
③ 미용실   ④ 약국
⑤ 비행기 기내

14 대화를 듣고, 남자가 가려고 하는 장소를 고르시오.

You are here!

15 대화를 듣고, 남자가 여자에게 부탁한 일로 가장 적절한 것을 고르시오.

① 안부 전해 주기
② 일찍 깨워 주기
③ 휴대폰 찾아 주기
④ 문자 메시지 확인하기
⑤ 전화했다고 전해주기

16 대화를 듣고, 여자가 남자에게 제안한 것으로 가장 적절한 것을 고르시오.

① 한국 음식 홍보하기   ② 디저트 주문하기
③ 떡볶이 먹어보기   ④ 한국 문화 체험하기
⑤ 다음에 만날 약속하기

17 대화를 듣고, 남자가 휴일에 한 일로 가장 적절한 것을 고르시오.

① 이사하기   ② 집 청소하기
③ 캠핑 가기   ④ 친구 집 방문하기
⑤ 텐트 수리 맡기기

18 대화를 듣고, 남자의 직업으로 가장 적절한 것을 고르시오.

① 은행원   ② 식료품점 주인
③ 비행기 승무원   ④ 식당 종업원
⑤ 커피숍 주인

[19-20] 대화를 듣고, 여자의 마지막 말에 이어질 남자의 말로 가장 적절한 것을 고르시오.

19 Man: _____

① I will see a doctor soon.
② I hope you get well soon.
③ You should get some sleep.
④ I don't understand you.
⑤ I think it will be snowy tomorrow.

20 Man: _____

① Help yourself!
② Thank you so much!
③ You should study harder.
④ Don't worry. You'll do great!
⑤ I didn't prepare for the contest.

Dictation 10

◇ 다시 듣고, 빈칸에 들어갈 알맞은 단어를 써보세요.

정답 및 해설 p.56

01 화제 추론

다음을 듣고, 'I'가 무엇인지 가장 적절한 것을 고르시오.

① ② ③ ④ ⑤

M I live on the land I am _____ _____ _____ . People can see me in a zoo. I have a _____ _____ . I use my nose when I _____ _____ . What am I?

02 그림 정보 파악

대화를 듣고, 남자가 잃어버린 강아지로 가장 적절한 것을 고르시오.

① ② ③ ④ ⑤

W Sejun, what are you doing?
M I'm looking for my dog. I lost him outside.
W What does he _____ _____ ?
M He has _____ _____ and he is small.
W Is he _____ _____ ?
M Yes, he is wearing a shirt.
W Okay. I'll _____ _____ him, too.
M Thanks.

03 날씨 파악

다음을 듣고, 수요일의 날씨로 가장 적절한 것을 고르시오.

① ② ③ ④ ⑤

M Hello, everyone. The weekend is almost over. Tonight, we will see _____ _____ _____ _____ . On Monday, it's going to be cold and windy. On Tuesday, the weather _____ _____ cloudy. It's going to snow again _____ _____ and Thursday.

04 의도 파악

대화를 듣고, 여자가 한 마지막 말의 의도로 가장 적절한 것을 고르시오.

① 축하   ② 사과   ③ 격려
④ 거절   ⑤ 불평

M Jinhee, shall we _____ _____ today?
W I'd love to, but I can't.
M Do you have a lot of homework?
W No. I have to _____ _____ _____ _____ with my brother today.

M Do you need any help with that?

W _____, _____ _____. My brother and I can take care of it.

---

05 언급하지 않은 내용 찾기

다음을 듣고, 남자가 회의에 대해 언급하지 <u>않은</u> 것을 고르시오.

① 회의 주제   ② 시작 시간
③ 종료 시간   ④ 당부 내용
⑤ 점심 식사

M Good morning, teachers. Today's meeting is about changing our _____ _____. This meeting is going to start at 9:00 am. We'll have a coffee break at 10:30 and the meeting will _____ _____ at 11:50 a.m. Please _____ _____ your cell phones. Thank you.

---

06 숫자 정보 파악 (시각)

대화를 듣고, 두 사람이 만날 시각을 고르시오.

① 7:00 a.m.   ② 7:30 a.m.
③ 8:00 a.m.   ④ 8:30 a.m.
⑤ 9:00 a.m

M Jina, let's ride our bikes _____ _____.

W Okay. _____ _____ shall we meet?

M I get up at 7 o'clock. _____ _____ 7:30?

W That's too early for me. _____ _____ _____ 8 o'clock.

M Okay. See you tomorrow.

---

07 장래 희망 파악

대화를 듣고, 여자의 장래 희망으로 가장 적절한 것을 고르시오.

① 자동차 디자이너   ② 미용사
③ 사진작가   ④ 패션 디자이너
⑤ 메이크업 아티스트

M Jisu, what are you doing now?

W I'm reading a fashion magazine.

M Oh, are you _____ _____ fashion?

W Yes. _____ _____ _____ to be a fashion designer. I'd like to _____ _____ _____.

M I see. I am interested in designing cars.

W *You should think about a car designer, then.

---

* **교육부 지정 의사소통 기능: 충고하기**   동(윤) 5 | 동(이) 2 | 천(이) 6 | 천(정) 8 | 미 기능(김) 3

You should ~. 너는 ~하는 것이 좋겠어.
• **You should** go to bed earlier. 너는 좀 더 일찍 잠자리에 드는 것이 좋겠어.
• **You should** be honest. 너는 정직해야 해.

일치하지 않는 내용 찾기

대화를 듣고, 미술관에 대한 내용으로 일치하지 않는 것을 고르시오.

① 새로 생겼다.
② 월요일에도 열린다.
③ 오후 6시에 닫는다.
④ 입장료는 10달러이다.
⑤ 한국 화가들의 미술품이 있다.

M Let's go to the _____ _____ _____ this weekend.
W Okay. When is it open?
M It is _____ _____ _____ to Saturday. It opens at 9 a.m. _____ _____ _____ 6 p.m.
W How much is a ticket?
M It costs $10.
W That's cheap! What kind of art is there?
M There is art _____ _____ _____.

09 할 일 파악

대화를 듣고, 여자가 대화 직후에 할 일로 가장 적절한 것을 고르시오.

① 쇼핑하기   ② 안전벨트 매기
③ 친구에게 전화하기 ④ 택시비 준비하기
⑤ 대중교통 이용하기

W Dad, can you hurry? My friends are waiting for me.
M I can't. Safety _____ _____.
W Okay, but how long will it take to get to the mall?
M _____ _____ _____ _____, so I think it'll take about 20 minutes.
W 20 minutes?
M Why don't you _____ _____ _____? Tell them you're going to be late.
W All right.

10 주제 추론

대화를 듣고, 무엇에 관한 내용인지 가장 적절한 것을 고르시오.

① 현장 학습   ② 촬영 제한 안내
③ 신제품 홍보   ④ 화재 예방 방법
⑤ 공연 시간 변경

M Excuse me, please _____ _____ _____ in your bag.
W Oh, sorry. I didn't know.
M You _____ _____ _____ pictures or videos in this room.
W Where can I take pictures, then?
M Anywhere outside this room _____ _____ _____.
W I see.

11 교통수단 찾기

대화를 듣고, 여자가 이용할 교통수단을 고르시오.

① 오토바이　② 버스　③ 자동차
④ 지하철　⑤ 자전거

M You should hurry. What time does the _____ _____ _____?

W It leaves at 9:00. I still have time, Dad.

M Jenny, it's 9:05. You just missed the bus.

W Oh no! I thought it was 8:40. Should I _____ _____ _____?

M Don't worry. _____ _____ you to school.

W Really? Thank you.

12 이유 파악

대화를 듣고, 여자가 요리를 배우는 이유로 가장 적절한 것을 고르시오.

① 요리사가 되고 싶어서
② 요리하는 것을 좋아해서
③ 가족들에게 요리를 해주려고
④ 건강에 좋은 음식을 먹으려고
⑤ 다양한 나라의 요리를 배우고 싶어서

M What do you do _____ _____ _____ _____?

W I go to a cooking class on Thursdays and Fridays.

M Oh, do you like cooking?

W Yes, I do.

M Do you want to be a chef _____ _____ _____?

W No. I just want to _____ _____ _____ my family sometimes.

13 장소 추론

대화를 듣고, 대화의 장소로 가장 적절한 것을 고르시오.

① 옷가게　② 커피숍
③ 미용실　④ 약국
⑤ 비행기 기내

W May I _____ _____ _____?

M Yes. _____ _____ _____ _____ an iced coffee and 2 hot coffees, please?

W Okay. Do you need _____ _____?

M Do you have cake?

W Yes, we have chocolate, strawberry, and carrot cakes.

M I'll have _____ _____ _____ strawberry cake. *How much is everything?

W $15, please.

✱ **교육부 지정 의사소통 기능: 가격 묻기**　동(이) 7 | 천(이) 8 | Y(박) 5

How much ~? ~은 가격이 얼마죠?

• **How much** is a ticket? 티켓이 한 장에 얼마죠?
• **How much** does this book cost? 이 책 얼마죠?

14 그림 정보 파악 (길 찾기)

대화를 듣고, 남자가 가려고 하는 장소를 고르시오.

You are here!

M Excuse me. Can you tell me how to _____ _____ Sarang Supermarket?

W Sure. _____ _____ one block and _____ _____ .

M Go straight one block and turn right?

W Yes. It will be _____ _____ _____ , between the bank and the post office.

M Thank you so much.

15 부탁 파악

대화를 듣고, 남자가 여자에게 부탁한 일로 가장 적절한 것을 고르시오.

① 안부 전해 주기
② 일찍 깨워 주기
③ 휴대폰 찾아 주기
④ 문자 메시지 확인하기
⑤ 전화했다고 전해주기

🔊 **Listening Tip**

[t], [d], [s], [z] 소리로 끝나는 단어 뒤에 y로 시작하는 단어가 오면 두 소리가 합쳐져 /츄/, /쥬/, /슈/, /쥬/로 발음이 됩니다. Could you도 이 경우에 해당해 /크쥬/처럼 발음됩니다.

[Telephone rings.]

W Hello.

M Hello. Can I speak to Minji, please?

W _____ _____ _____ ?

M This is Inho, Minji's friend. She didn't answer her cell phone.

W _____ _____ she is sleeping now.

M Okay. 🔊 Could you _____ _____ _____ _____ ?

W No problem. I will do that.

M Thank you.

16 제안 파악

대화를 듣고, 여자가 남자에게 제안한 것으로 가장 적절한 것을 고르시오.

① 한국 음식 홍보하기
② 디저트 주문하기
③ 떡볶이 먹어보기
④ 한국 문화 체험하기
⑤ 다음에 만날 약속하기

M Lily, what is that?

W I'm eating tteokbokki.

M It _____ _____ . Is it delicious?

W Yes, this is my _____ _____ _____ .

M Where did you _____ _____ ?

W My mom made it for me. Do you _____ _____ _____ it?

M Yes, I'd love to.

17 한 일 파악

대화를 듣고, 남자가 휴일에 한 일로 가장 적절한 것을 고르시오.

① 이사하기
② 집 청소하기
③ 캠핑 가기
④ 친구 집 방문하기
⑤ 텐트 수리 맡기기

M Jane, what did you do _____ _____ _____?

W I visited my friend in Incheon.

M Really? Did you _____ _____?

W Yes, of course! How was your holiday?

M It was great. I _____ _____ with my friends.

W Oh, good! Take me with you _____ _____!

18 직업 추론

대화를 듣고, 남자의 직업으로 가장 적절한 것을 고르시오.

① 은행원
② 식료품점 주인
③ 비행기 승무원
④ 식당 종업원
⑤ 커피숍 주인

M What can I _____ _____ _____?

W Where can I find the tomatoes?

M They are _____ _____. How many would you like?

W I'll take 5 tomatoes.

M [Pause] _____ _____ _____ _____?

W Yes. How much is everything?

M It's $3.

19 이어질 응답 찾기

대화를 듣고, 여자의 마지막 말에 이어질 남자의 말로 가장 적절한 것을 고르시오.

Man: _____

① I will see a doctor soon.
② I hope you get well soon.
③ You should get some sleep.
④ I don't understand you.
⑤ I think it will be snowy tomorrow.

M What's wrong with your arm?

W I _____ _____ _____ yesterday.

M That's too bad, Cindy. How did it happen?

W I _____ _____ while I was skating.

M Did you see a doctor?

W Yes, I did. My arm _____ _____ _____ in 2 months.

20 이어질 응답 찾기

대화를 듣고, 여자의 마지막 말에 이어질 남자의 말로 가장 적절한 것을 고르시오.

Man: _____

① Help yourself!
② Thank you so much!
③ You should study harder.
④ Don't worry. You'll do great!
⑤ I didn't prepare for the contest.

M What's wrong? You _____ _____.

W I _____ _____ _____ the piano contest tomorrow.

M You _____ _____ _____. You practiced _____ _____.

W Well, I am still worried.

실전 모의고사 **11**

점수 /20

01 다음을 듣고, 'this'가 가리키는 것으로 가장 적절한 것을 고르시오.

①   ②   ③

④   ⑤

02 대화를 듣고, 여자를 찾아온 남자의 모습으로 가장 적절한 것을 고르시오.

①   ②   ③

④   ⑤

03 다음을 듣고, 화요일 오후의 날씨로 가장 적절한 것을 고르시오.

①   ②   ③   ④   ⑤

04 대화를 듣고, 남자의 마지막 말의 의도로 가장 적절한 것을 고르시오.

① 충고   ② 사과   ③ 거절
④ 격려   ⑤ 불평

05 다음을 듣고, 남자가 아침 일과에 대해 언급하지 않은 것을 고르시오.

① 기상 시간   ② 운동 시간   ③ 아침 식사
④ 등교 시간   ⑤ 등교 방법

06 대화를 듣고, 두 사람이 만날 시각을 고르시오.

① 1:00 p.m.   ② 2:00 p.m.
③ 3:00 p.m.   ④ 4:00 p.m.
⑤ 5:00 p.m.

07 대화를 듣고, 남자의 장래 희망으로 가장 적절한 것을 고르시오.

① 패션 디자이너   ② 음악가
③ 대학 교수   ④ 사진작가
⑤ 영화 제작자

08 대화를 듣고, 남자의 남동생에 대한 내용으로 일치하지 않는 것을 고르시오.

① 이름은 Jeremy이다.   ② 잠옷을 입고 있다.
③ 두 살이다.   ④ 공룡을 좋아한다.
⑤ 어젯밤에 잠을 잘 잤다.

09 대화를 듣고, 여자가 대화 직후에 할 일로 가장 적절한 것을 고르시오.

① 버스 타기   ② 집안일 하기
③ 창문 닫기   ④ 우산 가져다주기
⑤ 음식 주문하기

10 대화를 듣고, 무엇에 관한 내용인지 가장 적절한 것을 고르시오.

① 지갑 구매   ② 사진 촬영
③ 분실물 회수   ④ 습득물 신고
⑤ 학생증 제작

11 대화를 듣고, 여자가 오늘 이용한 교통수단을 고르시오.

① 자전거   ② 버스   ③ 지하철
④ 자동차   ⑤ 도보

12 대화를 듣고, 여자가 동아리에 가입하지 <u>않은</u> 이유로 가장 적절한 것을 고르시오.

① 원하는 동아리가 없어서
② 금방 흥미를 잃을 것 같아서
③ 동아리 활동을 할 시간이 없어서
④ 아직 동아리를 결정하지 못해서
⑤ 곧 다른 학교로 전학할 예정이어서

13 대화를 듣고, 두 사람의 관계로 가장 적절한 것을 고르시오.

① 도서관 사서 – 학생
② 여행 가이드 – 관광객
③ 호텔 직원 – 고객
④ 경찰관 – 집 주인
⑤ 치과 의사 – 환자

14 대화를 듣고, 남자가 찾는 손목시계의 위치로 가장 알맞은 것을 고르시오.

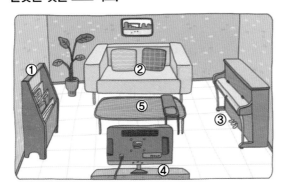

15 대화를 듣고, 여자가 남자에게 부탁한 것으로 가장 알맞은 것을 고르시오.

① 문자 메시지 보내기   ② 숙제 도와주기
③ 집에 같이 가기   ④ 휴대 전화 빌려주기
⑤ 점심 같이 먹기

16 대화를 듣고, 여자가 남자에게 제안한 것으로 가장 적절한 것을 고르시오.

① 집에서 휴식하기   ② 집에서 만화책 보기
③ 영화 보러 가기   ④ 콘서트 보러 가기
⑤ 청소 같이 하기

17 대화를 듣고, 남자가 주말에 한 일로 가장 적절한 것을 고르시오.

① 집안일 돕기   ② 소풍 가기
③ 부모님과 여행 가기   ④ 조부모님 방문하기
⑤ 주말 농장 체험하기

18 대화를 듣고, 여자의 직업으로 가장 적절한 것을 고르시오.

① 양호 교사   ② 의사   ③ 약사
④ 요가 강사   ⑤ 병원 직원

[19-20] 대화를 듣고, 남자의 마지막 말에 이어질 여자의 말로 가장 적절한 것을 고르시오.

19 Woman: _____

① I need 5 more dollars.
② I'll get you some pencils.
③ I have 4 pockets in my jacket.
④ I'm going shopping this afternoon.
⑤ Sorry. I don't have any money now.

20 Woman: _____

① I won't be late again.
② I can't wait to see him.
③ Walking is good for health.
④ Okay, I'll take the subway then.
⑤ No, I am not good at singing.

Dictation 11

정답 및 해설 p.62

01 화제 추론

다음을 듣고, 'this'가 가리키는 것으로 가장 적절한 것을 고르시오.

① ② ③ ④ ⑤

M This is a small ＿＿＿＿＿＿ ＿＿＿＿＿＿ ＿＿＿＿＿＿. It is ＿＿＿＿＿＿ ＿＿＿＿＿＿. People keep this in their pockets or wallets. They usually use this when they take a bus ＿＿＿＿＿＿ ＿＿＿＿＿＿ ＿＿＿＿＿＿. What is this?

02 그림 정보 파악

대화를 듣고, 여자를 찾아온 남자의 모습으로 가장 적절한 것을 고르시오.

① ② ③ ④ ⑤

M Kate! A man was here to see you while ＿＿＿＿＿＿ ＿＿＿＿＿＿ ＿＿＿＿＿＿.

W A man?

M Yes. He was very handsome.

W Really? Hmm... Was he ＿＿＿＿＿＿ ＿＿＿＿＿＿ ＿＿＿＿＿＿?

M No, he wasn't. But he was ＿＿＿＿＿＿ ＿＿＿＿＿＿. And he had ＿＿＿＿＿＿ ＿＿＿＿＿＿.

W Oh, I see. That's John.

03 날씨 파악

다음을 듣고, 화요일 오후의 날씨로 가장 적절한 것을 고르시오.

① ② ③ ④ ⑤

W Good evening! Welcome to the weather report. Tomorrow we'll have ＿＿＿＿＿＿ ＿＿＿＿＿＿ ＿＿＿＿＿＿ ＿＿＿＿＿＿ all across the country. However, on Tuesday, it'll be sunny ＿＿＿＿＿＿ ＿＿＿＿＿＿ ＿＿＿＿＿＿, but in the afternoon it'll ◀ start to ＿＿＿＿＿＿ ＿＿＿＿＿＿. Thank you.

🔊 **Listening Tip**

두 단어가 각각 같은 자음으로 끝나고 시작하는 경우 중복되는 자음을 두 번 발음하지 않고 약간 길게 한 번만 발음합니다. start to는 t가 중복되므로 [t] 소리를 조금 길게 한 번만 발음합니다.

04 의도 파악

대화를 듣고, 남자의 마지막 말의 의도로 가장 적절한 것을 고르시오.

① 충고 ② 사과 ③ 거절
④ 격려 ⑤ 불평

M *What are you going to do this ＿＿＿＿＿＿ ＿＿＿＿＿＿?

W I am going to travel to Europe.

M Where in Europe are you going to visit?

W To Paris. I'm going to go up the Eiffel Tower and enjoy the
_____ _____ _____ Paris.

M You should _____ _____

_____, too. There are many _____

_____.

✷ 교육부 지정 의사소통 기능: **계획 묻기**   동(윤) 7| 동(이) 5| 천(이) 3| 미 5| 능(김) 2| 비 4| Y(박) 8

What are you going to do ~? 너는 ~에 무엇을 할 계획이니?
• **What are you going to do** tomorrow? 너는 내일 뭘 할 거야?
• **What are you going to do** after school? 너는 방과 후에 뭘 할 거야?

05 언급하지 않은 내용 찾기

다음을 듣고, 남자가 아침 일과에 대해 언급하지
않은 것을 고르시오.

① 기상 시간   ② 운동 시간
③ 아침 식사   ④ 등교 시간
⑤ 등교 방법

M I usually get up at 6 o'clock in the morning. Then,
I _____ _____ for half an hour. After that,
I _____ _____ _____ and take a
shower. I have breakfast at 7:20. I have 2 slices of toast with
butter and a glass of milk. At 8 o'clock I _____
_____ _____.

06 숫자 정보 파악 (시각)

대화를 듣고, 두 사람이 만날 시각을 고르시오.

① 1:00 p.m.   ② 2:00 p.m.
③ 3:00 p.m.   ④ 4:00 p.m.
⑤ 5:00 p.m.

M Amy, would you like to go to the BSS concert today? I have
2 tickets.

W Great! _____ _____ does the concert
begin and where is it?

M At 3 o'clock at the Olympic Concert Hall.

W Okay. Let's meet _____ _____
_____ the concert hall at 1. I will buy you lunch
before the concert.

M Okay, _____ _____ _____.

07 장래 희망 파악

대화를 듣고, 남자의 장래 희망으로 가장 적절한
것을 고르시오.

① 패션 디자이너   ② 음악가
③ 대학 교수   ④ 사진작가
⑤ 영화 제작자

W I love the song. What are you playing?

M Thanks. I wrote it yesterday.

W Wow, you're really good at _____ _____.

M Thanks. I like to _____ _____

_____ and the drums, too.

W You have a great talent. I think you'll become a

_____ _____.

M _____ _____ _____.

---

08 일치하지 않는 내용 찾기

대화를 듣고, 남자의 남동생에 대한 내용으로 일치하지 않는 것을 고르시오.

① 이름은 Jeremy이다.
② 잠옷을 입고 있다.
③ 두 살이다.
④ 공룡을 좋아한다.
⑤ 어젯밤에 잠을 잘 잤다.

W Jackson, is this your brother?

M Yes. _____ _____ is Jeremy.

W He's wearing pajamas. How old is he?

M He is 2 _____ _____. He likes dinosaurs.

W *Can I touch his feet?

M No, he _____ _____ _____ last night. You will wake him up.

W Okay. I'll just look, then.

※ 교육부 지정 의사소통 기능: **허락 요청하기**   능(김) 3|미 6

Can[May] I ~? 제가 ~해도 될까요?
• **Can I** ask you a question? 제가 질문 하나 해도 될까요?
• **Can I** try on this jacket? 제가 이 재킷을 입어 봐도 될까요?

---

09 할 일 파악

대화를 듣고, 여자가 대화 직후에 할 일로 가장 적절한 것을 고르시오.

① 버스 타기   ② 집안일 하기
③ 창문 닫기   ④ 우산 가져다주기
⑤ 음식 주문하기

[Cell phone rings.]

M Hello.

W Where are you, Ted?

M I'm at the _____ _____ near home, Mom.

W Is it raining _____ _____ _____?

M Yes, it's raining heavily.

W Okay. Wait for me there. I'll _____ _____

_____ _____.

M Thanks, Mom.

---

10 주제 추론

대화를 듣고, 무엇에 관한 내용인지 가장 적절한 것을 고르시오.

① 지갑 구매   ② 사진 촬영
③ 분실물 회수   ④ 습득물 신고
⑤ 학생증 제작

W Excuse me. I'm looking for my wallet.

M _____ _____ is it?

W It's black.

M Is there _____ _____ _____?

W My student card and two _____ _____
_____ .

M Okay. I guess this is the one. _____ _____
_____ ?

W Yes. Thank you.

---

11 교통수단 찾기

대화를 듣고, 여자가 오늘 이용한 교통수단을 고르시오.

① 자전거   ② 버스   ③ 지하철
④ 자동차   ⑤ 도보

W How do you go to school?

M I always _____ _____ _____ .
It only takes about 10 minutes from my house. How about you?

W I usually go to school _____ _____ . Riding a bike is faster.

M Did you go to school by bike today?

W No. I _____ _____ _____ today because it was too cold.

---

12 이유 파악

대화를 듣고, 여자가 동아리에 가입하지 않은 이유로 가장 적절한 것을 고르시오.

① 원하는 동아리가 없어서
② 금방 흥미를 잃을 것 같아서
③ 동아리 활동을 할 시간이 없어서
④ 아직 동아리를 결정하지 못해서
⑤ 곧 다른 학교로 전학할 예정이어서

W What club are you in?

M I'm in the drama club. I like to _____
_____ _____ .

W Wow, I didn't know _____ _____
_____ .

M I do. Are you in any clubs?

W No, I'm not. I like volleyball. But _____
_____ _____ volleyball club at our school.

M Oh, that's too bad.

---

13 관계 추론

대화를 듣고, 두 사람의 관계로 가장 적절한 것을 고르시오.

① 도서관 사서 – 학생
② 여행 가이드– 관광객
③ 호텔 직원 – 고객
④ 경찰관 – 집 주인
⑤ 치과 의사 – 환자

W Good evening.

M Hello, I _____ _____ _____ . My name is Tim Jennings.

W Can you _____ _____ , please?

M J-E-N-N-I-N-G-S.

W For 2 nights?

M Yes, that's right.

W _____ _____ your key card. Your _____ _____ is 1325.

14 그림 정보 파악 (위치)

대화를 듣고, 남자가 찾는 손목시계의 위치로 가장 알맞은 것을 고르시오.

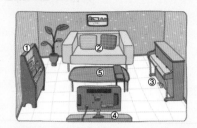

M Mom, did you see my watch?

W Well, I saw it _____ _____ _____ a few hours ago.

M No, there isn't anything on the sofa.

W Then _____ _____ _____.

M No, it isn't there. *[Pause]* Mom, I found it _____ _____ _____.

15 부탁 파악

대화를 듣고, 여자가 남자에게 부탁한 것으로 가장 알맞은 것을 고르시오.

① 문자 메시지 보내기
② 숙제 도와주기
③ 집에 같이 가기
④ 휴대 전화 빌려주기
⑤ 점심 같이 먹기

W Minho, can you do me a favor?

M What is it, Eunhye?

W I left my cell phone _____ _____ today.

M Do you need to _____ _____ ?

W Yes. Can I _____ _____ _____ to call my mom?

M Sure. Here you are.

16 제안 파악

대화를 듣고, 여자가 남자에게 제안한 것으로 가장 적절한 것을 고르시오.

① 집에서 휴식하기
② 집에서 만화책 보기
③ 영화 보러 가기
④ 콘서트 보러 가기
⑤ 청소 같이 하기

[Cell phone rings.]

W Hello.

M Hi, Julia. Do you have any plans this afternoon?

W Nothing special.

M Why don't we _____ _____, then?

W Well, I don't have any money now. How about _____ _____ _____ at my house, instead?

M Great! I will _____ _____ _____ later.

17 한 일 파악

대화를 듣고, 남자가 주말에 한 일로 가장 적절한 것을 고르시오.

① 집안일 돕기
② 소풍 가기
③ 부모님과 여행 가기
④ 조부모님 방문하기
⑤ 주말 농장 체험하기

M How was your weekend, Jimin?

W Wonderful! I _____ _____ _____ _____ with my family. How about you?

M It was good. I ◀))visited _____ _____ in Jeonju.

W Do you visit them often?

🔊) **Listening Tip**

visit나 want처럼 t로 끝나는 단어에 -ed가 붙으면 이 부분 발음은 [t]나 [d]가 아닌 [id]로 발음됨에 유의하세요.

M My grandfather was ill recently so I _____

_____ _____ _____ .

W You are such a nice grandson!

---

18 직업 추론

대화를 듣고, 여자의 직업으로 가장 적절한 것을 고르시오.

① 양호 교사 ② 의사 ③ 약사
④ 요가 강사 ⑤ 병원 직원

W How can I help you?

M I have a fever and a _____ _____ .

W Okay. _____ _____ _____

3 times a day. If you do not feel better by tomorrow, you have

to _____ _____ _____ .

M All right. _____ _____ is it?

W That will be $5.

---

19 이어질 응답 찾기

대화를 듣고, 남자의 마지막 말에 이어질 여자의 말로 가장 적절한 것을 고르시오.

Woman: _____

① I need 5 more dollars.
② I'll get you some pencils.
③ I have 4 pockets in my jacket.
④ I'm going shopping this afternoon.
⑤ Sorry. I don't have any money now.

M Are you going to buy that T-shirt?

W Well, I _____ _____ _____ my

wallet first.

M How much _____ _____ _____ ?

W *[Pause]* I have $20 right now. But I don't have enough to

_____ _____ _____ .

M _____ _____ _____ do you need?

---

20 이어질 응답 찾기

대화를 듣고, 남자의 마지막 말에 이어질 여자의 말로 가장 적절한 것을 고르시오.

Woman: _____

① I won't be late again.
② I can't wait to see him.
③ Walking is good for health.
④ Okay, I'll take the subway then.
⑤ No, I am not good at singing.

M How are you going to go to Henry's _____

_____ at 3 this afternoon?

W I'm _____ _____ _____ .

M I don't think that's a very good idea.

W Why not?

M Traffic is _____ _____ at that time of day.

실전 모의고사 12

01 다음을 듣고, 'I'가 무엇인지 가장 적절한 것을 고르시오.

① ② ③

④ ⑤

02 대화를 듣고, 남자가 구입할 장난감으로 가장 적절한 것을 고르시오.

① ② ③

④ ⑤

03 다음을 듣고, 토요일 오후의 날씨로 가장 적절한 것을 고르시오.

① ② ③ ④ ⑤

04 대화를 듣고, 남자가 한 마지막 말의 의도로 가장 적절한 것을 고르시오.

① 격려 ② 동의 ③ 사과
④ 불평 ⑤ 조언

05 다음을 듣고, 여자가 구조물에 대해 언급하지 <u>않은</u> 것을 고르시오.

① 재료 ② 건축 연도 ③ 층수
④ 용도 ⑤ 위치

06 대화를 듣고, 두 사람이 만날 시각을 고르시오.

① 3:00 p.m. ② 3:30 p.m. ③ 4:00 p.m.
④ 4:30 p.m. ⑤ 5:00 p.m.

07 대화를 듣고, 여자의 장래 희망으로 가장 적절한 것을 고르시오.

① 화가 ② 과학자 ③ 신문 기자
④ 영화감독 ⑤ 작가

08 대화를 듣고, 남자의 심정으로 가장 적절한 것을 고르시오.

① 놀람 ② 신남 ③ 창피함
④ 따분함 ⑤ 걱정스러움

09 대화를 듣고, 두 사람이 대화 직후에 할 일로 가장 적절한 것을 고르시오.

① 탁구 치기 ② 배드민턴 치기
③ 선수에게 사인 받기 ④ 축구 경기 관람하기
⑤ 코트 옆에서 서 있기

10 대화를 듣고, 무엇에 관한 내용인지 가장 적절한 것을 고르시오.

① 건강 검진 ② 체중 조절
③ 식이 요법 ④ 수면 장애
⑤ 유산소 운동

11 대화를 듣고, 여자가 이용할 교통수단으로 가장 적절한 것을 고르시오.

① 배   ② 자동차   ③ 버스
④ 기차   ⑤ 비행기

12 대화를 듣고, 남자가 책을 빌릴 수 <u>없는</u> 이유로 가장 적절한 것을 고르시오.

① 연체료가 있어서
② 누군가 빌려가서
③ 책이 훼손되어서
④ 책이 신간이라서
⑤ 도서관 카드를 두고 와서

13 대화를 듣고, 두 사람의 관계로 가장 적절한 것을 고르시오.

① 의사 – 간호사   ② 코치 – 운동선수
③ 교사 – 학부모   ④ 경찰관 – 구급대원
⑤ 상담 교사 – 학생

14 대화를 듣고, Hanguk Hospital의 위치로 가장 알맞은 것을 고르시오.

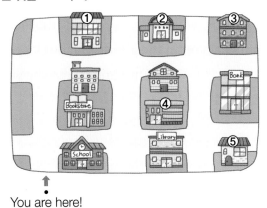

You are here!

15 대화를 듣고, 여자가 남자에게 부탁한 일로 가장 적절한 것을 고르시오.

① 집 청소하기   ② 물건 찾아오기
③ 친구 마중 나가기   ④ 파티 음식 준비하기
⑤ 정류장까지 태워다 주기

16 대화를 듣고, 여자가 남자에게 제안한 것으로 가장 적절한 것을 고르시오.

① 함께 공부하기   ② 영단어 암기하기
③ 주말에 쇼핑하기   ④ 도서관에서 공부하기
⑤ 수학 숙제 도와주기

17 대화를 듣고, 두 사람이 먹으려는 음식을 고르시오.

① 우동   ② 비빔밥   ③ 햄버거
④ 떡볶이   ⑤ 피자

18 대화를 듣고, 여자의 직업으로 가장 적절한 것을 고르시오.

① 의사   ② 경찰관   ③ 간호사
④ 영양사   ⑤ 치과의사

[19-20] 대화를 듣고, 여자의 마지막 말에 이어질 남자의 응답으로 가장 적절한 것을 고르시오.

19 Man: _____

① Sure, I'd love to.
② I agree with you.
③ Don't mention it.
④ We had a good time.
⑤ I'm good at cooking fish.

20 Man: _____

① I can't believe it.   ② It's my pleasure.
③ Glad to hear that.   ④ That's a great idea.
⑤ No, thank you.

Dictation 12

◇ 다시 듣고, 빈칸에 들어갈 알맞은 단어를 써보세요.

정답 및 해설 p.68

01 화제 추론

다음을 듣고, 'I'가 무엇인지 가장 적절한 것을 고르시오.

① ② ③
④ ⑤

W I can fly with my wings. _____ _____ _____ eat me. My body has _____ _____ _____ _____. I like eating sweet things. I _____ _____. I can _____ _____ with my poison. What am I?

02 그림 정보 파악

대화를 듣고, 남자가 구입할 장난감으로 가장 적절한 것을 고르시오.

① ② ③
④ ⑤

W May I help you?

M Yes. I'm looking for a toy for my daughter.

W Does she like animals? We have many stuffed animals.

M Her _____ _____ is a penguin.

W How about this penguin _____ _____ _____?

M Great! I'm sure she'll like it. I'll take it.

W _____ _____ _____.

03 날씨 파악

다음을 듣고, 토요일 오후의 날씨로 가장 적절한 것을 고르시오.

① ② ③
④ ⑤

M Good morning! Here is the weather for this weekend. On Saturday, it will _____ _____ in the morning. The rain will stop in the afternoon, but it's going to _____ _____. On Sunday, the sky will not be cloudy any more. You will see _____ _____ _____ skies.

04 의도 파악

대화를 듣고, 남자가 한 마지막 말의 의도로 가장 적절한 것을 고르시오.

① 격려 ② 동의 ③ 사과
④ 불평 ⑤ 조언

W Hi, Mason. How are you doing?

M I'm not _____ _____ today.

W *What's wrong?

M I have a _____ _____.

W That's too bad. You should _____ _____ and _____ _____ _____.

M You're right. I should.

✱ 교육부 지정 의사소통 기능: **상태의 원인 묻기** 동(이) 2|다 2

What's wrong? 무슨 일 있니?
A: **What's wrong?** 무슨 일 있니?
B: I have a toothache. 나 이가 아파.

05 언급하지 않은 내용 찾기

다음을 듣고, 여자가 구조물에 대해 언급하지 않은 것을 고르시오.

① 재료 ② 건축 연도 ③ 층수
④ 용도 ⑤ 위치

🔊 **Listening Tip**

stone처럼 강세가 없는 음절의 [t]가 [s] 뒤에 오면 우리 말의 'ㄸ'처럼 발음이 돼요. 우리는 /스톤/이라고 편하게 발음하지만, 사실 /스또운/으로 발음해야 해요.

W This 🔊 stone structure is one of the national treasures of Korea. People _____ _____ in 647. It's about 9 _____ _____. People used it to _____ _____ in the sky. You can visit Gyeongju _____ _____ _____.

06 숫자 정보 파악 (시각)

대화를 듣고, 두 사람이 만날 시각을 고르시오.

① 3:00 p.m. ② 3:30 p.m.
③ 4:00 p.m. ④ 4:30 p.m.
⑤ 5:00 p.m.

M Mom. Can we go shopping today? I need _____ _____.

W Sure. Do you want to _____ _____ _____ the shopping mall this afternoon?

M Okay. How about 3:30?

W Oh, I _____ _____ at 3:30. How about 4 o'clock?

M Okay. I'll _____ _____ _____.

07 장래 희망 파악

대화를 듣고, 여자의 장래 희망으로 가장 적절한 것을 고르시오.

① 화가 ② 과학자 ③ 신문 기자
④ 영화감독 ⑤ 작가

M What's in your shopping bag?

W I bought _____ _____.

M I see. Are they for school?

W No, they're for me. I practice _____ _____ in them.

M Why do you do that?

W I want to _____ _____ for a newspaper in the future.

M I'm sure you will be a _____ _____.

심정 추론

대화를 듣고, 남자의 심정으로 가장 적절한 것을 고르시오.

① 놀람　　② 신남　　③ 창피함
④ 따분함　　⑤ 걱정스러움

W What's wrong?

M I bought new shoes, but I _____ _____.

W Where did you lose them?

M I think I _____ _____ in the subway. What should I do?

W You should go to the Lost and Found office. Maybe you can _____ _____ _____ there.

M I will. I hope I can find them soon.

09 할 일 파악

대화를 듣고, 두 사람이 대화 직후에 할 일로 가장 적절한 것을 고르시오.

① 탁구 치기
② 배드민턴 치기
③ 선수에게 사인 받기
④ 축구 경기 관람하기
⑤ 코트 옆에서 서 있기

W Look at _____ _____. They are really good at badminton.

M Yes. I hope I can play badminton like them.

W You will. Let's _____ _____ it.

M Oh, it looks like they _____ _____ now. It's our turn to _____ _____ _____ _____.

W All right. Let's go!

10 주제 추론

대화를 듣고, 무엇에 관한 내용인지 가장 적절한 것을 고르시오.

① 건강 검진　　② 체중 조절
③ 식이 요법　　④ 수면 장애
⑤ 유산소 운동

W Oh no. These pants are _____ _____.

M Really? The pants still look good on you.

W I think I gained some weight. From now on, I will stop _____ _____.

M Good for you! You _____ _____, too. You can _____ _____ faster.

W You're right. I should _____ _____ every day.

11 교통수단 찾기

대화를 듣고, 여자가 이용할 교통수단으로 가장 적절한 것을 고르시오.

① 배　　② 자동차　　③ 버스
④ 기차　　⑤ 비행기

M Stella, 🔊 where are you going to travel to?

W I'm going to go to Busan with my friends.

M When are you going to leave?

W I'll leave _____ _____.

M That sounds great. 🔊Are you going to go there
_____ _____?

W No, it's too far. I'm going to _____ _____
_____.

M I see. Have a nice trip!

---

12 이유 파악

대화를 듣고, 남자가 책을 빌릴 수 <u>없는</u> 이유로 가장 적절한 것을 고르시오.

① 연체료가 있어서
② 누군가 빌려가서
③ 책이 훼손되어서
④ 책이 신간이라서
⑤ 도서관 카드를 두고 와서

M Excuse me. I'm _____ _____ *Amazing Grace*.

W Do you mean the book by Judy Kim?

M Yes. I _____ _____, but I couldn't find it.

W _____ _____ _____. *[Pause]* Oh, someone already _____ _____.

M I see. I guess I should come back next week.

---

13 관계 추론

대화를 듣고, 두 사람의 관계로 가장 적절한 것을 고르시오.

① 의사 – 간호사　② 코치 – 운동선수
③ 교사 – 학부모　④ 경찰관 – 구급대원
⑤ 상담 교사 – 학생

M Ms. Smith, I _____ _____ when I study.

W Do you have _____ _____ to study?

M Yes. I have 7 different subjects.

W Well, middle school is very _____ _____ elementary school.

M You're right. School hours are longer. Grades become important.

W Don't worry. Many students _____ _____ _____.

---

14 그림 정보 파악 (길 찾기)

대화를 듣고, Hanguk Hospital의 위치로 가장 알맞은 것을 고르시오.

You are here!

W Excuse me, is Hanguk Hospital around here?

M Yes, go straight one block _____ _____ _____.

W Is that all?

M No. You have to go straight two blocks again. You can see the hospital _____ _____ _____. It's _____ _____ _____.

W _____ _____ _____ _____? Okay. Thank you for your help.

대화를 듣고, 여자가 남자에게 부탁한 일로 가장 적절한 것을 고르시오.

① 집 청소하기
② 물건 찾아오기
③ 친구 마중 나가기
④ 파티 음식 준비하기
⑤ 정류장까지 태워다 주기

W   Dad, are you busy right now?
M   No. _____ _____?
W   I'm going out to meet my friend, but it's _____ _____.
M   Oh, really?
W   Yes. So, can you _____ _____ to the bus stop?
M   Of course. _____ _____ _____ my car key.
W   Thank you.

대화를 듣고, 여자가 남자에게 제안한 것으로 가장 적절한 것을 고르시오.

① 함께 공부하기
② 영단어 암기하기
③ 주말에 쇼핑하기
④ 도서관에서 공부하기
⑤ 수학 숙제 도와주기

M   I don't like math. It's _____ _____.
W   Really? For me, science is difficult. Math is easy.
M   Science can be _____ _____ _____, too.
W   Oh, I have an idea.
M   What is it?
W   How about _____ _____? We can _____ _____ _____ with math and science.
M   That sounds great!

대화를 듣고, 두 사람이 먹으려는 음식을 고르시오.

① 우동   ② 비빔밥   ③ 햄버거
④ 떡볶이   ⑤ 피자

W   What do you want to have _____ _____?
M   How about pizza?
W   No, I _____ _____ yesterday. How about Korean food?
M   Sure. Do you know any good Korean restaurant nearby?
W   There's one right there. We can have bibimbap.
M   Rice _____ _____? I like that. Let's go.

18 직업 추론

대화를 듣고, 여자의 직업으로 가장 적절한 것을 고르시오.

① 의사 ② 경찰관 ③ 간호사
④ 영양사 ⑤ 치과의사

M Aunt May, can you help me with _____ _____ ?

W Sure. What is it?

M I have to write about my family members. Can you describe your job?

W Sure. I work in a hospital and _____ _____ _____ .

M Do you also _____ _____ people?

W No, I don't. I _____ _____ .

19 이어질 응답 찾기

대화를 듣고, 여자의 마지막 말에 이어질 남자의 응답으로 가장 적절한 것을 고르시오.

Man: _____

① Sure, I'd love to.
② I agree with you.
③ Don't mention it.
④ We had a good time.
⑤ I'm good at cooking fish.

[Cell phone rings.]

M Hello.

W Hello, Mike. It's Kate.

M Hi, Kate. _____ _____ ?

W I can't go to the movies tomorrow.

M Why not?

W I have to _____ _____ and _____ _____ _____ my little brother.

M Really? Well, we can go _____ _____ .

W _____ _____ next Sunday?

20 이어질 응답 찾기

대화를 듣고, 여자의 마지막 말에 이어질 남자의 응답으로 가장 적절한 것을 고르시오.

Man: _____

① I can't believe it.
② It's my pleasure.
③ Glad to hear that.
④ That's a great idea.
⑤ No, thank you.

M What is in the box?

W *There are some books in the box. It's _____ _____ .

M Do you need _____ _____ ?

W Yes, please. Can you help me _____ _____ _____ to my room, please?

M Of course.

W _____ _____ _____ .

✱ **교육부 지정 의사소통 기능: 장소 진술하기**   천(정) 5|능(김) 2|지 7

There is/are ~. ~이 있어.

• **There is** a cup on the table. 탁자에 컵이 하나 있어.
• **There is** some water on the floor. 바닥에 물이 좀 있어.
• **There are** some dishes on the table. 탁자에 접시들이 좀 있어.
• **There are** two books in the bag. 가방 안에 두 권의 책이 있어.

정답 및 해설 p.74

실전 모의고사 13

점수 /20

01 다음을 듣고, 'I'가 무엇인지 가장 적절한 것을 고르시오.

①   ②   ③

④   ⑤

02 대화를 듣고, 여자가 구입할 구두로 가장 적절한 것을 고르시오.

①   ②   ③

④   ⑤

03 다음을 듣고, 제주도의 오늘 날씨로 가장 적절한 것을 고르시오.

①   ②   ③   ④   ⑤

04 대화를 듣고, 여자가 한 마지막 말의 의도로 가장 적절한 것을 고르시오.

① 축하   ② 격려   ③ 소망
④ 칭찬   ⑤ 동의

05 다음을 듣고, 여자가 친구에 대해 언급하지 <u>않은</u> 것을 고르시오.

① 좋아하는 것   ② 애완동물
③ 방과 후 활동   ④ 부모의 직업
⑤ 장래 희망

06 대화를 듣고, 두 사람이 집을 떠날 시각을 고르시오.

① 6:15 p.m.   ② 6:30 p.m.   ③ 6:45 p.m.
④ 7:00 p.m.   ⑤ 7:15 p.m.

07 대화를 듣고, 남자의 장래 희망으로 가장 적절한 것을 고르시오.

① 가수   ② 성우   ③ 정치가
④ 아나운서   ⑤ 영화배우

08 대화를 듣고, 남자의 심정으로 가장 적절한 것을 고르시오.

① 설렘   ② 지루함   ③ 부러움
④ 불안함   ⑤ 당황스러움

09 대화를 듣고, 남자가 대화 직후에 할 일로 가장 적절한 것을 고르시오.

① 목욕하기   ② 전화 받기
③ 엄마 심부름하기   ④ 친구에게 전화하기
⑤ 친구의 집 방문하기

10 대화를 듣고, 무엇에 관한 내용인지 가장 적절한 것을 고르시오.

① 인테리어   ② 병원 진료
③ 식사 예절   ④ 요리 강습
⑤ 올바른 식습관

11 대화를 듣고, 남자가 이용할 교통수단으로 가장 적절한 것을 고르시오.

① 택시 　　　② 자동차 　　　③ 지하철
④ 공항버스 　　⑤ 비행기

12 대화를 듣고, 남자가 데려다 줄 수 <u>없는</u> 이유로 가장 적절한 것을 고르시오.

① 회사에 늦어서
② 세차를 해야 해서
③ 아침을 먹어야 해서
④ 자동차가 정비소에 있어서
⑤ 자동차 열쇠를 찾지 못해서

13 대화를 듣고, 두 사람의 관계로 가장 적절한 것을 고르시오.

① 엄마 – 아들
② 식당 종업원 – 고객
③ 요리사 – 총지배인
④ 식료품점 주인 – 손님
⑤ 푸드스타일리스트 – 요리사

14 대화를 듣고, 우체국의 위치로 가장 알맞은 것을 고르시오.

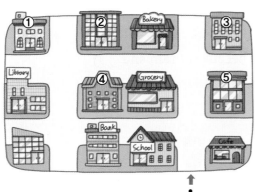

You are here!

15 대화를 듣고, 여자가 남자에게 부탁한 일로 가장 적절한 것을 고르시오.

① 자전거 부품 주문하기 　② 바퀴 교체하기
③ 자전거 빌리기 　　　　④ 준비되면 전화주기
⑤ 대신 환불 요청하기

16 대화를 듣고, 여자가 남자에게 제안한 것으로 가장 적절한 것을 고르시오.

① 저녁 식사하기 　　　② 콘서트 같이 가기
③ 콘서트 표 예매하기 　④ 클래식 음악 듣기
⑤ 오케스트라 단원 되기

17 대화를 듣고, 여자가 여름 방학 때 방문할 나라를 고르시오.

① 영국 　　　② 독일 　　　③ 프랑스
④ 스페인 　　⑤ 이탈리아

18 대화를 듣고, 여자의 직업으로 가장 적절한 것을 고르시오.

① 의사 　　　② 교사 　　　③ 음악가
④ 변호사 　　⑤ 역사학자

[19-20] 대화를 듣고, 남자의 마지막 말에 이어질 여자의 응답으로 가장 적절한 것을 고르시오.

19 Woman: _____

① It's my fault.
② That's too bad.
③ I'm good at it, too.
④ Okay. I'll be careful.
⑤ I want to see your pictures.

20 Woman: _____

① No, thanks. I'm full.
② I will. Thanks a lot.
③ I'm afraid I can't go.
④ I hope you feel better.
⑤ I'm sorry to hear that.

01 화제 추론

다음을 듣고, 'I'가 무엇인지 가장 적절한 것을 고르시오.

① ② ③
④ ⑤

W I live both in water and _____ _____.
I can swim, but I can't fly. Also, I _____
_____ trees. I _____ _____.
I have poison to kill people. I _____ _____
_____ and mice. What am I?

02 그림 정보 파악

대화를 듣고, 여자가 구입할 구두로 가장 적절한 것을 고르시오.

① ② ③
④ ⑤

W How do you like these shoes?
M They're pretty. I like the ribbons.
W Yes, but the ribbons are _____ _____
_____ for me.
M Then try these ones _____ _____
_____. I think they will look better on you.
W Okay. [Pause] They're perfect. _____
_____ _____.

03 날씨 파악

다음을 듣고, 제주도의 오늘 날씨로 가장 적절한 것을 고르시오.

① ② ③
④ ⑤

M Good morning. Here is the local weather forecast.
The temperature is going up and it will be a _____
_____ in Seoul. Busan will _____
_____ because of rain and _____
_____. Jeju-do will have _____
_____ all day. Thank you.

04 의도 파악

대화를 듣고, 여자가 한 마지막 말의 의도로 가장 적절한 것을 고르시오.

① 축하 ② 격려 ③ 소망
④ 칭찬 ⑤ 동의

W My father had a _____ _____ last week.
M *I'm sorry to hear that. Is he all right?
W He _____ _____ _____ and leg.
He's still in the hospital.
M That's too bad. I hope your father will _____
_____ soon.
W I really hope so, too.

---

05 언급하지 않은 내용 찾기

다음을 듣고, 여자가 친구에 대해 언급하지 <u>않은</u> 것을 고르시오.

① 좋아하는 것　　② 애완동물
③ 방과 후 활동　　④ 부모의 직업
⑤ 장래 희망

W　I'd like to introduce my best friend to you. Her name is Alice. She ＿＿＿＿＿＿ ＿＿＿＿＿＿ very much and has 2 cats. After school, she usually ＿＿＿＿＿＿ ＿＿＿＿＿＿ about animals in the library. Her parents want her to ＿＿＿＿＿＿ ＿＿＿＿＿＿ ＿＿＿＿＿＿, but she hopes to be an animal doctor.

---

06 숫자 정보 파악 (시각)

대화를 듣고, 두 사람이 집을 떠날 시각을 고르시오.

① 6:15 p.m.　　② 6:30 p.m.
③ 6:45 p.m.　　④ 7:00 p.m.
⑤ 7:15 p.m.

M　Tiffany, shall we ＿＿＿＿＿＿ ＿＿＿＿＿＿ for dinner?
W　That sounds great. What time shall we ＿＿＿＿＿＿ ＿＿＿＿＿＿ ＿＿＿＿＿＿?
M　How about 7 o'clock?
W　That's a little late. How about 15 minutes earlier?
M　Sure. Let's leave at 6:45.
W　Okay. ＿＿＿＿＿＿ ＿＿＿＿＿＿ ＿＿＿＿＿＿ by then.

---

07 장래 희망 파악

대화를 듣고, 남자의 장래 희망으로 가장 적절한 것을 고르시오.

① 가수　　② 성우　　③ 정치가
④ 아나운서　　⑤ 영화배우

M　The winter vacation finally started.
W　What are you going to do during the winter vacation?
M　＿＿＿＿＿＿ ＿＿＿＿＿＿ ＿＿＿＿＿＿ taking vocal lessons.
W　*Why do you want to take vocal lessons?
M　It's because ＿＿＿＿＿＿ ＿＿＿＿＿＿ ＿＿＿＿＿＿ to sing on stage.
W　I believe you will be a ＿＿＿＿＿＿ ＿＿＿＿＿＿.
M　Thanks.

08 심정 추론

대화를 듣고, 남자의 심정으로 가장 적절한 것을 고르시오.

① 설렘 ② 지루함 ③ 부러움
④ 불안함 ⑤ 당황스러움

M I'm going to travel to New York this winter.
W Wow, _____ _____. Do you know anybody in New York?
M My friend Peter _____ _____ to his house. I'm going to _____ _____ his family.
W How long will you stay there?
M For a week. I _____ _____.

09 할 일 파악

대화를 듣고, 남자가 대화 직후에 할 일로 가장 적절한 것을 고르시오.

① 목욕하기 ② 전화 받기
③ 엄마 심부름하기 ④ 친구에게 전화하기
⑤ 친구의 집 방문하기

🔊 **Listening Tip**

영어에서는 주어와 be동사, 주어와 조동사(will, have)를 줄여서 말하기도 하는데요. I'm은 /아임/, I'll은 /아을/, I've는 /아입/으로 본래의 단어와는 다른 소리가 나는 것에 유의하세요.

W William, you have a phone call.
M Mom, 🔊I'm in the bathroom. I can't answer it right now.
W All right. I'll tell Vicky to _____ _____.
M Wait! _____ _____?
W Vicky did.
M I'm coming! Please _____ _____ to wait a second.
W Okay.

10 주제 추론

대화를 듣고, 무엇에 관한 내용인지 가장 적절한 것을 고르시오.

① 인테리어 ② 병원 진료
③ 식사 예절 ④ 요리 강습
⑤ 올바른 식습관

W Jack, don't _____ _____ _____ at the table.
M Why is that?
W It _____ _____.
M Oh, I didn't know that. I'll keep that in mind.
W Also, you shouldn't talk with your _____ _____.
M Okay. I'll be _____ _____.

11 교통수단 찾기

대화를 듣고, 남자가 이용할 교통수단으로 가장 적절한 것을 고르시오.

① 택시 ② 자동차 ③ 지하철
④ 공항버스 ⑤ 비행기

M Hayun, how can I get to Incheon International Airport?
W You can take an _____ _____ or the _____.
M How long does it take by bus?

W Usually about _____ _____.

M My plane leaves at 9 and I have to be there before 7:30.

W Why don't you ◀) take the subway? It's faster than the bus.

M Okay. I'll _____ _____ _____ then.

---

12 이유 파악

대화를 듣고, 남자가 데려다 줄 수 <u>없는</u> 이유로 가장 적절한 것을 고르시오.

① 회사에 늦어서
② 세차를 해야 해서
③ 아침을 먹어야 해서
④ 자동차가 정비소에 있어서
⑤ 자동차 열쇠를 찾지 못해서

W Dad, can you _____ _____ to the library right now?

M I'm sorry, but I can't.

W Why not?

M My car is still _____ _____ _____.

W Really? Then can I _____ _____ _____? The library is a bit far from here.

M Of course. _____ _____ to wear a helmet.

---

13 관계 추론

대화를 듣고, 두 사람의 관계로 가장 적절한 것을 고르시오.

① 엄마 – 아들
② 식당 종업원 – 고객
③ 요리사 – 총지배인
④ 식료품점 주인 – 손님
⑤ 푸드스타일리스트 – 요리사

M Are you ready _____ _____?

W Yes, I'll have today's _____ _____, please.

M Which one would you like, potato salad or chicken salad?

W I'll have the chicken salad.

M Would you like _____ _____ _____?

W Yes, I'll have a cup of coffee.

M Okay. I'll _____ _____ the coffee first.

---

14 그림 정보 파악 (길 찾기)

대화를 듣고, 우체국의 위치로 가장 알맞은 것을 고르시오.

You are here!

M Excuse me. I'm looking for the post office. Is it around here?

W Yes, it is.

M How do I get to the post office?

W Go straight two blocks and _____ _____. Then, you will _____ _____ _____ on your right.

M A bakery on the right. Okay.

W Yes. The post office is _____ _____ the bakery.

15 부탁 파악

대화를 듣고, 여자가 남자에게 부탁한 일로 가장 적절한 것을 고르시오.

① 자전거 부품 주문하기
② 바퀴 교체하기
③ 자전거 빌리기
④ 준비되면 전화주기
⑤ 대신 환불 요청하기

M Can I help you?

W Yes, I'd like to change my bike's brakes, please.

M Sure, but I'm afraid _____ _____ about 3 days.

W Why is that?

M I _____ _____ _____ some brake parts.

W Okay. Can you _____ _____ when my bike _____ _____ ?

M Of course.

16 제안 파악

대화를 듣고, 여자가 남자에게 제안한 것으로 가장 적절한 것을 고르시오.

① 저녁 식사하기
② 콘서트 같이 가기
③ 콘서트 표 예매하기
④ 클래식 음악 듣기
⑤ 오케스트라 단원 되기

W David, you are a fan of classical music, right?

M I am. Why do you ask?

W I got 2 _____ _____ to a classical music concert. Would you like to _____ _____ _____ ?

M Of course. When is the concert?

W It's next Saturday at 7 p.m.

M Sure. I'll _____ _____ _____ before the concert.

17 특정 정보 파악

대화를 듣고, 여자가 여름 방학 때 방문할 나라를 고르시오.

① 영국   ② 독일   ③ 프랑스
④ 스페인   ⑤ 이탈리아

M When did you go to Europe, Jenny?

W I went there 2 years ago. I traveled to England, France, and Italy.

M _____ _____ did you like most?

W I liked France most. There were many beautiful _____ _____ _____ .

M How about Spain?

W I _____ _____ that country. I'm planning to _____ _____ this summer vacation.

18 직업 추론

대화를 듣고, 여자의 직업으로 가장 적절한 것을 고르시오.

① 의사　　② 교사　　③ 음악가
④ 변호사　　⑤ 역사학자

W Excuse me. Aren't you Mr. Jones?

M Yes, I am. Do I know you?

W My name is Helen Miller. I took your _____ _____ in high school.

M Oh, now I remember. Hi, Helen. Long time no see.

W I really liked your class, so now _____ _____, _____.

M I'm glad to hear that we have _____ _____ _____.

19 이어질 응답 찾기

대화를 듣고, 남자의 마지막 말에 이어질 여자의 응답으로 가장 적절한 것을 고르시오.

Woman: _____

① It's my fault.
② That's too bad.
③ I'm good at it, too.
④ Okay. I'll be careful.
⑤ I want to see your pictures.

🔊 Listening Tip
drop의 과거형인 dropped은 무성음인 [p] 뒤에서 -ed가 [t]로 발음되므로, 우리말 /주랍트/처럼 들려요. 유성음 뒤에서는 [d]로 발음되는 것도 함께 알아두세요.

W How was your trip, Jack?

M It was great, but I _____ _____ _____ on the last day.

W What happened?

M I was _____ _____ of dolphins on the ship. But I 🔊 dropped _____ _____ _____ the sea.

W Did you find your camera?

M No. It _____ _____ the water.

20 이어질 응답 찾기

대화를 듣고, 남자의 마지막 말에 이어질 여자의 응답으로 가장 적절한 것을 고르시오.

Woman: _____

① No, thanks. I'm full.
② I will. Thanks a lot.
③ I'm afraid I can't go.
④ I hope you feel better.
⑤ I'm sorry to hear that.

M Bona, why did you miss school yesterday?

W I wasn't feeling well. I had to _____ _____.

M Are you feeling _____ _____ now?

W Yes, I'm fine now. Oh, can I _____ _____ _____ from yesterday's class?

M Of course. Just _____ _____ _____ tomorrow.

실전 모의고사 **14**

---

01 다음을 듣고, 'I'가 무엇인지 가장 적절한 것을 고르시오.

02 대화를 듣고, 남자가 구입할 우산으로 가장 적절한 것을 고르시오.

03 다음을 듣고, 내일의 날씨로 가장 적절한 것을 고르시오.

04 대화를 듣고, 남자가 한 마지막 말의 의도로 가장 적절한 것을 고르시오.

① 제안   ② 양보   ③ 불평
④ 승낙   ⑤ 거절

05 다음을 듣고, 남자가 축구에 대해 언급하지 <u>않은</u> 것을 고르시오.

① 발생지   ② 경기 시간
③ 쉬는 시간   ④ 팀의 인원수
⑤ 경기 방법

06 대화를 듣고, 두 사람이 만나기로 한 시각을 고르시오.

① 12:00 p.m.   ② 12:10 p.m.   ③ 12:20 p.m.
④ 12:30 p.m.   ⑤ 12:40 p.m.

07 대화를 듣고, 여자의 장래 희망으로 가장 적절한 것을 고르시오.

① 교사   ② 가수   ③ 작가
④ 여행가   ⑤ 무용가

08 대화를 듣고, 여자의 심정으로 가장 적절한 것을 고르시오.

① 그리움   ② 서운함   ③ 부러움
④ 반가움   ⑤ 걱정스러움

09 대화를 듣고, 여자가 대화 직후에 할 일로 가장 적절한 것을 고르시오.

① 차 마시기   ② 물 끓이기
③ 끓인 물 식히기   ④ 앉아서 기다리기
⑤ 정수기 청소하기

10 대화를 듣고, 무엇에 관한 내용인지 가장 적절한 것을 고르시오.

① 환전 신청   ② 비밀번호 변경
③ 영화표 구매   ④ 기차표 예매
⑤ 영화 관람 예절

11 대화를 듣고, 여자가 이용할 교통수단으로 가장 적절한 것을 고르시오.

① 자전거   ② 버스   ③ 택시

④ 자동차   ⑤ 지하철

12 대화를 듣고, 남자가 다른 곳에 주차해야 하는 이유로 가장 적절한 것을 고르시오.

① 운전을 잘 못해서   ② 콘서트에 늦어서

③ 주차 공간이 좁아서   ④ 공원이 문을 닫아서

⑤ 주차 금지 구역이라서

13 대화를 듣고, 두 사람의 관계로 가장 적절한 것을 고르시오.

① 은행원 – 고객   ② 프로듀서 – 가수

③ 의사 – 환자   ④ 약사 – 손님

⑤ 구급차 대원 – 경찰관

14 대화를 듣고, Valentine Hotel의 위치로 가장 알맞은 것을 고르시오.

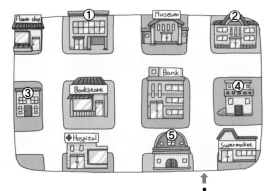

You are here!

15 대화를 듣고, 여자가 남자에게 부탁한 일로 가장 적절한 것을 고르시오.

① 햄버거 주문하기   ② 택배 신청하기

③ 현금 빌려주기   ④ 전화해주기

⑤ 음료수 갖다 주기

16 대화를 듣고, 남자가 여자에게 제안한 것으로 가장 적절한 것을 고르시오.

① 숙제 보여 주기   ② 영화 같이 보기

③ 친구에게 물어보기   ④ 선생님 찾아가기

⑤ 역사 책 빌리기

17 대화를 듣고, 여자가 탈 버스를 고르시오.

① 10번   ② 15번   ③ 16번

④ 20번   ⑤ 60번

18 대화를 듣고, 남자의 직업으로 가장 적절한 것을 고르시오.

① 농부   ② 바리스타

③ 제빵사   ④ 식당 종업원

⑤ 요리 연구가

[19-20] 대화를 듣고, 여자의 마지막 말에 이어질 남자의 응답으로 가장 적절한 것을 고르시오.

19 Man: _____

① Help yourself.

② I want to buy this.

③ Thanks. I'll be back.

④ I made this for you.

⑤ It's good for your health.

20 Man: _____

① That's a good idea.

② I don't agree with you.

③ He cooks once a week.

④ You don't have to do it.

⑤ Thank you for your advice.

Dictation 14

◇ 다시 듣고, 빈칸에 들어갈 알맞은 단어를 써보세요.

정답 및 해설 p.80

01 화제 추론

다음을 듣고, 'I'가 무엇인지 가장 적절한 것을 고르시오.

① ② ③
④ ⑤

W I am good _____ _____. I _____ _____ or seals. I am big and have _____ _____. I live in a very _____ _____. What am I?

02 그림 정보 파악

대화를 듣고, 남자가 구입할 우산으로 가장 적절한 것을 고르시오.

① ② ③
④ ⑤

W How may I help you?

M I'm looking for _____ _____ for my mother.

W Sure. How about this one _____ _____ on it?

M It looks good, but there are too many stars. She won't like it.

W Then how about this one _____ _____? It's simple and popular.

M It's great. _____ _____ _____.

03 날씨 파악

다음을 듣고, 내일의 날씨로 가장 적절한 것을 고르시오.

① ② ③
④ ⑤

M Good morning. This is the Weather Center. It's very _____ and _____ now, but the rain will stop tonight. Tomorrow it will be _____ _____. I hope you enjoy the _____ _____.

04 의도 파악

대화를 듣고, 남자가 한 마지막 말의 의도로 가장 적절한 것을 고르시오.

① 제안   ② 양보   ③ 불평
④ 승낙   ⑤ 거절

W You look so excited. What's up?

M I don't have to go to my _____ _____ today. So _____ _____ this afternoon.

W That's good. So, what are you going to do?

M I don't know.

W I'm going bowling with some friends. Do you want to _____ _____?

M _____, _____. I'll just go home and rest.

---

05 언급하지 않은 내용 찾기

다음을 듣고, 남자가 축구에 대해 언급하지 <u>않은</u> 것을 고르시오.

① 발생지   ② 경기 시간
③ 쉬는 시간   ④ 팀의 인원수
⑤ 경기 방법

M Soccer _____ _____ England. Soccer games are usually 90 minutes long. There are 11 players _____ _____ _____. Each player can _____ _____ _____ to score. Only the goalkeeper _____ _____ the ball with his hands.

---

06 숫자 정보 파악 (시각)

대화를 듣고, 두 사람이 만나기로 한 시각을 고르시오.

① 12:00 p.m.   ② 12:10 p.m.
③ 12:20 p.m.   ④ 12:30 p.m.
⑤ 12:40 p.m.

M I'm going to the cafeteria for lunch.

W I'll go with you. It's _____ _____.

M Okay. I'm really hungry. *[Pause]* Oh no!

W What's wrong?

M I need to get _____ _____ from my jacket. It's in _____ _____.

W Okay. Then _____ _____ 10 minutes in the cafeteria.

---

07 장래 희망 파악

대화를 듣고, 여자의 장래 희망으로 가장 적절한 것을 고르시오.

① 교사   ② 가수   ③ 작가
④ 여행가   ⑤ 무용가

M Mary, what's that?

W It's the list for _____ _____, Dad.

M I see. What class are you going to take?

W I want to take a _____ _____.

M Writing class? I thought you were _____ _____ _____.

W I was. But now I want to be a _____ _____.

심정 추론

대화를 듣고, 여자의 심정으로 가장 적절한 것을 고르시오.

① 그리움 　② 서운함 　③ 부러움
④ 반가움 　⑤ 걱정스러움

[Doorbell rings.]

W　Who's there?

M　It's me, Michael.

W　I'm sorry, but can you _____ _____ _____?

M　It's your grandson, Michael.

W　Oh, Michael! What a surprise! Come on in. I didn't know _____ _____ _____.

M　I wanted to surprise you. I _____ _____ so much.

W　Me, too. I'm so _____ _____ _____ you.

---

09 **할 일 파악**

대화를 듣고, 여자가 대화 직후에 할 일로 가장 적절한 것을 고르시오.

① 차 마시기 　　② 물 끓이기
③ 끓인 물 식히기 　④ 앉아서 기다리기
⑤ 정수기 청소하기

🔊 **Listening Tip**

boil에서처럼 단어 끝에 오는 [l] 앞의 [ɔɪ]는 /오열/로 발음하는 것에 주의하세요.

M　Hello. I came to see Mr. Jonas.

W　Please have a seat here. He'll _____ _____ soon.

M　Okay.

W　*Would you like some coffee?

M　Oh, actually can I have _____ _____ instead?

W　Sure. I'll 🔊boil _____ _____ _____ _____.

* **교육부 지정 의사소통 기능: 음식 권하기** 　천(정) 4| 미 3| 능(양) 4| 비 6| Y(박) 5| Y(송) 3| 지 3

Would you like some ~? ~ 좀 먹을래[드시겠어요]?

• **Would you like some** more? 좀 더 드시겠어요?
• **Would you like some** ice cream? 아이스크림 좀 먹을래?

---

10 **주제 추론**

대화를 듣고, 무엇에 관한 내용인지 가장 적절한 것을 고르시오.

① 환전 신청 　　② 비밀번호 변경
③ 영화표 구매 　④ 기차표 예매
⑤ 영화 관람 예절

W　The line is too long. Let's use the machine.

M　Do you know how to use it?

W　Sure. Choose _____ _____ first.

M　Okay.

W　Then choose _____ _____.

M　4:20 seems good.

W　Okay. Then we have to choose _____ _____.

M I see. I want to sit _____ _____ _____.

W Good idea.

---

11 교통수단 찾기

대화를 듣고, 여자가 이용할 교통수단으로 가장 적절한 것을 고르시오.

① 자전거　　② 버스　　③ 택시
④ 자동차　　⑤ 지하철

M Anna, what time are you going to _____ _____ _____?

W At 4 o'clock.

M I'll take you there _____ _____.

W No thanks, Dad. I want to take my bike.

M But it's going to rain this afternoon.

W Really? Then can you _____ _____ _____ after school?

M Of course.

---

12 이유 파악

대화를 듣고, 남자가 다른 곳에 주차해야 하는 이유로 가장 적절한 것을 고르시오.

① 운전을 잘 못해서
② 콘서트에 늦어서
③ 주차 공간이 좁아서
④ 공원이 문을 닫아서
⑤ 주차 금지 구역이라서

M What time is it now?

W It's 1:50. We only have 10 minutes until the concert.

M I see. Let's park here.

W Oh, we _____ _____ here. Let's try a _____ _____.

M Why not? It's close to the entrance.

W Look at the sign. _____ _____ a no-parking sign here.

M I didn't see the sign. I'll _____ _____ else.

---

13 관계 추론

대화를 듣고, 두 사람의 관계로 가장 적절한 것을 고르시오.

① 은행원 – 고객　　② 프로듀서 – 가수
③ 의사 – 환자　　④ 약사 – 손님
⑤ 구급차 대원 – 경찰관

◀) **Listening Tip**

throat처럼 'o'에 강세가 있는 경우에는 /오/로 발음하지 않고 반드시 [ou]로 발음해야 해요. 따라서 /쓰로트/가 아니라 /쓰로웃/처럼 들려요.

W Hello. What can I do for you?

M My ◀)throat _____ _____. I have a cough, too.

W _____ _____ _____. *[Pause]* It looks like you have a cold.

M What should I do?

W I will give you a _____. _____ _____ _____ at home. You will get better.

그림 정보 파악 (길 찾기)

대화를 듣고, Valentine Hotel의 위치로 가장 알맞은 것을 고르시오.

You are here!

W Excuse me, will you show me the way to Valentine Hotel?

M Go straight two blocks and _____ _____.

W Okay. Is that all?

M No, you have to _____ _____ one block again. The hotel will be _____ _____ _____. It's _____ _____ the bookstore.

W I see. Thank you very much.

---

15 부탁 파악

대화를 듣고, 여자가 남자에게 부탁한 일로 가장 적절한 것을 고르시오.

① 햄버거 주문하기   ② 택배 신청하기
③ 현금 빌려주기   ④ 전화해주기
⑤ 음료수 갖다 주기

W This hamburger looks good. I'll order one.

M I'll have _____ _____ _____.

W _____ _____ is it?

M It's $4 each. Do you want a drink with it, too?

W Yes, but I only have $4 now. _____ _____ _____ me some money?

M Sure. You can _____ _____ _____ later.

---

16 제안 파악

대화를 듣고, 남자가 여자에게 제안한 것으로 가장 적절한 것을 고르시오.

① 숙제 보여 주기
② 영화 같이 보기
③ 친구에게 물어보기
④ 선생님 찾아가기
⑤ 역사 책 빌리기

W Jason, are you busy now?

M I'm okay. What's up?

W I _____ _____ _____ about the history homework.

M What is it about?

W It's about the Korean War.

M _____ _____ _____ Mina. She knows more about history than I do.

W Really? I will _____ _____ then.

---

17 특정 정보 파악

대화를 듣고, 여자가 탈 버스를 고르시오.

① 10번   ② 15번   ③ 16번
④ 20번   ⑤ 60번

W Excuse me, *where is the _____ _____ _____?

M There is a bus stop just _____ _____ _____.

W Which buses stop there?

M Numbers 10, 16, and 20.

W   I _____ _____ _____ the number 16 bus. How often does it come?

M   Every 15 minutes.

W   Thank you.

---

18   직업 추론

대화를 듣고, 남자의 직업으로 가장 적절한 것을 고르시오.

① 농부   ② 바리스타
③ 제빵사   ④ 식당 종업원
⑤ 요리 연구가

M   May I _____ _____ order?

W   I'll have an onion soup and a steak.

M   How would you _____ _____ _____?

W   Well-done, please.

M   Sure. Would you like something _____ _____?

W   I'll have _____ _____ _____ _____, please.

M   Of course. I'll be back with your drink.

---

19   이어질 응답 찾기

대화를 듣고, 여자의 마지막 말에 이어질 남자의 응답으로 가장 적절한 것을 고르시오.

Man: _____

① Help yourself.
② I want to buy this.
③ Thanks. I'll be back.
④ I made this for you.
⑤ It's good for your health.

M   This shirt is _____ _____ for me.

W   Then how about this one _____ _____?

M   That's not bad. Do you have it in small?

W   Yes, here it is. Would you like to _____ _____ _____?

M   Sure. Where is your _____ _____?

W   It's over there next to the sweaters.

---

20   이어질 응답 찾기

대화를 듣고, 여자의 마지막 말에 이어질 남자의 응답으로 가장 적절한 것을 고르시오.

Man: _____

① That's a good idea.
② I don't agree with you.
③ He cooks once a week.
④ You don't have to do it.
⑤ Thank you for your advice.

W   What did you do last weekend?

M   I cooked with my father.

W   That's nice. What did _____ _____?

M   We made a pizza and pasta _____ _____.

W   That sounds like fun. Maybe I should _____ _____ _____ with my dad, too.

실전 모의고사 15

01 다음을 듣고, 'I'가 무엇인지 가장 적절한 것을 고르시오.

①   ②   ③

④   ⑤

02 대화를 듣고, 여자가 구입할 선물 상자로 가장 적절한 것을 고르시오.

①   ②   ③

④   ⑤

03 다음을 듣고, 오늘의 날씨로 가장 적절한 것을 고르시오.

①   ②   ③   ④   ⑤

04 대화를 듣고, 남자가 한 마지막 말의 의도로 가장 적절한 것을 고르시오.

① 요청 ② 감사 ③ 제안
④ 사과 ⑤ 비난

05 다음을 듣고, 여자가 캠핑에 대해 언급하지 <u>않은</u> 것을 고르시오.

① 장소 ② 텐트 설치 여부
③ 기간 ④ 음식
⑤ 한 일

06 대화를 듣고, 두 사람이 만날 시각을 고르시오.

① 4:30 p.m. ② 4:40 p.m. ③ 4:50 p.m.
④ 5:00 p.m. ⑤ 5:10 p.m.

07 대화를 듣고, 남자의 장래 희망으로 가장 적절한 것을 고르시오.

① 의사 ② 화가 ③ 경찰관
④ 과학자 ⑤ 변호사

08 대화를 듣고, 여자의 심정으로 가장 적절한 것을 고르시오.

① 화남 ② 행복함 ③ 불안함
④ 만족함 ⑤ 부끄러움

09 대화를 듣고, 두 사람이 대화 직후에 할 일로 가장 적절한 것을 고르시오.

① 집에 가기 ② 쇼핑하기
③ 댄스학원 가기 ④ 운동화 교환하기
⑤ 극장에서 영화 보기

10 대화를 듣고, 무엇에 관한 내용인지 가장 적절한 것을 고르시오.

① 친구 관계 ② 교통 체증 원인
③ 직업 체험 ④ 수업 시간 준수
⑤ 환경 보호

11 대화를 듣고, 여자가 이용할 교통수단으로 가장 적절한 것을 고르시오.

① 자전거   ② 버스   ③ 오토바이
④ 택시   ⑤ 지하철

12 대화를 듣고, 여자가 야구 경기에 갈 수 없는 이유로 가장 적절한 것을 고르시오.

① 숙제가 많아서
② 동물병원에 가야 해서
③ 야구를 좋아하지 않아서
④ 부모님과 약속이 있어서
⑤ 집에 개를 혼자 둘 수 없어서

13 대화를 듣고, 두 사람의 관계로 가장 적절한 것을 고르시오.

① 교사 – 학생   ② 서점 주인 – 손님
③ 과학자 – 기자   ④ 도서관 사서 – 학생
⑤ 출판사 직원 – 작가

14 대화를 듣고, 남자가 가려는 곳의 위치로 가장 알맞은 것을 고르시오.

15 대화를 듣고, 남자가 여자에게 부탁한 일로 가장 적절한 것을 고르시오.

① 선물 사기   ② 케이크 만들기
③ 초대장 전해주기   ④ 생일 파티 준비하기
⑤ 잠시 동안 기다려주기

16 대화를 듣고, 남자가 여자에게 제안한 것으로 가장 적절한 것을 고르시오.

① 외식하기   ② 도시락 싸기
③ 함께 요리하기   ④ 요리 재료 사오기
⑤ 카레 주문하기

17 대화를 듣고, 두 사람이 만나기로 한 장소를 고르시오.

① 운동장   ② 버스 정류장
③ 놀이터   ④ 영화관
⑤ 지하철역

18 대화를 듣고, 여자의 어머니의 직업으로 가장 적절한 것을 고르시오.

① 교사   ② 의사   ③ 요리사
④ 미용사   ⑤ 피아니스트

[19-20] 대화를 듣고, 여자의 마지막 말에 이어질 남자의 응답으로 가장 적절한 것을 고르시오.

19 Man: _____

① No, thank you.
② I hope to see you soon.
③ You should keep that in mind.
④ I'm afraid I can't go with you.
⑤ I bought them near my house.

20 Man: _____

① That would be fine.
② I had a good time.
③ I want a new computer.
④ I have the latest smartphone.
⑤ You should try to go to bed earlier.

Dictation 15

◈ 다시 듣고, 빈칸에 들어갈 알맞은 단어를 써보세요.

정답 및 해설 p.86

---

01 화제 추론

다음을 듣고, 'I'가 무엇인지 가장 적절한 것을 고르시오.

① ② ③
④ ⑤

W I live both in water and on land. I have big eyes and _____ _____. My skin has no hair and is always wet. I can swim and _____ _____. I usually _____ _____ like flies. What am I?

---

02 그림 정보 파악

대화를 듣고, 여자가 구입할 선물 상자로 가장 적절한 것을 고르시오.

① ② ③
④ ⑤

M Good afternoon. May I help you?
W Yes, please. I'm looking for a _____ _____.
M How about this heart-shaped one?
W It's too small for my gift. I think this _____ _____ is better. The _____ _____ _____ is pretty.
M That one is popular.
W Great. I'll take it.

---

03 날씨 파악

다음을 듣고, 오늘의 날씨로 가장 적절한 것을 고르시오.

① ② ③
④ ⑤

M Good morning. This is Paul Evans. Did you enjoy the sunny weather yesterday? _____ _____ cloudy and a little chilly. You don't need an umbrella because it _____ _____ today. But tomorrow, you'll have to carry your umbrella. Thank you _____ _____ _____.

---

04 의도 파악

대화를 듣고, 남자가 한 마지막 말의 의도로 가장 적절한 것을 고르시오.

① 요청   ② 감사   ③ 제안
④ 사과   ⑤ 비난

[Telephone rings.]
M Hello.
W Hello, Jihun. It's Jessica.
M Oh, hi, Jessica. _____ _____?
W I have a big problem. Can you help me?
M What is it?

---

142   Listening Q 중학영어듣기 모의고사 1

W My best friend, Eve, _____ _____ to me any more. What should I do?

M Well, why don't you _____ _____ _____ _____?

---

05 언급하지 않은 내용 찾기

다음을 듣고, 여자가 캠핑에 대해 언급하지 않은 것을 고르시오.

① 장소
② 텐트 설치 여부
③ 기간
④ 음식
⑤ 한 일

🔊 **Listening Tip**

자음자 3개가 연달아 나올 때는 가운데 소리는 발음되지 않습니다. went camping에서 자음 n, t, c가 연속으로 등장하므로 가운데에 있는 t의 소리는 들리지 않게 됩니다.

W My family 🔊went camping last summer vacation. We _____ _____ Jiri Mountain by car. We arrived at the campsite _____ _____ _____ our tent. We _____ _____ for 3 days. We did many things there. In the morning, we climbed a small mountain. In the afternoon, we _____ _____.

---

06 숫자 정보 파악 (시각)

대화를 듣고, 두 사람이 만날 시각을 고르시오.

① 4:30 p.m.
② 4:40 p.m.
③ 4:50 p.m.
④ 5:00 p.m.
⑤ 5:10 p.m.

[Cell phone rings.]

W Hello.

M Hi, Lily. This is Tom. What are you doing now?

W I am just _____ _____ _____. What's up?

M How about coming to _____ _____? Henry and Alice are here.

W Okay. I'll _____ _____ _____ 30 minutes.

M What time is it now?

W It's 4:30.

---

07 장래 희망 파악

대화를 듣고, 남자의 장래 희망으로 가장 적절한 것을 고르시오.

① 의사
② 화가
③ 경찰관
④ 과학자
⑤ 변호사

M What do you want to be in the future?

W I want to be a doctor. How about you?

M I want to be _____ _____ like my father.

W Why?

M My father _____ _____ to save people. I want to do _____ _____.

W Wow! That sounds amazing.

대화를 듣고, 여자의 심정으로 가장 적절한 것을 고르시오.

① 화남   ② 행복함   ③ 불안함
④ 만족함   ⑤ 부끄러움

🔊 **Listening Tip**

waiting처럼 강세가 없는 모음 i 사이에 t가 오는 경우에, /ㅌ/가 아니라 보통 /ㄹ/로 발음하는 경우가 많아요. 즉 /웨이팅/이 아니라 /웨이링/처럼 들리는 것이죠.

M Are you all right?

W No, I'm having a ＿＿＿＿＿＿ ＿＿＿＿＿＿.

M Why?

W This morning, I was 🔊 waiting in line for the bus.

M And then?

W The bus arrived and I tried to ＿＿＿＿＿＿ ＿＿＿＿＿＿ it. But a man ＿＿＿＿＿＿ ＿＿＿＿＿＿ ＿＿＿＿＿＿ in front of me.

M What a ＿＿＿＿＿＿ ＿＿＿＿＿＿!

---

09 할 일 파악

대화를 듣고, 두 사람이 대화 직후에 할 일로 가장 적절한 것을 고르시오.

① 집에 가기   ② 쇼핑하기
③ 댄스학원 가기   ④ 운동화 교환하기
⑤ 극장에서 영화 보기

W What time does the shopping mall close today?

M It's Friday. So it is ＿＿＿＿＿＿ ＿＿＿＿＿＿ 8 p.m.

W I see. There is ＿＿＿＿＿＿ ＿＿＿＿＿＿ to go shopping, then.

M Do you need to buy something?

W I have to buy new ＿＿＿＿＿＿ ＿＿＿＿＿＿.

M Oh, can I ＿＿＿＿＿＿ ＿＿＿＿＿＿ ＿＿＿＿＿＿? I need to buy something for my mom.

W Sure.

---

10 주제 추론

대화를 듣고, 무엇에 관한 내용인지 가장 적절한 것을 고르시오.

① 친구 관계   ② 교통 체증 원인
③ 직업 체험   ④ 수업 시간 준수
⑤ 환경 보호

M Why are you so late?

W Sorry. The traffic was very heavy.

M At this time? Did something happen?

W Yes, there was a ＿＿＿＿＿＿ ＿＿＿＿＿＿ on a street downtown.

M Was it a ＿＿＿＿＿＿ ＿＿＿＿＿＿?

W I think so. I saw many ＿＿＿＿＿＿ ＿＿＿＿＿＿ there.

---

11 교통수단 찾기

대화를 듣고, 여자가 이용할 교통수단으로 가장 적절한 것을 고르시오.

① 자전거   ② 버스   ③ 오토바이
④ 택시   ⑤ 지하철

M You don't look good. What's the matter?

W I have a ＿＿＿＿＿＿ ＿＿＿＿＿＿. I should go home and rest.

M I think you have a fever. You'd better ＿＿＿＿＿＿ ＿＿＿＿＿＿ ＿＿＿＿＿＿.

W But I don't have any money. I'll just take the bus.

M Don't worry. I have some money.

W Thanks. I'll _____ _____ _____ .

12 이유 파악

대화를 듣고, 여자가 야구 경기에 갈 수 <u>없는</u> 이유로 가장 적절한 것을 고르시오.

① 숙제가 많아서
② 동물병원에 가야 해서
③ 야구를 좋아하지 않아서
④ 부모님과 약속이 있어서
⑤ 집에 개를 혼자 둘 수 없어서

M Do you want to go to a baseball game with me?

W When is the game?

M This Saturday at 4 p.m.

W Oh, _____ _____ I can't go.

M Why not?

W I _____ _____ my dog alone at home.
My parents _____ _____ _____
_____ at 5.

M All right, then.

13 관계 추론

대화를 듣고, 두 사람의 관계로 가장 적절한 것을 고르시오.

① 교사 – 학생
② 서점 주인 – 손님
③ 과학자 – 기자
④ 도서관 사서 – 학생
⑤ 출판사 직원 – 작가

W Can I help you?

M Yes, I'm looking for some books about space.

W Do you have a _____ _____ or a
_____ _____ ?

M Yes, I have a student ID.

W Okay. _____ _____ , _____ .
What are these books for?

M They're for my science project.

14 그림 정보 파악 (길 찾기)

대화를 듣고, 남자가 가려는 곳의 위치로 가장 알맞은 것을 고르시오.

M Excuse me. _____ _____ .

W What are you looking for?

M I'm looking for a _____ _____ .

W Oh, walk straight for two blocks and turn right at the corner.

M Turn right?

W Yes, it's the second building _____ _____
_____ . It's across from _____
_____ .

M Thank you.

15 부탁 파악

대화를 듣고, 남자가 여자에게 부탁한 일로 가장
적절한 것을 고르시오.

① 선물 사기
② 케이크 만들기
③ 초대장 전해주기
④ 생일 파티 준비하기
⑤ 잠시 동안 기다려주기

W Paul, I made this scarf for Christine. What do you think of it?

M It's nice. Is it ＿＿＿＿＿＿ ＿＿＿＿＿＿?

W Yes, I'm going to her house right now.

M Then I'll go and ＿＿＿＿＿＿ ＿＿＿＿＿＿ ＿＿＿＿＿＿ for her. Can you wait ＿＿＿＿＿＿ ＿＿＿＿＿＿ ＿＿＿＿＿＿?

W Sure.

M I'll be back in 10 minutes.

16 제안 파악

대화를 듣고, 남자가 여자에게 제안한 것으로 가
장 적절한 것을 고르시오.

① 외식하기   ② 도시락 싸기
③ 함께 요리하기   ④ 요리 재료 사오기
⑤ 카레 주문하기

W Hi, Peter. What are you doing now? Are you ＿＿＿＿＿＿ ＿＿＿＿＿＿?

M Yes, I am. I'm very hungry.

W What are you cooking? It ＿＿＿＿＿＿ ＿＿＿＿＿＿.

M My special curry rice. Do you want to cook with me?

W Okay. I ＿＿＿＿＿＿ ＿＿＿＿＿＿.

17 특정 정보 파악

대화를 듣고, 두 사람이 만나기로 한 장소를 고르
시오.

① 운동장   ② 버스 정류장
③ 놀이터   ④ 영화관
⑤ 지하철역

M We need to ＿＿＿＿＿＿ ＿＿＿＿＿＿ our group project. Do you have time this Saturday?

W Sorry, but I have a violin lesson that day. ＿＿＿＿＿＿ ＿＿＿＿＿＿ ＿＿＿＿＿＿ with you?

M Yes. I have time ＿＿＿＿＿＿ ＿＿＿＿＿＿.

W That sounds great. Shall we meet at the ＿＿＿＿＿＿ ＿＿＿＿＿＿ after school? We can go to the library together.

M Okay. I'll see you then.

대화를 듣고, 여자의 어머니의 직업으로 가장 적절한 것을 고르시오.

① 교사 ② 의사 ③ 요리사
④ 미용사 ⑤ 피아니스트

W What do you want to be in the future?

M *I want to be a pianist. What about you?

W I don't know yet. My mother hopes that I will be a

_____ _____ _____.

M Do you want to be a cook, too?

W I'm still _____ _____.

M You have to _____ _____ _____

for yourself, not your mother.

W You're right.

✻ 교육부 지정 의사소통 기능: **장래 희망 말하기** 동(윤) 6 | 동(이) 6 | 능(김) 5 | Y(송) 7

I want to be ~. 나는 ~가 되고 싶어.

• **I want to be** a doctor. 나는 의사가 되고 싶어.

• **I want to be** a a fashion designer. 나는 패션 디자이너가 되고 싶어.

---

19 이어질 응답 찾기

대화를 듣고, 여자의 마지막 말에 이어질 남자의 응답으로 가장 적절한 것을 고르시오.

Man: _____

① No, thank you.
② I hope to see you soon.
③ You should keep that in mind.
④ I'm afraid I can't go with you.
⑤ I bought them near my house.

M Jenny, this is a present for you.

W A present for me? Thank you, Mark. Can I _____

_____ now?

M Yes, of course.

W Oh, flowers! I _____ _____. What a nice

present!

M I'm glad you like it.

W The flowers are _____ _____.

_____ _____ _____ get them?

---

20 이어질 응답 찾기

대화를 듣고, 여자의 마지막 말에 이어질 남자의 응답으로 가장 적절한 것을 고르시오.

Man: _____

① That would be fine.
② I had a good time.
③ I want a new computer.
④ I have the latest smartphone.
⑤ You should try to go to bed earlier.

W I _____ _____ and sleepy all the time.

M What's wrong? Are you sick?

W No. It's because I usually _____ _____

_____ very late.

M What do you do at night?

W I spend a lot of time _____ _____. When

I start watching them, I _____

_____.

정답 및 해설 p.92

실전 모의고사 **16**

점수
/20

01 다음을 듣고, 'I'가 무엇인지 가장 적절한 것을 고르시오.

①   ②   ③

④   ⑤

02 대화를 듣고, 남자가 구입할 치마로 가장 적절한 것을 고르시오.

①   ②   ③

④   ⑤

03 다음을 듣고, 부산의 오늘 날씨로 가장 적절한 것을 고르시오.

①   ②   ③   ④   ⑤

04 대화를 듣고, 남자가 한 마지막 말의 의도로 가장 적절한 것을 고르시오.

① 사과   ② 위로   ③ 감사
④ 조언   ⑤ 불평

05 다음을 듣고, 남자가 호랑이에 대해 언급하지 <u>않은</u> 것을 고르시오.

① 사는 곳   ② 활동 시간   ③ 먹이
④ 생김새   ⑤ 수명

06 대화를 듣고, 현재 시각을 고르시오.

① 3:00 p.m.   ② 3:30 p.m.   ③ 4:00 p.m.
④ 4:30 p.m.   ⑤ 5:00 p.m.

07 대화를 듣고, 남자의 장래 희망으로 가장 적절한 것을 고르시오.

① 화가   ② 작곡가
③ 디자이너   ④ 테니스 선수
⑤ 바이올린 연주자

08 대화를 듣고, 남자가 말하는 남자아이에 대한 내용으로 일치하지 <u>않는</u> 것을 고르시오.

① 이름은 James이다.
② Lopez 아저씨의 아들이다.
③ 5살이다.
④ 다리를 다쳤다.
⑤ 자전거에서 떨어졌다.

09 대화를 듣고, 남자가 대화 직후에 할 일로 가장 적절한 것을 고르시오.

① 미소 짓기   ② 사진 촬영하기
③ 머리 감겨주기   ④ 머리빗 가져다주기
⑤ 여권 사진 인화하기

10 대화를 듣고, 무엇에 관한 내용인지 가장 적절한 것을 고르시오.

① 편의점 청소   ② 생일 파티 초대
③ 자원봉사 참가   ④ 아르바이트 면접
⑤ 파티 음식 구입

11 대화를 듣고, 남자가 이용한 교통수단으로 가장 적절한 것을 고르시오.

① 배   ② 자전거   ③ 자동차
④ 버스   ⑤ 오토바이

12 대화를 듣고, 남자가 춤 연습을 한 이유로 가장 적절한 것을 고르시오.

① 숙제를 다 끝내서
② 동아리에 가입하기 위해서
③ 살을 빼기 위해서
④ 오디션을 보기 위해서
⑤ 학교축제에서 공연하기 위해서

13 대화를 듣고, 두 사람이 대화하는 장소로 가장 적절한 것을 고르시오.

① 극장   ② 서점   ③ 박물관
④ 도서관   ⑤ 음악실

14 대화를 듣고, Hana Department Store의 위치로 가장 알맞은 것을 고르시오.

15 대화를 듣고, 여자가 남자에게 부탁한 일로 가장 적절한 것을 고르시오.

① 빨래하기   ② 집에 일찍 오기
③ 침실 청소하기   ④ 가까운 상점 찾기
⑤ 저녁 식사 준비하기

16 대화를 듣고, 여자가 남자에게 제안한 것으로 가장 적절한 것을 고르시오.

① 설거지하기
② 식사량 줄이기
③ 당근 많이 먹기
④ 저녁 식사 준비하기
⑤ 채소와 고기 같이 먹기

17 대화를 듣고, 여자가 일요일에 한 일로 가장 적절한 것을 고르시오.

① 숙제하기   ② 쇼핑가기
③ 집 청소하기   ④ 가족과 여행가기
⑤ 시험 공부하기

18 대화를 듣고, 여자의 직업으로 가장 적절한 것을 고르시오.

① 교사   ② 수영 선수   ③ 요리사
④ 인명 구조원   ⑤ 간호사

[19-20] 대화를 듣고, 여자의 마지막 말에 이어질 남자의 말로 가장 적절한 것을 고르시오.

19 Man: _____

① Okay, I will.
② Yes, it was fantastic.
③ Thank you so much.
④ I should practice harder.
⑤ My team won the soccer game.

20 Man: _____

① Long time no see.
② Thanks for calling.
③ Make yourself at home.
④ This is Andy speaking.
⑤ No, thanks. I'll call back later.

Dictation 16

◆ 다시 듣고, 빈칸에 들어갈 알맞은 단어를 써보세요.

정답 및 해설 p.92

01 화제 추론

다음을 듣고, 'I'가 무엇인지 가장 적절한 것을 고르시오.

① ② ③ ④ ⑤

W I have white and _____ _____. I like to _____ _____. I eat a lot of _____ and _____ _____ _____. I come from China and live in the mountains. What am I?

02 그림 정보 파악

대화를 듣고, 남자가 구입할 치마로 가장 적절한 것을 고르시오.

① ② ③ ④ ⑤

M Excuse me, I'd like to buy a skirt for _____ _____.

W How about this one _____ _____?

M She _____ _____ that style. How much is that skirt _____ _____ over there?

W It's $25.

M That's good. I'll take it.

03 날씨 파악

다음을 듣고, 부산의 오늘 날씨로 가장 적절한 것을 고르시오.

① ② ③ ④ ⑤

W Good morning! Here is today's weather forecast. In Seoul, _____ _____ _____ snow all day long. In Daegu, it will be windy and _____ _____. In Busan, it will _____ _____ this afternoon.

04 의도 파악

대화를 듣고, 남자가 한 마지막 말의 의도로 가장 적절한 것을 고르시오.

① 사과   ② 위로   ③ 감사
④ 조언   ⑤ 불평

M I called you yesterday. But you _____ _____.

W I'm sorry. I was in the hospital all day yesterday.

M Hospital? Were you sick?

Listening Tip

called you에서처럼 자음 d로 끝나는 단어 뒤에 y로 시작
하는 단어가 오면 두 소리를 합쳐서 /콜쥬/로 발음해요.

W No, my brother _____ _____ _____.

M I'm sorry to hear that.

W I'm so worried about him.

M Don't worry. He'll _____ _____ soon.

---

05 언급하지 않은 내용 찾기

다음을 듣고, 남자가 호랑이에 대해 언급하지
않은 것을 고르시오.

① 사는 곳　② 활동 시간　③ 먹이
④ 생김새　⑤ 수명

M Let me introduce you to my favorite animal, tigers. They sleep during the day and _____ _____ _____. They eat meat. They have small eyes, small ears and _____ _____. They are 3 meters long. They _____ _____ _____ 15 years.

---

06 숫자 정보 파악 (시각)

대화를 듣고, 현재 시각을 고르시오.

① 3:00 p.m.　② 3:30 p.m.
③ 4:00 p.m.　④ 4:30 p.m.
⑤ 5:00 p.m.

M Excuse me.

W Can I help you?

M I _____ _____ but I didn't get it yet.

W I'm sorry, sir. _____ _____ _____ order?

M It was about 3:45.

W That was 15 _____ _____. I'm very sorry. I'll get your coffee _____ _____.

M Okay, thanks.

---

07 장래 희망 파악

대화를 듣고, 남자의 장래 희망으로 가장 적절한
것을 고르시오.

① 화가　② 작곡가
③ 디자이너　④ 테니스 선수
⑤ 바이올린 연주자

M Are you still taking _____ _____?

W Yes, but they're getting harder. What about you?

M I'm taking tennis lessons now.

W That sounds interesting. Are you _____ _____ it?

M I just started, but I really want to be a _____ _____ in the future.

W I hope _____ _____ comes true.

08 일치하지 않는 내용 찾기

대화를 듣고, 남자가 말하는 남자아이에 대한 내용으로 일치하지 않는 것을 고르시오.

① 이름은 James이다.
② Lopez 아저씨의 아들이다.
③ 5살이다.
④ 다리를 다쳤다.
⑤ 자전거에서 떨어졌다.

W Who's that cute boy?

M _____ _____ James. He's Mr. Lopez's grandson.

W How old is he?

M He's 5 years old. My little sister and he are _____ _____ _____.

W How did he _____ _____ _____?

M He _____ _____ his bike yesterday.

09 할 일 파악

대화를 듣고, 남자가 대화 직후에 할 일로 가장 적절한 것을 고르시오.

① 미소 짓기
② 사진 촬영하기
③ 머리 감겨주기
④ 머리빗 가져다주기
⑤ 여권 사진 인화하기

M Good morning. May I help you?

W I need a _____ _____ for my passport.

M I see. Please _____ _____ your coat.

W All right. Do you have a mirror here?

M Yes, it's right over there.

W Thanks. Oh, I need to _____ _____ _____ a bit.

M Okay. _____ _____ a hairbrush for you.

10 주제 추론

대화를 듣고, 무엇에 관한 내용인지 가장 적절한 것을 고르시오.

① 편의점 청소
② 생일 파티 초대
③ 자원봉사 참가
④ 아르바이트 면접
⑤ 파티 음식 구입

W What's your name?

M I'm Ted Morris.

W _____ _____ _____ at a restaurant before?

M No. But I _____ _____ the job quickly.

W Good. Can you _____ _____ tomorrow morning?

M Sure. What time should I come?

W You _____ _____ _____ by 8 o'clock.

11 교통수단 찾기

대화를 듣고, 남자가 이용한 교통수단으로 가장 적절한 것을 고르시오.

① 배
② 자전거
③ 자동차
④ 버스
⑤ 오토바이

W How was your weekend, Hajun?

M It was wonderful. I went to U-do with my family.

W That's nice. How was _____ _____?

M It was perfect.

W I heard many people _____ _____ there. Did you ride one too?

M No. Instead, I _____ _____ _____ around the island.

---

12 이유 파악

대화를 듣고, 남자가 춤 연습을 한 이유로 가장 적절한 것을 고르시오.

① 숙제를 다 끝내서
② 동아리에 가입하기 위해서
③ 살을 빼기 위해서
④ 오디션을 보기 위해서
⑤ 학교축제에서 공연하기 위해서

W Mark, you didn't finish your homework.

M I'm sorry, Ms. Clark. I was tired.

W Why were you tired?

M I _____ _____ for 3 hours yesterday.

W Dancing?

M Yes, I'm going to dance at the _____ _____.

W Doing homework is _____, _____.

M Yes, I'll finish my homework first _____ _____.

---

13 장소 추론

대화를 듣고, 두 사람이 대화하는 장소로 가장 적절한 것을 고르시오.

① 극장   ② 서점   ③ 박물관
④ 도서관   ⑤ 음악실

W Excuse me.

M Yes?

W Will you turn your music down, please? _____ _____ _____ very quietly.

M But I'm wearing headphones.

W I can still _____ _____ _____ from your headphones.

M Oh, I'm sorry. I didn't know that. I'll _____ _____ _____ _____ right away.

W Thank you.

---

14 그림 정보 파악 (길 찾기)

대화를 듣고, Hana Department Store의 위치로 가장 알맞은 것을 고르시오.

M Excuse me, where is the Hana Department Store?

W Well, it's a little far from here. It takes 20 minutes _____ _____.

M That's fine.

W All right. Go straight two blocks and _____ _____.

M Okay. And then?

W The department store will be _____ _____ _____. It's _____ _____ the subway station.

M Thank you.

대화를 듣고, 여자가 남자에게 부탁한 일로 가장 적절한 것을 고르시오.

① 빨래하기
② 집에 일찍 오기
③ 침실 청소하기
④ 가까운 상점 찾기
⑤ 저녁 식사 준비하기

[Telephone rings.]

M Hello.

W Oh, honey. I'm glad you are home.

M I just came home. Where are you?

W I'm still _____ _____. Can I ask you a favor?

M Sure. _____ _____ _____?

W _____ _____ _____ my white T-shirt? I need it tomorrow.

M Sure. Where is it?

W It's _____ _____ _____.

대화를 듣고, 여자가 남자에게 제안한 것으로 가장 적절한 것을 고르시오.

① 설거지하기
② 식사량 줄이기
③ 당근 많이 먹기
④ 저녁 식사 준비하기
⑤ 채소와 고기 같이 먹기

M Mom, the dinner was delicious.

W Wait. You didn't eat any carrots.

M I don't like to _____ _____.

W You have to. Then, your body can be _____ _____ _____.

M But I don't like the taste.

W Why don't you eat them _____ _____? It _____ _____.

M Okay. I will try that.

대화를 듣고, 여자가 일요일에 한 일로 가장 적절한 것을 고르시오.

① 숙제하기
② 쇼핑가기
③ 집 청소하기
④ 가족과 여행가기
⑤ 시험 공부하기

M Miranda, you look tired.

W I am. I had a _____ _____. I had no time to rest.

M What did you do?

W On Saturday, I cleaned the _____ _____ with my family.

M Wow. What about Sunday?

W That day we _____ _____. We spent the whole day _____ _____ _____.

대화를 듣고, 여자의 직업으로 가장 적절한 것을 고르시오.

① 교사　　　　② 수영 선수
③ 요리사　　　④ 인명 구조원
⑤ 간호사

W Are you her father?

M Yes, I am. Is she all right?

W She's fine. She drank too much ＿＿＿＿＿＿ ＿＿＿＿＿＿.

M *Thank you so much for your help. You saved her life.

W That's ＿＿＿＿＿ ＿＿＿＿＿. Just ＿＿＿＿＿ ＿＿＿＿＿ ＿＿＿＿＿ with a towel. ＿＿＿＿＿ ＿＿＿＿＿ ＿＿＿＿＿ her to the hospital, too.

M I will do that right away.

※ **교육부 지정 의사소통 기능: 감사하기**　　　　　　Y(송) 2 | 지 2 | 다 4

Thank you[Thanks] for ~. ~에 대해 감사합니다.

• **Thank you for** the flowers. 꽃을 주셔서 감사드립니다.
• **Thanks for** your advice. 조언해줘서 고마워.

---

19 이어질 응답 찾기

대화를 듣고, 여자의 마지막 말에 이어질 남자의 말로 가장 적절한 것을 고르시오.

Man: ＿＿＿＿＿＿＿＿＿＿＿＿＿

① Okay, I will.
② Yes, it was fantastic.
③ Thank you so much.
④ I should practice harder.
⑤ My team won the soccer game.

M Mom, I'm home. I'm hungry.

W You're late, Tony. Where were you?

M I played soccer with Eric. I ＿＿＿＿＿ ＿＿＿＿＿ ＿＿＿＿＿ you.

W I was worried about you.

M I'm sorry. I'll call you ＿＿＿＿＿ ＿＿＿＿＿.

W Okay. Please ＿＿＿＿＿ ＿＿＿＿＿ ＿＿＿＿＿ your hands first. Dinner is ready.

20 이어질 응답 찾기

대화를 듣고, 여자의 마지막 말에 이어질 남자의 말로 가장 적절한 것을 고르시오.

Man: ＿＿＿＿＿＿＿＿＿＿＿＿＿

① Long time no see.
② Thanks for calling.
③ Make yourself at home.
④ This is Andy speaking.
⑤ No, thanks. I'll call back later.

[Telephone rings.]

W Hello.

M Hello. This is Andy. May I ＿＿＿＿＿ ＿＿＿＿＿ Matthew?

W ＿＿＿＿＿ ＿＿＿＿＿, please. Let me check.

M All right.

W *[Pause]* I'm sorry, he's not home. May I ＿＿＿＿＿ ＿＿＿＿＿ ＿＿＿＿＿?

실전 모의고사 17

점수
/20

01 다음을 듣고, 'I'가 무엇인지 가장 적절한 것을 고르시오.

①   ②   ③

④   ⑤

02 대화를 듣고, 남자가 구입할 장갑으로 가장 적절한 것을 고르시오.

①   ②   ③

④   ⑤

03 다음을 듣고, 내일 날씨로 가장 적절한 것을 고르시오.

①   ②   ③   ④   ⑤

04 대화를 듣고, 남자가 한 마지막 말의 의도로 가장 적절한 것을 고르시오.

① 감사 ② 격려 ③ 기대
④ 축하 ⑤ 동의

05 다음을 듣고, 여자가 선생님에 대해 언급하지 않은 것을 고르시오.

① 이름 ② 출신 국가
③ 한국에 온 이유 ④ 성격
⑤ 취미

06 대화를 듣고, 현재 시각을 고르시오.

① 2:45 p.m. ② 2:50 p.m. ③ 2:55 p.m.
④ 3:00 p.m. ⑤ 3:05 p.m.

07 대화를 듣고, 여자의 장래 희망으로 가장 적절한 것을 고르시오.

① 의사 ② 동물 조련사
③ 수의사 ④ 유치원 교사
⑤ 장난감 제작자

08 대화를 듣고, Community Center에 대한 내용으로 일치하지 않는 것을 고르시오.

① 역 근처에 있다.
② 재즈 댄스를 배울 수 있다.
③ 10개의 수업이 있다.
④ 스페인어 수업은 목요일에 있다.
⑤ 수업료가 싸다.

09 대화를 듣고, 남자가 대화 직후에 할 일로 가장 적절한 것을 고르시오.

① 운동하기 ② 낮잠 자기
③ 커피 마시기 ④ 산책하기
⑤ 영어 공부하기

10 대화를 듣고, 무엇에 관한 내용인지 가장 적절한 것을 고르시오.

① 수업 시간표 ② 용돈 ③ 심부름
④ 쇼핑 ⑤ 아르바이트

11 대화를 듣고, 남자가 이용할 교통수단으로 가장 적절한 것을 고르시오.

① 자전거   ② 버스   ③ 택시
④ 자동차   ⑤ 지하철

12 대화를 듣고, 여자가 전화를 한 이유로 가장 적절한 것을 고르시오.

① 책을 주문하기 위해서
② 책을 교환하기 위해서
③ 사은품을 받기 위해서
④ 책을 환불하기 위해서
⑤ 서점의 위치를 묻기 위해서

13 대화를 듣고, 두 사람이 대화하는 장소로 가장 적절한 것을 고르시오.

① 공원   ② 교실   ③ 백화점
④ 놀이공원   ⑤ 구내식당

14 대화를 듣고, 병원의 위치로 가장 알맞은 것을 고르시오.

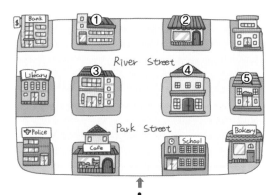

You are here!

15 대화를 듣고, 남자가 여자에게 부탁한 일로 가장 적절한 것을 고르시오.

① 의자 가져오기   ② 약속 시간 변경하기
③ 앉을 자리 찾기   ④ 안경 빌려주기
⑤ 자리 바꿔 앉기

16 대화를 듣고, 남자가 여자에게 제안한 것으로 가장 적절한 것을 고르시오.

① 보고서 다시 쓰기   ② 과학 책 빌리기
③ 파일 자주 저장하기   ④ 새 컴퓨터 구입하기
⑤ 친구에게 수리 맡기기

17 대화를 듣고, 여자가 어제 한 일로 가장 적절한 것을 고르시오.

① TV 시청하기   ② 공항에 가기
③ 스키 배우기   ④ 축구 경기 관람하기
⑤ 친구와 경기장에 가기

18 대화를 듣고, 여자의 직업으로 가장 적절한 것을 고르시오.

① 교수   ② 사진작가   ③ 소설가
④ 영화배우   ⑤ 디자이너

[19-20] 대화를 듣고, 남자의 마지막 말에 이어질 여자의 말로 가장 적절한 것을 고르시오.

19 Woman: _____

① How about 5?
② Let's play baseball.
③ It starts at 6:30.
④ I'll buy hamburgers.
⑤ We'll meet at the stadium.

20 Woman: _____

① I like cooking.
② I did it myself.
③ Okay. I can help you.
④ No, thanks. I'm full.
⑤ I want to cook together.

Dictation 17

◆ 다시 듣고, 빈칸에 들어갈 알맞은 단어를 써보세요.

정답 및 해설 p.98

01 화제 추론

다음을 듣고, 'I'가 무엇인지 가장 적절한 것을 고르시오.

① ② ③
④ ⑤

W I come from hot countries in Africa and Asia. You can find me in the desert. I can carry many things on _____ _____. Sometimes, people _____ _____ instead of horses. I can live _____ _____ _____ for 5 days. What am I?

02 그림 정보 파악

대화를 듣고, 남자가 구입할 장갑으로 가장 적절한 것을 고르시오.

① ② ③
④ ⑤

◀)) Listening Tip

warm은 a가 /오/로 소리 나므로 /웜/이라고 발음하기보다는 입술을 앞으로 쭉 내밀고 /오웜/처럼 발음해요. 참고로 worm의 o는 /어/로 소리 나므로 /웜/이라고 발음해요.

M Emma, tomorrow is Tina's birthday. What should I buy for her?

W What about _____ _____? They are wool gloves.

M Those are nice. They are soft and ◀) warm.

W I think she will like _____ _____ _____ _____.

M Do you think so? Then, _____ _____ them.

03 날씨 파악

다음을 듣고, 내일 날씨로 가장 적절한 것을 고르시오.

① ② ③
④ ⑤

M Good afternoon, everyone. Here is today's weather forecast. It's very cold and rainy now, but the rain is going to stop _____ _____. Tonight, there will be _____ _____ _____ in the sky. However, it will be _____ _____ _____ long tomorrow.

04 의도 파악

대화를 듣고, 남자가 한 마지막 말의 의도로 가장 적절한 것을 고르시오.

① 감사   ② 격려   ③ 기대
④ 축하   ⑤ 동의

W Do you have any plans for winter vacation?

M Yes. I'll visit _____ _____ and her family. She lives in New Zealand.

W Wow, that's great. What will you do there?

M _____ _____ _____ with my cousins.

W _____ _____ _____ .

M Yes. I _____ _____ _____ go.

---

05 언급하지 않은 내용 찾기

다음을 듣고, 여자가 선생님에 대해 언급하지 <u>않은</u> 것을 고르시오.

① 이름   ② 출신 국가
③ 한국에 온 이유   ④ 성격
⑤ 취미

W Hi, everyone. I'm going to tell you about my English teacher. Her name is Ms. Stewart, and she is _____ _____ . She first came here to _____ _____ at a university. She _____ _____ Korean books. She has many books at home. Also, she _____ _____ _____ Korean songs.

---

06 숫자 정보 파악 (시각)

대화를 듣고, 현재 시각을 고르시오.

① 2:45 p.m.   ② 2:50 p.m.
③ 2:55 p.m.   ④ 3:00 p.m.
⑤ 3:05 p.m.

W David, did you see Jessy around?

M No. Are you _____ _____ her?

W Yes. She told me to ◀ meet her here at 3.

M Well, _____ _____ 3 yet.

W Really? What time is it?

M There are 5 _____ _____ _____ 3.

W Then I will wait 5 more minutes.

◀ **Listening Tip**

기능어인 him이나 her에서 [h]는 자음의 뒤에 나올 때 발음하지 않아요. 따라서 meet her는 /미트 헐/가 아니라, /미럴/처럼 들리게 돼요.

---

07 장래 희망 파악

대화를 듣고, 여자의 장래 희망으로 가장 적절한 것을 고르시오.

① 의사   ② 동물 조련사
③ 수의사   ④ 유치원 교사
⑤ 장난감 제작자

W What are you planning to do in the future?

M I want to become a _____ _____ . I like making toys.

W I'm sure you'll make great toys.

M Do you still want to be _____ _____ _____ ?

W No, I want to be an _____ _____ . I want to _____ _____ _____ and help their owners, too.

대화를 듣고, Community Center에 대한 내용으로 일치하지 <u>않는</u> 것을 고르시오.

① 역 근처에 있다.
② 재즈 댄스를 배울 수 있다.
③ 10개의 수업이 있다.
④ 스페인어 수업은 목요일에 있다.
⑤ 수업료가 싸다.

M Jane. Where are you going?

W Hi. I'm going to the community center _____ _____ _____.

M Why are you going there?

W I _____ _____ _____ there. There are 10 different classes.

M Really? I want to learn Spanish.

W There's a Spanish class _____ _____.

M How much does it cost?

W All classes _____ _____.

대화를 듣고, 남자가 대화 직후에 할 일로 가장 적절한 것을 고르시오.

① 운동하기   ② 낮잠 자기
③ 커피 마시기   ④ 산책하기
⑤ 영어 공부하기

M I almost fell asleep during class.

W Me, too. I'm not going to _____ _____ _____ _____ again.

M Yes. We should start studying earlier.

W I'm still sleepy. How about drinking some coffee?

M I already drank coffee.

W Then why don't we _____ _____ _____? It will wake us up.

M _____. _____ _____!

대화를 듣고, 무엇에 관한 내용인지 가장 적절한 것을 고르시오.

① 수업 시간표   ② 용돈
③ 심부름   ④ 쇼핑
⑤ 아르바이트

M Do you get an allowance, Bomi?

W Yes. I get $20 _____ _____. How about you?

M I just ask my mother when I _____ _____.

W I _____ _____ _____ an allowance. I can _____ _____ more wisely.

M You're right. Maybe I should talk to my mother about it.

대화를 듣고, 남자가 이용할 교통수단으로 가장 적절한 것을 고르시오.

① 자전거   ② 버스   ③ 택시
④ 자동차   ⑤ 지하철

M Excuse me. *How can I get to the National Museum?

W The best way is to _____ _____ _____.

M Isn't it faster by subway?

W The bus _____ _____ _____.

If you take the subway, you have to walk 10 more minutes.

M Okay. I should _____ _____
_____ then. Thank you so much.

✻ 교육부 지정 의사소통 기능: **길 묻기**   천(이) 4 | 미 5 | 능(양) 8 | 비 4

How can I get to ~? ~에 어떻게 가나요?
• **How can I get to** the National Theater? 국립극장에 어떻게 가나요?
• **How can I get to** the bank? 은행에 어떻게 가나요?

12 이유 파악

대화를 듣고, 여자가 전화를 한 이유로 가장 적절한 것을 고르시오.

① 책을 주문하기 위해서
② 책을 교환하기 위해서
③ 사은품을 받기 위해서
④ 책을 환불하기 위해서
⑤ 서점의 위치를 묻기 위해서

[Telephone rings.]

M Dream Bookstore. What can I do for you?

W Hi. I _____ _____ _____ 2 days
ago, but there's something wrong with it.

M What's the problem?

W A few pages are missing. I'd like to _____
_____ for a new one.

M I'm very sorry. When you bring it in, I'll give you a new one.

W Okay. I'll _____ _____ tomorrow
morning.

13 장소 추론

대화를 듣고, 두 사람이 대화하는 장소로 가장 적절한 것을 고르시오.

① 공원   ② 교실   ③ 백화점
④ 놀이공원   ⑤ 구내식당

M I'm very hungry.

W What's _____ _____ ?

M It is spaghetti and pizza.

W Oh, I like both.

M I can't _____ _____ _____.
Where are they?

W They're in the corner over there.

M Let's hurry and _____ _____
_____.

14 그림 정보 파악 (길 찾기)

대화를 듣고, 병원의 위치로 가장 알맞은 것을 고르시오.

You are here!

W Excuse me. Do you know how to get to the hospital from
here?

M Yes. Go _____ _____ _____ to
River Street. And _____ _____
_____ the right.

W Go to River Street and turn to the left?

M No. _____ _____. It will be _____

_____ _____.

W Thank you very much.

M You're welcome.

---

15 부탁 파악

대화를 듣고, 남자가 여자에게 부탁한 일로 가장 적절한 것을 고르시오.

① 의자 가져오기
② 약속 시간 변경하기
③ 앉을 자리 찾기
④ 안경 빌려주기
⑤ 자리 바꿔 앉기

M Hannah, can I ask you a favor?

W What is it?

M Can you _____ _____ with me?

W Sure, but why?

M I didn't _____ _____ _____

today. So, I can't see _____ _____

_____.

W Oh, okay. No problem.

---

16 제안 파악

대화를 듣고, 남자가 여자에게 제안한 것으로 가장 적절한 것을 고르시오.

① 보고서 다시 쓰기
② 과학 책 빌리기
③ 파일 자주 저장하기
④ 새 컴퓨터 구입하기
⑤ 친구에게 수리 맡기기

M Did you finish writing the science report?

W No, I didn't.

M Why not?

W My computer is _____ _____. I can't

_____ _____.

M Oh, that's terrible. _____ _____

_____ _____ Jimin about it? He fixed my

computer a few months ago.

W Oh, really? _____ _____ _____

then.

---

17 한 일 파악

대화를 듣고, 여자가 어제 한 일로 가장 적절한 것을 고르시오.

① TV 시청하기
② 공항에 가기
③ 스키 배우기
④ 축구 경기 관람하기
⑤ 친구와 경기장에 가기

M Did you watch the soccer match last night?

W No, but I heard Korea won.

M Why did you miss the game?

W Oh, my sister _____ _____ Canada

yesterday to study abroad.

M Already? I thought she _____ _____ next

month.

W No, it was yesterday. So I had to _____

_____ _____ _____.

18 직업 추론

대화를 듣고, 여자의 직업으로 가장 적절한 것을 고르시오.

① 교수   ② 사진작가   ③ 소설가
④ 영화배우   ⑤ 디자이너

W You are Jeff, right? I'm Carry. Do you remember me?

M Yes, of course.

W Do you ＿＿＿＿＿ ＿＿＿＿＿ ＿＿＿＿＿ the *Daily Newspaper*?

M I do. You take pictures for a newspaper, too, ＿＿＿＿＿ ＿＿＿＿＿?

W Not any more. Now I ＿＿＿＿＿ ＿＿＿＿＿ ＿＿＿＿＿ a fashion magazine.

M I see. Then do you ＿＿＿＿＿ ＿＿＿＿＿ ＿＿＿＿＿ studio?

W I do. Here is my new business card.

19 이어질 응답 찾기

대화를 듣고, 남자의 마지막 말에 이어질 여자의 말로 가장 적절한 것을 고르시오.

Woman: ＿＿＿＿＿＿＿＿＿＿＿＿

① How about 5?
② Let's play baseball.
③ It starts at 6:30.
④ I'll buy hamburgers.
⑤ We'll meet at the stadium.

W Hi, Noah. ＿＿＿＿＿ ＿＿＿＿＿ ＿＿＿＿＿ tomorrow evening?

M Yes, I am. Why?

W There will be a baseball game at the stadium at 6:30. Do you want to ＿＿＿＿＿ ＿＿＿＿＿ ＿＿＿＿＿?

M Yes, I'd love to.

W Let's ＿＿＿＿＿ ＿＿＿＿＿ before the game.

M Okay. ＿＿＿＿＿ ＿＿＿＿＿ shall we meet?

20 이어질 응답 찾기

대화를 듣고, 남자의 마지막 말에 이어질 여자의 말로 가장 적절한 것을 고르시오.

Woman: ＿＿＿＿＿＿＿＿＿＿＿＿

① I like cooking.
② I did it myself.
③ Okay. I can help you.
④ No, thanks. I'm full.
⑤ I want to cook together.

M *How did you like the food?

W It was very delicious. Did you make it ＿＿＿＿＿ ＿＿＿＿＿?

M No. My brother and I ＿＿＿＿＿ ＿＿＿＿＿.

W You both are really good cooks.

M Thanks. I'm glad you ＿＿＿＿＿ ＿＿＿＿＿ ＿＿＿＿＿. Would you like ＿＿＿＿＿ ＿＿＿＿＿?

＊ 교육부 지정 의사소통 기능: 소감 묻고 답하기   미 4

How did you like ~? ~은 어땠어?

A: **How did you like** the book? 그 책은 어땠어?
B: I liked it a lot. 나는 굉장히 좋았어.

실전 모의고사 **18**

01 다음을 듣고, 'this'가 가리키는 것으로 가장 적절한 것을 고르시오.

①   ②   ③

④   ⑤

02 대화를 듣고, 남자가 구입할 음식으로 가장 적절한 것을 고르시오.

①   ②   ③

④   ⑤

03 다음을 듣고, 오늘 밤의 날씨로 가장 적절한 것을 고르시오.

①   ②   ③   ④   ⑤

04 대화를 듣고, 여자가 한 마지막 말의 의도로 가장 적절한 것을 고르시오.

① 요청 ② 당부 ③ 제안
④ 동의 ⑤ 충고

05 다음을 듣고, 여자가 남긴 전화 메시지에서 언급되지 않은 것을 고르시오.

① 전화하는 이유 ② 파티 장소
③ 파티 시각 ④ 파티 준비물
⑤ 여자의 전화번호

06 대화를 듣고, 두 사람이 학교에 도착할 시각을 고르시오.

① 7:30 a.m. ② 7:45 a.m. ③ 8:00 a.m.
④ 8:15 a.m. ⑤ 8:30 a.m.

07 대화를 듣고, 여자의 장래 희망으로 가장 적절한 것을 고르시오.

① 정원사 ② 만화가 ③ 사진작가
④ 디자이너 ⑤ 화가

08 대화를 듣고, Judy에 대한 내용으로 일치하지 않는 것을 고르시오.

① 푸른 눈을 가졌다.
② 곱슬머리이다.
③ 남자형제가 있다.
④ James 초등학교를 다녔다.
⑤ 독서 동아리 회원이다.

09 대화를 듣고, 두 사람이 대화 직후에 할 일로 가장 적절한 것을 고르시오.

① 약 사러 가기 ② Teddy 밥 주기
③ Teddy 목욕시키기 ④ 동물병원에 가기
⑤ Smith 씨 병문안 가기

10 대화를 듣고, 무엇에 관한 내용인지 가장 적절한 것을 고르시오.

① 탁자 구매 ② 식당 예약
③ 비행기 표 예매 ④ 예약 변경 확인
⑤ 식당 예약 취소

11 대화를 듣고, 두 사람이 함께 이용할 교통수단을 고르시오.

① 버스　　　② 자전거　　　③ 오토바이
④ 택시　　　⑤ 지하철

12 대화를 듣고, 남자가 허리를 다친 이유로 가장 적절한 것을 고르시오.

① 자동차와 부딪쳐서　　② 의자에서 떨어져서
③ 운동을 많이 해서　　　④ 청소 중 미끄러져서
⑤ 무거운 상자를 들어 올려서

13 대화를 듣고, 두 사람의 관계로 가장 적절한 것을 고르시오.

① 교사 – 학생　　　② 경찰관 – 도둑
③ 디자이너 – 사장　　④ 백화점 점원 – 손님
⑤ 시계 수리공 – 손님

14 대화를 듣고, 남자가 찾고 있는 지갑의 위치로 가장 알맞은 것을 고르시오.

15 대화를 듣고, 여자가 남자에게 부탁한 일로 가장 적절한 것을 고르시오.

① 전등 끄기　　　② 책 읽어주기
③ 물 가져다주기　　④ 숙제 도와주기
⑤ 자장가 불러주기

16 대화를 듣고, 여자가 남자에게 제안한 것으로 가장 적절한 것을 고르시오.

① 회원 모집하기
② 티셔츠 제작하기
③ 동호회 가입하기
④ 학교 교복 빌려주기
⑤ 배드민턴 대회 참가하기

17 대화를 듣고, 남자가 주말에 한 일로 가장 적절한 것을 고르시오.

① 책 읽기　　　② 집에서 영화 보기
③ 대청소하기　　④ 암벽 등반하기
⑤ 공원에 산책 가기

18 대화를 듣고, 여자의 직업으로 가장 적절한 것을 고르시오.

① 건축가　　　② 가구점 직원
③ 여행 가이드　　④ 호텔 직원
⑤ 인테리어 디자이너

[19-20] 대화를 듣고, 남자의 마지막 말에 이어질 여자의 말로 가장 적절한 것을 고르시오.

19 Woman: _____

① Glad to hear that.
② Don't worry about it.
③ You'd better exercise.
④ I'm sorry to hear that.
⑤ I hope I feel better soon.

20 Woman: _____

① Here you are.
② I don't like the color.
③ I'm interested in it.
④ No, you don't have one.
⑤ Thanks. I'll bring it back tomorrow.

Dictation 18

◈ 다시 듣고, 빈칸에 들어갈 알맞은 단어를 써보세요.

정답 및 해설 p.104

---

01 화제 추론

다음을 듣고, 'this'가 가리키는 것으로 가장 적절한 것을 고르시오.

① ② ③ ④ ⑤

M You can see this at _____ _____ every day. You can make this with wood, steel, or plastic. You usually use this to eat _____ _____ _____ _____. A long time ago, people used shells _____ _____ _____. What is this?

---

02 그림 정보 파악

대화를 듣고, 남자가 구입할 음식으로 가장 적절한 것을 고르시오.

① ② ③ ④ ⑤

W Hello. May I _____ _____ _____?
M Yes, please. I'd like to order a slice of ham pizza.
W I'm sorry, but we only have cheese pizza.
M Do you _____ _____ then?
W Yes. Would you like a hamburger?
M Yes, please. I will _____ _____ _____ a drink.

---

03 날씨 파악

다음을 듣고, 오늘 밤의 날씨로 가장 적절한 것을 고르시오.

① ② ③ ④ ⑤

M Good morning. Here is today's weather forecast. It's sunny outside now. But this afternoon, it'll get _____ _____ _____. Then later tonight, it will _____ _____ heavily. But the rain will stop _____ _____.

---

04 의도 파악

대화를 듣고, 여자가 한 마지막 말의 의도로 가장 적절한 것을 고르시오.

① 요청 ② 당부 ③ 제안
④ 동의 ⑤ 충고

[Telephone rings.]
M Hello.
W Hello, may I speak to John?
M This is he. _____ _____?
W It's Maria. Do you have any plans for tonight?
M No, I don't. Why?
W Do you want to _____ _____ _____ _____?
M Sure. What time should we meet?
W _____ _____ at 6 at Dream Cinema.

---

05 언급하지 않은 내용 찾기

다음을 듣고, 여자가 남긴 전화 메시지에서 언급되지 않은 것을 고르시오.

① 전화하는 이유　② 파티 장소
③ 파티 시각　　　④ 파티 준비물
⑤ 여자의 전화번호

W [Beep] Hello, Edward. This is Sally. I'm calling to _____ _____ to my birthday party. The party will be at _____ _____. You can come at 7 o'clock today. When you get this message, please _____ _____ _____ at 342-7887. Talk to you soon.

06 숫자 정보 파악 (시각)

대화를 듣고, 두 사람이 학교에 도착할 시각을 고르시오.

① 7:30 a.m.　② 7:45 a.m.
③ 8:00 a.m.　④ 8:15 a.m.
⑤ 8:30 a.m.

W Luke, _____ _____! It's 7:30.
M Okay, Mom.
W It's your _____ _____ at the new school. Do you know how to get there?
M Yes. _____ _____ _____ 15 minutes.
W _____ _____ _____ at 8 o'clock.
M All right. I'll go and take a shower now.

07 장래 희망 파악

대화를 듣고, 여자의 장래 희망으로 가장 적절한 것을 고르시오.

① 정원사　② 만화가　③ 사진작가
④ 디자이너　⑤ 화가

M _____ _____ are amazing.
W Thanks. Do you want to see more?
M Sure. [Pause] Wow, you _____ _____.
W Yes. I want to keep drawing cartoons _____ _____ _____.
M Do you want to be a cartoonist?
W Yes. I want to make people happy _____ _____ _____.

08 일치하지 않는 내용 찾기

대화를 듣고, Judy에 대한 내용으로 일치하지 않는 것을 고르시오.

① 푸른 눈을 가졌다.
② 곱슬머리이다.
③ 남자형제가 있다.
④ James 초등학교를 다녔다.
⑤ 독서 동아리 회원이다.

W Do you know Judy?
M *What does she look like?
W She has _____ _____ and _____ _____.
M Does she have a little brother?
W No, she is an _____ _____.
M Did Judy go to James Elementary School?
W Yes, she did.
M I know her. She is in the _____ _____.

★ 교육부 지정 의사소통 기능: **외모 묻고 답하기**   동(이) 3|지 6

What does ~ look like? ~은 어떻게 생겼어?
A: **What does** he **look like?** 그는 어떻게 생겼어?
B: He is tall and thin. 그는 키가 크고 말랐어.

09 할 일 파악

대화를 듣고, 두 사람이 대화 직후에 할 일로 가장 적절한 것을 고르시오.

① 약 사러 가기
② Teddy 밥 주기
③ Teddy 목욕시키기
④ 동물병원에 가기
⑤ Smith 씨 병문안 가기

W How is Teddy doing?

W Not very well. He's ＿＿＿＿＿ ＿＿＿＿＿ either.

M We should ＿＿＿＿＿ ＿＿＿＿＿ to Dr. Smith.

W Is he a ＿＿＿＿＿ ＿＿＿＿＿ ＿＿＿＿＿?

M Yes. I heard that he ＿＿＿＿＿ ＿＿＿＿＿ very well.

W All right. I'll get the cage. ＿＿＿＿＿ ＿＿＿＿＿ Teddy to Dr. Smith.

10 주제 추론

대화를 듣고, 무엇에 관한 내용인지 가장 적절한 것을 고르시오.

① 탁자 구매   ② 식당 예약
③ 비행기 표 예매   ④ 예약 변경 확인
⑤ 식당 예약 취소

[Telephone rings.]

W Joe's Dining. May I help you?

M Yes. Can I ＿＿＿＿＿ ＿＿＿＿＿ ＿＿＿＿＿ for this Friday night?

W Sure. For what time and ＿＿＿＿＿ ＿＿＿＿＿ people?

M 5 people at 7.

W May I ＿＿＿＿＿ ＿＿＿＿＿ ＿＿＿＿＿ and phone number?

M My name is Bill Cooper. My phone number is 345-7890.

W Okay, Mr. Cooper. That's a table for 5 at 7 ＿＿＿＿＿ ＿＿＿＿＿.

11 교통수단 찾기

대화를 듣고, 두 사람이 함께 이용할 교통수단을 고르시오.

① 버스   ② 자전거   ③ 오토바이
④ 택시   ⑤ 지하철

🔊 **Listening Tip**

going to 뒤에 나오는 말에 따라 to의 발음이 달라져요. to 뒤에 동사가 오면 /고잉터/로 소리 나고, 뒤에 명사가 오면 /고잉투/로 소리 나요. 이때 동사가 오는 경우의 going to 는 gonna로 대신할 수도 있어요.

W Danny, it's Mom's birthday.

M Did you get a present for her?

W Not yet. What about you?

M Me neither. *[Pause]* I have an idea. Let's ＿＿＿＿＿ ＿＿＿＿＿ ＿＿＿＿＿ for her.

W Sure. How about 🔊going to the ＿＿＿＿＿ ＿＿＿＿＿ now?

M Okay. The flower shop is not too far. Let's ＿＿＿＿＿ ＿＿＿＿＿ ＿＿＿＿＿.

W Okay.

12 이유 파악

대화를 듣고, 남자가 허리를 다친 이유로 가장 적절한 것을 고르시오.

① 자동차와 부딪쳐서
② 의자에서 떨어져서
③ 운동을 많이 해서
④ 청소 중 미끄러져서
⑤ 무거운 상자를 들어 올려서

M Ouch!

W What's wrong? Are you hurt?

M My _____ _____.

W That's not good. What happened?

M Yesterday, I lifted _____ _____ when I was cleaning the house.

W You should be very careful when you _____ _____ _____.

13 관계 추론

대화를 듣고, 두 사람의 관계로 가장 적절한 것을 고르시오.

① 교사 – 학생   ② 경찰관 – 도둑
③ 디자이너 – 사장   ④ 백화점 점원 – 손님
⑤ 시계 수리공 – 손님

M How may I help you?

W There is _____ _____ with my watch.

M What's the problem?

W The watch is a little slow. The time is _____ _____.

M Let me see.

W Will you be able to _____ _____?

M Yes. It'll _____ _____ _____.

W Okay. I'll come back then.

14 그림 정보 파악 (위치)

대화를 듣고, 남자가 찾고 있는 지갑의 위치로 가장 알맞은 것을 고르시오.

W *What's the matter?

M I can't find my wallet.

W I saw it _____ _____ _____ this morning.

M I _____ _____ _____.

W Did you check your backpack next to the desk?

M [Pause] Oh, it's _____ _____ _____. Thanks.

✻ 교육부 지정 의사소통 기능: 슬픔, 불만족, 실망의 원인 묻고 답하기   Y(송) 4|금 4|다 8
What's the matter? 무슨 일이야?
A: You look sad. **What's the matter?** 너 슬퍼 보이네. 무슨 일이야?
B: My sister is sick. 내 동생이 아파.

대화를 듣고, 여자가 남자에게 부탁한 일로 가장 적절한 것을 고르시오.

① 전등 끄기　　② 책 읽어주기
③ 물 가져다주기　④ 숙제 도와주기
⑤ 자장가 불러주기

M Why are you still up? It's midnight.

W I want to ＿＿＿＿＿＿ ＿＿＿＿＿＿ ＿＿＿＿＿＿ before I go to bed.

M You ＿＿＿＿＿＿ ＿＿＿＿＿＿ tomorrow. You can finish the book later.

W Okay, Dad. I'll ＿＿＿＿＿＿ ＿＿＿＿＿＿ ＿＿＿＿＿＿ now. Can you ＿＿＿＿＿＿ ＿＿＿＿＿＿ the light for me?

M Sure. Good night.

W Good night, Dad.

대화를 듣고, 여자가 남자에게 제안한 것으로 가장 적절한 것을 고르시오.

① 회원 모집하기
② 티셔츠 제작하기
③ 동호회 가입하기
④ 학교 교복 빌려주기
⑤ 배드민턴 대회 참가하기

M Wow, I love your T-shirt.

W Thanks. It's the ＿＿＿＿＿＿ ＿＿＿＿＿＿ my club.

M What club are you in?

W It's a ＿＿＿＿＿＿ ＿＿＿＿＿＿.

M Really? I wanted to join a badminton club, too.

W Why don't you ＿＿＿＿＿＿ ＿＿＿＿＿＿? I need a partner to ＿＿＿＿＿＿ ＿＿＿＿＿＿.

M Maybe I should.

대화를 듣고, 남자가 주말에 한 일로 가장 적절한 것을 고르시오.

① 책 읽기　　②집에서 영화 보기
③ 대청소하기　④ 암벽 등반하기
⑤ 공원에 산책 가기

W Hi, Paul.

M Hi, Gina. How was your weekend?

W It was good. I went ＿＿＿＿＿＿ ＿＿＿＿＿＿.

M Did you enjoy it?

W Yes, it was very exciting. ＿＿＿＿＿＿ ＿＿＿＿＿＿ ＿＿＿＿＿＿?

M It was fine. I spent my weekend ＿＿＿＿＿＿ ＿＿＿＿＿＿ at home.

W It sounds like you had a good time, too.

18 직업 추론

대화를 듣고, 여자의 직업으로 가장 적절한 것을 고르시오.

① 건축가　　　　② 가구점 직원
③ 여행 가이드　　④ 호텔 직원
⑤ 인테리어 디자이너

◀》 **Listening Tip**
what kind of room에서 of는 기능어인데, 이때 of의 발음에서 [v]는 자음 앞에서 보통 발음하지 않아요. 따라서 /와카인더룸/처럼 소리 나게 돼요.

[Telephone rings.]

W　Thank you for calling. How may I help you?

M　Hello. I'd like _____ _____ for this weekend, please.

W　Of course. ◀》 What kind of room would you like?

M　Do you have a room with _____ _____ _____?

W　Sure. It's $100 _____ _____.

M　Okay. I'll take the room.

19 이어질 응답 찾기

대화를 듣고, 남자의 마지막 말에 이어질 여자의 말로 가장 적절한 것을 고르시오.

Woman: _____

① Glad to hear that.
② Don't worry about it.
③ You'd better exercise.
④ I'm sorry to hear that.
⑤ I hope I feel better soon.

M　Hi, Jiwon.

W　Hello, Taeho. Are you all right? You don't look well.

M　I didn't _____ _____ at all last night.

W　What's the matter?

M　My baby sister was _____ _____ last night. She _____ _____ _____.

20 이어질 응답 찾기

대화를 듣고, 남자의 마지막 말에 이어질 여자의 말로 가장 적절한 것을 고르시오.

Woman: _____

① Here you are.
② I don't like the color.
③ I'm interested in it.
④ No, you don't have one.
⑤ Thanks. I'll bring it back tomorrow.

M　The exams _____ _____. I want to go home.

W　Me, too. I want to _____ _____ _____.

M　*[Pause]* Look! It's raining outside.

W　Oh no. I don't have an umbrella.

M　_____ _____. I have another one in my locker.

실전 모의고사 19

01 다음을 듣고, 'this'가 가리키는 것으로 가장 적절한 것을 고르시오.

① ② ③

④ ⑤

02 대화를 듣고, 남자가 구입할 자전거로 가장 적절한 것을 고르시오.

① ② ③

④ ⑤

03 다음을 듣고, 내일 인천의 날씨로 가장 적절한 것을 고르시오.

① ② ③ ④ ⑤

04 대화를 듣고, 여자가 한 마지막 말의 의도로 가장 적절한 것을 고르시오.

① 충고　　　② 승낙　　　③ 거절
④ 칭찬　　　⑤ 불평

05 다음을 듣고, 남자가 호텔에 대해 언급하지 <u>않은</u> 것을 고르시오.

① 위치　　　　　　② 객실 개수
③ 객실 사용료　　　④ 식당의 개수
⑤ 편의 시설

06 대화를 듣고, 남자의 병원 예약 시각을 고르시오.

① 9:00 a.m.　② 9:30 a.m.　③ 10:00 a.m.
④ 10:30 a.m.　⑤ 11:00 a.m.

07 대화를 듣고, 남자의 장래 희망으로 가장 적절한 것을 고르시오.

① 교사　　　② 건축가　　　③ 과학자
④ 엔지니어　　⑤ 패션 디자이너

08 대화를 듣고, 여자의 가족에 대한 내용으로 일치하지 <u>않는</u> 것을 고르시오.

① 아버지가 소방관이다.
② 어머니가 교사이다.
③ 언니가 한 명 있다.
④ 조부모님과 함께 산다.
⑤ 가족이 모두 7명이다.

09 대화를 듣고, 여자가 대화 직후에 할 일로 가장 적절한 것을 고르시오.

① 숙제하기　　　　　② 수리점에 가기
③ 컴퓨터 전원 끄기　　④ 바이러스 체크하기
⑤ 컴퓨터 게임하기

10 대화를 듣고, 무엇에 관한 내용인지 가장 적절한 것을 고르시오.

① 주말 계획　② 영화 예매　③ 장래 희망
④ 취미 활동　⑤ 동아리 가입

11 대화를 듣고, 두 사람이 함께 이용할 교통수단을 고르시오.

① 배   ② 기차   ③ 자동차

④ 비행기   ⑤ 고속버스

12 대화를 듣고, 여자가 봄을 좋아하는 이유로 가장 적절한 것을 고르시오.

① 덥지 않아서   ② 날씨가 화창해서

③ 운동하기 좋아서   ④ 꽃을 볼 수 있어서

⑤ 소풍을 갈 수 있어서

13 대화를 듣고, 두 사람의 관계로 가장 적절한 것을 고르시오.

① 학부모 – 교사   ② 택배 기사 – 집주인

③ 경찰관 – 운전자   ④ 승객 – 운전기사

⑤ 등산객 – 공원 안내인

14 대화를 듣고, 남자가 찾고 있는 리모컨의 위치로 가장 알맞은 것을 고르시오.

15 대화를 듣고, 여자가 남자에게 부탁한 일로 가장 적절한 것을 고르시오.

① 집 청소하기   ② 벽 페인트칠하기

③ 울타리 고치기   ④ 페인트와 붓 사 오기

⑤ 옷에 묻은 물감 닦기

16 대화를 듣고, 남자가 여자에게 제안한 것으로 가장 적절한 것을 고르시오.

① 도서관에 가기   ② 날씨 확인하기

③ 시험 공부하기   ④ 공원에서 산책하기

⑤ 매일 운동하기

17 대화를 듣고, 여자가 지난 일요일에 한 일로 가장 적절한 것을 고르시오.

① 조깅하기   ② 소풍 가기

③ 영화 보러 가기   ④ 미술 전시회 가기

⑤ 요리하기

18 대화를 듣고, 남자의 직업으로 가장 적절한 것을 고르시오.

① 기자   ② 군인   ③ 경찰관

④ 소방관   ⑤ 택시 운전사

[19-20] 대화를 듣고, 여자의 마지막 말에 이어질 남자의 말로 가장 적절한 것을 고르시오.

19 Man: _____

① It's my mistake.

② No, that's all right.

③ I can't believe this.

④ I don't have to buy it.

⑤ I like reading the book.

20 Man: _____

① I can't wait!

② In front of the mall.

③ Just a few more minutes.

④ Thank you for waiting.

⑤ You have to wash it with soap.

Dictation 19

◆ 다시 듣고, 빈칸에 들어갈 알맞은 단어를 써보세요.

정답 및 해설 p.110

01 화제 추론

다음을 듣고, 'this'가 가리키는 것으로 가장 적절한 것을 고르시오.

① ② ③

④ ⑤

M This is a _____ _____. You can _____ _____ carry this easily. You can _____ _____ into a bag. You need this when you _____ _____. When you sleep in this, you won't feel cold. What is this?

02 그림 정보 파악

대화를 듣고, 남자가 구입할 자전거로 가장 적절한 것을 고르시오.

① ② ③

④ ⑤

W How may I help you?
M I'd like to buy a bike for my son.
W Okay. How about this one with a _____ _____ the wheel?
M It's okay, but I have _____ _____ _____ at home.
W Then, how about this one with a _____ _____ holder?
M Wow, it's perfect. I'll take it.

03 날씨 파악

다음을 듣고, 내일 인천의 날씨로 가장 적절한 것을 고르시오.

① ② ③

④ ⑤

M Good evening. Here is the weather forecast for tomorrow. In Seoul, it's going to be _____ _____ _____. It will be _____ _____ in Incheon and Suwon. In Busan and Gwangju, it's going to be _____ and _____.

04 의도 파악

대화를 듣고, 여자가 한 마지막 말의 의도로 가장 적절한 것을 고르시오.

① 충고   ② 승낙   ③ 거절
④ 칭찬   ⑤ 불평

M _____ _____ at a public health center this Saturday. Do you want to join me?
W Sure. What time _____ _____ _____?
M How about around 9 o'clock?
W Okay. Where do you want to meet?

M How about _____? It's very close to the center.

W _____. _____ _____ you then.

---

05 언급하지 않은 내용 찾기

다음을 듣고, 남자가 호텔에 대해 언급하지 <u>않은</u> 것을 고르시오.

① 위치   ② 객실 개수
③ 객실 사용료   ④ 식당의 개수
⑤ 편의 시설

M Welcome to the Rainbow Hotel. It is in Sokcho _____ _____ _____. The hotel has 200 rooms. There are 3 _____ _____: Korean, Italian and Chinese. Guests can _____ _____ _____ and the _____ _____ for free.

---

06 숫자 정보 파악 (시각)

대화를 듣고, 남자의 병원 예약 시각을 고르시오.

① 9:00 a.m.   ② 9:30 a.m.
③ 10:00 a.m.   ④ 10:30 a.m.
⑤ 11:00 a.m.

[Telephone rings.]

W Dr. Peterson's Office.

M Hello. _____ _____ Peter Clark. I'd like to make _____ _____ for tomorrow.

W Sure. What time would you like to visit?

M At 9 in the morning.

W I'm sorry. There is another patient at 9. _____ _____ 10?

M That's _____ _____ _____.
Thank you.

---

07 장래 희망 파악

대화를 듣고, 남자의 장래 희망으로 가장 적절한 것을 고르시오.

① 교사   ② 건축가   ③ 과학자
④ 엔지니어   ⑤ 패션 디자이너

W What do you think of my skirt? I made it myself.

M It's really nice. *You like _____ _____, don't you?

W Yes. I want to be a _____ _____.
How about you?

M I _____ _____ _____ _____ _____. I'm interested in _____ _____.

W That's nice. I hope our dreams come true.

✱ **교육부 지정 의사소통 기능: 확인 요청하기**   천(정) 3 기능(김) 기능(양) 기비 6

You ~, don't you? 너는 ~하지, 그렇지 않니?

• **You** like pizza, **don't you?** 너는 피자를 좋아하지, 그렇지 않니?
• **You** love magazines, **don't you?** 너는 잡지를 정말 좋아하지, 그렇지 않니?

대화를 듣고, 여자의 가족에 대한 내용으로 일치하지 않는 것을 고르시오.

① 아버지가 소방관이다.
② 어머니가 교사이다.
③ 언니가 한 명 있다.
④ 조부모님과 함께 산다.
⑤ 가족이 모두 7명이다.

M Olivia, what do your parents do?

W My father is a _____ and my mother is a _____.

M Do you have any brothers and sisters?

W Yes, I have one older brother and _____ _____ _____.

M Do your grandparents live with you?

W Yes, they live with us. There are 7 people _____ _____ _____.

09 할 일 파악

대화를 듣고, 여자가 대화 직후에 할 일로 가장 적절한 것을 고르시오.

① 숙제하기   ② 수리점에 가기
③ 컴퓨터 전원 끄기   ④ 바이러스 체크하기
⑤ 컴퓨터 게임하기

W Jacob, my computer is _____ _____.

M Did you _____ _____ again?

W I tried _____ _____, but it _____ _____. Can I use your computer?

M Sure, but why don't you take your computer to a _____ _____ first?

W Okay. I'll go there right now.

10 주제 추론

대화를 듣고, 무엇에 관한 내용인지 가장 적절한 것을 고르시오.

① 주말 계획   ② 영화 예매
③ 장래 희망   ④ 취미 활동
⑤ 동아리 가입

🔊 **Listening Tip**

drawing에서 [d]와 [r]는 우리말의 '주'처럼 발음하게 되는데요. 입을 동그랗게 하고 [r] 발음을 하는 과정에서 이런 소리가 나게 되는 것이죠. 따라서 /드로잉/이 아니라 /주라잉/처럼 들려요.

M What do you like to do in your _____ _____?

W I like _____ _____. What about you?

M _____ _____ _____ 🔊drawing pictures and riding my bike.

W Oh, I like riding my bike, too.

M Really? I'm going to _____ _____ _____ this weekend. Do you want to join?

W Yes, I'd love to.

11 교통수단 찾기

대화를 듣고, 두 사람이 함께 이용할 교통수단을 고르시오.

① 배   ② 기차   ③ 자동차
④ 비행기   ⑤ 고속버스

W You bought the _____ _____ to Busan for tomorrow, right?

M Sorry, honey. I'll get them now.

W It's too late. I guess we should drive instead.

M How about _____ _____ _____? We can still buy train tickets online.

W For what time?

M At 8 in the morning.

W Okay. Let's do that _____ _____ _____.

12 이유 파악

대화를 듣고, 여자가 봄을 좋아하는 이유로 가장 적절한 것을 고르시오.

① 덥지 않아서
② 날씨가 화창해서
③ 운동하기 좋아서
④ 꽃을 볼 수 있어서
⑤ 소풍을 갈 수 있어서

W _____ _____ do you like better, spring or summer?

M I like spring better.

W Why?

M It's usually _____ and _____ in spring.

W I like spring, too. We can see many _____ _____ _____.

M Right. I think spring is more beautiful than summer.

13 관계 추론

대화를 듣고, 두 사람의 관계로 가장 적절한 것을 고르시오.

① 학부모 – 교사
② 택배 기사 – 집주인
③ 경찰관 – 운전자
④ 승객 – 운전기사
⑤ 등산객 – 공원 안내인

M Excuse me, ma'am.

W Can I help you?

M I _____ _____ _____ for Luke Dunphy. Does he live here?

W I'm sorry. I think you have the _____ _____.

M Is this 15 Maple Road?

W No, _____ _____ _____ is 20 Maple Road.

M I'm sorry. Thank you for _____ _____.

14 그림 정보 파악 (위치)

대화를 듣고, 남자가 찾고 있는 리모컨의 위치로 가장 알맞은 것을 고르시오.

M Jian, did you use the remote control?

W Yes. I just used it to _____ _____ the TV.

M You should put it back after you use it.

W Sorry. I think I left it _____ _____ _____.

M I checked, but it's not there. Maybe it's on the carpet.

W I _____ _____ on the carpet.

M [Pause] Look! There it is. _____ _____ the chair.

15 부탁 파악

대화를 듣고, 여자가 남자에게 부탁한 일로 가장 적절한 것을 고르시오.

① 집 청소하기
② 벽 페인트칠하기
③ 울타리 고치기
④ 페인트와 붓 사 오기
⑤ 옷에 묻은 물감 닦기

M I want to make _____ _____ to the house.

W How about painting the living room?

M That sounds great. What color?

W _____ _____ _____ ?

M Yellow is fine with me. But we need _____ and _____ .

W Right. Can you go _____ _____ _____ ? I have to clean the living room first.

M Okay.

16 제안 파악

대화를 듣고, 남자가 여자에게 제안한 것으로 가장 적절한 것을 고르시오.

① 도서관에 가기   ② 날씨 확인하기
③ 시험 공부하기   ④ 공원에서 산책하기
⑤ 매일 운동하기

M *What a beautiful day!

W Yes. On days like this, I just want to _____ _____ .

M Me, too. Do you want to go _____ _____ _____ ?

W Where?

M How about the park next to the library? We can _____ _____ and enjoy this _____ _____ .

W Okay. Let's go now.

> ✱ **교육부 지정 의사소통 기능: 감탄하기**   Y(송) 9
>
> **What a ~! / How ~!** 정말 ~하구나!
> • **What a** cute doll! 정말 귀여운 인형이구나!
> • **How cute** (this is)! 이건 정말 귀엽구나!

17 한 일 파악

대화를 듣고, 여자가 지난 일요일에 한 일로 가장 적절한 것을 고르시오.

① 조깅하기   ② 소풍 가기
③ 영화 보러 가기   ④ 미술 전시회 가기
⑤ 요리하기

M Lisa, did you go to the _____ _____ last Sunday?

W No, I didn't.

M Really? I thought I _____ _____ there.

W That wasn't me. I went to see an _____ _____ with my sister.

M How was it?

W It was fun. We _____ _____ _____ there.

18 직업 추론

대화를 듣고, 남자의 직업으로 가장 적절한 것을 고르시오.

① 기자   ② 군인   ③ 경찰관
④ 소방관   ⑤ 택시 운전사

M May I help you?

W I found this wallet in the street. Can I leave it here
_____ _____ _____?

M Of course. Where did you _____ _____?

W Near the library, officer.

M Thanks. That's very _____ _____
_____.

W I wanted to return the wallet to the owner.

M Don't worry. We _____ _____
_____.

19 이어질 응답 찾기

대화를 듣고, 여자의 마지막 말에 이어질 남자의
말로 가장 적절한 것을 고르시오.

Man: _____

① It's my mistake.
② No, that's all right.
③ I can't believe this.
④ I don't have to buy it.
⑤ I like reading the book.

W I have _____ _____ _____ you.

M What is it?

W I'm afraid that I _____ _____
_____.

M Are you sure? Where did you _____ _____?

W I think I left it on the bus. I'm really sorry. I'll buy you a
_____ _____.

20 이어질 응답 찾기

대화를 듣고, 여자의 마지막 말에 이어질 남자의
말로 가장 적절한 것을 고르시오.

Man: _____

① I can't wait!
② In front of the mall.
③ Just a few more minutes.
④ Thank you for waiting.
⑤ You have to wash it with soap.

🔊 Listening Tip

문장에서 can은 /컨/으로 발음하고, can't는 /캔/으로 세
게 발음해요. can't의 t가 거의 소리 나지 않는 것에 유의하
세요.

M I'm sorry. You 🔊 can't walk _____ _____
_____.

W What is happening here?

M _____ _____ _____ all over the
floor. It's dangerous to walk here.

W Okay.

M The cleaning people will be here soon. Please wait for a
while.

W _____ _____ _____ I have to
wait?

실전 모의고사 20

점수 /20

01 다음을 듣고, 'this'가 가리키는 것으로 가장 적절한 것을 고르시오.

①   ②   ③

④   ⑤

02 대화를 듣고, 두 사람이 구입할 거울로 가장 적절한 것을 고르시오.

①   ②   ③

④   ⑤

03 다음을 듣고, 내일 오후의 날씨로 가장 적절한 것을 고르시오.

①   ②   ③   ④   ⑤

04 대화를 듣고, 남자가 한 마지막 말의 의도로 가장 적절한 것을 고르시오.

① 충고   ② 수락   ③ 거절
④ 불평   ⑤ 위로

05 다음을 듣고, 여자가 주스에 대해 언급하지 <u>않은</u> 것을 고르시오.

① 제품명   ② 회사명   ③ 종류
④ 하루 섭취량   ⑤ 가격

06 대화를 듣고, 남자가 간식을 주문할 수 있는 시각을 고르시오.

① 2:30 p.m.   ② 2:45 p.m.   ③ 3:00 p.m.
④ 3:15 p.m.   ⑤ 3:30 p.m.

07 대화를 듣고, 남자의 장래 희망으로 가장 적절한 것을 고르시오.

① 작가   ② 미용사
③ 마술사   ④ 자동차 경주자
⑤ 뮤지컬 배우

08 대화를 듣고, 남자가 사려는 가방에 대한 내용으로 일치하지 <u>않는</u> 것을 고르시오.

① 갈색이다.
② 가죽으로 만들어졌다.
③ 무게가 가볍다.
④ 20% 할인한다.
⑤ 가격은 50달러이다.

09 대화를 듣고, 남자가 대화 직후에 할 일로 가장 적절한 것을 고르시오.

① 약국에 가기   ② 물 가져오기
③ 병문안 가기   ④ 우유 사러 가기
⑤ 오렌지 주스 가져오기

10 대화를 듣고, 무엇에 관한 내용인지 가장 적절한 것을 고르시오.

① 우주여행   ② 과학 수업
③ 공상과학 영화   ④ 여름휴가
⑤ 과거와 미래의 도시

11 대화를 듣고, 두 사람이 함께 이용할 교통수단을 고르시오.

① 버스　　　② 택시　　　③ 기차
④ 지하철　　⑤ 자동차

12 대화를 듣고, 남자가 전화를 한 이유로 가장 적절한 것을 고르시오.

① 숙제를 확인하려고
② 산책을 같이 하려고
③ 파티에 초대하려고
④ 모임 취소를 전하려고
⑤ 동아리 가입을 권유하려고

13 대화를 듣고, 두 사람의 관계로 가장 적절한 것을 고르시오.

① 경찰관 – 운전자　　② 변호사 – 의뢰인
③ 입국 심사원 – 여행객　④ 호텔 직원 – 투숙객
⑤ 여행 가이드 – 관광객

14 대화를 듣고, 여자가 찾고 있는 귀걸이의 위치로 가장 알맞은 것을 고르시오.

15 대화를 듣고, 남자가 여자에게 부탁한 일로 가장 적절한 것을 고르시오.

① 진료 예약하기　　② 직장에 전화하기
③ 휴대전화 건네주기　④ 병원에 태워다 주기
⑤ 진료 예약 취소하기

16 대화를 듣고, 여자가 남자에게 제안한 것으로 가장 적절한 것을 고르시오.

① 여름에 수영하기
② 새로운 취미 시도하기
③ 머리 염색하기
④ 미용사 되기
⑤ 메뉴 생각해보기

17 대화를 듣고, 남자가 오후에 한 일로 가장 적절한 것을 고르시오.

① 수영하기　　　② 공부하기
③ 농구하기　　　④ 도서관 가기
⑤ 친구와 숙제하기

18 대화를 듣고, 여자의 직업으로 가장 적절한 것을 고르시오.

① 화가　　　　　② 제빵사
③ 식료품 주인　　④ 플로리스트
⑤ 비행기 승무원

[19-20] 대화를 듣고, 남자의 마지막 말에 이어질 여자의 말로 가장 적절한 것을 고르시오.

19 Woman: _____

① I'm sorry to hear it.
② I saved some for your dad.
③ I agree. The salad is very fresh.
④ It's on the counter. Help yourself.
⑤ Thank you. Your advice is helpful.

20 Woman: _____

① It costs $20.
② It's 20 kilometers long.
③ I'd like to take a tour.
④ It takes about 2 hours.
⑤ I take a bus 3 times a week.

정답 및 해설 p.116

01 화제 추론

다음을 듣고, 'this'가 가리키는 것으로 가장 적절한 것을 고르시오.

① ② ③ ④ ⑤

M This is white and shiny. You can get this _____ _____ _____. You can _____ _____, but too much isn't good for you. When the sun _____ _____ the seawater, you can _____ _____ _____ of this on the ground. What is this?

02 그림 정보 파악

대화를 듣고, 두 사람이 구입할 거울로 가장 적절한 것을 고르시오.

① ② ③ ④ ⑤

W Which mirror would you like for _____ _____?

M I like this heart-shaped mirror.

W Hmm... I want something 🔊simple.

M Then, how about _____ _____ _____? I think it is big enough.

W Yes. I like this round one _____ _____.

M All right. Let's _____ _____ _____.

🔊 **Listening Tip**

simple처럼 모음과 같이 쓰인 [s]는 우리말의 /ㅆ/처럼 소리가 나요. sign, sea, center, circle 등이 이에 해당하는 단어예요.

03 날씨 파악

다음을 듣고, 내일 오후의 날씨로 가장 적절한 것을 고르시오.

① ② ③ ④ ⑤

W This is Grace Johnson from Daily Weather Report. It's sunny now, but it'll be _____ and _____ this afternoon. The rain will stop _____ _____. It'll be very cold and _____ _____ _____.

04 의도 파악

대화를 듣고, 남자가 한 마지막 말의 의도로 가장 적절한 것을 고르시오.

① 충고   ② 수락   ③ 거절
④ 불평   ⑤ 위로

W Eric, did you bring the book today?

M I'm sorry. I got up late this morning. I forgot about it.

W Oh no. I _____ _____ _____ it to the library today.

M _____ _____ is that?

W It's the one near the subway station. _____

_____ _____ it to the library for me?

M _____. _____ _____.

05 언급하지 않은 내용 찾기

다음을 듣고, 여자가 주스에 대해 언급하지 <u>않은</u>
것을 고르시오.

① 제품명   ② 회사명
③ 종류   ④ 하루 섭취량
⑤ 가격

W This new _____ _____ _____
Fantastic V. Vita Juice company _____
_____ healthy drink with fruits and vegetables.
There are 3 kinds: berry, apple-carrot, and tomato.
The _____ _____ _____ vitamins
in it, and _____ _____ is $8.

06 숫자 정보 파악 (시각)

대화를 듣고, 남자가 간식을 주문할 수 있는 시각
을 고르시오.

① 2:30 p.m.   ② 2:45 p.m.
③ 3:00 p.m.   ④ 3:15 p.m.
⑤ 3:30 p.m.

M Excuse me. What time is the plane going to _____
_____ Turkey?

W In 15 minutes, sir.

M I see. What time are you going to _____
_____ _____ ?

W It will be at 4 o'clock.

M Okay. Can I order a snack now?

W I'm sorry, you can't. But you can _____
_____ _____ 3:30.

07 장래 희망 파악

대화를 듣고, 남자의 장래 희망으로 가장 적절한
것을 고르시오.

① 작가   ② 미용사
③ 마술사   ④ 자동차 경주자
⑤ 뮤지컬 배우

M Did you finish the homework?

W _____ _____ _____ ? Yes. Do you
want to see it?

M Sure. [Pause] Oh, you want to be an actress.

W What about you? Can I _____ _____ ?

M Sure. Here.

W Wow, is this a _____ _____ _____ ?

M Yes, I'm interested in cars and _____ _____.

08 일치하지 않는 내용 찾기

대화를 듣고, 남자가 사려는 가방에 대한 내용으로 일치하지 <u>않는</u> 것을 고르시오.

① 갈색이다.
② 가죽으로 만들어졌다.
③ 무게가 가볍다.
④ 20% 할인한다.
⑤ 가격은 50달러이다.

W May I help you?

M Yes, please. Can you show me that bag behind you?

W Do you mean the ＿＿＿＿＿＿＿ ＿＿＿＿＿＿＿?

M Yes.

W Here you are. This leather bag feels smooth and soft.

M Oh, it's ＿＿＿＿＿＿＿ ＿＿＿＿＿＿＿. How much is it?

W It's ＿＿＿＿＿＿＿ ＿＿＿＿＿＿＿ for 15% off. The price is now $50.

09 할 일 파악

대화를 듣고, 남자가 대화 직후에 할 일로 가장 적절한 것을 고르시오.

① 약국에 가기
② 물 가져오기
③ 병문안 가기
④ 우유 사러 가기
⑤ 오렌지 주스 가져오기

M This is my room.

W Your room is very nice.

M Would you like ＿＿＿＿＿＿＿ ＿＿＿＿＿＿＿ ＿＿＿＿＿＿＿?

W Sure. Can I ＿＿＿＿＿＿＿ ＿＿＿＿＿＿＿ ＿＿＿＿＿＿＿?

M Sure. [Pause] There's no milk. How about orange juice?

W I don't like juice. Just ＿＿＿＿＿＿＿ ＿＿＿＿＿＿＿ ＿＿＿＿＿＿＿ ＿＿＿＿＿＿＿, please.

M Okay.

10 주제 추론

대화를 듣고, 무엇에 관한 내용인지 가장 적절한 것을 고르시오.

① 우주여행
② 과학 수업
③ 공상과학 영화
④ 여름휴가
⑤ 과거와 미래의 도시

W It's a picture of ＿＿＿＿＿＿＿ ＿＿＿＿＿＿＿ in 1970. Can you believe it?

M We have so many ＿＿＿＿＿＿＿ ＿＿＿＿＿＿＿ now. But ＿＿＿＿＿＿＿ ＿＿＿＿＿＿＿ there was nothing.

W What will happen in another 50 years from now?

M I think there will be cities ＿＿＿＿＿＿＿ ＿＿＿＿＿＿＿ and ＿＿＿＿＿＿＿ ＿＿＿＿＿＿＿.

W *I think so, too.

＊ **교육부 지정 의사소통 기능: 동의하기**   동(윤) 8ㅣ능(김) 4

I think so, too. 나도 그렇게 생각해.

A: This movie is boring. 이 영화는 지루해.
B: **I think so, too.** 나도 그렇게 생각해.

11 교통수단 찾기

대화를 듣고, 두 사람이 함께 이용할 교통수단을 고르시오.

① 버스　　② 택시　　③ 기차
④ 지하철　　⑤ 자동차

W We're late. Why don't we take a taxi?

M I think we should ＿＿＿＿＿ ＿＿＿＿＿
＿＿＿＿＿.

W You're right. The subway is ＿＿＿＿＿ ＿＿＿＿＿
＿＿＿＿＿ a taxi at this time of day.

M It is cheaper, too.

W Yes, it is. Where is the ＿＿＿＿＿ ＿＿＿＿＿
＿＿＿＿＿?

M It is just around the corner.

12 이유 파악

대화를 듣고, 남자가 전화를 한 이유로 가장 적절한 것을 고르시오.

① 숙제를 확인하려고
② 산책을 같이 하려고
③ 파티에 초대하려고
④ 모임 취소를 전하려고
⑤ 동아리 가입을 권유하려고

[Telephone rings.]

W Hello.

M Hello. May I talk to Jessica?

W I'm sorry, but she's out for a walk. ＿＿＿＿＿
＿＿＿＿＿?

M This is Daniel, Jessica's classmate. When will she
＿＿＿＿＿ ＿＿＿＿＿?

W Well, I'm not sure. May I take a message?

M Yes, please. Can you tell her there is ＿＿＿＿＿
＿＿＿＿＿ ＿＿＿＿＿ tomorrow?

W I will.

13 관계 추론

대화를 듣고, 두 사람의 관계로 가장 적절한 것을 고르시오.

① 경찰관 – 운전자
② 변호사 – 의뢰인
③ 입국 심사원 – 여행객
④ 호텔 직원 – 투숙객
⑤ 여행 가이드 – 관광객

W We are going to get off the bus soon.

M Where are we going this time?

W The next stop will be the ＿＿＿＿＿ ＿＿＿＿＿.
You will see many ＿＿＿＿＿ ＿＿＿＿＿.

M Can I take pictures in the museum?

W No, you may ＿＿＿＿＿ ＿＿＿＿＿ ＿＿＿＿＿
＿＿＿＿＿ there.

M Okay. I will put my camera in my bag.

W ＿＿＿＿＿ ＿＿＿＿＿ now. Let's get off the bus.

14 그림 정보 파악 (위치)

대화를 듣고, 여자가 찾고 있는 귀걸이의 위치로 가장 알맞은 것을 고르시오.

W I can't find _____ _____ anywhere.

M Did you check the sofa?

W I checked. They weren't on the sofa.

M What about _____ _____ _____ ?

W No, I already looked there.

M Oh, there they are!

W Where are they?

M They are _____ _____ _____ .

15 부탁 파악

대화를 듣고, 남자가 여자에게 부탁한 일로 가장 적절한 것을 고르시오.

① 진료 예약하기
② 직장에 전화하기
③ 휴대전화 건네주기
④ 병원에 태워다 주기
⑤ 진료 예약 취소하기

W Are you all right?

M I'm not feeling well. I have a fever.

W Really? I'll _____ _____ to the doctor.

M Okay. Oh, can you _____ _____ my cell phone?

W Why?

M I _____ _____ _____ Andrew. I can't _____ _____ _____ today.

W Okay.

16 제안 파악

대화를 듣고, 여자가 남자에게 제안한 것으로 가장 적절한 것을 고르시오.

① 여름에 수영하기
② 새로운 취미 시도하기
③ 머리 염색하기
④ 미용사 되기
⑤ 메뉴 생각해보기

M I love your new hairstyle.

W Thanks. It's summer soon. So I wanted to _____ _____ _____ .

M The light brown color really suits you.

W You should try a _____ _____ _____ , too.

M I'm not sure.

W I'll take you to my hairdresser. She is very good.

M Okay. I'll _____ _____ _____ .

17 한 일 파악

대화를 듣고, 남자가 오후에 한 일로 가장 적절한 것을 고르시오.

① 수영하기   ② 공부하기
③ 농구하기   ④ 도서관 가기
⑤ 친구와 숙제하기

W Hi, Fred. *How was your day?

M It was good. I _____ _____ in the morning.

W What did you do in the afternoon?

M I _____ _____ with my friends.

W Wow, you are so active. Then are you going home now?

M No, I'm going to the library _____ _____.

W You're amazing!

18 직업 추론

대화를 듣고, 여자의 직업으로 가장 적절한 것을 고르시오.

① 화가   ② 제빵사
③ 식료품 주인   ④ 플로리스트
⑤ 비행기 승무원

W Good morning, sir.

M Good morning. _____ _____ looks so delicious.

W It's fresh. I just took it _____ _____ _____ _____.

M Does the bread have _____ _____?

W Yes, so it _____ _____ _____.

M Good. I'll take this one.

W Okay. It's $4.

19 이어질 응답 찾기

대화를 듣고, 남자의 마지막 말에 이어질 여자의 말로 가장 적절한 것을 고르시오.

Woman: _____

① I'm sorry to hear it.
② I saved some for your dad.
③ I agree. The salad is very fresh.
④ It's on the counter. Help yourself.
⑤ Thank you. Your advice is helpful.

M Mom, your steak was very good.

W I'm glad you liked it. Do you _____ _____?

M I do, but _____ _____ Dad?

W Don't worry. I _____ _____ for him.

M Okay. I'll _____ _____ _____ with it, too.

20 이어질 응답 찾기

대화를 듣고, 남자의 마지막 말에 이어질 여자의 말로 가장 적절한 것을 고르시오.

Woman: _____

① It costs $20.
② It's 20 kilometers long.
③ I'd like to take a tour.
④ It takes about 2 hours.
⑤ I take a bus 3 times a week.

M Excuse me. Do you have a _____ _____ _____?

W Yes, we _____ _____.

M What time does it start?

W _____ _____ _____ 🔊 at 12 o'clock from Central Hotel.

M _____ _____ does it take?

🔊 **Listening Tip**
at twelve처럼 두 단어가 같은 자음으로 끝나고 시작할 때는 한 단어로 붙여서 우리말의 /에트웰브/처럼 발음해요. this Sunday도 같은 경우인데, /디쓰 썬데이/가 아니라 /디썬데이/로 발음해요.

PART. 03

Listening Q

^^^

중학영어듣기 모의고사

고난도 모의고사

✕

실전 모의고사보다 한 단계 높은 고난도 모의고사 4회로
듣기 모의고사 만점을 향해 Listening Q!

고난도 모의고사 01

01 다음을 듣고, 'I'가 무엇인지 가장 적절한 것을 고르시오.

①   ②   ③

④   ⑤

02 대화를 듣고, 여자가 만든 티셔츠로 가장 적절한 것을 고르시오.

①   ②   ③

④   ⑤

03 다음을 듣고, 내일 오후 날씨로 가장 적절한 것을 고르시오.

①   ②   ③   ④   ⑤

04 대화를 듣고, 여자가 한 마지막 말의 의도로 가장 적절한 것을 고르시오.

① 불평   ② 사과   ③ 칭찬
④ 부탁   ⑤ 거절

05 다음을 듣고, 남자가 경기에 대해 언급하지 <u>않은</u> 것을 고르시오.

① 종목   ② 상대 팀   ③ 날짜
④ 장소   ⑤ 시작 시간

06 대화를 듣고, 두 사람이 만날 시각을 고르시오.

① 3:00 p.m.   ② 3:30 p.m.   ③ 4:00 p.m.
④ 4:30 p.m.   ⑤ 5:00 p.m.

07 대화를 듣고, 여자의 장래 희망으로 가장 적절한 것을 고르시오.

① 화가   ② 음악가   ③ 수의사
④ 교사   ⑤ 영화배우

08 대화를 듣고, 남자의 휴대전화에 대한 내용으로 일치하지 <u>않는</u> 것을 고르시오.

① 원래 형의 것이었다.
② 사용한 지 두 달 되었다.
③ 녹색이다.
④ 작은 편이다.
⑤ 저장 공간이 작다.

09 대화를 듣고, 남자가 대화 직후에 할 일로 가장 적절한 것을 고르시오.

① 문단속하기   ② 전원 차단하기
③ 깨진 유리 치우기   ④ 경찰에 신고하기
⑤ 없어진 물건 확인하기

10 대화를 듣고, 무엇에 관한 내용인지 가장 적절한 것을 고르시오.

① 위생 교육   ② 자원 절약
③ 과학 실험   ④ 공개 수업
⑤ 전자제품 사용 방법

11 대화를 듣고, 여자가 이용할 교통수단으로 가장 적절한 것을 고르시오.

① 버스　　　② 택시　　　③ 자동차

④ 자전거　　　⑤ 지하철

12 대화를 듣고, 남자가 내일 도서관에 가야 하는 이유로 가장 적절한 것을 고르시오.

① 숙제하기 위해서
② 엄마를 만나기 위해서
③ 책을 반납하기 위해서
④ 소설책을 읽기 위해서
⑤ 두고 온 책을 찾기 위해서

13 대화를 듣고, 두 사람이 대화하는 장소로 가장 적절한 곳을 고르시오.

① 식당　　　② 공원　　　③ 사진관

④ 경찰서　　　⑤ 우체국

14 대화를 듣고, Duri Cinema의 위치로 가장 알맞은 것을 고르시오.

You are here!

15 대화를 듣고, 남자가 여자에게 부탁한 일로 가장 적절한 것을 고르시오.

① 보고서 작성하기
② 정보 더 찾아주기
③ 보고서 발표하기
④ 보고서 마감일 연기하기
⑤ 발표 잘하는 법 알려주기

16 대화를 듣고, 여자가 남자에게 제안한 것으로 가장 적절한 것을 고르시오.

① 기타 레슨 받기
② 기타 수리하기
③ 기타 연주회 관람하기
④ 기타 연주곡 많이 듣기
⑤ 매일 꾸준히 기타 연습하기

17 대화를 듣고, 남자가 어제 한 일로 가장 적절한 것을 고르시오.

① 가족과 여행하기　　　② 공원 산책하기
③ 도서관 가기　　　④ 집 청소하기
⑤ 동생과 게임하기

18 대화를 듣고, 남자의 직업으로 가장 적절한 것을 고르시오.

① 화가　　　② 여행 가이드
③ 대학교수　　　④ 정원사
⑤ 사진작가

[19-20] 대화를 듣고, 남자의 마지막 말에 이어질 여자의 말로 가장 적절한 것을 고르시오.

19 Woman: _____

① Use it or lose it.
② I used it already.
③ I'll ask my parents.
④ I hope you're right.
⑤ You'd better not do it.

20 Woman: _____

① Yes, let's go home.
② Sure, follow me.
③ I don't know her.
④ I like the red dress better.
⑤ Yes, we went to the same school.

정답 및 해설 p.122

---

01 화제 추론

다음을 듣고, 'I'가 무엇인지 가장 적절한 것을 고르시오.

① ② ③
④ ⑤

M I am a popular animal in Australia. I look like a small bear. I have thick gray fur, _____ _____, and no tail. I'm good at _____ _____. I sleep in the tree for 18 to 22 hours each day and _____ _____ _____ food. What am I?

---

02 그림 정보 파악

대화를 듣고, 여자가 만든 티셔츠로 가장 적절한 것을 고르시오.

① ② ③
④ ⑤

M Hey, Suji. Your T-shirt is _____ _____ _____.

W Thanks.

M Where did you buy it?

W I made it myself with spray paint.

M Really? How did you make it?

W I placed a star-shaped paper on the T-shirt and sprayed _____ _____ _____.

M And then?

W After about 20 minutes, I took off _____ _____ _____. Done!

M Wow! That's so easy and simple.

---

03 날씨 파악

다음을 듣고, 내일 오후의 날씨로 가장 적절한 것을 고르시오.

① ② ③
④ ⑤

M Good evening, everyone! Tomorrow, it'll be sunny with _____ _____ in the morning. But in the afternoon, it _____ _____ _____ and the temperature will _____ _____. In the evening, there is a high chance of showers.

---

04 의도 파악

대화를 듣고, 여자가 한 마지막 말의 의도로 가장 적절한 것을 고르시오.

① 불평 ② 사과 ③ 칭찬
④ 부탁 ⑤ 거절

[Telephone rings.]

W Hello.

M Hello, may I speak to Ms. Wells?

W This is she. May I ask _____ _____?

M This is Brad Cook. We spoke on the phone last week.

W   Oh, how are you, Mr. Cook?

M   I'm good, Ms. Wells. Did you look over my article?

W   Did you send it _____ _____?

M   Yes, I did. I sent it this morning.

W   I'm sorry, Mr. Cook. I didn't have time _____ _____ _____ _____ today.

---

05 언급하지 않은 내용 찾기

다음을 듣고, 남자가 경기에 대해 언급하지 않은 것을 고르시오.

① 종목   ② 상대 팀   ③ 날짜
④ 장소   ⑤ 시작 시간

M   Hello, everyone. Last week our soccer team went to _____ _____ _____ in the tournament. The next game will take place this Friday at _____ _____ _____. The game time, however, will be 7 o'clock in the evening. Hope to see you _____ _____!

---

06 숫자 정보 파악 (시각)

대화를 듣고, 두 사람이 만날 시각을 고르시오.

① 3:00 p.m.   ② 3:30 p.m.
③ 4:00 p.m.   ④ 4:30 p.m.
⑤ 5:00 p.m.

M   Are you going to Kelly's concert this Saturday?

W   Of course, I am. Aren't you?

M   Yes, I am going _____ _____ _____ Jim.

W   Oh, I'd like to meet him.

M   Why don't we all _____ _____, then?

W   Good idea! Should we meet at 4:30?

M   _____ _____ _____ 4 o'clock. I don't want to be late for the concert.

W   _____.

---

07 장래 희망 파악

대화를 듣고, 여자의 장래 희망으로 가장 적절한 것을 고르시오.

① 화가   ② 음악가   ③ 수의사
④ 교사   ⑤ 영화배우

W   What do you want to be when you grow up?

M   I want to be an animal doctor. I love taking care of animals. _____ _____ _____?

W   I want to be _____ _____.

M   That sounds great. What instrument do you play?

W   I play _____ _____, but I'm not good at it.

M   It's all right. Just _____ _____. You'll get better.

W   Thanks.

08 일치하지 않는 내용 찾기

대화를 듣고, 남자의 휴대전화에 대한 내용으로 일치하지 <u>않는</u> 것을 고르시오.

① 원래 형의 것이었다.
② 사용한 지 두 달 되었다.
③ 녹색이다.
④ 작은 편이다.
⑤ 저장 공간이 작다.

◀)) Listening Tip

month의 'th'는 무성음([θ])이므로 복수형을 만드는 –s는 [s]로 발음해요. 복수형을 만드는 –s의 발음은 바로 앞 자음이 유성음이거나 모음이면 [z]로 발음하지요.

W　Is this your new cell phone, Jason?
M　Yes. It used to be _____ _____ _____.
W　It looks really new.
M　Yes. It's only 2 ◀) months old. He didn't like its color.
W　I see. A _____ _____ is very unusual.
M　I like its color. I think _____ _____.
W　But isn't it small?
M　It is, but it _____ _____ _____ _____ space.

09 할 일 파악

대화를 듣고, 남자가 대화 직후에 할 일로 가장 적절한 것을 고르시오.

① 문단속하기
② 전원 차단하기
③ 깨진 유리 치우기
④ 경찰에 신고하기
⑤ 없어진 물건 확인하기

M　Why is the front door open, Mom?
W　That's strange. I _____ _____ when I left home.
M　The living room is really dirty, too.
W　Oh no! I think there was _____ _____ in our house.
M　Is _____ _____, Mom?
W　I don't know. I'll look around.
M　I'll call _____ _____ right now.

10 주제 추론

대화를 듣고, 무엇에 관한 내용인지 가장 적절한 것을 고르시오.

① 위생 교육　　② 자원 절약
③ 과학 실험　　④ 공개 수업
⑤ 전자제품 사용 방법

W　The light is on in the bathroom.
M　Oh, sorry. I forgot.
W　_____ _____ _____ _____ is bad for the environment.
M　Of course, Mom. I learned about that at school.
W　_____ _____ did you learn?
M　We should _____ _____. We waste too much of it.
W　That's right. It's very important to _____ _____ _____.

11 교통수단 찾기

대화를 듣고, 여자가 이용할 교통수단으로 가장 적절한 것을 고르시오.

① 버스　　② 택시　　③ 자동차
④ 자전거　　⑤ 지하철

M　Don't you have basketball practice today?
W　Yes, _____ _____ _____ 4:30.
M　Well, it's 4:15 now.
W　What? I thought it was only 3:15.

M You should hurry.

W Can you _____ _____ _____,
Dad? I don't want to be late for practice.

M I can't, because your mom took the car to work.

W Then I'll have to _____ _____
_____.

12 이유 파악

대화를 듣고, 남자가 내일 도서관에 가야 하는 이유로 가장 적절한 것을 고르시오.

① 숙제하기 위해서
② 엄마를 만나기 위해서
③ 책을 반납하기 위해서
④ 소설책을 읽기 위해서
⑤ 두고 온 책을 찾기 위해서

M Mom, I'm home!

W Dinner's ready, so wash your hands, Martin.

M Yes, Mom. It smells good!

W *[Pause]* So did you finish your homework _____
_____ _____?

M Yes, I did, and I also read a novel.

W Really? Which one?

M *[Pause]* Oh no. I think I _____ _____
_____ in the library.

W Call the library first. You can go back _____
_____ _____ tomorrow.

13 장소 추론

대화를 듣고, 두 사람이 대화하는 장소로 가장 적절한 곳을 고르시오.

① 식당   ② 공원   ③ 사진관
④ 경찰서   ⑤ 우체국

M Hello, how can I help you?

W I would like to _____ _____ to China.

M What is _____ _____ _____?

W Just a T-shirt and a Christmas card for my sister.

M Do you want to _____ _____
_____ regular or express mail?

W Regular mail, please.

M Okay, _____ _____ _____ $20.

14 그림 정보 파악 (길 찾기)

대화를 듣고, Duri Cinema의 위치로 가장 알맞은 것을 고르시오.

You are here!

W Excuse me. Can you tell me _____ _____
_____ _____ Duri Cinema?

M Duri Cinema? Go straight two blocks and then
_____ _____ at the big supermarket.

W I'm sorry but could you please repeat that?

M Okay. First, go straight two blocks and turn left at
_____ _____ _____.

W I see.

M Then walk straight for a few minutes, and you'll see Duri Cinema _____ _____ _____.

W Okay. Thank you very much.

---

15 부탁 파악

대화를 듣고, 남자가 여자에게 부탁한 일로 가장 적절한 것을 고르시오.

① 보고서 작성하기
② 정보 더 찾아주기
③ 보고서 발표하기
④ 보고서 마감일 연기하기
⑤ 발표 잘하는 법 알려주기

M This is too much.

W What's wrong, Tim?

M I have to finish a history project by tomorrow.

W What do you _____ _____ _____?

M I have to _____ _____ _____ and also prepare a presentation.

W Can I help you at all?

M I'll start writing my report now. Can you find more information _____ _____ _____?

W Of course.

---

16 제안 파악

대화를 듣고, 여자가 남자에게 제안한 것으로 가장 적절한 것을 고르시오.

① 기타 레슨 받기
② 기타 수리하기
③ 기타 연주회 관람하기
④ 기타 연주곡 많이 듣기
⑤ 매일 꾸준히 기타 연습하기

W Is this your guitar, Anthony?

M Yes, it is.

W Are you _____ _____ playing the guitar?

M No, I'm not. But I'm trying to _____ _____ at it.

W Do you _____ _____ _____?

M Yes, I practice every day, but it's still hard.

W Then, why don't you take _____ _____ _____?

M I guess I should.

---

17 한 일 파악

대화를 듣고, 남자가 어제 한 일로 가장 적절한 것을 고르시오.

① 가족과 여행하기   ② 공원 산책하기
③ 도서관 가기   ④ 집 청소하기
⑤ 동생과 게임하기

M What did you do yesterday, Rachel?

W I went to _____ _____ with my family.

M Did you _____ _____?

W Yes, we had a great time. What about you?

M I was going to go to the library, but I just _____ _____.

W What did you do at home?

M I _____ _____ _____ with my little brother.

18 직업 추론

대화를 듣고, 남자의 직업으로 가장 적절한 것을 고르시오.

① 화가
② 여행 가이드
③ 대학교수
④ 정원사
⑤ 사진작가

W This is a _____ _____!

M Thank you. Do you like it?

W I love it. Where did you take it?

M _____ _____ _____ when I went to England last year.

W When _____ _____ _____ a professional photographer?

M Oh, about 10 years ago.

W Do you _____ _____ _____?

M Yes, I love it.

19 이어질 응답 찾기

대화를 듣고, 남자의 마지막 말에 이어질 여자의 말로 가장 적절한 것을 고르시오.

Woman: _____

① Use it or lose it.
② I used it already.
③ I'll ask my parents.
④ I hope you're right.
⑤ You'd better not do it.

M *What time should we meet for jogging tomorrow?

W Can we meet _____ _____ _____ than today?

M Yes, we can meet at 7:30.

W That's _____ _____.

M Are you having trouble _____ _____ in the morning?

W Yes, I am. I'm sorry.

M Don't worry. You'll be able to _____ _____ _____ soon.

> ✱ 교육부 지정 의사소통 기능: **시간 약속 정하기**   동(이) 5
> **What time should we meet** 우리 몇 시에 만나는 게 좋을까?
> A: **What time should we meet?** 우리 몇 시에 만나는 게 좋을까?
> B: How about 11:00 a.m.? 오전 11시는 어때?

20 이어질 응답 찾기

대화를 듣고, 남자의 마지막 말에 이어질 여자의 말로 가장 적절한 것을 고르시오.

Woman: _____

① Yes, let's go home.
② Sure, follow me.
③ I don't know her.
④ I like the red dress better.
⑤ Yes, we went to the same school.

M Do you know that girl?

W Who are you _____ _____?

M I'm talking about the one _____ _____ _____ _____.

W She's my sister's best friend.

M She looks familiar.

W I think you two went to the same elementary school.

M Really? Can you _____ _____ _____ _____?

고난도 모의고사 02

01 다음을 듣고, 'I'가 무엇인지 가장 적절한 것을 고르시오.

① ② ③

④ ⑤

02 대화를 듣고, 남자가 먹을 음식으로 가장 적절한 것을 고르시오.

① ② ③

④ ⑤

03 다음을 듣고, 오늘 저녁의 날씨로 가장 적절한 것을 고르시오.

① ② ③ ④ ⑤

04 대화를 듣고, 여자가 한 마지막 말의 의도로 가장 적절한 것을 고르시오.

① 승낙 ② 부탁 ③ 사과
④ 거절 ⑤ 용서

05 다음을 듣고, 남자가 학교 소풍에 대해 언급하지 않은 것을 고르시오.

① 목적지 ② 복장 ③ 교통편
④ 점심 시간 ⑤ 준비물

06 대화를 듣고, 두 사람이 만날 시각을 고르시오.

① 12:30 p.m. ② 1:00 p.m. ③ 1:30 p.m.
④ 2:00 p.m. ⑤ 2:30 p.m.

07 대화를 듣고, 남자의 장래 희망으로 가장 적절한 것을 고르시오.

① 의사 ② 프로게이머 ③ 수의사
④ 교사 ⑤ 환경운동가

08 대화를 듣고, 여자의 볼펜에 대한 내용으로 일치하지 않는 것을 고르시오.

① 식당에 놓고 왔다.
② 파란색이다.
③ 레이저 포인터가 있다.
④ 졸업 선물로 받았다.
⑤ 값이 비싸다.

09 대화를 듣고, 남자가 대화 직후에 할 일로 가장 적절한 것을 고르시오.

① 설거지하기 ② 팬케이크 먹기
③ 방 청소하기 ④ 침대 정리하기
⑤ 팬케이크 만들기

10 대화를 듣고, 무엇에 관한 내용인지 가장 적절한 것을 고르시오.

① 방학 계획 ② 독서의 중요성
③ 권장 도서 ④ 소설 창작
⑤ 올바른 독서 습관

11 대화를 듣고, 여자가 이용할 교통수단으로 가장 적절한 것을 고르시오.

① 버스   ② 택시   ③ 보트
④ 도보   ⑤ 지하철

12 대화를 듣고, 남자가 지난밤 늦게 잠든 이유로 가장 적절한 것을 고르시오.

① 소설책을 읽어서   ② 밴드 연습을 해서
③ 컴퓨터 게임을 해서   ④ 작문 숙제를 해서
⑤ 새로운 노래를 작곡해서

13 대화를 듣고, 두 사람이 대화하는 장소로 가장 적절한 곳을 고르시오.

① 옷가게   ② 식당   ③ 꽃집
④ 박물관   ⑤ 서점

14 대화를 듣고, 박물관의 위치로 가장 알맞은 것을 고르시오.

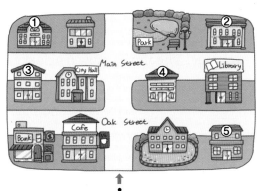

You are here!

15 대화를 듣고, 남자가 여자에게 부탁한 일로 가장 적절한 것을 고르시오.

① 운동복 챙겨주기   ② 시험공부 도와주기
③ 아침 일찍 깨워주기   ④ 늦잠 자게 놔두기
⑤ 체육관에 데려다주기

16 대화를 듣고, 남자가 여자에게 제안한 것으로 가장 적절한 것을 고르시오.

① 중국 친구 사귀기   ② 중국어 수업 듣기
③ 중국 음식 만들기   ④ 중국 영화 보기
⑤ 중국 노래 배우기

17 대화를 듣고, 여자가 어제 한 일로 가장 적절한 것을 고르시오.

① 파티에 가기   ② 병원에 가기
③ 동생과 놀아주기   ④ 봉사활동하기
⑤ 동생 마중하기

18 대화를 듣고, 여자의 직업으로 가장 적절한 것을 고르시오.

① 통역사   ② 건축가
③ 여행 가이드   ④ 매표원
⑤ 사진작가

[19-20] 대화를 듣고, 남자의 마지막 말에 이어질 여자의 말로 가장 적절한 것을 고르시오.

19 Woman: _____

① No, you didn't.
② Thank you for calling.
③ Yes, just 10 minutes ago.
④ He is at the library right now.
⑤ He finished his homework at school.

20 Woman: _____

① I want a new phone.
② Please order it today.
③ I don't like my present.
④ That is completely fine.
⑤ I will listen to the news.

Dictation 02

◆ 다시 듣고, 빈칸에 들어갈 알맞은 단어를 써보세요.

정답 및 해설 p.128

---

01 화제 추론

다음을 듣고, 'I'가 무엇인지 가장 적절한 것을 고르시오.

① ② ③
④ ⑤

M I'm a type of plant. You can find me _____ _____ _____ like a desert. That's because I can live _____ _____ for a long time. You have to _____ _____ when you touch me. I can _____ _____. What am I?

---

02 그림 정보 파악

대화를 듣고, 남자가 먹을 음식으로 가장 적절한 것을 고르시오.

① ② ③
④ ⑤

W What would you like?
M I'll have the fish.
W You can choose bread or rice _____ _____ _____.
M I _____ _____.
W Would you like a drink with it?
M Yes. I'd like a glass of lemonade.
W Okay. _____ _____ _____ _____ and a glass of lemonade. Right?
M Yes, That's right.

---

03 날씨 파악

다음을 듣고, 오늘 저녁의 날씨로 가장 적절한 것을 고르시오.

① ② ③
④ ⑤

M Good morning, everyone! The time is now 6 o'clock, and here's your weather forecast _____ _____. It _____ _____ right now, and the rain will continue until this afternoon. The rain will stop _____ _____ _____, but it'll be _____ _____.

---

04 의도 파악

대화를 듣고, 여자가 한 마지막 말의 의도로 가장 적절한 것을 고르시오.

① 승낙   ② 부탁   ③ 사과
④ 거절   ⑤ 용서

M What are you doing this weekend, Jane?
W I'm planning to finish my science project on Saturday.
M Are you busy _____ _____?
W I'm going to church in the morning. After that, I have _____ _____.

M Really? Can you help me with _____ _____ _____?

W I'm sorry, but I'm not good at math. You should ask _____ _____.

다음을 듣고, 남자가 학교 소풍에 대해 언급하지 않은 것을 고르시오.

① 목적지   ② 복장   ③ 교통편
④ 점심시간   ⑤ 준비물

M I finally have all the details about our school trip. We are going to Wonder World next Friday. We'll take _____ _____ there. We'll arrive there at 10 a.m. and have lunch _____ _____. We'll stay there until 4 p.m. and _____ _____ to school at 5 p.m. Don't forget to bring _____ _____ _____.

대화를 듣고, 두 사람이 만날 시각을 고르시오.

① 12:30 p.m.   ② 1:00 p.m.
③ 1:30 p.m.   ④ 2:00 p.m.
⑤ 2:30 p.m.

M Did you get a birthday present for Kevin?

W Not yet. How about you?

M Me neither. Do you want to buy something together tomorrow afternoon?

W That's a great idea. Let's meet at _____ _____ _____.

M Sure. What time _____ _____ meet?

W How about 1 o'clock?

M I have a violin lesson until 1:30. How about 2 o'clock?

W That sounds great. _____ _____ _____ _____.

대화를 듣고, 남자의 장래 희망으로 가장 적절한 것을 고르시오.

① 의사   ② 프로게이머 ③ 수의사
④ 교사   ⑤ 환경운동가

◆)) Listening Tip

computer에서처럼 모음 사이에 오는 강세가 없는 음절의 [t]는 약화되어 / ㄹ /로 발음하거나 없어지기도 해요. 그래서 /컴퓨털/보다는 /컴퓨럴/로 발음하는 경우가 많아요.

W Tim, you look so worried these days. Is everything all right?

M My parents want me to be a doctor, _____ _____ _____ _____ to be one.

W What do you want to be then?

M I _____ _____ _____ a professional gamer.

W Why do you want to become a professional gamer?

M _____ _____ _____ ◆))computer games and I'm really good at them.

W Then you should _____ _____ _____, Tim.

08 일치하지 않는 내용 찾기

대화를 듣고, 여자의 볼펜에 대한 내용으로 일치하지 <u>않는</u> 것을 고르시오.
① 식당에 놓고 왔다.
② 파란색이다.
③ 레이저 포인터가 있다.
④ 졸업 선물로 받았다.
⑤ 값이 비싸다.

W Oh no! I think I left my pen ＿＿＿＿＿＿ ＿＿＿＿＿＿ ＿＿＿＿＿＿.
M You have it right here.
W No, not this one. It's ＿＿＿＿＿＿ ＿＿＿＿＿＿ ＿＿＿＿＿＿.
M Do you mean the one with a laser pointer?
W Yes, I got it as ＿＿＿＿＿＿ ＿＿＿＿＿＿ ＿＿＿＿＿＿.
M We should go back to the restaurant to look for it then.
W Yes. It's a ＿＿＿＿＿＿ ＿＿＿＿＿＿ pen, too.

09 할 일 파악

대화를 듣고, 남자가 대화 직후에 할 일로 가장 적절한 것을 고르시오.
① 설거지하기   ② 팬케이크 먹기
③ 방 청소하기   ④ 침대 정리하기
⑤ 팬케이크 만들기

W Good morning, Ethan. Did you ＿＿＿＿＿＿ ＿＿＿＿＿＿ last night?
M Yes, I did, Mom. Are these pancakes for me?
W Yes. I just made them for you.
M They are so good!
W I'm glad you like them. By the way, did you ＿＿＿＿＿＿ ＿＿＿＿＿＿ ＿＿＿＿＿＿ this morning?
M No. I forgot.
W You didn't make your bed ＿＿＿＿＿＿, ＿＿＿＿＿＿.
M I'm sorry, Mom. I'll go to my room and ＿＿＿＿＿＿ ＿＿＿＿＿＿ right now.

10 주제 추론

대화를 듣고, 무엇에 관한 내용인지 가장 적절한 것을 고르시오.
① 방학 계획   ② 독서의 중요성
③ 권장 도서   ④ 소설 창작
⑤ 올바른 독서 습관

W What should I do during summer break, Mr. Baker?
M Why don't you ＿＿＿＿＿＿ ＿＿＿＿＿＿ ＿＿＿＿＿＿, Karen?
W Okay. What should I read?
M You should try classic novels.
W Can you ＿＿＿＿＿＿ ＿＿＿＿＿＿ ＿＿＿＿＿＿ for me?
M Yes, how about ＿＿＿＿＿＿ ＿＿＿＿＿＿ *War and Peace*?
W Oh, ＿＿＿＿＿＿ ＿＿＿＿＿＿ a long book!
M I know, but I'm sure you'll like it.

11 교통수단 찾기

대화를 듣고, 여자가 이용할 교통수단으로 가장 적절한 것을 고르시오.
① 버스   ② 택시   ③ 보트
④ 도보   ⑤ 지하철

M Excuse me. Where can I get on ＿＿＿＿＿＿ ＿＿＿＿＿＿ to go to the fish market?
W ＿＿＿＿＿＿ ＿＿＿＿＿＿ ＿＿＿＿＿＿ is right around that corner.

M Thank you so much.

W You can also _____ _____ _____. It's faster.

M Really? I didn't know that.

W It's a little more expensive, but you can save time.

M Oh, then I'll _____ _____ _____. Thank you.

---

12 이유 파악

대화를 듣고, 남자가 지난밤 늦게 잠든 이유로 가장 적절한 것을 고르시오.

① 소설책을 읽어서
② 밴드 연습을 해서
③ 컴퓨터 게임을 해서
④ 작문 숙제를 해서
⑤ 새로운 노래를 작곡해서

W _____ _____, Patrick!

M What time is it, Mom?

W It's already 11 a.m.

M Oh no! I'm late for my _____ _____.

W Did you play computer games all night long?

M No, Mom. I stayed up to _____ _____ _____ _____.

W Well, your band members _____ _____. You need to hurry up.

---

13 장소 추론

대화를 듣고, 두 사람이 대화하는 장소로 가장 적절한 곳을 고르시오.

① 옷가게 ② 식당 ③ 꽃집
④ 박물관 ⑤ 서점

W Can I help you?

M Yes, please. I'm looking for _____ _____ in the fiction section.

W What is the title _____ _____ _____?

M It's *When the Flowers Bloom*.

W You can _____ _____ _____ to help you. It's a lot easier.

M How do I use it?

W _____ _____ the title of the book. The machine will tell you where to find it.

M Okay. Thanks.

---

14 그림 정보 파악 (길찾기)

대화를 듣고, 박물관의 위치로 가장 알맞은 것을 고르시오.

You are here!

W Excuse me. I'm looking for the Natural History Museum.

M The Natural History Museum? That is on Main Street.

W I'm _____ _____. Can you tell me _____ _____ _____ the museum?

M Sure. Go straight two blocks and turn right. It's _____ _____ _____ _____.

W How long will _____ _____ ?

M It won't take long. It's not far from here.

W Thank you for your help.

---

15 부탁 파악

대화를 듣고, 남자가 여자에게 부탁한 일로 가장 적절한 것을 고르시오.

① 운동복 챙겨주기
② 시험공부 도와주기
③ 아침 일찍 깨워주기
④ 늦잠 자게 놔두기
⑤ 체육관에 데려다주기

M I'm _____ _____ _____ , Mom.

W It's only 10 p.m., Jimmy.

M I have to _____ _____ _____ in the morning.

W Are you going to the gym tomorrow morning?

M Yes, and then I'm going to study for my science test.

W Oh, I see.

M Can you _____ _____ _____ at 6 in the morning?

W Okay. Good night!

---

16 제안 파악

대화를 듣고, 남자가 여자에게 제안한 것으로 가장 적절한 것을 고르시오.

① 중국 친구 사귀기
② 중국어 수업 듣기
③ 중국 음식 만들기
④ 중국 영화 보기
⑤ 중국 노래 배우기

M Are you still studying Chinese?

W Yes, I am. It's getting _____ _____ _____ .

M Really? Did you ask your teacher for help?

W There is no teacher. I study Chinese _____ _____ .

M I think you should _____ _____ _____ .

W Chinese movies?

M Yes. You can learn about _____ _____ . Then you'll understand the language better.

---

17 한 일 파악

대화를 듣고, 여자가 어제 한 일로 가장 적절한 것을 고르시오.

① 파티에 가기
② 병원에 가기
③ 동생과 놀아주기
④ 봉사활동하기
⑤ 동생 마중하기

M Did you have fun at Sumi's party yesterday?

W I _____ _____ to her party yesterday.

M Why not?

W I had to take my brother to _____ _____ .

M Hospital? _____ _____ to him?

W He _____ _____ _____ while he was playing soccer. I had to go with him.

M I'm sorry to hear that. I hope he gets well soon.

18 직업 추론

대화를 듣고, 여자의 직업으로 가장 적절한 것을 고르시오.

① 통역사　　　② 건축가
③ 여행 가이드　④ 매표원
⑤ 사진작가

W Okay, we're here.

M Is this the most famous temple in Thailand?

W Yes, it is. I'll tell you ＿＿＿＿＿＿ ＿＿＿＿＿＿ ＿＿＿＿＿＿ inside the temple.

M ＿＿＿＿＿＿ ＿＿＿＿＿＿ are we going to stay here?

W We'll ＿＿＿＿＿＿ ＿＿＿＿＿＿ for 45 minutes.

M Wow, there are a lot of tourists here.

W Yes. *Don't forget to take ＿＿＿＿＿＿ ＿＿＿＿＿＿ ＿＿＿＿＿＿!

---

* 교육부 지정 의사소통 기능: **상기시켜 주기**　　　지4

Don't forget to ~. ~하는 거 잊지 마.

• **Don't forget to** bring your lunch money. 점심값 가져오는 거 잊지 마세요.
• **Don't forget to** call me. 나한테 전화하는 거 잊지 마.

---

19 이어질 응답 찾기

대화를 듣고, 남자의 마지막 말에 이어질 여자의 말로 가장 적절한 것을 고르시오.

Woman: ＿＿＿＿＿＿＿＿＿＿

① No, you didn't.
② Thank you for calling.
③ Yes, just 10 minutes ago.
④ He is at the library right now.
⑤ He finished his homework at school.

M Where is ＿＿＿＿＿＿ ＿＿＿＿＿＿, Sandy?

W He's still ＿＿＿＿＿＿ ＿＿＿＿＿＿, Dad.

M It's 5 already. Why is he still at school?

W He's playing basketball with his friends.

M It's getting late. I should ＿＿＿＿＿＿ ＿＿＿＿＿＿.

W Dad, don't worry. He'll be home before 5:30.

M ＿＿＿＿＿＿ ＿＿＿＿＿＿ ＿＿＿＿＿＿ ＿＿＿＿＿＿?

---

20 이어질 응답 찾기

대화를 듣고, 남자의 마지막 말에 이어질 여자의 말로 가장 적절한 것을 고르시오.

Woman: ＿＿＿＿＿＿＿＿＿＿

① I want a new phone.
② Please order it today.
③ I don't like my present.
④ That is completely fine.
⑤ I will listen to the news.

M I have some good news and bad news for you.

W Really? What's the ＿＿＿＿＿＿ ＿＿＿＿＿＿?

M You will get ＿＿＿＿＿＿ ＿＿＿＿＿＿ ＿＿＿＿＿＿ for your Christmas present.

W That's awesome! Thank you so much, Dad!

M You're welcome. I ordered it yesterday.

W Then, what's ＿＿＿＿＿＿ ＿＿＿＿＿＿ ＿＿＿＿＿＿?

M It won't ＿＿＿＿＿＿ ＿＿＿＿＿＿ ＿＿＿＿＿＿ December 30th.

고난도 모의고사 **03**

01 다음을 듣고, 'this'가 가리키는 것으로 가장 적절한 것을 고르시오.

①   ②   ③

④   ⑤

02 대화를 듣고, 여자가 구입할 반바지로 가장 적절한 것을 고르시오.

①   ②   ③

④   ⑤

03 다음을 듣고, 내일 날씨로 가장 적절한 것을 고르시오.

①   ②   ③   ④   ⑤

04 대화를 듣고, 여자가 한 마지막 말의 의도로 가장 적절한 것을 고르시오.

① 허가 ② 거절 ③ 제안
④ 동의 ⑤ 불만

05 다음을 듣고, 여자가 말하기 대회에 대해 언급하지 <u>않은</u> 것을 고르시오.

① 개최 일시 ② 참가 자격
③ 말하기 주제 ④ 제한 시간
⑤ 시상 내용

06 대화를 듣고, 여자가 어제 잠자리에 든 시각을 고르시오.

① 11:00 p.m. ② 11:30 p.m. ③ 12:00 a.m.
④ 12:30 a.m. ⑤ 1:00 a.m.

07 대화를 듣고, 여자의 장래 희망으로 가장 적절한 것을 고르시오.

① 사업가 ② 간호사 ③ 경찰관
④ 은행원 ⑤ 스포츠 기자

08 대화를 듣고, 여자의 가방에 대한 내용으로 일치하지 <u>않는</u> 것을 고르시오.

① 아침에 잃어버렸다. ② 검은색이다.
③ 주머니가 두 개 있다. ④ 책만 한 크기이다.
⑤ 긴 끈이 있다.

09 대화를 듣고, 남자가 대화 직후에 할 일로 가장 적절한 것을 고르시오.

① 후식 먹기 ② 설거지하기
③ 상 차리기 ④ 배구하러 가기
⑤ 친구와 약속 잡기

10 대화를 듣고, 무엇에 관한 내용인지 가장 적절한 것을 고르시오.

① 교통안전 ② 길 안내
③ 건강 수칙 ④ 동네 소개
⑤ 자동차의 문제점

11 대화를 듣고, 남자가 이용할 교통수단으로 가장 적절한 것을 고르시오.

① 도보　　　② 택시　　　③ 버스
④ 기차　　　⑤ 지하철

12 대화를 듣고, 남자가 기분이 좋은 이유로 가장 적절한 것을 고르시오.

① 여자 친구가 생겨서　　② 좋은 꿈을 꿔서
③ 시험 성적이 좋아서　　④ 초콜릿을 받아서
⑤ 아침 일찍 일어나서

13 대화를 듣고, 두 사람의 관계로 가장 적절한 것을 고르시오.

① 어머니 – 아들　　② 교사 – 학생
③ 의사 – 환자　　④ 경찰관 – 행인
⑤ 빵집 주인 – 손님

14 대화를 듣고, 여자가 찾고 있는 머리빗의 위치로 가장 알맞은 것을 고르시오.

15 대화를 듣고, 남자가 여자에게 부탁한 일로 가장 적절한 것을 고르시오.

① 책 찾아주기
② 연극 예약하기
③ 고전 작품 추천하기
④ 책 내용 쉽게 설명하기
⑤ 책 소리 내어 읽어주기

16 대화를 듣고, 여자가 남자에게 제안한 것으로 가장 적절한 것을 고르시오.

① 규칙적으로 운동하기　　② 의사와 상담하기
③ 자기 전에 샤워하기　　④ 잠을 줄이기
⑤ 숙면에 좋은 환경 만들기

17 대화를 듣고, 여자가 생일날에 한 일로 가장 적절한 것을 고르시오.

① 가족과 외식하기　　② 도서관 가기
③ 케이크 만들기　　④ 가족 여행하기
⑤ 친구들과 파티하기

18 대화를 듣고, 남자의 직업으로 가장 적절한 것을 고르시오.

① 여행가　　② 화가　　③ 사진작가
④ 경비원　　⑤ 인테리어 디자이너

[19-20] 대화를 듣고, 남자의 마지막 말에 이어질 여자의 말로 가장 적절한 것을 고르시오.

19 Woman: _____

① I'll pick you up at 7.
② You don't have to help me.
③ Let's go shopping on Saturday.
④ Can you get some eggs too, please?
⑤ Sorry, but I can't. I have homework to do.

20 Woman: _____

① It's 50% off.
② The total will be $70.
③ Let's meet at the station.
④ The sale ends this Saturday.
⑤ I'm afraid I can't go with you.

Dictation 03

◆ 다시 듣고, 빈칸에 들어갈 알맞은 단어를 써보세요.

정답 및 해설 p.134

01 화제 추론

다음을 듣고, 'this'가 가리키는 것으로 가장 적절한 것을 고르시오.

① ② ③
④ ⑤

M This is a machine. This has many things like tissues, snacks, and drinks. To use this, first you have to _____ _____ _____ in this. Then you choose the item and _____ _____ _____.
The item will drop and you can _____ _____ _____ from this. What is this?

02 그림 정보 파악

대화를 듣고, 여자가 구입할 반바지로 가장 적절한 것을 고르시오.

① ② ③
④ ⑤

M How may I help you?
W I'd like to buy a pair of jean shorts.
M How about _____ _____ _____ _____? They are very popular these days.
W I'm looking for something unique, but I _____ _____ _____ _____ on the jean shorts.
M Hmm... How about these ones with _____ _____ _____? You can take the chain off, too.
W They are _____ _____ _____.
I'll take them.

03 날씨 파악

다음을 듣고, 내일 날씨로 가장 적절한 것을 고르시오.

① ② ③
④ ⑤

M Good morning, everyone! It's a beautiful day today. It's _____ and _____, and there is very little wind. Tomorrow is going to be different, however. It will _____ _____ early in the morning and continue to _____ _____ _____ _____.

04 의도 파악

대화를 듣고, 여자가 한 마지막 말의 의도로 가장 적절한 것을 고르시오.

① 허가 ② 거절 ③ 제안
④ 동의 ⑤ 불만

W Did you finish your history homework?
M Yes, I finished all of my homework.
W Do you want to _____ _____ with your friends?
M I don't want to. It's _____ _____.

W　Okay. *[Pause]* Are you all right? You look _____ _____ _____.

M　Actually, I'm feeling a little sleepy.

W　_____ _____ _____ go to your room and rest for a bit?

---

05 언급하지 않은 내용 찾기

다음을 듣고, 여자가 말하기 대회에 대해 언급하지 <u>않은</u> 것을 고르시오.

① 개최 일시　② 참가 자격
③ 말하기 주제　④ 제한 시간
⑤ 시상 내용

🔊 **Listening Tip**

speech처럼 'sp'로 시작하거나 'st' 또는 'sk'로 시작하는 단어에서 s 다음에 오는 [p], [t], [k] 소리는 /ㅃ/, /ㄸ/, /ㄲ/와 같은 된소리로 발음해요. speech는 /스피치/보다는 /스삐치/로 들릴 거예요.

W　We will have a speech contest _____ _____ from 10 a.m. to 6 p.m. It will take place in classroom 1A. Everyone except _____ _____ _____ can join the contest. The 🔊 speech topic this year is _____ and _____ _____. _____ _____ _____ is 10 minutes. Thank you.

---

06 숫자 정보 파악 (시각)

대화를 듣고, 여자가 어제 잠자리에 든 시각을 고르시오.

① 11:00 p.m.　② 11:30 p.m.
③ 12:00 a.m.　④ 12:30 a.m.
⑤ 1:00 a.m.

M　Jenny, why did you stay up late last night?

W　I just _____ _____ _____ a book. *[Pause]* Dad, how did you know that?

M　When I was watching TV, your light was still on.

W　I thought I went to bed before 11:30.

M　No, I remember the time because _____ _____ _____ at 12:15.

W　I guess I _____ _____ _____ _____ 12:30 then.

---

07 장래 희망 파악

대화를 듣고, 여자의 장래 희망으로 가장 적절한 것을 고르시오.

① 사업가　② 간호사　③ 경찰관
④ 은행원　⑤ 스포츠 기자

W　What do you want to do when you grow up?

M　I want to make _____ _____ _____ _____.

W　Money is important, but it is not everything.

M　I agree. What about you?

W　I want to _____ _____.

M　How do you want to help people?

W　I'm going to become _____ _____.

M　I think you'll be a _____ _____.

대화를 듣고, 여자의 가방에 대한 내용으로 일치
하지 <u>않는</u> 것을 고르시오.
① 아침에 잃어버렸다.
② 검은색이다.
③ 주머니가 두 개 있다.
④ 책만 한 크기이다.
⑤ 긴 끈이 있다.

M How can I help you?

W I'm looking for my bag. I lost it this morning.

M We have many black ones here. Is yours black, too?

W _____, _____ _____, and there
   are 2 pockets in it.

M How big is it?

W It's not that big. It's _____ _____
   _____ a book.

M This one has _____ _____ _____.
   Is this yours?

W Yes, that's mine. Thank you.

대화를 듣고, 남자가 대화 직후에 할 일로 가장 적
절한 것을 고르시오.
① 후식 먹기   ② 설거지하기
③ 상 차리기   ④ 배구하러 가기
⑤ 친구와 약속 잡기

W Jimin, do you want some more?

M No, thanks. I think I _____ _____.

W Are you full already?

M No, I'm not full, but I should _____ _____.

W Why do you have to stop eating?

M I have to _____ _____ _____ my
   friends now. I don't want to play on a full stomach.

W Oh, I see.

대화를 듣고, 무엇에 관한 내용인지 가장 적절한
것을 고르시오.
① 교통안전   ② 길 안내
③ 건강 수칙   ④ 동네 소개
⑤ 자동차의 문제점

W Hurry! Let's cross the street here.

M No, Sara! There's no crosswalk here.

W It's okay. No one will see us.

M _____ _____ _____.
   The crosswalk is just down there.

W I know, but it's _____ _____
   _____ the street here.

M Safety always _____ _____.

W You're right. _____ _____ _____
   the crosswalk.

M It's always better to be safe than sorry.

대화를 듣고, 남자가 이용할 교통수단으로 가장
적절한 것을 고르시오.
① 도보   ② 택시   ③ 버스
④ 기차   ⑤ 지하철

M I can't walk any more.

W We're almost there, Ted.

M But I'm too tired to walk.

W We're not going to _____ _____

_____ from here.

M Why don't we _____ _____ _____
_____ then?

W Oh, come on. It's only one stop. Walking is good for you.

M Sorry, I can't. I'm going to _____ _____
_____. I'll meet you there.

---

12 이유 파악

대화를 듣고, 남자가 기분이 좋은 이유로 가장 적절한 것을 고르시오.

① 여자 친구가 생겨서
② 좋은 꿈을 꿔서
③ 시험 성적이 좋아서
④ 초콜릿을 받아서
⑤ 아침 일찍 일어나서

W Why are you smiling, Patrick?

M I'm not smiling.

W Yes, you are.

M Really? I'm _____ _____ _____
but happy about it.

W What is it?

M Clara _____ _____ _____ for
Valentine's Day.

W Wow, really? I'm _____ _____.

M I _____ _____ _____ it.

---

13 관계 추론

대화를 듣고, 두 사람의 관계로 가장 적절한 것을 고르시오.

① 어머니 – 아들   ② 교사 – 학생
③ 의사 – 환자   ④ 경찰관 – 행인
⑤ 빵집 주인 – 손님

W Can I talk to you for a second, Mark?

M Of course, Ms. Brown.

W It won't take too long.

M Did I _____ _____ _____?

W You weren't paying attention in class today.

M Oh, I'm sorry. I was just trying to _____
_____ _____.

W I know you were, but it's also _____ _____
_____ _____ in class.

M I understand, Ms. Brown. It won't happen again.

---

14 그림 정보 파악 (위치)

대화를 듣고, 여자가 찾고 있는 머리빗의 위치로 가장 알맞은 것을 고르시오.

W Honey, did you see my _____? I can't find it.

M I think I saw it _____ _____
_____.

W I checked the bed already. It's not there.

M Maybe it's on the chair. _____ _____
_____ _____?

W I already did, but it wasn't there, either. _[Pause]_ Oh, I found
it. It's _____ _____ _____
_____.

대화를 듣고, 남자가 여자에게 부탁한 일로 가장
적절한 것을 고르시오.

① 책 찾아주기
② 연극 예약하기
③ 고전 작품 추천하기
④ 책 내용 쉽게 설명하기
⑤ 책 소리 내어 읽어주기

M What are you doing, Kate?

W _____ _____ *Romeo and Juliet.*

M That's a famous play by Shakespeare, right?

W Yes, that's right, Grandpa. _____ _____
_____ famous play.

M It's a very old play. Isn't it difficult to read?

W No, it's not difficult at all. I like reading it.

M Can you _____ _____ _____
_____ for me?

W Sure, I love reading plays _____ _____.

대화를 듣고, 여자가 남자에게 제안한 것으로 가
장 적절한 것을 고르시오.

① 규칙적으로 운동하기
② 의사와 상담하기
③ 자기 전에 샤워하기
④ 잠을 줄이기
⑤ 숙면에 좋은 환경 만들기

W What's the matter, David?

M I'm really tired.

W Did you work out yesterday?

M No, I didn't. Something's wrong _____
_____ _____.

W Why do you say that?

M I get almost 7 _____ _____ _____
every night, and I'm still tired.

W Maybe you don't fall into a deep sleep. How about
_____ _____ _____ before you
go to bed?

M Okay. _____ _____ _____
tonight.

대화를 듣고, 여자가 생일날에 한 일로 가장 적절
한 것을 고르시오.

① 가족과 외식하기   ② 도서관 가기
③ 케이크 만들기   ④ 가족 여행하기
⑤ 친구들과 파티하기

M Did you do anything special for your birthday?

W Not really. I didn't do much.

M Did you just stay home?

W Actually, I _____ _____ _____
_____.

M Why did you go to _____ _____
_____ _____ _____?

W Exams are coming soon. Besides, I had a very nice family
dinner _____ _____ _____
_____.

M Oh, I see.

18 직업 추론

대화를 듣고, 남자의 직업으로 가장 적절한 것을 고르시오.

① 여행가   ② 화가
③ 사진작가   ④ 경비원
⑤ 인테리어 디자이너

◀)) Listening Tip

sign은 /싸인/이라고 발음하지요. 단어 안에서 'n' 앞에 오는 'g'는 소리가 나지 않는 묵음일 때가 있어요. designer, foreign 등도 그 예이지요.

W Congratulations on your successful show.

M Thank you. Do you like _____ _____?

W Yes. I'm _____ _____ _____ of your work.

M I'm glad to hear that. I'm always thankful to fans like you.

W My pleasure. _____ _____ _____ ◀) sign my ticket?

M Yes, of course.

W Thank you so much. Again, congratulations, _____ _____ _____ with your future work!

19 이어질 응답 찾기

대화를 듣고, 남자의 마지막 말에 이어질 여자의 말로 가장 적절한 것을 고르시오.

Woman: _____

① I'll pick you up at 7.
② You don't have to help me.
③ Let's go shopping on Saturday.
④ Can you get some eggs too, please?
⑤ Sorry, but I can't. I have homework to do.

[Cell phone rings.]

M Hello.

W Mark, hi. Will you do me a favor?

M Hi, Mom. Sure. What is it?

W Can you _____ _____ _____ on your way home?

M Okay. My violin lesson finishes at 8. _____ _____ _____?

W _____ _____ _____ at 9 p.m. so you will have time.

M Okay. Do you _____ _____ _____?

20 이어질 응답 찾기

대화를 듣고, 남자의 마지막 말에 이어질 여자의 말로 가장 적절한 것을 고르시오.

Woman: _____

① It's 50% off.
② The total will be $70.
③ Let's meet at the station.
④ The sale ends this Saturday.
⑤ I'm afraid I can't go with you.

M You look great today. I love your shirt.

W Thank you. Actually, I bought it last weekend.

M Where did you get it?

W At the City Square Mall. There's _____ _____ _____ on clothes.

M Wow, really? I need to buy _____ _____ _____, too. How much did you pay for your shirt?

W I only paid $30.

M That's cheap. _____ _____ _____ _____ _____?

고난도 모의고사 **04**

01 다음을 듣고 , 'this'가 가리키는 것으로 가장 적절한 것을 고르시오.

①   ②   ③

④   ⑤

02 대화를 듣고, 남자가 쓸 마스크로 가장 적절한 것을 고르시오.

①   ②   ③

④   ⑤

03 다음을 듣고, 일요일 오후의 날씨로 가장 적절한 것을 고르시오.

①   ②   ③   ④   ⑤

04 대화를 듣고, 남자가 한 마지막 말의 의도로 가장 적절한 것을 고르시오.

① 사과 　 ② 위로 　 ③ 불평
④ 격려 　 ⑤ 칭찬

05 다음을 듣고, 남자가 로봇청소기에 대해 언급하지 <u>않은</u> 것을 고르시오.

① 크기 　 ② 무게 　 ③ 작동 방법
④ 가격 　 ⑤ 청소 시간

06 대화를 듣고, 축구 경기가 시작된 시각을 고르시오.

① 5:00 p.m. 　 ② 6:00 p.m. 　 ③ 7:00 p.m.
④ 8:00 p.m. 　 ⑤ 9:00 p.m.

07 대화를 듣고, 여자의 장래 희망으로 가장 적절한 것을 고르시오.

① 농구선수 　 ② 사진작가 　 ③ 교사
④ 의사 　 ⑤ 리포터

08 대화를 듣고, 여자의 심정으로 가장 적절한 것을 고르시오.

① excited 　 ② jealous 　 ③ proud
④ bored 　 ⑤ angry

09 대화를 듣고, 남자가 대화 직후에 할 일로 가장 적절한 것을 고르시오.

① 손 씻기 　 ② 닭고기 요리하기
③ 음식 맛보기 　 ④ 휴대전화 가져오기
⑤ 음식 주문하기

10 대화를 듣고, 무엇에 관한 내용인지 가장 적절한 것을 고르시오.

① 호텔 예약하기
② 여행지 선정하기
③ 휴가 계획 세우기
④ 공부 계획표 짜기
⑤ 여행 교통편 알아보기

11 대화를 듣고, 여자가 이용할 교통수단으로 가장 적절한 것을 고르시오.

① 자가용　　② 버스　　③ 택시
④ 지하철　　⑤ 자전거

12 대화를 듣고, 남자가 동생에게 화가 난 이유로 가장 적절한 것을 고르시오.

① 거짓말을 해서
② 방을 어질러 놓아서
③ 자신의 기타를 망가뜨려서
④ 거실에서 소란을 피워서
⑤ 자신의 축구공을 가져가서

13 대화를 듣고, 두 사람이 대화하는 장소로 가장 적절한 곳을 고르시오.

① 체육관　　　② 실험실　　　③ 병원
④ 학교 운동장　⑤ 직업박람회장

14 대화를 듣고, 장난감 가게가 있는 위치로 가장 알맞은 것을 고르시오.

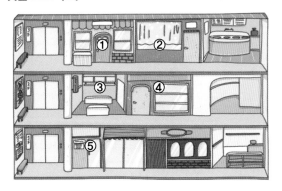

15 대화를 듣고, 남자가 여자에게 부탁한 일로 가장 적절한 것을 고르시오.

① 춤 가르쳐주기　　② 노래 가르쳐주기
③ 밴드에 가입하기　④ 함께 공연하기
⑤ 콘서트에 초대하기

16 대화를 듣고, 여자가 남자에게 제안한 것으로 가장 적절한 것을 고르시오.

① 잠 충분히 자기　　② 손 깨끗이 씻기
③ 피부과 병원 가기　④ 차 태워주기
⑤ 몸에 좋은 음식 먹기

17 대화를 듣고, 남자가 새해 첫날에 한 일로 가장 적절한 것을 고르시오.

① 교회에 가기　　② 친구 만나기
③ 집에서 쉬기　　④ 체육관 가기
⑤ 일찍 잠자리에 들기

18 대화를 듣고, 남자의 직업으로 가장 적절한 것을 고르시오.

① 카레이서　　② 영화배우　　③ 요리사
④ 야구선수　　⑤ 농구감독

[19-20] 대화를 듣고, 남자의 마지막 말에 이어질 여자의 말로 가장 적절한 것을 고르시오.

19 Woman: _____

① I agree with you.
② I never feel nervous.
③ I'm not worried at all.
④ Maybe I should try that, too.
⑤ I borrowed the book from the library.

20 Woman: _____

① Sure, I love popcorn.
② I'm sorry to hear that.
③ I'm bored. Let's go shopping.
④ My hobby is watching movies.
⑤ Okay. How about an animation?

Dictation 04

◆ 다시 듣고, 빈칸에 들어갈 알맞은 단어를 써보세요.

정답 및 해설 p.140

01 화제 추론

다음을 듣고, 'this'가 가리키는 것으로 가장 적절한 것을 고르시오.

① ② ③
④ ⑤

M This has a glass lens and _____ _____.
You press a button, and you can _____
_____ or record videos. When you take a picture
_____ _____ _____
_____, a flash can help. Many people use
_____ _____ _____ instead of
this. What is this?

02 그림 정보 파악

대화를 듣고, 남자가 쓸 마스크로 가장 적절한 것을 고르시오.

① ② ③
④ ⑤

W Minho, I have something for you.
M Thanks, Mom. What is it?
W The air is not good these days. So I bought 2 masks. Which
one do _____ _____ _____?
M Let me see.
W This one has stripes on it. The other one _____
_____.
M Then I'll take the one _____ _____.
W Okay. I'll give _____ _____ _____
to your brother.

03 날씨 파악

다음을 듣고, 일요일 오후의 날씨로 가장 적절한 것을 고르시오.

① ② ③
④ ⑤

M Good morning, everyone! Here is the weekend weather
report. On Friday, it will start to _____
_____ _____ in the afternoon. The snow
will _____ _____ _____ Saturday,
and it will become very cold Saturday night. However, on
Sunday, _____ _____ _____
_____ in the morning, and you will see
_____ _____ _____ in the
afternoon. Have a great weekend!

대화를 듣고, 남자가 한 마지막 말의 의도로 가장 적절한 것을 고르시오.

① 사과　② 위로　③ 불평
④ 격려　⑤ 칭찬

M Hello, I'm here to return this shirt.

W Is there ＿＿＿＿＿＿＿＿ ＿＿＿＿＿＿＿＿ ＿＿＿＿＿＿＿＿ it?

M I bought it for my son, but it's too big for him.

W ＿＿＿＿＿＿＿＿ ＿＿＿＿＿＿＿＿ ＿＿＿＿＿＿＿＿ the shirt?

M Here you are.

W [Pause] I'm sorry, but this shirt was ＿＿＿＿＿＿＿＿ ＿＿＿＿＿＿＿＿ ＿＿＿＿＿＿＿＿. You can only exchange it.

M I can't get ＿＿＿＿＿＿＿＿ ＿＿＿＿＿＿＿＿ ＿＿＿＿＿＿＿＿? That's not fair.

다음을 듣고, 남자가 로봇청소기에 대해 언급하지 않은 것을 고르시오.

① 크기　② 무게　③ 작동 방법
④ 가격　⑤ 청소 시간

M This robot will clean your house right away. It's the same size ＿＿＿＿＿＿＿＿ ＿＿＿＿＿＿＿＿ ＿＿＿＿＿＿＿＿, and it weighs ＿＿＿＿＿＿＿＿ ＿＿＿＿＿＿＿＿ ＿＿＿＿＿＿＿＿ 8 kilograms. It's very easy to use, too. Just push ＿＿＿＿＿＿＿＿ ＿＿＿＿＿＿＿＿ ＿＿＿＿＿＿＿＿, and your house will ＿＿＿＿＿＿＿＿ ＿＿＿＿＿＿＿＿ in 15 minutes.

대화를 듣고, 축구 경기가 시작된 시각을 고르시오.

① 5:00 p.m.　② 6:00 p.m.
③ 7:00 p.m.　④ 8:00 p.m.
⑤ 9:00 p.m.

W Did you watch the soccer game between Korea and Japan?

M No. I ＿＿＿＿＿＿＿＿ ＿＿＿＿＿＿＿＿.

W How did that happen?

M When I turned on the TV, ＿＿＿＿＿＿＿＿ ＿＿＿＿＿＿＿＿ ＿＿＿＿＿＿＿＿ ＿＿＿＿＿＿＿＿.

W What time was it?

M It was 9 o'clock.

W 9 o'clock? ＿＿＿＿＿＿＿＿ ＿＿＿＿＿＿＿＿ ＿＿＿＿＿＿＿＿ ＿＿＿＿＿＿＿＿ 6 o'clock.

M Really? I thought it was at 9.

대화를 듣고, 여자의 장래 희망으로 가장 적절한 것을 고르시오.

① 농구선수　② 사진작가　③ 교사
④ 의사　⑤ 리포터

M You're so cute in this picture, Sandy.

W Thanks. It was from my graduation ceremony.

M These are ＿＿＿＿＿＿＿＿ ＿＿＿＿＿＿＿＿, right?

W Yes, and this tall person is my 6th grade teacher.

M Wow, she is really tall.

W Yes, and she's ＿＿＿＿＿＿＿＿ ＿＿＿＿＿＿＿＿ ＿＿＿＿＿＿＿＿ in the world.

M It sounds like you really like her.

W Of course! In fact, I want to _____ _____ _____ just like her.

---

08 심정 추론

대화를 듣고, 여자의 심정으로 가장 적절한 것을 고르시오.

① excited   ② jealous   ③ proud
④ bored   ⑤ angry

🔊 **Listening Tip**
radio에서 'd'처럼 모음 사이에 오는 강세가 없는 음절의 [d]는 / ㄹ /로 발음하는 경우가 많아요. 그래서 radio를 우리에게 익숙한 소리인 /라디오/가 아니라 /레이리오/로 발음해요.

W Are we almost there, Dad?

M We still _____ _____ _____ _____ 2 more hours.

W There is _____ _____ _____ in the car.

M You can listen to the 🔊 radio.

W No, I don't feel like it.

M Then why don't you try to _____ _____ _____?

W Okay, Dad. I guess I have _____ _____.

---

09 할 일 파악

대화를 듣고, 남자가 대화 직후에 할 일로 가장 적절한 것을 고르시오.

① 손 씻기   ② 닭고기 요리하기
③ 음식 맛보기   ④ 휴대전화 가져오기
⑤ 음식 주문하기

W Dinner's ready.

M Wow, it smells _____ _____.

W Well, it's just chicken.

M How long did it take you to _____ _____?

W About 2 hours, but I enjoyed every minute of it.

M I _____ _____ _____ eat it!

W I hope you like it.

M Wait, I'll just _____ _____ _____ _____. I want to take a picture of this.

---

10 주제 추론

대화를 듣고, 무엇에 관한 내용인지 가장 적절한 것을 고르시오.

① 호텔 예약하기
② 여행지 선정하기
③ 휴가 계획 세우기
④ 공부 계획표 짜기
⑤ 여행 교통편 알아보기

W Did you prepare everything for _____ _____ _____?

M Don't worry. It'll be our best vacation ever.

W What are we doing on the first day?

M We'll stay in the hotel and _____ _____ _____ _____.

W All right. What about the next day?

M We are going to visit Niagara Falls _____ _____ _____.

W I'm _____ _____.

---

11 교통수단 찾기

대화를 듣고, 여자가 이용할 교통수단으로 가장 적절한 것을 고르시오.

① 자가용   ② 버스   ③ 택시
④ 지하철   ⑤ 자전거

M Are you going to the music festival tomorrow?
W Yes. I'm going with _____ _____.
M I can take you to the stadium _____ _____.
W It's okay, Dad. We'll just _____ _____ _____.
M Why don't you take a taxi? You can share a taxi with your friends.
W I didn't think of that. We _____ _____ _____ _____ instead.

12 이유 파악

대화를 듣고, 남자가 동생에게 화가 난 이유로 가장 적절한 것을 고르시오.

① 거짓말을 해서
② 방을 어질러 놓아서
③ 자신의 기타를 망가뜨려서
④ 거실에서 소란을 피워서
⑤ 자신의 축구공을 가져가서

W Luke, why are you so upset?
M My little brother _____ _____ _____ anybody.
W Did something happen today?
M He played soccer in the living room. I told him to stop. But he didn't.
W Oh no. Did he break something?
M Yes. In the end, he _____ _____ _____.
W Don't get too _____ _____ _____. He's only 7 years old.

13 장소 추론

대화를 듣고, 두 사람이 대화하는 장소로 가장 적절한 곳을 고르시오.

① 체육관   ② 실험실   ③ 병원
④ 학교 운동장 ⑤ 직업박람회장

M I think I broke my right thumb.
W Okay. Let me _____ _____ _____.
M Please be careful. It hurts when I try to move it.
W How did you _____ _____ _____ _____?
M I was playing basketball with my friends.
W We'll have to get an X-ray of your thumb. Please wait outside. _____ _____ _____ _____ your name.

14 그림 정보 파악 (위치)

대화를 듣고, 장난감 가게가 있는 위치로 가장 알맞은 것을 고르시오.

W Welcome to Grand Department Store. May I help you?
M Yes, where can I find men's hats?
W You can find them _____ _____ _____ _____.
M I see. And is there a toy shop here?
W Yes, there is one on the third floor.

M How do _____ _____ _____?

W Take the elevator over there to the third floor. It's

_____ _____ _____

_____.

M Okay. Thank you so much.

---

15 부탁 파악

대화를 듣고, 남자가 여자에게 부탁한 일로 가장
적절한 것을 고르시오.

① 춤 가르쳐주기   ② 노래 가르쳐주기
③ 밴드에 가입하기   ④ 함께 공연하기
⑤ 콘서트에 초대하기

M Jieun, your dance performance was amazing!

W Thanks, Peter. I practiced a lot for the concert today.

M You're such a _____ _____.

W But I'm not a good singer like you.

M I'm good at singing, but I just _____ _____.

W If you practice, you'll become a much better dancer.

M Can you _____ _____ _____

_____ _____ better?

W Of course I can! Let's start tomorrow.

---

16 제안 파악

대화를 듣고, 여자가 남자에게 제안한 것으로 가
장 적절한 것을 고르시오.

① 잠 충분히 자기   ② 손 깨끗이 씻기
③ 피부과 병원 가기   ④ 차 태워주기
⑤ 몸에 좋은 음식 먹기

W What's wrong with _____ _____, Sam?

M I don't know. Maybe I ate something bad.

W It's _____ _____. It looks pretty serious.

M Does it? It is a little itchy, too.

W When did it start?

M It started 3 days ago.

W I think you should _____ _____

_____ _____.

M Yes. I should do that right now.

---

17 한 일 파악

대화를 듣고, 남자가 새해 첫날에 한 일로 가장 적
절한 것을 고르시오.

① 교회에 가기   ② 친구 만나기
③ 집에서 쉬기   ④ 체육관 가기
⑤ 일찍 잠자리에 들기

M What did you do on New Year's Day?

W I woke up at noon, and I just stayed at home.

M Did you _____ _____ _____ on
New Year's Eve?

W Yes, my family had a small party. What about you?

M On New Year's Eve? I _____ _____

_____ _____ that day.

W What did you do on New Year's Day?

M I _____ _____ _____

_____ early in the morning.

W Good for you!

대화를 듣고, 남자의 직업으로 가장 적절한 것을 고르시오.

① 카레이서　　　② 영화배우
③ 요리사　　　　④ 야구선수
⑤ 농구감독

W　I'm sorry to bother you, but are you Tommy Jones?

M　Yes, I am.

W　I'm _____ _____ _____ of yours. I really loved your acting in the baseball movie last year.

M　I'm glad you liked it. That's one of _____ _____ _____, too.

W　You were also in a movie about basketball, right?

M　Yes, I was. But _____ _____ _____ remember that movie.

---

19 이어질 응답 찾기

대화를 듣고, 남자의 마지막 말에 이어질 여자의 말로 가장 적절한 것을 고르시오.

Woman: _____

① I agree with you.
② I never feel nervous.
③ I'm not worried at all.
④ Maybe I should try that, too.
⑤ I borrowed the book from the library.

M　What's the matter, Emily?

W　*I'm worried about my history class.

M　Why?

W　I have to speak about my project _____ _____ _____ the class.

M　Do you _____ _____ when you speak in front of many people?

W　Yes, I do. I just forget _____ _____ _____.

M　When I'm nervous, I have problems, too. I _____ _____, so I don't forget.

> ＊ 교육부 지정 의사소통 기능: **걱정 표현하기**　　　　천(정) 8 l 비 7 l 다 2
> **I'm worried about ~.** 나는 ~이 걱정돼.
> • **I'm worried about** something. 걱정이 있어요.
> • **I'm worried about** my future. 제 미래가 걱정돼요.

---

20 이어질 응답 찾기

대화를 듣고, 남자의 마지막 말에 이어질 여자의 말로 가장 적절한 것을 고르시오.

Woman: _____

① Sure, I love popcorn.
② I'm sorry to hear that.
③ I'm bored. Let's go shopping.
④ My hobby is watching movies.
⑤ Okay. How about an animation?

M　What did you think about the movie?

W　I _____ _____ _____ at all.

M　Me, neither. I think it is too violent.

W　Yes. And it doesn't have a story.

M　I agree. People fight in the movie, and _____ _____ _____ why.

W　It is the worst action movie of the year.

M　Let's watch _____ _____ _____ next week.

MEMO

MEMO

천일문 STARTER

중등 영어 구문·문법 학습의 시작

1. 중등 눈높이에 맞춘 권당 약 500문장 + 내용 구성
2. 개념부터 적용까지 체계적 학습
3. 천일문 완벽 해설집 「천일비급」 부록
4. 철저한 복습을 위한 워크북 포함

구문 대장 천일문, 중등도 천일문만 믿어!

3 in 1 구성

+ 본책　　+ 워크북　　+ 천일비급

Mobile & PC
온라인 구문 문장 암기 학습권(유료)

중등부터 고등까지, 천일문과 함께!

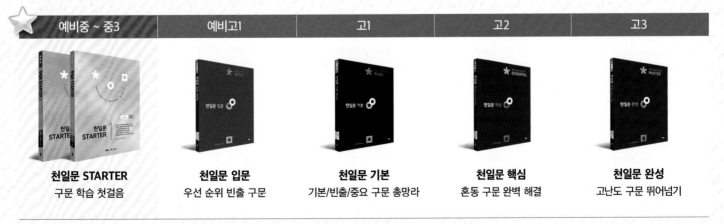

예비중 ~ 중3	예비고1	고1	고2	고3
천일문 STARTER 구문 학습 첫걸음	**천일문 입문** 우선 순위 빈출 구문	**천일문 기본** 기본/빈출/중요 구문 총망라	**천일문 핵심** 혼동 구문 완벽 해결	**천일문 완성** 고난도 구문 뛰어넘기

쎄듀

1 구문
판매 1위 '천일문' 콘텐츠를 활용하여 정확하고 다양한 구문 학습

(끊어읽기)　(해석하기)　(문장 구조 분석)　(해설·해석 제공)　(단어 스크램블링)　(영작하기)

2 문법·서술형
쎄듀의 모든 문법 문항을 활용하여 내신까지 해결하는 정교한 문법 유형 제공

(객관식과 주관식의 결합)　(문법 포인트별 학습)　(보기를 활용한 집합 문항)　(내신대비 서술형)　(어법+서술형 문제)

3 어휘
초·중·고·공무원까지 방대한 어휘량을 제공하며 오프라인 TEST 인쇄도 가능

(영단어 카드 학습)　(단어 ↔ 뜻 유형)　(예문 활용 유형)　(단어 매칭 게임)

4 선생님 보유 문항 이용

(Online Test)　(OMR Test)

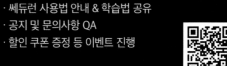

☕ cafe.naver.com/cedulearnteacher

쎄듀런 학습 정보가 궁금하다면?

쎄듀런 Cafe

· 쎄듀런 사용법 안내 & 학습법 공유
· 공지 및 문의사항 QA
· 할인 쿠폰 증정 등 이벤트 진행

LISTENING Q

[리스닝 큐]

중학영어듣기
모의고사 24회

1

김기훈 | 쎄듀 영어교육연구센터

정답 및 해설

쎄듀

LISTENING Q

중학영어듣기
모의고사 24회

1

정답 및 해설

01 ③	02 ④	03 ③	04 ①	05 ⑤	06 ③	07 ②
08 ④	09 ④	10 ③	11 ⑤	12 ①	13 ⑤	14 ③
15 ④	16 ①	17 ③	18 ⑤	19 ⑤	20 ④	

01 ③

해설 다리와 꼬리가 짧고 피부가 분홍색인 것은 돼지이다.

어휘 farm[fɑrm] 농장
tail[teil] 꼬리
skin[skin] 피부
mud[mʌd] 진흙
both A and B A와 B 둘 다

W You can find me on the farm. I have a short tail and short legs. I also have pink skin, and I like to play in the mud. I eat both plants and animals. What am I?

여 저는 농장에서 살아요. 짧은 꼬리와 짧은 다리를 가지고 있지요. 피부도 분홍색이고 진흙에서 노는 것을 좋아해요. 저는 식물과 동물 모두를 먹어요. 저는 누구일까요?

02 ④

해설 여자는 엄마가 과일을 좋아한다며 딸기가 있는 케이크를 사기로 했다.

어휘 look for ~을 찾다
strawberry[strɔ́ːbèri] 딸기
perfect[pə́ːrfikt] 완벽한
take[teik] 사다, 가지고 가다

M May I help you?
W Yes, please. I'm looking for a cake for my mom's birthday.
M How about this one with some roses on it?
W It's nice, but my mom really likes fruit.
M Then, how about this one with strawberries?
W Perfect! I'll take it.

남 도와드릴까요?
여 네. 엄마 생일 케이크를 찾고 있어요.
남 위에 장미꽃이 있는 이건 어때요?
여 그건 좋지만, 저희 엄마는 과일을 정말 좋아하세요.
남 그럼, 딸기가 들어간 이건 어때요?
여 완벽해요! 그것을 살게요.

03 ③

해설 내일 날씨는 비가 그치고 맑을 것이라고 하였다. 내일 날씨를 묻고 있으므로 미래시제 표현과 함께 쓴 말을 주의해서 듣는다.

어휘 weather forecast 일기예보
warm[wɔːrm] 따뜻한
across the country 전국적으로

M Good evening. This is the weather forecast for tomorrow. It's raining with strong winds now, but tomorrow morning, the rain will stop. It'll be sunny and warm across the country. Thank you.

남 안녕하세요. 내일 일기예보입니다. 지금은 강한 바람과 함께 비가 오고 있지만 내일 아침에는 비가 그칠 것입니다. 전국적으로 맑고 따뜻할 것입니다. 감사합니다.

04 ①

해설 여자가 동아리 활동으로 만든 재활용 가방을 남자가 마음에 들어 하며 자신의 옷을 재활용하고 싶다고 하자, 여자는 동아리에 가입하라고 제안했다.

어휘 amazing[əméiziŋ] 굉장한
recycle[riːsáikl] 재활용하다
clothes[klouðz] 옷, 의복

M Amy, did you make this bag?
W Yes, I did. How do you like it?
M Wow, it's amazing. I really like it.
W I made the bag from my old jacket in the Eco-Green club.
M I want to recycle my old clothes, too.
W Why don't you join the club? It'll be fun.

남 Amy, 이 가방 네가 만들었니?
여 응. 내가 만들었어. 어때?
남 와, 놀랍다. 정말 맘에 들어.
여 Eco-Green 동아리에서 낡은 재킷으로 그 가방을 만들었어.
남 나도 내 낡은 옷을 재활용하고 싶어.
여 그 동아리에 가입하는 게 어때? 재미있을 거야.

05 ⑤

국적(캐나다), 외모(갈색 곱슬머리), 취미(자전거 타기), 가족(두 명의 남동생)에 대해 언급하였으나 사는 곳에 대해서는 언급하지 않았다.

어휘 introduce[ìntrədjúːs] 소개하다
curly[kə́ːrli] 곱슬곱슬한
hobby[hάbi] 취미
ride a bike 자전거를 타다
along[əlɔ́(ː)ŋ] ~을 따라
friendly[fréndli] 상냥한, 친근한

W Hi, everyone. Let me introduce my best friend Emma. She's from Canada. She has curly brown hair. Her hobby is riding a bike. She and I often ride our bikes along the river. She has 2 little brothers. They are very cute and friendly. I really like her and her family.

여 여러분, 안녕하세요. 저의 가장 친한 친구 Emma를 소개할게요. 그녀는 캐나다 출신이에요. 그녀는 갈색 곱슬머리를 가지고 있어요. 그녀의 취미는 자전거를 타는 것이에요. 그녀와 저는 종종 강을 따라서 자전거를 타요. 그녀에겐 두 명의 남동생이 있어요. 그들은 아주 귀엽고 상냥해요. 저는 그녀와 그녀의 가족을 정말 좋아해요.

06 ③

해설 두 사람은 4시에 도서관 앞에서 만나기로 했다. 약속을 정하는 대화 중에 여러 시각이 나올 때는 다음에 긍정의 응답이 이어지는 시각이 답이 되는 경우가 많다.

어휘 library[láibrèri] 도서관
borrow[bάrou] 빌리다
lesson[lésən] 레슨, 수업
until[əntíl] ~까지
in front of ~ 앞에서

M Suji, do you want to go to the library tomorrow afternoon?
W That sounds good. I have to borrow a book.
M That's great. What time should we meet?
W How about 3 p.m.?
M Sorry, I have a swimming lesson until 3:30.
W Then we can meet at 4 o'clock.
M Okay. Let's meet in front of the library.

남 수지야, 내일 오후에 도서관에 갈래?
여 그거 좋은 것 같아. 책을 빌려야 하거든.
남 잘됐네. 우리 몇 시에 만날까?
여 오후 3시는 어때?
남 미안한데 내가 3시 30분까지 수영 레슨이 있어.
여 그럼 4시에 만나면 되겠네.
남 그래. 도서관 앞에서 보자.

07 ②

해설 여자의 스케치북에 건물 그림이 많이 있고 미래에 건물을 디자인하고 싶다고 했으므로 장래 희망으로 건축가가 적절하다.

어휘 drawing[drɔ́ːiŋ] 그림
design[dizáin] 디자인
architect[άːrkətèkt] 건축가

M Jane, can I see your drawings?
W Sure. Here you are.
M Wow, you drew a lot of buildings in your sketchbook.
W Yes, I want to design buildings in the future.
M I think you'll be a great architect.

남 Jane, 네 그림을 좀 봐도 될까?
여 그래. 여기 있어.
남 와, 스케치북에 건물을 많이 그렸네.
여 그래, 난 나중에 건물을 디자인하고 싶거든.
남 난 네가 훌륭한 건축가가 될 거라고 생각해.

08 ④

해설 남자는 바다에서 수영은 하지 않고 모래에서 놀았다고 했다.

어휘 vacation[veikéiʃən] 방학, 휴가
beach[biːtʃ] 바닷가, 해변

W How was your vacation with your family, Ben?
M It was good. We went to the beach.
W How was the weather?
M It was sunny and hot.
W Did you swim there?
M No, I didn't.
W Then what did you do there?
M I played in the sand.

여 Ben, 가족 휴가는 어땠어?
남 좋았어. 우리는 바닷가에 갔어.
여 날씨는 어땠어?
남 화창하고 더웠어.
여 거기서 수영했니?
남 아니, 안 했어.
여 그러면 거기서 뭐 했어?
남 모래에서 놀았어.

09 ④

[해설] 지도가 저쪽에 있다는 여자의 말에 남자가 하나를 가져오겠다고 했다.

[어휘] rose[rouz] 장미
garden[gáːrdən] 정원
over there 저쪽에

W Here we are! This is Getty Park.
M This park is really big.
W Dad, can we go to the rose garden, first? I want to see the flowers.
M Of course. First, let's get a map.
W Right. [Pause] The maps are over there.
M I'll go and get one.

여 다 왔어요! 여기가 Getty 공원이에요.
남 이 공원은 정말 크구나.
여 아빠, 먼저 장미 정원에 가도 될까요? 저는 꽃을 보고 싶거든요.
남 물론이지. 우선 지도를 구해보자.
여 맞아요. [잠시 후] 지도는 저쪽에 있어요.
남 내가 가서 하나 가져올게.

10 ③

[해설] 여자가 남자에게 동아리에서 하는 일을 알려주는 내용으로 보아 동아리를 소개하는 내용임을 알 수 있다.

[어휘] in need 어려움에 처한
put on (연극 등을) 공연하다
play[plei] 연극
raise[reiz] (자금·사람 등을) 모으다

W Hi. I'm Mina. Let me introduce the Happy Club.
M Okay. What do you do in the club?
W We help people in need. We put on plays to raise money.
M How often do you practice?
W We practice every Thursday after school.
M Cool. Can I join your club?
W Of course.

여 안녕. 나는 미나야. Happy 클럽을 소개할게.
남 그래. 동아리에서 무엇을 하니?
여 우리는 도움이 필요한 사람들을 돕고 있어. 돈을 모으기 위해 연극을 해.
남 얼마나 자주 연습하니?
여 매주 목요일 방과 후에 연습해.
남 좋다. 내가 너의 동아리에 가입해도 될까?
여 물론이지.

11 ⑤

[해설] 파티 장소가 먼 곳이 아니어서 여자가 걸어가자고 제안했으나 촉박해서 두 사람은 택시를 타기로 했다.

[어휘] far from ~에서 먼
walk[wɔːk] 걷다
take a taxi 택시를 타다

W Matt, where is Sam's birthday party?
M It's at Thomas Pizza.
W It's not far from here. Let's walk there.
M But it's already 4:40. The party starts at 5 o'clock.
W I see. Shall we take a taxi then?
M Sure. [Pause] Here comes a taxi. Let's take that one.

여 Matt, Sam의 생일 파티는 어디에서 하니?
남 Thomas 피자집에서 해.
여 여기서 멀지 않네. 거기까지 걸어가자.
남 그런데 벌써 4시 40분이야. 파티가 5시 시작하잖아.
여 그러네. 택시를 타고 갈까?
남 그래. [잠시 후] 택시가 온다. 저걸 타자.

12 ①

[해설] 남자가 피곤한 이유는 시험공부를 하려고 아침에 일찍 일어나서이다. 여자는 매일 아침 일찍 일어나서 아빠와 조깅을 한다고 했다.

[어휘] tired[táiərd] 피곤한
wake up 잠에서 깨다, 일어나다
usually[júːʒuəli] 보통, 대개
go jogging 조깅하러 가다

W You look tired. What's wrong?
M I woke up at 5 this morning.
W Why did you get up so early?
M I had to study for a test.
W So that's why you look tired. I usually get up before 6 in the morning.
M Really? Why?
W I go jogging with my dad every morning.

여 너 피곤해 보인다. 무슨 일 있어?
남 나 오늘 아침 5시에 일어났어.
여 왜 그렇게 일찍 일어났니?
남 시험공부를 해야 했거든.
여 그래서 피곤해 보이는구나. 나는 보통 아침 6시 전에 일어나.
남 정말? 왜?
여 매일 아침 아빠와 조깅을 하거든.

13 ⑤

[해설] 그룹 프로젝트 구성에 대해 설명하고 다음 수업 때 보자고 하는 것으로 보아 교사와 학생의 대화임을 알 수 있다.

[어휘] leader[líːdər] 리더, 주장

M Does anyone have any questions about the group project?
W I have a question, Mr. Carter.
M Yes, Maggie?
W How many people are there in a group?
M There are 4 people. One of them has to be the team leader.
W Okay.
M All right. That's all for today. See you next class.

남 그룹 프로젝트에 대해 궁금한 사람이 있나요?
여 질문이 있어요, Carter 선생님.
남 그래, Maggie?
여 한 조에 몇 명인가요?
남 4명이야. 그중 한 명은 팀장이어야 한다.
여 알겠습니다.
남 좋아. 오늘은 여기까지. 모두 다음 시간에 보자.

14 ③

[해설] 중앙 홀에서 오른쪽으로 돌면 왼편에 구내식당이 있다고 했다.

[어휘] cafeteria[kæfətíəriə] 구내식당
straight[streit] 곧장, 똑바로

M Excuse me. Where did you get that coffee?
W I got it from the cafeteria.
M It's my first day here. Can you tell me how to get there?
W Sure. Go straight and turn right at the Main Hall.
M Turn right?
W Yes. You'll find the cafeteria on your left.
M Thanks.

남 실례합니다. 그 커피 어디서 사셨나요?
여 구내식당에서 샀어요.
남 저는 여기가 처음이어서요. 거기에 어떻게 가는지 알려주실래요?
여 그러죠. 앞으로 쭉 가서 중앙 홀에서 오른쪽으로 도세요.
남 오른쪽으로 돌라고요?
여 네. 왼편에 구내식당이 있을 겁니다.
남 고마워요.

15 ④

[해설] 쿠키를 만들고 있던 여자가 남자한테 그릇에 있는 버터를 건네 달라고 부탁했다.

[어휘] school uniform 교복
pass[pæs] 건네주다
butter[bʌ́tər] 버터
bowl[boul] 그릇

M Mom, did you wash my school uniform?
W Yes, I washed it. It's in the living room.
M Thanks. What are you making?
W I'm making chocolate cookies.
M I love your cookies. Do you need help?
W Oh, yes. Can you pass me the butter? It's in the bowl.
M Sure. No problem.

남 엄마, 제 교복을 세탁하셨어요?
여 응, 세탁했지. 거실에 있단다.
남 고마워요. 뭐 만들고 계세요?
여 초콜릿 쿠키를 만들고 있어.
남 엄마가 만든 쿠키 정말 좋아해요. 도움이 필요하신가요?
여 아, 그래. 버터 좀 건네줄래? 그릇 안에 있다.
남 네. 그럼요.

16 ①

[해설] 여자가 요리하는 것을 좋아하지만 잘 못 한다고 하자 남자가 가르쳐 줄 테니 함께 요리하자고 제안하였다.

[어휘] together[təgéðər] 함께, 같이

M Anna, I made this pizza. Do you want to try it?
W Sure. [Pause] It's really good.
M Thanks. Do you like cooking?
W I do, but I am not good at it.
M I can teach you. Let's cook something together.
W That's a great idea.

남 Anna, 내가 이 피자를 만들었어. 한번 먹어볼래?
여 그럼. [잠시 후] 이거 진짜 맛있다.
남 고마워. 너는 요리하는 걸 좋아하니?
여 좋아하는데 잘 하지는 못해.
남 내가 가르쳐 줄 수 있어. 우리 뭔가 같이 요리하자.
여 좋은 생각이야.

17 ③

해설 여자는 휴일에 서울대공원에 가서 놀이기구를 탔다고 했다.

어휘 Seoul Grand Park 서울대공원
ride[raid] (놀이동산에 있는) 놀이기구
roller coaster 롤러코스터

M What did you do on your holiday, Emily?
W I went to Seoul Grand Park with my friends.
M That sounds great! What did you do at the park?
W We went on some rides and watched fun shows.
M What ride did you go on?
W I went on the roller coaster many times. It was so much fun.

남 휴일에 무엇을 했니, Emily?
여 친구들과 서울대공원에 갔어.
남 좋았겠다! 공원에서 뭘 했어?
여 놀이기구도 타고 재미있는 쇼도 봤어.
남 어떤 놀이기구를 탔니?
여 롤러코스터를 여러 번 탔어. 정말 재미있었어.

18 ⑤

해설 여자가 남자에게 훈련이 도움이 되었다고 하며 직접적으로 '감독님'이라 불렀으므로, 남자가 축구팀 감독임을 알 수 있다.

어휘 do a great job 잘 해내다
goal[goul] 득점
save[seiv] 구하다
training[tréiniŋ] 훈련, 트레이닝
helpful[hélpfəl] 도움이 되는
coach[koutʃ] (스포츠 팀의) 감독, 코치

M Lisa, you did a great job today!
W Thank you. I'm so glad we won the game.
M Your goal saved our team. You kicked the ball so well.
W Your training was helpful, Coach.
M I'm happy to hear that. Don't forget about the party tonight.
W I won't. I'll see you there.

남 Lisa, 오늘 정말 잘했다!
여 감사합니다. 우리가 경기에서 이겨서 정말 기뻐요.
남 네 골이 우리 팀을 살렸어. 네가 공을 정말 잘 찼어.
여 감독님의 훈련이 도움이 됐어요.
남 그 말을 들으니 기쁘구나. 오늘 밤 파티 잊지 말아라.
여 잊지 않을게요. 거기서 뵈어요.

19 ⑤

해설 남자가 권한 옷을 여자가 입어 볼 필요가 없다며 바로 구매할 의사를 밝혔기 때문에 남자가 티셔츠의 가격을 말하는 표현이 이어지는 게 자연스럽다.

어휘 size[saiz] 사이즈, 치수
fitting room 탈의실
[선택지]
expensive[ikspénsiv] 비싼

M May I help you?
W Do you have this T-shirt in black?
M Of course. What size would you like?
W I'd like a large one, please.
M Here you are. The fitting room is over there.
W That's okay. I don't need to try it on.
M All right. The T-shirt's $22.

남 도와드릴까요?
여 이 티셔츠 검정색으로 있어요?
남 물론이죠. 어떤 사이즈를 원하십니까?
여 라지 사이즈로 부탁해요.
남 여기 있어요. 탈의실은 저쪽입니다.
여 괜찮아요. 입어 볼 필요는 없어요.
남 알겠습니다. 그 티셔츠는 22달러입니다.

① 좋아요. 그것을 살게요.
② 안 됐군요.
③ 너무 비싸요.
④ 사고 싶지만 살 수 없어요.

20 ④

해설 스키 타러 가자는 남자의 제안에 여자가 같이 가겠다고 하며 언제 갈 거냐고 물었으므로 스키 타러 가는 날을 알려주는 응답이 이어져야 한다.

어휘 winter break 겨울방학
go skiing 스키 타러 가다
skier[skíːər] 스키 타는 사람

W Do you have any plans for this winter break?
M I'm going skiing with my friends. Do you want to join us?
W I'm not sure. I'm not a good skier.
M You should try it. I can help you. It's really easy.
W Okay, I'll join you. When are you planning to go?
M We are going next Monday.

여 이번 겨울 방학에 무슨 계획 있니?
남 나는 친구들과 스키를 타러 갈 거야. 우리랑 같이 갈래?
여 잘 모르겠어. 나는 스키를 잘 타지 못하거든.
남 너도 해 봐. 내가 도와줄 수 있어. 정말 쉬워.
여 알겠어, 나도 같이 갈게. 언제 갈 계획이니?
남 우리는 다음 주 월요일에 갈 거야.

① 지금은 너무 늦었어.
② 5시가 다 되었어.
③ 나는 한 시간 후에 떠나.
⑤ 우리는 정오 전에 준비해야 해.

01 ⑤	02 ③	03 ①	04 ②	05 ③	06 ③	07 ②
08 ③	09 ③	10 ④	11 ②	12 ③	13 ④	14 ⑤
15 ②	16 ①	17 ③	18 ②	19 ⑤	20 ④	

01 ⑤

해설 약간 단맛이 나지만 아이들이 좋아하지 않는 긴 오렌지색 채소는 당근이다.

어휘 vegetable[védʒitəbl] 채소
collect[kəlékt] 모으다
ground[graund] 땅
taste[teist] ~ 맛이 나다
call[kɔːl] ~라고 부르다

M This is a vegetable. People collect this from the ground. Some people make juice with this. This tastes a little sweet, but many children don't like this. This is usually long and orange. People usually call this rabbit food. What is this?

남 이건 채소예요. 사람들은 이것을 땅에서 얻지요. 어떤 사람들은 이것으로 주스를 만들어요. 이건 약간 단맛이 나지만 많은 아이들이 이걸 좋아하지 않아요. 이것은 보통 길고 오렌지색이에요. 사람들은 대개 이것을 토끼 음식이라고 불러요. 이것은 무엇일까요?

02 ③

해설 여자가 만든 가방에는 가운데에 고양이 그림이 있다고 했다.

어휘 come up (어떤 행사가) 다가오다
in the middle 가운데에

M What are you doing, Jimin?
W I'm making a bag for my brother.
M Wow! This is really nice. Is his birthday coming up?
W Yes, it's tomorrow.
M I really like the cat in the middle.
W Thanks, I hope he likes it, too.

남 지민아, 뭐 해?
여 동생에게 줄 가방을 만들고 있어.
남 와! 정말 멋지다. 그 애의 생일이 다가오고 있니?
여 그래, 내일이야.
남 난 가운데 있는 고양이가 정말 맘에 들어.
여 고마워. 걔도 이것을 마음에 들어하면 좋겠네.

03 ①

해설 오늘 밤부터 비가 내리기 시작해서 내일 아침까지 비가 온다고 했다.

어휘 weather report 일기예보
continue[kəntínjuː] 계속되다

W Hello. Here is the weather report for today and tomorrow. It is windy now. But this afternoon it'll be cloudy and later tonight it'll start raining. The rain will continue tomorrow morning. But it will stop tomorrow afternoon.

여 안녕하세요. 오늘과 내일 일기예보입니다. 지금은 바람이 붑니다. 하지만 오늘 오후는 흐리고 밤늦게 비가 내리기 시작하겠습니다. 비는 내일 아침에도 계속될 것입니다. 하지만 비는 내일 오후에 그칠 것입니다.

04 ②

해설 빨리 낫기를 바란다는 남자의 말에 여자는 고맙다고 했다.

어휘 wrong[rɔ(ː)ŋ] 상태가 나쁜
cold[kould] 감기
fever[fíːvər] 열
headache[hédèik] 두통
get some rest 휴식을 취하다

M Sarah, you don't look so well. Is something wrong?
W I think I have a cold.
M That's too bad. Do you have a fever?
W Yes, and I have a headache, too.
M Oh no! You should get some rest.
W You're right. I'll go and talk to the teacher.
M I hope you feel better soon.
W Thanks. I'll see you later.

남 Sarah, 너 안 좋아 보여. 어디 아프니?
여 감기에 걸린 것 같아.
남 그거 안됐다. 열이 나니?
여 응, 그리고 머리도 아파.
남 이런! 좀 쉬는 게 좋겠다.
여 네 말이 맞아. 가서 선생님께 말씀드릴게.
남 네가 빨리 낫기를 바랄게.
여 고마워. 나중에 보자.

05 ③

해설 제목(《나의 아버지》), 장르(가족 코미디), 상영 시간(두 시간), 상영 장소(영화관)에 대해 언급하였지만, 주인공 이름에 대해서는 언급하지 않았다.

어휘 comedy[kámidi] 코미디, 희극
sick[sik] 아픈
theater[θí(:)ətər] 극장, 영화관

M I'll talk about the movie *My Father*. The movie is a family comedy. It is about a 15-year-old boy and his sick father. The movie is 2 hours long, but you'll laugh, cry and enjoy it. You can watch the movie in theaters now.

남 영화 〈나의 아버지〉에 대해 얘기하겠습니다. 이 영화는 가족 코미디입니다. 이 영화는 15세 소년과 그의 아픈 아버지에 관한 것입니다. 이 영화는 두 시간 길이이지만 여러분은 웃고 울고 즐기게 될 것입니다. 지금 영화관에서 보실 수 있습니다.

06 ③

해설 지금은 3시 10분 전인 2시 50분이며, 회의는 3시에 시작한다고 하였다.

어휘 hurry up 서두르다
enough[inʌ́f] 충분한

W What time is it now?
M It's 10 to 3.
W 10 to 3? We should hurry up. We are late for the meeting.
M What time does the meeting start?
W It starts at 3 o'clock.
M Don't worry. We still have enough time.

여 지금 몇 시인가요?
남 3시 10분 전이에요.
여 3시 10분 전이라고요? 서둘러야겠네요. 회의에 늦었어요.
남 회의가 몇 시에 시작하는데요?
여 3시에 시작해요.
남 걱정하지 마세요. 아직 시간은 충분해요.

07 ②

해설 남자는 사진 찍는 것에 관심이 있으며, 자연을 찍는 사진작가가 되고 싶다고 했다.

어휘 be interested in ~에 관심이 있다
picture[píktʃər] 사진, 그림
photographer[fətágrəfər] 사진작가
nature[néitʃər] 자연
come true 이루어지다, 실현되다

W Jiho, what are you reading?
M I'm reading a book about cameras.
W Are you interested in taking pictures?
M Yes, I am. I want to be a photographer and take pictures of nature.
W Great! I hope your dream comes true.
M Thank you.

여 지호야, 뭐 읽고 있니?
남 카메라에 관한 책을 읽고 있어.
여 너 사진 찍는 것에 관심 있니?
남 응, 관심 있어. 사진작가가 되어서 자연을 찍고 싶어.
여 멋지다! 너의 꿈이 이루어지면 좋겠다.
남 고마워.

08 ③

해설 여자의 옷이 마음에 든 남자는 어디서 샀는지 물어보면서 자신도 새 티셔츠를 사고 싶다며 부러워하였다.

어휘 cost[kɔːst] (값, 비용이) ~이다
on sale 세일 중인
price[prais] 가격

M Wow, I really like your T-shirt. How much did it cost?
W Not very much. It was on sale.
M Where did you get it?
W I got it from the new shop on the corner.
M I want to get a new T-shirt like yours.
W The shop has many things, and the prices are good.

남 와, 네 티셔츠 정말 마음에 든다. 얼마에 샀니?
여 많이 비싸지 않았어. 세일 중이었거든.
남 어디서 샀어?
여 모퉁이에 새로 생긴 가게에서 샀어.
남 나도 네 것처럼 새 티셔츠를 사고 싶어.
여 그 가게는 물건도 많고 가격도 괜찮아.

09 ③

해설 남자가 여자에게 도울 일이 있는지 묻자, 여자는 상을 차려달라고 했다.

어휘 garlic[gάːrlik] 마늘
toast[toust] 토스트, 구운 빵
set the table 상을 차리다

M Mom, I'm hungry. What's for breakfast?
W I'm making garlic toast. You and your dad like it.
M Wow! I really love your toast. Do you need any help?
W Yes. Can you set the table for me?
M Okay.

남 엄마, 배고파요. 아침은 뭐예요?
여 마늘 토스트를 만들고 있단다. 너도 네 아빠도 좋아하잖아.
남 와! 엄마가 만든 토스트는 정말 맛있어요. 뭘 좀 도와드릴까요?
여 그래. 상 좀 차려줄래?
남 그럴게요.

10 ④

해설 동아리 방의 변화를 위해 벽에 그림을 그리자며 동아리 방 꾸미기에 대해 이야기하고 있다.

어휘 change[tʃeindʒ] 변화
suggestion[sədʒéstʃən] 제안, 의견
paint[peint] (그림물감으로) 그리다
wall[wɔːl] 벽

W Our club room needs a change. Do you have any suggestions?
M How about painting on the walls?
W That's a great idea. What should we paint?
M Our club is a computer club. So I think we should paint computers on the walls.
W That's not a bad idea. Let's ask the other club members, too.

여 우리 동아리 방에 변화가 필요한데. 어떤 제안이라도 있어?
남 벽에 그림을 그리는 건 어떨까?
여 좋은 생각이야. 뭘 그릴까?
남 우리는 컴퓨터 동아리잖아. 그래서 벽에 컴퓨터를 그리면 좋을 것 같아.
여 나쁘지 않네. 다른 동아리 회원들에게도 물어보자.

11 ②

해설 영화관까지 걸어가면 팝콘 살 시간이 없으니 버스를 타자는 남자의 제안에 여자가 동의했다.

어휘 popcorn[pάpkɔ̀ːrn] 팝콘
bus stop 버스 정류장

W Sam, what time is it now?
M It's 3 o'clock now. The movie starts at 3:30.
W Why don't we walk to the movie theater? We have enough time.
M No, we don't. We have to buy popcorn, too. How about taking the bus?
W You're right. Then let's hurry to the bus stop.
M Okay.

여 Sam, 지금 몇 시니?
남 지금은 3시야. 영화는 3시 30분에 시작해.
여 영화관까지 걸어갈까? 시간이 충분하잖아.
남 아니, 그렇지 않아. 우리 팝콘도 사야 하잖아. 버스를 타는 게 어때?
여 네 말이 맞아. 그럼 버스 정류장으로 서두르자.
남 알았어.

12 ③

해설 남자가 제빵 동아리에 든 이유는 빵을 잘 만들고 싶어서이다.

어휘 bake[beik] 빵을 만들다
apple pie 애플파이

W Jay, which club are you in?
M I'm in the baking club.
W Are you good at baking?
M Not really. I joined the club because I want to be good at it.
W Oh, I see.
M We are baking apple pie tomorrow. I'll bring you some.
W Sure. I can't wait!

여 Jay, 넌 어느 동아리에 들었니?
남 난 제빵 동아리에 들었어.
여 빵 만드는 거 잘하니?
남 그렇진 않아. 그걸 잘하고 싶어서 그 동아리에 가입한 거야.
여 아, 그렇구나.
남 우리는 내일 애플파이를 만들 거야. 내가 좀 가져다줄게.
여 좋아. 빨리 먹고 싶다!

13 ④

해설 여자가 비행기 도착 후 자신의 가방을 찾지 못하는 남자를 도와주고 있는 상황으로 보아 두 사람이 있는 곳은 공항임을 알 수 있다.

어휘 plane[plein] 비행기
arrive[əráiv] 도착하다
yet[jet] 아직
take[teik] 가져가다; 안내하다
(take-took-taken)
by mistake 실수로
return[ritə́ːrn] 반납하다

M My plane arrived here 30 minutes ago, but my bag is not here yet.
W Let me check for you, sir. Where did you fly from?
M I came from Washington.
W Okay. [Pause] Oh, are you Tony Jones?
M Yes, I am.
W Somebody took your bag by mistake, but later returned it.
M That's great. Where is it?
W Come with me. I'll take you there.

남 제가 타고 온 비행기가 30분 전에 여기에 도착했는데, 제 가방이 아직 여기에 없어요.
여 제가 확인해드리겠습니다. 어디서 오셨나요?
남 워싱턴에서 왔습니다.
여 알겠습니다. [잠시 후] 아, 혹시 Tony Jones 씨인가요?
남 네, 맞습니다.
여 어떤 분이 실수로 고객님의 가방을 가져가셨다가 반납하셨어요.
남 잘됐네요. 어디에 있나요?
여 저와 같이 가시죠. 제가 그곳으로 안내해드릴게요.

14 ⑤

해설 여자는 남자가 찾고 있는 자동차 열쇠가 의자 위에 놓인 책 위에 있다고 알려주었다.

어휘 car key 자동차 열쇠

M Oh, I'm going to be late for work. Did you see my car key?
W Isn't it on the table?
M No, it's not.
W Dad, there it is. It's on the books.
M On the books? I don't see any books here.
W The books are on the chair.
M Oh, I see them. Thanks.

남 아, 나 회사에 늦을 거 같구나. 내 차 열쇠 봤니?
여 테이블 위에 있지 않나요?
남 아니, 없는데.
여 아빠, 저기 있어요. 책 위에요.
남 책 위에? 여기 책이 안 보이는데.
여 그 책은 의자 위에 있어요.
남 아, 책이 보이는구나. 고맙다.

15 ②

해설 여자는 감기에 걸려서 바람이 많이 부니 창문을 닫아달라고 남자에게 요청하였다.

어휘 favor[féivər] 부탁
pretty[príti] 꽤, 매우
No problem. 그럼요[전혀 문제되지 않아요].

W Henry, can you do me a favor?
M Of course. What is it?
W Can you please close the window? I have a cold, and it's pretty windy today.
M Sure. No problem.
W Thanks.

여 Henry, 부탁 좀 들어줄래?
남 물론이지. 뭔데?
여 창문 좀 닫아 줄래? 내가 감기에 걸렸는데, 오늘 바람이 많이 불어서.
남 그래. 그렇게 할게.
여 고마워.

16 ①

해설 여자가 개를 잃어버린 남자에게 공원에 다시 가서 함께 찾아보자고 제안했다.

어휘 lose[luːz] 잃어버리다
near[niər] ~에서 가까이
look for ~을 찾다
free[friː] 다른 계획이 없는, 한가한

W Bill, is something wrong?
M I lost my dog Sena yesterday.
W I'm sorry to hear that. Where did you lose her?
M In the park near my house.
W Why don't we go back to the park and look for her? I'm free all day.
M Really? Thanks.

여 Bill, 무슨 일 있니?
남 어제 우리 개 세나를 잃어버렸어.
여 안 됐구나. 어디서 잃어버렸니?
남 우리 집 근처 공원에서.
여 우리 공원에 다시 가서 개를 찾아보는 게 어떨까? 나 오늘 아무 계획이 없거든.
남 정말? 고마워.

17 ③

해설 남자는 어제 여동생의 숙제를 도와 주고 나서 TV를 보았고, 여자는 콘서트에 갔다고 했다.

어휘 bedtime[bédtàim] 취침 시간
sing along 노래를 따라 부르다

W What did you do after school yesterday?
M Well, I helped my sister with her homework at home. Then I watched TV before bedtime. What about you?
W I went to the BTC concert with my sister.
M Wow, my sister wanted to go there, too. How was it?
W It was so much fun. We danced and sang along.

여 어제 방과 후에 뭐 했어?
남 음. 집에서 여동생의 숙제를 도와줬어. 그리고 자기 전에 TV를 보았지. 너는 뭐 했니?
여 언니랑 BTC 콘서트에 갔었어.
남 와, 내 여동생도 거기 가고 싶어 했는데. 어땠어?
여 정말 재미있었어. 우리는 춤추고 노래도 따라 불렀어.

18 ②

해설 음식을 먹지 않으려는 개를 진찰하는 상황이다. 여자가 남자를 직접적으로 '김 선생님(Dr. Kim)'으로 부르는 것으로 보아 남자의 직업은 수의사임을 알 수 있다.

어휘 happen[hǽpən] 일어나다
take a look at ~을 한 번 보다

M What's wrong with your dog?
W My dog Baru won't eat anything. I'm worried about him, Dr. Kim.
M What happened? Did he eat anything bad?
W No, I don't think so.
M Then let me take a look at him.

남 개에게 무슨 문제가 있나요?
여 우리 개 바루가 아무것도 먹지 않으려고 해요. 얘가 걱정돼요, 김 선생님.
남 무슨 일 있었나요? 안 좋은 거라도 먹었나요?
여 아뇨, 그런 것 같지는 않아요.
남 그럼 제가 한 번 살펴볼게요.

19 ⑤

해설 운동을 잘 못 하는 여자에게 남자가 운동 경기 보는 것은 좋아하느냐고 물었으므로 좋고 싫음을 말하는 표현이 이어지는 게 자연스럽다.

어휘 hobby[hάbi] 취미
badminton[bǽdmintn] 배드민턴

W Do you have a hobby, Jack?
M Yes, I do. I like to play badminton. How about you?
W I like to play the piano.
M Do you play any sports?
W No, I don't. I'm not good at sports.
M Do you like watching sports then?
W Sure, I love to watch soccer games.

여 Jack, 넌 취미가 있니?
남 응, 있어. 나는 배드민턴 치는 것을 좋아해. 너는?
여 난 피아노 치는 걸 좋아해.
남 넌 운동하는 거 있니?
여 아니, 난 안 해. 나는 운동을 잘하지 못해.
남 그러면 운동 경기 보는 것은 좋아하니?
여 물론이지. 나는 축구 경기를 보는 것을 좋아해.

① 너는 정말 친절하구나.
② 그 소식을 들으니 기뻐.
③ 충고해 줘서 고마워.
④ 빨리 나아지길 바랄게.

20 ④

해설 남자가 토마토 수프를 만드는 걸 가르쳐주겠다고 하면서 언제 시간이 있는지 물었으므로 이어질 응답으로 가능한 시간을 말하는 것이 적절하다.

W This pizza is very delicious. Where did you order it?
M I made it at home.
W You did? What else can you make?

여 이 피자는 정말 맛있네. 어디서 주문했니?
남 내가 집에서 만들었어.
여 네가 만들었다고? 너는 또 무엇을 만들 줄 아니?

어휘 delicious [dilíʃəs] 맛있는
else[els] 그 밖의, 또 다른
tomato soup 토마토 수프

M Well, I can make tomato soup. That's easy.
W Can you teach me? I want to make some for my mom.
M Sure. When do you have time?
W I'm free all day this Saturday.

남 음. 난 토마토 수프를 만들 수 있어. 그건 만들기 쉬워.
여 나한테 가르쳐 줄 수 있어? 엄마한테 좀 만들어드리고 싶거든.
남 물론이지. 언제 시간이 되는데?
여 이번 주 토요일은 하루 종일 한가해.

① 정말 고마워.
② 나는 2시에 점심을 먹어.
③ 미안하지만 너무 바빠.
⑤ 토마토 수프가 정말 맛있다.

01 ②	02 ③	03 ③	04 ①	05 ⑤	06 ④	07 ③
08 ⑤	09 ④	10 ①	11 ②	12 ②	13 ③	14 ①
15 ③	16 ⑤	17 ④	18 ④	19 ①	20 ⑤	

01 ②

해설 여름에 해변에서 많이 사용하며, 어두운 렌즈를 가지고 있는 패션 액세서리는 선글라스이다.

어휘 beach[bi:tʃ] 해변, 바닷가
fashion accessory 패션 액세서리
dark[dɑːrk] 어두운
lens[lenz] 렌즈

W You need these when you're <u>under the sun</u>. You usually wear these in the summer <u>at the beach</u>. These have <u>dark lenses</u>. Some people wear these as fashion accessories. What are these?

여 여러분이 태양 아래에 있을 때 이것이 필요해요. 이것을 보통 여름에 해변에서 착용해요. 이것은 어두운 렌즈를 가지고 있지요. 어떤 사람들은 이것을 패션 액세서리로 착용해요. 이것은 무엇일까요?

02 ③

해설 남자는 여동생이 하트가 있는 것을 좋아할 거라고 말했다.

어휘 look for ~을 찾다
letter[létər] 글자, 문자
heart[hɑːrt] 하트 (모양)
choice[tʃɔis] 선택

W How may I help you?
M I'm <u>looking for</u> a baseball cap for my little sister.
W I see. What about <u>this one with</u> the letter "K" on it?
M Well, I think she'll like that one <u>with a heart</u> on it.
W Good choice.

여 무엇을 도와드릴까요?
남 여동생이 쓸 야구 모자를 찾고 있어요.
여 알겠습니다. 'K'라는 글자가 있는 이건 어떠세요?
남 글쎄요, 걔는 그 위에 하트가 있는 저 걸 좋아할 것 같아요.
여 잘 고르셨어요.

03 ③

해설 오늘 시드니 날씨는 하루 종일 맑을 것이라고 하였다.

어휘 weather forecast 일기예보
a lot 많이
all day long 온종일

M Good morning! Here's today's world weather forecast. In New York, it is going to <u>snow a lot</u>. In London, it'll be <u>cloudy and windy</u>. But the weather in Sydney will be very nice. If you are in Sydney, you will enjoy <u>sunny skies</u> all day long.

남 안녕하세요! 오늘의 세계 일기예보입니다. 뉴욕에는 눈이 많이 내릴 것입니다. 런던은 흐리고 바람이 많이 불 것입니다. 하지만 시드니의 날씨는 매우 좋을 것입니다. 시드니에 계신다면 하루 종일 맑은 하늘을 즐길 수 있을 겁니다.

04 ①

해설 숙제를 미루고 친구와 영화를 보러 가려는 여자에게 남자가 숙제를 먼저 하라고 충고하고 있다.

어휘 finish[fíniʃ] 끝내다
go out 외출하다

M Sara, where are you going now?
W I'm going to <u>see a movie</u> with Kate.
M Did you <u>finish your homework</u>?
W Well, I will finish it tonight.
M You should <u>do your homework first</u> before you go out.

남 Sara, 지금 어디 가니?
여 Kate랑 영화 보러 가려고요.
남 숙제는 다 끝냈니?
여 음, 오늘 밤에 끝낼게요.
남 외출하기 전에 먼저 숙제를 해야 한 단다.

05 ⑤

해설 주거 형태(아파트), 동네 이름(유림동), 학교까지 거리(걸어서 10분), 주변 환경(공원과 쇼핑몰)에 대해 언급하지만 이웃 사람들에 대한 언급은 없다.

어휘 introduce[ìntrədjúːs] 소개하다
apartment[əpáːrtmənt] 아파트
close[klous] 가까운
minute[mínit] (시간 단위의) 분
on foot 걸어서, 도보로
mall[mɔːl] 쇼핑몰
neighborhood[néibərhùd] (어떤 특정의) 지방, 지역

W Let me introduce my place. I live in an apartment in Yurim-dong. My house is close to my school. It takes 10 minutes on foot. There are a park and a mall near my house. Isn't my neighborhood nice?

여 우리 집을 소개하겠습니다. 저는 유림동에 있는 아파트에 삽니다. 저희 집은 학교에서 가깝습니다. 걸어서 10분 걸립니다. 저희 집 근처에는 공원과 쇼핑몰이 있습니다. 저희 동네 멋지지 않나요?

06 ④

해설 9시 20분 버스를 놓쳐서 9시 50분에 출발하는 다음 버스 티켓을 구매한다고 하였다.

어휘 leave[liːv] 떠나다
noon[nuːn] 정오
in time 제시간에

M Excuse me. Can I get the 9:20 bus to Sokcho?
W I'm sorry, but the bus left already.
M Oh no. Isn't it 9:15 now?
W It's 9:20. Would you like a ticket for the next bus?
M What time is the next bus? I have to be in Sokcho by noon.
W Let me see. It's at 9:50. That bus will get you there in time.
M Okay. One ticket, please.

남 실례합니다. 속초로 가는 9시 20분 버스를 탈 수 있을까요?
여 죄송하지만, 그 버스는 이미 떠났어요.
남 이런. 지금 9시 15분 아닌가요?
여 9시 20분이에요. 다음 버스의 표를 사실 건가요?
남 다음 버스는 몇 시에 있나요? 저는 정오까지 속초에 가야 해요.
여 한번 볼게요. 9시 50분 버스가 있어요. 그 버스를 타면 제시간에 그곳에 도착할 거예요.
남 알겠습니다. 티켓 한 장 주세요.

07 ③

해설 여자는 경찰이 되고 싶었지만 화재에서 사람들을 구하는 소방관처럼 되고 싶다고 말했다.

어휘 happen[hǽpən] 일어나다, 발생하다
luckily[lʌ́kili] 다행히
firefighter[fáiərfàitər] 소방관
put out (불 등을) 끄다
hurt[həːrt] 다친
hero[hí(ː)ərou] 영웅
police officer[pəlíːs ɔ́(ː)fisər] 경찰관

W Did you watch the news on TV? There was a fire in our neighborhood.
M So what happened?
W Luckily, firefighters put out the fire, and no one was hurt.
M Wow, that's great! The firefighters are real heroes.
W I want to be like them.
M Oh, didn't you want to be a police officer?
W Yes, I did. But now I'm more interested in saving people from fires.

여 너 TV네 나온 뉴스 봤니? 우리 동네에서 불이 났었대.
남 그래서 어떻게 됐어?
여 다행히 소방관들이 불을 진압해서 아무도 다치지 않았대.
남 와, 잘 됐다! 소방관들은 진정한 영웅이야.
여 나도 커서 그들처럼 되고 싶어.
남 아, 너는 경찰관이 되고 싶다고 하지 않았니?
여 응, 그랬지. 하지만 지금은 화재로부터 사람들을 구하는 것에 더 관심이 있어.

08 ⑤

여자는 이번 주 일요일에 다시 갈 것이라 했다.

actually[ǽktʃuəli] 사실은
anything[éniθiŋ] 아무것도
volunteer[vàləntíər] 자원봉사자
walk[wɔːk] 산책시키다
wash[waʃ] 씻기다
cage[keidʒ] (짐승의) 우리
next time 다음번

M Hi, Sojin. How was your weekend?
W Really good. I went to an animal center with my volunteer club.
M That's great. What did you do there?
W Lots of things. I walked the dogs, washed them and cleaned their cages.
M Wow! I'd like to join you next time.
W You should. We're going again this Sunday.

남 안녕, 소진아. 너는 주말 어떻게 보냈니?
여 정말 좋았어. 우리 봉사 동아리와 함께 동물센터에 갔어.
남 멋지다. 거기에서 너는 무엇을 했는데?
여 많은 일을 했어. 나는 개들을 산책시키고 씻기고 개집을 청소했어.
남 와! 다음엔 나도 같이하고 싶어.
여 같이 하자. 우리 이번 주 일요일에 다시 갈 예정이야.

09 ④

여자가 애플파이를 먹겠다고 하자 남자는 그것을 바로 가져오겠다고 했다.

hungry[hʌ́ŋgri] 배고픈
dessert[dizə́ːrt] 디저트, 후식
apple pie 애플파이

M Semi, did you have lunch?
W Yes, but I'm still hungry. I want to eat something more.
M Would you like some dessert? I have some apple pie.
W I'd love it!
M Great. I'll get it right away.

남 세미야, 점심 먹었니?
여 응. 먹었는데 아직도 배고파. 뭔가 더 먹고 싶어.
남 디저트 좀 먹을래? 애플파이가 좀 있거든.
여 그거 좋지!
남 잘됐다. 내가 바로 가져올게.

10 ①

두 사람은 각자 자신의 학교 교복에 대해 이야기하고 있다.

school uniform 교복
jacket[dʒǽkit] 재킷
pants[pænts] 바지
comfortable[ʌnkʌ́mfərtəbl] 편한

M Anna, how's your new school?
W It's great. It only takes 15 minutes to go there by bus.
M That's good. How do you like your school uniform?
W I like it a lot. We wear blue jackets with gray pants.
M Oh, we have a blue jacket with jeans.
W Jeans? I think they are nice and comfortable.
M I think so, too.

남 Anna, 새로운 학교는 어때?
여 정말 좋아. 가는 데 버스로 15분밖에 안 걸려.
남 잘됐네. 너희 교복은 마음에 들어?
여 아주 마음에 들어. 우리는 회색 바지에 청색 재킷을 입어.
남 아, 우리는 청바지와 함께 청색 재킷을 입는데.
여 청바지라고? 그거 멋지고 편할 것 같네.
남 나도 그렇게 생각해.

11 ②

남자는 대신 버스를 타는 것을 제안하였으며, 여자는 버스를 타겠다고 하였다.

ticket[tíkit] 승차권, 표
leave[liːv] 남아 있다
bus terminal 버스 터미널
right[rait] 바로
over there 저쪽에

W I need 2 tickets for the 10:30 train to Pohang.
M I'm sorry, but we only have one ticket left.
W Oh no! What should I do?
M You can take the bus to Pohang, too.
W Where can I get the tickets for it?
M The bus terminal is right over there.
W Really? Then, we'll go by bus. Thank you.

여 포항행 10시 30분 기차표 두 장 주세요.
남 죄송하지만 표가 한 장밖에 안 남았어요.
여 이런! 전 어떻게 해야 하죠?
남 포항으로 가는 버스를 타도 돼요.
여 버스표는 어디서 사죠?
남 버스 터미널은 바로 저기예요.
여 정말요? 그럼, 버스로 가야겠네요. 감사합니다.

12 ②

해설 여자는 어제 두고 온 스카프를 찾기 위해 레스토랑에 전화했다.

어휘 restaurant[réstərənt] 레스토랑, 식당
scarf[skɑːrf] 스카프
blanket[blǽŋkit] 담요
pick up (어디에서) ~을 찾다[찾아오다]

[Telephone rings.]
M Eureka Restaurant. How may I help you?
W Hi. I think I left my scarf in your restaurant yesterday.
M Okay. What does it look like?
W It's brown and looks like a blanket.
M We have it here. You can come and pick it up anytime.
W Oh! Thank you so much.

[전화벨이 울린다.]
남 Eureka 레스토랑입니다. 무엇을 도와 드릴까요?
여 안녕하세요. 제가 어제 스카프를 레스토랑에 두고 온 것 같아요.
남 알겠습니다. 어떻게 생겼나요?
여 갈색이고 담요처럼 생겼어요.
남 여기 있군요. 언제든지 와서 찾아가세요.
여 아! 정말 감사합니다.

13 ③

해설 여자가 남자에게 함께 일해보고 싶다며 언제부터 근무할 수 있는지 묻고 있으므로 두 사람의 관계는 면접관과 지원자임을 알 수 있다.

어휘 like[laik] ~와 같이
question[kwéstʃən] 질문

W I'm very interested in working with you, Mr. Wilson.
M Thank you. I really want to work here.
W We're always looking for people like you. When can you start working?
M Well, I can start next Monday if you'd like.
W Great! Do you have any questions for me?

여 Wilson 씨, 당신과 함께 일해보고 싶습니다.
남 감사합니다. 저는 정말 여기서 일하고 싶어요.
여 우리는 항상 당신 같은 사람을 찾고 있어요. 언제부터 근무할 수 있나요?
남 음, 괜찮다면 다음 주 월요일부터 시작할 수 있어요.
여 좋아요! 저한테 궁금한 점 있으신가요?

14 ①

해설 남자는 티셔츠를 옷장이 아닌 침대 아래에서 찾았다.

어휘 late for ~에 늦은
hurry up 서두르다
closet[klázit] 옷장
under[ʌ́ndər] ~ 아래에

W Harry, you're going to be late for school. Hurry up.
M All right. *[Pause]* Mom, where is my blue T-shirt?
W I think I saw it in the closet.
M But I can't find it there.
W Did you check under your bed?
M No. *[Pause]* Oh, I found it. Thanks, Mom.

여 Harry, 학교에 늦겠다. 서두르렴.
남 그럴게요. *[잠시 후]* 엄마, 제 파란 티셔츠 어디 있어요?
여 옷장에서 본 것 같은데.
남 하지만 거기에 없었어요.
여 침대 밑은 확인해 봤어?
남 아니요. *[잠시 후]* 아, 찾았어요. 고마워요, 엄마.

15 ③

해설 집에 오는 중인 여자가 남자에게 샌드위치를 만들어달라고 부탁했다.

어휘 sandwich[sǽndwitʃ] 샌드위치

[Cell phone rings.]
M Hello.
W Hello, Dad. What are you doing?
M I'm cleaning the house. Are you coming home?
W Yes, I'm on the bus now.
M Will you help me when you get home?

[휴대폰이 울린다.]
남 여보세요.
여 여보세요, 아빠. 뭐 하고 계세요?
남 집을 청소하고 있어. 집에 오는 중이니?
여 네, 지금 버스예요.
남 집에 오면 좀 도와줄래?

| W | Sure. And can you make a sandwich for me? I'm really hungry. | 여 | 그럴게요. 그리고 샌드위치 좀 만들어 주실래요? 저 너무 배고파요. |
| M | Okay. I'll do it right away. | 남 | 알았다. 지금 바로 만들게. |

16 ⑤

해설 수학 성적이 좋지 않은 여자에게 남자는 스터디 그룹을 함께 하자고 제안했다.

어휘 upset[ʌpsét] 속상한
math[mæθ] 수학

M	Jane, you look upset. Is something wrong?	남	Jane, 기분이 안 좋은 것 같네. 무슨 일 있니?
W	I got a 50 on my math test. How about you?	여	수학 시험에서 50점을 받았어. 너는 어때?
M	I got a 90.	남	90점 받았어.
W	That's great. How do you study math?	여	잘했네. 너는 수학을 어떻게 공부하니?
M	I have a study group with Ted and Sujin. Why don't you join us?	남	난 Ted랑 수진이와 같이 스터디 그룹을 하고 있어. 우리와 함께 할래?
W	Really? Thank you.	여	정말? 고마워.

17 ④

해설 남자는 주말에 스키 강습을 받았고 여자는 미술관에 가서 반 고흐의 그림을 보았다.

어휘 ski lesson 스키 강습
art museum 미술관
painting[péintiŋ] 그림, 회화

W	Hi, Tom. What did you do last weekend?	여	안녕, Tom. 지난 주말에 뭐 했니?
M	I took a ski lesson with my brother.	남	동생이랑 스키 강습을 받았어.
W	That sounds great. Did you enjoy it?	여	좋았겠다. 즐거웠니?
M	Yes, of course! I really enjoyed it. How was your weekend?	남	그럼, 물론이지! 정말 즐거웠어. 너는 주말 잘 보냈니?
W	It was great! I went to the art museum and saw van Gogh's paintings.	여	정말 좋았어! 미술관에 가서 반 고흐의 그림을 보았어.
M	Wow! That sounds exciting.	남	와! 흥미로웠겠다!

18 ④

해설 남자가 여자에게 여권을 보여 달라고 하고, 방문 목적과 머무는 기간 등을 묻는 것으로 보아 남자는 입국 심사관임을 알 수 있다.

어휘 passport[pǽspɔːrt] 여권
question[kwéstʃən] 질문

M	Hi, may I see your passport, please?	남	안녕하세요, 여권 좀 보여주시겠습니까?
W	Yes. Here you are.	여	네. 여기 있습니다.
M	Okay. Let me ask a few questions. Why are you visiting the U.S.?	남	좋습니다. 몇 가지 질문을 하겠습니다. 왜 미국을 방문하시는 거죠?
W	I'm here to travel.	여	여행하러 왔어요.
M	How long are you staying here?	남	여기 얼마나 머무르실 건가요?
W	I'm staying for 7 days.	여	7일 동안 머물 예정입니다.
M	All right. Here's your passport. Welcome to the U.S.	남	알겠습니다. 여기 여권 받으세요. 미국에 온 것을 환영합니다.

19 ①

해설 여자가 선물을 고르는 걸 도와주겠다고 했으므로 남자의 약속 제안에 수락하는 응답이 이어져야 한다.

W	Jacob, what are you doing tomorrow?	여	Jacob, 내일 뭐하니?
M	I'm planning to go shopping.	남	난 쇼핑하러 가려고 해.
W	What are you going to buy?	여	뭐 살 건데?

M I need to buy a birthday present for my sister. Her birthday is coming up.
W Oh, I can help you find a good present for her.
M Really? Then, can we meet at noon tomorrow?
W That sounds good!

남 내 여동생 생일 선물을 사야 해. 걔 생일이 다가오거든.
여 아, 내가 네 여동생에게 줄 좋은 선물을 찾는 걸 도와줄 수 있는데.
남 정말? 그럼 내일 정오에 만날까?
여 좋아!

② 그거 참 안됐다.
③ 나는 그녀를 기다릴 거야.
④ 축하해!
⑤ 미안하지만, 난 너무 바빠.

20 ⑤

W Hi, Tim. Thank you for coming to my party.
M You're welcome, Sora. Thank you for inviting me.
W Did you drive here?
M No, I walked here. It took only 20 minutes.
W Good. I hope you're hungry. We have lots of food.
M Great! Can I wash my hands first?
W Sure. The bathroom is next to the kitchen.

여 안녕, Tim. 파티에 와 줘서 고마워.
남 천만에. 소라야. 초대해 줘서 고맙지.
여 여기까지 차로 왔어?
남 아니. 걸어왔어. 20분밖에 걸리지 않았어.
여 잘됐네. 배가 고프면 좋겠다. 음식을 많이 준비했거든.
남 좋아! 먼저 손 좀 씻을 수 있을까?
여 물론이지. 화장실은 부엌 옆에 있어.

① 좋아. 집에 데려다줄게.
② 물론이야. 내 차를 써도 돼.
③ 물론. 내가 도와줄게.
④ 거실에서 그걸 찾을 수 있을 거야.

01 ②	02 ④	03 ③	04 ④	05 ⑤	06 ④	07 ⑤
08 ②	09 ④	10 ①	11 ④	12 ④	13 ④	14 ②
15 ④	16 ③	17 ⑤	18 ②	19 ①	20 ③	

01 ②

해설 일 년의 요일, 날짜, 월을 보여주며 일정을 확인할 수 있는 것은 달력이다.

어휘 useful[júːsfəl] 유용한
tool[tuːl] 도구
date[deit] 날짜
schedule[skédʒuːl] 일정
important[impɔ́ːrtənt] 중요한
event[ivént] 행사, 사건

W This is a useful tool. This shows the days, dates, and <u>months of a year</u>. People use this to <u>check the schedule</u>. Some people write <u>important events</u> on this. What is this?

여 이것은 유용한 도구예요. 이것은 일 년의 요일, 날짜, 월을 보여줘요. 사람들은 일정을 확인하기 위해 이것을 사용해요. 어떤 사람들은 이것 위에 중요한 행사를 적기도 하죠. 이것은 무엇일까요?

02 ④

해설 여자는 별이 그려진 것을 사겠다고 했다.

어휘 V-neck 브이넥
sweater[swétər] 스웨터
similar[símələr] 비슷한
popular[pápulər] 인기 있는

M Hello, how may I help you?
W I'm looking for a V-neck sweater for my daughter.
M Okay. How about this one <u>with a bear</u> on it?
W Hmm... I think she has a similar one. *[Pause]* Oh, this one with a star <u>looks cute</u>.
M That's one of <u>the most popular</u> items.
W Okay, I'll take it.

남 안녕하세요, 무엇을 도와드릴까요?
여 제 딸에게 줄 브이넥 스웨터를 찾고 있어요.
남 알겠습니다. 곰이 그려진 이건 어떤가요?
여 음… 걔한테 비슷한 것이 있는 것 같아요. *[잠시 후]* 아, 별이 있는 이게 귀엽네요.
남 그건 가장 인기 있는 물건 중 하나예요.
여 알겠어요, 이거 살게요.

03 ③

해설 저녁에는 비가 그치고 춥고 바람이 많이 분다고 하였다.

어휘 glove[glʌv] 장갑
scarf[skaːrf] 스카프, 목도리

M Good morning, listeners. I'm Matthew Brown. Here is today's weather report. <u>It's raining</u> a lot now, but it's going to <u>stop this evening</u>. After the rain, it'll be <u>cold and very windy</u>. So don't forget to bring gloves and a scarf.

남 안녕하세요, 청취자 여러분. Matthew Brown입니다. 오늘의 일기예보를 전해드립니다. 현재 비가 많이 내리고 있지만 오늘 저녁에 그치겠습니다. 비가 온 후에는 춥고 바람이 많이 불겠습니다. 장갑과 스카프를 가져가는 것을 잊지 마세요.

04 ④

해설 남자가 말하기 대회에서 1등을 해서 아버지한테 컴퓨터 선물을 받았다고 하자 여자가 축하해 주고 있다.

W Hi, Philip. You look really happy. What's up?
M I just heard <u>good news</u>.
W Really? What is it?

여 안녕, Philip. 너 정말 행복해 보인다. 무슨 일이야?
남 방금 좋은 소식을 들었어.
여 정말? 그게 뭔데?

M I won first prize at the speech contest. So my father bought me a new computer.

W Wow. That's wonderful! Congratulations!

남 내가 말하기 대회에서 1등을 했거든. 그래서 우리 아빠가 새 컴퓨터를 사주셨어.

여 와. 잘됐다! 축하해!

05 ⑤

해설 이름(진구), 품종(진돗개), 생김새(하얀 털, 아름다운 눈, 두꺼운 꼬리), 성격(용감하고 영리함)에 대해 언급하지만 좋아하는 것에 대한 언급은 없다.

어휘 Jindo dog 진돗개
fur[fəːr] 털
thick[θik] 두꺼운
brave[breiv] 용감한
clever[klévər] 영리한

W Hello, everyone. Let me introduce my dog Jingu. He's from Jindo. He is a Korean Jindo dog. He has white fur, beautiful eyes, and a thick tail. He is very brave and clever. He's my best friend.

여 안녕하세요. 여러분. 우리 개 진구를 소개할게요. 진구는 진도에서 왔어요. 그는 한국의 진돗개예요. 하얀 털과 아름다운 눈, 그리고 두꺼운 꼬리를 가지고 있어요. 그는 매우 용감하고 영리해요. 진구는 제 가장 친한 친구예요.

06 ④

해설 남자는 3시 30분으로 진료를 예약했다.

어휘 make an appointment 예약을 하다, 약속을 하다

[Telephone rings.]

W Dr. Moon's office. What can I do for you?

M Hello. This is Ted Davis. I'd like to make an appointment.

W Let me see. [Pause] How about 2:30 this afternoon?

M I don't think I can make it. Can I come at 3:30?

W Okay. See you then.

[전화벨이 울린다.]

여 문 박사님 의원입니다. 무엇을 도와드릴까요?

남 안녕하세요. Ted Davis입니다. 예약을 하려고요.

여 잠시만요. [잠시 후] 오늘 오후 2시 30분은 어떠세요?

남 그때는 안 될 것 같아요. 3시 30분에 가도 될까요?

여 좋습니다. 그때 뵐게요.

07 ⑤

해설 여자는 최우수 감독상을 받은 감독처럼 영화를 만들고 싶다고 했고, 남자는 여자에게 훌륭한 영화감독이 될 거라고 하였다.

어휘 director[diréktər] 감독
award[əwɔ́ːrd] 상
amazing[əméiziŋ] 놀라운, 대단한
movie director 영화감독

M Did you hear the news? Junho Kim won the best director award.

W Yes, I saw it on the news. I love his movies.

M Me, too. His movies are amazing.

W I want to make movies like him.

M I'm sure you'll be a great movie director.

남 그 소식 들었어? 김준호가 최우수 감독상을 받았어.

여 응, 뉴스에서 봤어. 나는 그의 영화를 좋아해.

남 나도 그래. 그의 영화는 대단하지.

여 나도 그 감독처럼 영화를 만들고 싶어.

남 난 네가 훌륭한 영화감독이 될 거라고 확신해.

08 ②

해설 여자는 집에서 할 만한 재밌는 일이 없다고 말하는 것으로 보아 지루해한다는 것을 알 수 있다.

W Matt, are you ready to go out?

M Kate, you heard the weather report, right? It's cold and windy outside.

여 Matt, 나갈 준비 됐니?

남 Kate, 일기예보 들었지? 바깥은 춥고 바람이 불고 있어.

어휘 ready[rédi] 준비가 된
outside[àutsáid] 밖에서
(↔ inside[ìnsáid] 안에서)
catch a cold 감기에 걸리다
fun[fʌn] 재미있는

W But I don't want to stay inside.
M Well, you will catch a cold if you play outside.
W But there's nothing fun to do at home.

여 하지만 난 안에 있고 싶지 않아.
남 글쎄. 밖에서 놀면 감기에 걸릴 거야.
여 하지만 집에서 할 만한 재밌는 일이 아무것도 없어.

① 자랑스러워하는　② 심심한
③ 걱정하는　④ 행복한
⑤ 고마워하는

09 ④

해설 남자가 작은 것으로 교환하고 싶다고 하자 여자는 그것을 가져오겠다고 했다.

어휘 return[ritə́ːrn] 반납하다, 돌려주다
exchange[ikstʃéindʒ] 교환하다, 바꾸다
Just a moment. 잠깐만 기다려주세요.

W Hello. May I help you with something?
M Hi, I'd like to return this shirt.
W All right. Is something wrong with the shirt?
M It's too big for me.
W I see. Would you like to exchange it for a smaller one, instead?
M Yes, please.
W Okay. I'll bring you a smaller one. Just a moment, please.

여 안녕하세요. 도와드릴까요?
남 안녕하세요. 이 셔츠를 반품하고 싶어요.
여 알겠습니다. 셔츠에 무슨 문제라도 있나요?
남 저한테 너무 커서요.
여 그렇군요. 대신 더 작은 것으로 교환하시겠습니까?
남 네, 부탁합니다.
여 알겠습니다. 작은 걸로 가져다 드릴게요. 잠깐만 기다려주세요.

10 ①

해설 남자가 책을 반납하고 있고 여자가 기한이 늦었다며 연체료를 내야 한다는 것으로 보아 책 반납하기에 대한 내용이다.

어휘 pay[pei] 지불하다

W How can I help you?
M Where should I go to return books?
W You can give them to me.
M Okay. I think that they are late.
W That's right. These are 4 days late. You have to pay $2.
M Okay, here you are.

여 어떻게 도와드릴까요?
남 책을 반납하려면 어디로 가야 하나요?
여 저한테 주시면 됩니다.
남 네. 책 반납이 늦은 거 같아요.
여 그렇군요. 4일이나 늦으셨네요. 2달러를 내셔야 합니다.
남 네. 여기 있어요.

11 ④

해설 어젯밤에 콘서트가 늦게 끝나서 여자의 아빠가 차로 데리러 왔다고 했다.

어휘 end[end] 끝나다
pick up ~을 (차에) 태우러 가다

M Ella, you look tired.
W Yes, I am. I got home late last night. I went to the Seven Boys concert.
M Really? What time did the concert end?
W It finished after 11 o'clock.
M So how did you go home? By bus or by subway?
W My dad picked me up with his car.

남 Ella, 너 피곤해 보인다.
여 응. 피곤해. 어젯밤에 집에 늦게 왔어. 나 Seven Boys 콘서트에 갔거든.
남 정말? 콘서트가 몇 시에 끝났어?
여 11시 넘어서 끝났어.
남 그래서 어떻게 집에 갔어? 버스로 아니면 지하철로?
여 아빠가 차로 날 데리러 오셨어.

12 ④

해설 남자는 자신이 목격한 교통사고를 신고하기 위해 전화를 하였다.

어휘 accident[ǽksidənt] 사고
hurt[həːrt] 다친

W One-one-nine.
M Hello. I want to report an accident.
W Yes. Go ahead.
M There was a car accident. I think a man is hurt.
W Okay. Where did it happen?
M It's at the corner of Queen Street and Hawaii Avenue.
W We'll be right there.

여 119입니다.
남 여보세요. 사고를 신고하려고 해요.
여 네. 말씀하세요.
남 교통사고가 났어요. 어떤 남자가 다친 것 같아요.
여 알겠습니다. 어디에서 사고가 생긴 건가요?
남 Queen 가와 Hawaii 가의 모퉁이에 있어요.
여 바로 가겠습니다.

13 ④

해설 남자가 이곳 머핀이 최고라고 하였고 여자는 쿠키와 치즈 빵도 맛있으니 먹어보라고 권유하는 상황으로 보아 빵집에서 나누는 대화로 적절하다.

어휘 often[ɔ́(ː)fən] 자주
muffin[mʌfin] 머핀
cheese[tʃiːz] 치즈

W Hi, Mike.
M Hi, Susan. How are you?
W I'm good. Do you come here often?
M Yes, I do. This place has the best muffins in our town.
W You should also try the cookies and cheese bread. They are good, too.
M Oh, okay. Thanks.

여 안녕, Mike.
남 안녕, Susan. 어떻게 지냈어?
여 잘 지냈지. 너는 여기 자주 오니?
남 응, 자주 와. 이곳 머핀은 우리 동네에서 최고잖아.
여 쿠키와 치즈 빵도 먹어봐야 해. 그것들도 맛있어.
남 아, 알겠어. 고마워.

14 ②

해설 여자가 찾고 있는 은행은 두 블록 곧장 가서 오른쪽으로 돌아 슈퍼마켓 건너편에 있다고 했다.

어휘 straight[streit] 똑바로, 일직선으로
across from ~의 바로 맞은편에

W Excuse me, how can I get to Royal Bank?
M Oh, I know where it is. First, go straight two blocks. Then, turn right.
W All right.
M Then walk about a minute. You'll see the bank on your left. It's across from the supermarket.
W Thank you very much.

여 실례합니다만, Royal 은행으로 어떻게 가나요?
남 아, 제가 어디 있는지 알아요. 먼저 두 블록 직진하세요. 그 다음에 오른쪽으로 도세요.
여 알겠습니다.
남 그 다음에 1분 정도 걸으세요. 왼편에 은행이 보일 겁니다. 슈퍼마켓 건너편에 있어요.
여 정말 고맙습니다.

15 ④

해설 남자가 아침 일찍 일어나서 하는 걸 제안하자 여자는 일찍 깨워달라고 부탁했다.

어휘 already[ɔːlrédi] 벌써
finish[fíniʃ] 끝내다
wake up 깨우다

M Jisu, it's time for bed. It's already 11:30.
W Dad, I have to finish my science project.
M But it's too late. You can do it early tomorrow morning.
W Well, could you wake me up at 6 in the morning?
M Of course, I will.

남 지수야, 잘 시간이야. 벌써 11시 30분이다.
여 아빠, 저 과학 프로젝트를 끝내야 해요.
남 하지만 너무 늦었어. 내일 아침 일찍 하면 되잖아.
여 음, 아침 6시에 깨워 주실래요?
남 물론이지. 그렇게 하마.

16 ③

해설 여자가 남자에게 충혈된 눈 위에 따뜻한 수건을 올려두는 것을 제안했다.

어휘 dry[drai] 건조한
red[red] (눈이) 충혈된, 빨간
towel[táuəl] 수건
relax[rilǽks] 편하게 하다

W Ben, is something wrong with your eyes?
M Yes, my eyes are very dry.
W They are red, too.
M That's because I slept very little last night.
W Why don't you put a warm towel over your eyes? It helps to relax your eyes.
M Thanks. I will try it at home.

여 Ben, 눈에 문제라도 생겼니?
남 응, 내 너무 눈이 건조해.
여 눈이 충혈도 됐어.
남 어젯밤에 잠을 조금밖에 못 잤거든.
여 따뜻한 수건을 눈 위에 올려두는 게 어때? 눈을 편안하게 하는 데 도움이 될 거야.
남 고마워. 집에서 해 볼게.

17 ⑤

해설 여자는 주말에 아동병원에서 아이들에게 책을 읽어주었다고 했다.

어휘 volunteer[vàləntíər] 자원봉사를 하다
read[riːd] 읽어 주다
next time 다음번에

M Semi, did you have a good weekend?
W It was great. I went to volunteer at the Yaho Children's Hospital.
M That sounds great. What did you do there?
W I read books to the children. They really enjoyed it.
M That's wonderful. I will join you next time.

남 세미야, 주말 잘 보냈니?
여 아주 좋았어. Yaho 아동병원으로 봉사활동 하러 갔어.
남 대단하다. 거기서 뭘 했어?
여 아이들에게 책을 읽어 주었어. 아이들이 정말 즐거워하더라.
남 멋지다. 다음번엔 나도 같이할게.

18 ②

해설 남자는 아파트를 구하고 있고 여자가 집을 소개하고 있으므로 부동산 중개인과 고객의 대화임을 알 수 있다.

어휘 bedroom[bédrù(ː)m] 침실
floor[flɔːr] 층
view[vjuː] 전망, 경치

W How can I help you?
M I'm looking for a 3-bedroom apartment near here.
W There is one near Central Park.
M Oh, great. What is the place like?
W It's on the 7th floor. It's clean and new. It also has a great city view. Would you like to see the apartment?
M Yes, please.

여 무엇을 도와드릴까요?
남 이 근처에 침실이 3개인 아파트를 찾고 있어요.
여 Central 공원 근처에 하나가 있어요.
남 아, 좋아요. 어떤 곳인가요?
여 7층에 있어요. 깨끗하고 새 아파트예요. 도시 전망도 멋지죠. 그 아파트를 한 번 보시겠어요?
남 네, 그럴게요.

19 ①

해설 저녁 6시에 예약하려고 했으나 7시에 예약이 가능하다고 했을 때 어울리는 응답으로는 이를 수락하거나 거절하는 말이 이어져야 한다.

어휘 party[páːrti] 일행, 단체
[선택지]
early[ɔ́ːrli] 이른, 일찍

[Telephone rings.]
M Thank you for calling Matt's Kitchen. How may I help you?
W Hi, I want to make a reservation for 6 p.m. this Friday.
M How many will be in your party?
W It will be for 5 people.
M I can book a table for 7 p.m. Would that be okay?
W Yes, that'll be fine.

[전화벨이 울린다.]
남 Matt's Kitchen에 전화 주셔서 감사합니다. 무엇을 도와드릴까요?
여 안녕하세요, 이번 주 금요일 오후 6시로 예약하고 싶은데요.
남 일행이 몇 분이세요?
여 다섯 명입니다.
남 저녁 7시에 테이블을 예약할 수 있는데요. 괜찮으세요?
여 네, 괜찮습니다.

② 나중에 다시 올게요.
③ 기다려줘서 감사합니다.
④ 7시에 일어나셔야 해요.
⑤ 미안하지만 그건 너무 이르네요.

20 ③

함께 공원에서 축구하자고 제안하는 말에 대한 응답이므로 수락하거나 거절하는 말이 와야 적절하다.

free time 여가 시간
mall [mɔːl] 쇼핑몰
[선택지]
soccer field 축구장

M Jennifer, what do you do in your free time?
W I usually read books or ride my bike. How about you?
M I play soccer with my friends at the park.
W Where is the park?
M It's next to the mall. Do you want to join us?
W Yes, I would love to.

남 Jennifer, 너는 여가 시간에 뭐하니?
여 난 보통 책을 읽거나 자전거를 타. 너는 어때?
남 나는 공원에서 친구들과 축구를 해.
여 공원이 어디에 있어?
남 쇼핑몰 옆에 있어. 너도 같이 할래?
여 그래, 그렇게 할게.

① 물론이지, 내가 도와줄게.
② 나는 요리하는 것을 좋아하지 않아.
④ 아니, 난 농구공이 없어.
⑤ 아니, 그것은 축구장 옆에 있어.

01 ③	02 ④	03 ②	04 ③	05 ③	06 ②	07 ④
08 ③	09 ③	10 ④	11 ②	12 ⑤	13 ②	14 ②
15 ③	16 ⑤	17 ⑤	18 ④	19 ⑤	20 ③	

01 ③

해설 견과류 먹는 것을 좋아하고 입에 많은 음식을 물고 다니는 것은 다람쥐이다.

어휘 fur[fəːr] 털
climb[klaim] 오르다
nut[nʌt] 견과, 나무 열매
carry[kǽri] 가지고 다니다

M I have soft brown fur and a long tail. I usually live in the mountains. I'm good at climbing trees. I like to eat nuts. I carry a lot of food in my mouth. What am I?

남 나는 부드러운 갈색 털과 긴 꼬리를 가지고 있어요. 나는 주로 산에서 살아요. 나는 나무를 잘 타요. 나는 견과류 먹는 것을 좋아해요. 나는 입에 많은 음식을 물고 다녀요. 나는 누구일까요?

02 ④

해설 여자는 목도리를 두르고 모자를 쓴 입이 없는 눈사람을 만들었다.

어휘 snowman[snoumæn] 눈사람
scarf[skaːrf] 목도리, 스카프
borrow[bárou] 빌리다
stone[stoun] 돌

M Wow, did you make a snowman?
W Yes, I did. Do you like it?
M Of course. He's wearing a scarf and a hat.
W Yes, he is. I borrowed them from my grandfather.
M Nice. Oh, where is his mouth?
W Well, I couldn't find any stones so I didn't make it.

남 와, 너 눈사람 만들었어?
여 응, 만들었어. 마음에 드니?
남 물론이지. 그는 목도리를 두르고 모자를 쓰고 있네.
여 응, 맞아. 그것들은 할아버지한테 빌린 거야.
남 좋네. 아, 눈사람의 입은 어디 갔니?
여 음, 돌을 하나도 못 찾아서 못 만들었어.

03 ②

해설 뉴욕은 오늘 눈이 많이 올 거라고 했다.

어휘 watch out 조심하다
icy road 빙판길

W Here is the world weather report for today. In Seoul, it will be cold and windy. In Paris, it will be cloudy and it'll rain. In New York, there will be a lot of snow. So, watch out for icy roads.

여 오늘의 세계 일기 예보입니다. 서울은 춥고 바람이 많이 불 것입니다. 파리는 흐리고 비가 올 것입니다. 뉴욕에는 많은 눈이 내릴 것입니다. 그러니, 빙판길을 조심하세요.

04 ③

해설 슬퍼하는 여자에게 남자가 얼른 기분이 풀리길 바란다며 위로하고 있다.

어휘 upset[ʌpsét] 속상한
happen[hǽpən] 일어나다, 생기다

M Lily, you look upset. Is something wrong?
W Yes. I feel sad right now.
M What happened?
W I made a Valentine's Day cake for Jake, but he didn't like it.
M I'm sorry to hear that. I hope you feel better soon.

남 Lily, 기분이 안 좋아 보인다. 무슨 힘든 일 있니?
여 응. 난 지금 슬퍼.
남 무슨 일 있어?
여 Jake를 위해 밸런타인데이 케이크를 만들었는데, 걔가 그것을 좋아하지 않았어.
남 안됐네. 얼른 기분이 풀리길 바랄게.

05 ③

해설 직장(컴퓨터 회사), 성격(친절함), 취미(쿠키 굽기), 좋아하는 영화(공포 영화)에 대해 언급했으나 외모에 대한 언급은 없다.

어휘 company[kʌ́mpəni] 회사
friendly[fréndli] 친절한, 상냥한
horror movie 공포 영화

W Hello, everyone. I'd like to talk about my sister. Her name is Susie. She works for a computer company. She is friendly to everyone. Her hobby is baking cookies. She likes horror movies. We often go and see movies together.

여 여러분, 안녕하세요. 제 언니에 대해 이야기하려고 해요. 언니의 이름은 수지입니다. 언니는 컴퓨터 회사에서 일해요. 누구에게나 친절하고요. 언니의 취미는 쿠키를 굽는 것이에요. 공포 영화를 좋아한답니다. 우리는 종종 함께 영화를 보러 가요.

06 ②

해설 지금 시각은 6시 30분인데 30분 후에 오겠다고 했으므로 두 사람은 7시에 만날 것이다.

어휘 ill[il] 아픈
break down 고장 나다
animal doctor 수의사

[Telephone rings.]
M Hello.
W Hello, Justin. It's me, Joanna. Are you busy now?
M No. What's up?
W My dog is ill. But my car broke down yesterday.
M I see. I can take you to the animal doctor.
W Thanks.
M It's 6:30 now. I'll be there in 30 minutes.
W Great. See you then.

[전화벨이 울린다.]
남 여보세요.
여 안녕, Justin. 나야, Joanna. 지금 바쁘니?
남 아니. 무슨 일이야?
여 우리 개가 아파. 그런데 어제 내 차가 고장 났거든.
남 그렇구나. 내가 수의사한테 데려다줄게.
여 고마워.
남 지금 6시 30분이야. 30분 후에 그쪽으로 갈게.
여 좋아. 그때 보자.

07 ④

해설 매일 노래하고 춤 연습하는 여자는 뮤지컬 배우가 되고 싶다고 했다.

어휘 cute[kju:t] 귀여운
practice[prǽktis] 연습하다
musical actor 뮤지컬 배우

W This is a picture of me in a musical.
M How cute! How old were you?
W I was 7 years old.
M Did you like singing and dancing?
W Yes. I still practice every day.
M That's great! Do you want to be a singer?
W No. I want to be a musical actor.

여 이건 뮤지컬에 나오는 내 사진이야.
남 정말 귀엽네! 몇 살 때니?
여 내가 일곱 살 때야.
남 노래하고 춤추는 거 좋아했니?
여 응. 아직도 매일 연습하는 걸.
남 대단해! 너는 가수가 되고 싶니?
여 아니. 나는 뮤지컬 배우가 되고 싶어.

08 ③

해설 여자의 재킷의 주머니는 4개이다.

어휘 jacket[dʒǽkit] 재킷
pocket[pákit] 주머니
store[stɔ:r] 가게
near[niər] ~의 가까이에

M Wow! I like your brown jacket.
W Thanks. I bought it yesterday.
M It has 4 pockets. How much was it?
W It was $60.
M Really? Where did you buy it?
W I bought it at a store near school.

남 와! 네 갈색 재킷 마음에 든다.
여 고마워. 어제 산 거야.
남 주머니가 4개 있네. 얼마였니?
여 60달러였어.
남 정말? 어디서 샀는데?
여 학교 근처 가게에서 샀어.

09 ③

여자는 화장실 청소는 이미 했다고 말하면서 대신 쓰레기를 버려달라고 부탁했다.

어휘 visitor[vízitər] 방문객, 손님
bathroom[bǽθrù(ː)m] 화장실
already[ɔːlrédi] 이미, 벌써
take out (쓰레기를) 내놓다
garbage[gáːrbidʒ] 쓰레기

W Junho, we need to clean our house. We have visitors tomorrow.
M Okay. Should I clean the bathroom?
W I did that already. Can you take out the garbage?
M Okay. I'll do it right now.
W Thanks.

여 준호야, 우리 집 청소 좀 해야겠다. 내일은 손님이 오시잖아.
남 알겠어요. 제가 화장실을 청소할까요?
여 그건 내가 이미 했어. 쓰레기 좀 내다 버려 줄래?
남 네. 지금 바로 할게요.
여 고마워.

10 ④

두 사람은 농구 동아리에 함께 가입하기로 하고 방과 후에 담당 선생님을 만나러 가자는 것으로 보아 동아리 가입에 대한 내용이다.

어휘 basketball[bǽskitbɔ̀ːl] 농구
after school 방과 후

M Do you like sports, Sumin?
W Yes. I like playing basketball.
M Really? Me too. How about joining the basketball club together?
W That sounds good!
M We should visit Mr. Jackson to join the club. Let's go and talk to him after school.
W Okay.

남 수민아, 너는 스포츠를 좋아하니?
여 응. 나는 농구를 좋아해.
남 정말? 나도 그래. 우리 함께 농구 동아리에 가입하는 게 어때?
여 좋은 것 같아!
남 동아리에 가입하려면 Jackson 선생님을 만나야 해. 방과 후에 가서 선생님에게 말씀드리자.
여 알았어.

11 ②

시장이 너무 멀어서 택시를 타자는 여자의 말에 남자가 동의했다.

어휘 miss[mis] 놓치다
far from ~에서 멀리
instead[instéd] 대신에

W Chris, why are you so late?
M I'm really sorry. I missed the bus.
W It's okay. So, how are we going to the market?
M It's too far from here. Let's take a bus.
W Hmm... Why don't we take a taxi instead?
M Sure. That's good, too.

여 Chris, 왜 이렇게 늦었어?
남 정말 미안해. 버스를 놓쳤거든.
여 괜찮아. 그럼, 시장에는 어떻게 갈까?
남 거기는 여기서 너무 멀어. 버스를 타자.
여 음… 대신 택시를 타는 게 어때?
남 그래. 그것도 좋지.

12 ⑤

여자는 놀이기구를 타러 간 게 아니라 퍼레이드를 보러 간 것이라고 했다.

어휘 amusement park 놀이공원
ride[raid] 타다; 놀이 기구
Halloween[hælouíːn] 핼러윈
parade[pəréid] 퍼레이드, 행진

M Mina, how was your holiday?
W Great! I went to an amusement park with my family.
M That sounds interesting. What did you ride there?
W Actually, I didn't go there for the rides.
M Then, why did you go there?
W I visited to watch the Halloween parade.

남 미나야, 휴일은 잘 보냈니?
여 좋았어! 나는 가족과 함께 놀이공원에 갔었어.
남 재미있었겠다. 거기서 뭘 탔어?
여 사실, 나는 놀이기구를 타러 간 게 아니야.
남 그럼 왜 그곳에 갔는데?
여 핼러윈 퍼레이드를 보러 갔던 거야.

13 ②

해설 남자가 침대를 고르고 있으므로 두 사람이 있는 장소는 가구점이다.

어휘 popular[pápulər] 인기 있는
sit[sit] 앉다
for a second 잠시
comfortable[kʌ́mfərtəbl] 편안한

M   Hi, I'm looking for a bed for my room.
W   How about this one? This one is the most popular.
M   Hmm... Can I sit on it for a second?
W   Go ahead.
M   It is very comfortable but a little big. Do you have a smaller one?
W   Sure. Come this way.

남   안녕하세요, 제 방에 둘 침대를 찾고 있어요.
여   이건 어떠세요? 가장 인기가 있는 거예요.
남   음… 잠깐 앉아 봐도 될까요?
여   그러세요.
남   아주 편한데 조금 크네요. 더 작은 것도 있나요?
여   물론이죠. 이쪽으로 오세요.

14 ②

해설 서점은 곧장 두 블록을 간 다음에 오른쪽으로 돌면 박물관 옆에 있다.

어휘 nearby 근처에, 가까이에
bookstore[búkstɔ̀ːr] 서점
repeat[ripíːt] 반복하다
museum[mjuːzíːəm] 박물관

W   Excuse me. Is there a bookstore nearby?
M   Yes. Go down this street for two blocks and then turn right.
W   Could you please repeat that?
M   Okay. Go straight two blocks and turn right. You'll see the bookstore next to the museum.
W   Thanks a lot.

여   실례합니다. 근처에 서점이 있나요?
남   네. 이 길을 두 블록 따라가다가 우회전하세요.
여   다시 한번 말씀해 주실래요?
남   그러죠. 곧장 두 블록을 간 다음에 오른쪽으로 도세요. 박물관 옆에 서점이 보일 거예요.
여   정말 고맙습니다.

15 ③

해설 여자가 팬케이크를 만들려고 하는데 우유가 떨어져서 남자에게 사 오라고 부탁했다.

어휘 almost[ɔ́ːlmoust] 거의
pancake[pǽnkeik] 팬케이크
be out of ~가 떨어지다, 바닥나다
on A's way home 집에 오는 길에

[Cell phone rings.]
M   Hello.
W   Ben, where are you?
M   I'm almost home. What is it, Mom?
W   I'm making pancakes, but we're out of milk.
M   Oh, really?
W   Could you buy some milk on your way home?
M   All right. I'll go to the store and get it.
W   Thanks.

[휴대 전화가 울린다.]
남   여보세요.
여   Ben, 어디 있니?
남   집에 거의 다 왔어요. 무슨 일이에요, 엄마?
여   팬케이크를 만들고 있는데, 우유가 다 떨어졌네.
남   아, 정말요?
여   집에 오는 길에 우유 좀 사다 줄래?
남   네. 가게로 가서 사 올게요.
여   고마워.

16 ⑤

해설 남자가 낚시하러 가자고 제안했지만 여자가 낚시를 잘 못 한다고 하자 남자는 해변으로 수영하러 가자고 제안했다.

어휘 go fishing 낚시하러 가다

M   What shall we do today?
W   I don't know. Do you have any ideas?
M   How about going fishing?
W   Well, I'm not good at fishing.
M   Then how about going swimming at the beach? I know you like swimming.
W   That's a good idea!

남   오늘 뭘 할까?
여   모르겠어. 생각하고 있는 거 있니?
남   낚시하러 가는 건 어때?
여   음, 난 낚시를 잘 못 하거든.
남   그럼 해변으로 수영하러 가는 건 어때? 너는 수영하는 것을 좋아하잖아.
여   좋은 생각이야!

17 ⑤

남자는 주말에 스노보드 타는 법을 배웠다고 했다.

어휘 snowboard[snóubɔ̀ːrd] 스노보드를 타다
cool[kuːl] 멋진

W Hi, Taeho. How was your weekend?
M It was great. I <u>went to</u> a ski resort with my family.
W Oh, did you have <u>a good time</u>?
M Yes. I learned <u>how to snowboard</u>. It was fun.
W Wow! That sounds cool.

여 태호야, 안녕. 주말 잘 보냈니?
남 정말 좋았어. 나는 가족들과 스키를 타러 갔어.
여 아, 즐거운 시간 보냈니?
남 응. 나는 스키 타는 법을 배웠어. 쉽지 않더라.
여 왜! 그거 멋지다.

18 ④

해설 치통 때문에 찾아간 여자를 진찰하고 치아 건강에 중요한 습관을 알려주고 있으므로 남자의 직업은 치과의사임을 알 수 있다.

어휘 terrible[térəbl] 지독한, 심한
toothache[túːθèik] 치통
brush[brʌʃ] 칫솔질하다

M What's wrong with you?
W I have a <u>terrible toothache</u>.
M Please open <u>your mouth</u>.
W Okay.
M Do you eat a lot of sweet things?
W Yes. I like ice cream and cake.
M They're not good for <u>your teeth</u>. You should also <u>brush your teeth</u> 3 times a day.
W Okay. I will.

남 어디가 아픈가요?
여 이가 너무 아파요.
남 입을 벌려 보세요.
여 네.
남 단것을 많이 먹나요?
여 네, 아이스크림과 케이크를 좋아해요.
남 그것은 치아에 좋지 않아요. 또한 하루에 세 번 이를 닦아야 해요.
여 네, 그럴게요.

19 ⑤

해설 좋아하는 가수가 온다고 잔뜩 기대하고 있었는데 안 온다는 소식을 들은 상태라 실망감을 나타내는 응답이 적절하다.

어휘 festival[féstivəl] 축제
excited[iksáitid] 흥분된
[선택지]
true[truː] 사실인, 정말인

M Are you going to <u>the town festival</u> tomorrow?
W Yes. I'm going with my parents. What about you?
M Me, too. I'm <u>so excited</u> to see my favorite singer.
W Who is your <u>favorite singer</u>?
M It's Melissa Song. She is coming tomorrow.
W Didn't you hear the news? She's <u>not coming</u>.
M Really? That can't be true!

남 내일 마을 축제에 갈 거니?
여 응. 부모님과 함께 갈 거야. 너는?
남 나도 갈 거야. 내가 가장 좋아하는 가수를 보게 되어 너무 신나.
여 네가 가장 좋아하는 가수가 누군데?
남 Melissa Song이야. 그녀가 내일 올 거야.
여 너 그 소식 못 들었어? 그녀는 내일 안 올 거야.
남 **정말이야? 그럴 리가 없어!**

① 같이 가자.
② 그거 좋은 소식이야!
③ 그 말을 들으니 기쁘다.
④ 응. 이미 들었어.

20 ③

해설 몇 시에 공항으로 출발하는지 묻는 여자의 말에 떠날 시각을 알려주는 응답이 적절하다.

어휘 pack[pæk] 짐을 싸다

W Hey, Jack. I heard that you are going to leave on Friday. Did you <u>finish packing</u> everything?
M Yes. I finished yesterday.
W That's good. I still <u>can't believe</u> you're going to go back to California.

여 안녕, Jack. 금요일에 떠난다고 들었어. 짐 다 챙겼니?
남 응. 어제 다 챙겼어.
여 잘했네. 난 아직도 네가 캘리포니아로 돌아간다는 게 믿어지지 않아.

believe[bilíːv] 믿다
time flies 시간이 빨리 지나가다
airport[ɛ́ərpɔ̀ːrt] 공항
leave for ~으로 떠나다

M I know. Time flies.
W I want to go to the airport with you. What time are you going to leave for the airport?
M I'll leave around 10 a.m.

남 그래. 시간이 빨리 지나가지.
여 너와 함께 공항에 가고 싶어. 몇 시 비행기니?
남 난 오전 10시쯤에 출발할 예정이야.

① 안전한 여행이 되길 바랄게.
② 다시 만나게 되기를 바랄게.
④ 그래. 일요일에 보자.
⑤ 오늘 다 챙길 거야.

01 ③	02 ④	03 ③	04 ③	05 ③	06 ②	07 ③
08 ④	09 ⑤	10 ④	11 ③	12 ④	13 ③	14 ①
15 ④	16 ⑤	17 ⑤	18 ③	19 ②	20 ⑤	

01 ③

해설 긴 다리와 목을 가지고 있고 날 수 없지만 키가 크고 빨리 달릴 수 있는 것은 타조이다.

어휘 leg[leg] 다리
neck[nek] 목
fly[flai] 자라다
egg[eg] 알

W I come from Africa. I have long legs and a long neck. I am tall, but I'm a fast runner. I'm a bird, but I can't fly. My eggs are very big. What am I?

여 나는 아프리카에서 왔어요. 나는 긴 다리와 긴 목을 가지고 있어요. 난 키가 크지만 빨리 달려요. 새이지만 날 수는 없어요. 나의 알은 매우 크답니다. 나는 누구일까요?

02 ④

해설 남자는 큰 리본이 있는 블라우스를 구입하겠다고 했다.

어휘 blouse[blaus] 블라우스
dot[dɑt] 물방울무늬
ribbon[ríbən] 리본

W How may I help you?
M I am looking for a blouse for my grandmother.
W How about this one with dots on it.
M It looks nice. But she doesn't like dots.
W Okay. What do you think about this one with the big ribbon?
M It's great. I'll take it in a size 9.

여 무엇을 도와드릴까요?
남 할머니에게 드릴 블라우스를 찾고 있어요.
여 물방울무늬가 있는 이 블라우스는 어때요?
남 멋져요. 하지만 우리 할머니는 물방울무늬를 좋아하지 않으세요.
여 알겠습니다. 큰 리본이 달린 이건 어떠세요?
남 좋아요. 9 사이즈로 살게요.

03 ③

해설 대구는 내일 비가 많이 올 거라고 했다.

어휘 continue[kəntínjuː] 계속되다
heavily[hévili] (양·정도가) 아주 많이

W Welcome to the weather channel. Here's the weather report for tomorrow. In Seoul, it's warm and sunny now. This will continue until tomorrow. Gwangju will be cloudy, and Daejeon will have sunny skies. However, it will rain heavily in Daegu. Thank you.

여 날씨 채널에 온 걸 환영합니다. 내일의 일기예보를 전해드립니다. 서울은 지금 따뜻하고 화창합니다. 이 날씨는 내일까지 계속되겠습니다. 광주는 흐리고 대전은 맑은 날씨가 되겠습니다. 하지만 대구에는 비가 많이 올 것입니다. 감사합니다.

04 ③

해설 여자는 남자에게 세일 중인 셔츠를 사도 된다고 허락하였다.

어휘 seem[siːm] ~인 것 같다
bright[brait] (색깔이) 밝은
latest[léitist] 최신의

M Mom, I like this shirt. What about you?
W I'm not sure. The color seems too bright for you.
M Then, how about this one? It's the latest style.
W Hmm... That's too expensive.

남 엄마, 이 셔츠 맘에 들어요. 어때요?
여 잘 모르겠네. 색상이 너한테 너무 밝은 것 같구나.
남 그러면 이건 어때요? 최신 스타일이에요.
여 음… 그건 너무 비싼데.

expensive[ikspénsiv] 비싼

| M | Can I buy this one? It's on sale. It's 40% off. |
| W | Yes, you can get it. |

남 이건 사도 되나요? 세일 중이에요. 40% 할인돼요.
여 그래, 그걸로 사렴.

05 ③

해설 요일(토요일), 장소(학교 체육관), 행사 내용(시상과 노래 부르기), 축하 영상 내용(학교생활)에 대해 언급했지만 수상자 명단에 대한 언급은 없다.

어휘 graduation ceremony 졸업식
gym[dʒim] 체육관
give out ~을 나눠 주다
award[əwɔ́ːrd] 상
celebrate[séləbrèit] 기념하다, 축하하다

W We're going to have a graduation ceremony this Saturday. It'll take place at the school gym from 11 to 12. We'll give out awards and sing songs together. After that, we'll watch videos to celebrate your school days. Thank you.

여 이번 토요일에 졸업식이 있습니다. 11시부터 12시까지 학교 체육관에서 진행될 것입니다. 상을 나눠 주고 노래도 같이 부를 겁니다. 그러고 나서 학교생활을 기념하는 비디오를 볼 예정입니다. 감사합니다.

06 ②

해설 영화는 6시 30분과 8시 20분에 상영되는데 6시 30분에 상영되는 영화를 보기로 했다.

어휘 mystery[místəri] 미스터리
showing[ʃóuiŋ] (영화) 상영

W	Would you like to go to the movies tonight?
M	Of course. What would you like to see?
W	How about *Sherlock Holmes*?
M	Great! I love mystery action movies.
W	There are shows at 6:30 and 8:20.
M	I'd like to see the one at 6:30. Is that okay?
W	That's fine.

여 오늘 밤에 영화 보러 갈래?
남 물론이지. 뭘 보고 싶니?
여 〈셜록 홈스〉 어때?
남 좋아! 나는 미스터리 액션 영화를 정말 좋아해.
여 6시 30분과 8시 20분에 있어.
남 나는 6시 30분 영화를 봤으면 좋겠어. 괜찮겠어?
여 좋아.

07 ③

해설 남자는 야구를 하는 것을 좋아하고 가르치는 것에 관심이 있어서 야구 감독이 되고 싶다고 했다.

어휘 proud[praud] 자랑스러운
be good at ~을 잘하다
teach[tiːtʃ] 가르치다
coach[koutʃ] 감독

W	Jamie, how was your baseball game last night?
M	It was great. Our team won. I'm so proud of my team.
W	You must be good at playing baseball.
M	Well, I really like playing baseball.
W	Do you want to be a baseball player, then?
M	No. I'm also interested in teaching. So I want to be a baseball coach.

여 Jamie, 어젯밤 야구 경기 어땠어?
남 정말 신났어. 우리 팀이 이겼거든. 나는 우리 팀이 너무 자랑스러워.
여 너는 야구를 잘하겠구나.
남 글쎄, 난 야구를 하는 것을 정말 좋아하긴 해.
여 그럼 야구 선수가 되고 싶니?
남 아니. 나는 가르치는 것도 관심이 있어. 그래서 나는 야구 감독이 되고 싶어.

08 ④

해설 여자는 음식이 맛있었으나 비싸다고 하였다.

어휘 disappointed[dìsəpɔ́intid] 실망한

M	Amy, how did you enjoy your family trip to China?
W	I was really disappointed. The weather was terrible. It was rainy and windy.
M	That's too bad. Did you enjoy the food?

남 Amy, 중국에서 가족 여행은 즐거웠니?
여 정말 실망했어. 날씨가 너무 안 좋았어. 비가 오고 바람이 불었거든.
남 안 됐구나. 음식은 맛있었어?

What a pity! 어떡하나[불쌍해라]!
noisy[nɔ́izi] 시끄러운

W Yes, but it was expensive.
M What a pity! How was the hotel?
W There were too many people. It was very noisy.

여 맛있었는데 비쌌어.
남 어떡하나! 호텔은 어땠어?
여 사람이 너무 많았어. 아주 시끄러웠거든.

09 ⑤

해설 감기에 걸린 남자가 여자에게 휴지를 가져다 달라고 했다.

어휘 runny nose 콧물
cough[kɔ(:)f] 기침
tissue[tíʃuː] 휴지, 화장지

W You don't look well. Are you all right?
M I have a runny nose and a cough.
W That's no good. Here, have a seat.
M Thanks.
W Can I get you anything?
M Can you bring me some tissues, please?
W Sure. I'll be right back.

여 안 좋아 보인다. 너 괜찮니?
남 콧물이 나고 기침도 나.
여 안 되겠네. 자, 여기 앉아.
남 고마워.
여 뭐 필요한 거 있어?
남 휴지 좀 가져다줄래?
여 물론이지. 금방 올게.

10 ④

해설 남자는 아침 식사로 밥과 국을 먹는다고 했고 여자는 종종 아침을 거른다며 각자 아침 식사 습관에 대해 이야기하고 있다.

어휘 breakfast[brékfəst] 아침식사
blueberry[blúːbèri] 블루베리
yogurt[jóugərt] 요구르트
miss[mis] 거르다, ~을 하지 않다

W What do you usually have for breakfast, Minho?
M I usually eat rice and soup. How about you?
W I like having blueberry yogurt for breakfast. But I often miss breakfast.
M Why do you do that? Aren't you hungry?
W Yes, but I always wake up late. I don't have time for it.

여 민호야, 너는 보통 아침으로 무엇을 먹니?
남 나는 주로 밥과 국을 먹어. 너는?
여 나는 아침으로 블루베리 요구르트를 먹는 것을 좋아해. 근데 자주 아침을 거르긴 해.
남 왜 그렇게 하니? 배고프지 않아?
여 배가 고프지만, 항상 늦게 일어나거든. 아침을 먹을 시간이 없어.

11 ③

해설 남자는 기차표를 구하지 못해서 버스를 타고 대전에 갈 거라고 했다.

어휘 grandparents[ɡrǽndpɛ̀ərənt] 조부모님

W What are you going to do on Chuseok?
M I'm going to visit my grandparents in Daejeon with my family.
W Nice. How are you getting there? By train?
M Well, we couldn't get train tickets, so we're going there by bus.
W I see.

여 추석에 뭐 할 거니?
남 나는 가족과 대전에 있는 조부모님을 방문할 거야.
여 좋겠다. 거기에 어떻게 갈 거니? 기차로 가니?
남 글쎄, 기차표를 구하지 못해서 버스를 타고 갈 거야.
여 그렇구나.

12 ④

해설 남자는 사진을 잘 찍는 법을 배우고 싶어서 사진 동아리에 가입하고 싶다고 했다.

W Rick, which club do you want to join?
M I'd like to join the photography club.
W That sounds interesting. Why do you want to join it?

여 Rick, 넌 어떤 동아리에 가입하고 싶니?
남 나는 사진 동아리에 가입하고 싶어.
여 재미있겠네. 왜 그 동아리에 가입하고 싶은데?

M My dream is to become a photographer. So I want to learn how to take good pictures.
W That's great.

남 내 꿈이 사진작가가 되는 거야. 그래서 사진을 잘 찍는 법을 배우고 싶어.
여 정말 멋지다.

13 ③

해설 남자가 빌리려는 책을 찾지 못하자 여자가 확인해주겠다고 하는 것으로 보아 대화의 장소는 도서관임을 알 수 있다.

어휘 borrow[bárou] 빌리다
look up (컴퓨터 등에서 정보를) 찾아보다
wrong[rɔ(ː)ŋ] 잘못된, 틀린

W What can I do for you?
M I want to borrow a book, but I can't find it.
W You should look it up on our computer.
M I already did.
W Well, let me check. It might be in the wrong place.
M Thank you.

여 무엇을 도와드릴까요?
남 책을 빌리고 싶은데, 그 책을 찾을 수가 없네요.
여 우리 도서관 컴퓨터로 찾아보세요.
남 이미 해 봤어요.
여 그럼, 제가 확인해 볼게요. 잘못된 곳에 있을지도 몰라요.
남 고맙습니다.

14 ①

해설 Lake 가까지 가서 좌회전하면 오른편에 있는 서점과 학교 사이에 있다고 했다.

어휘 on foot 걸어서

W Excuse me. Is Sunset Plaza far from here?
M No, it takes about 10 minutes on foot.
W How can I get there?
M Go straight down to Lake Street and turn left.
W Turn left at Lake Street?
M Yes. It'll be on your right. It's between the school and the bookstore.
W Thank you.

여 실례합니다. Sunset Plaza가 여기서 먼가요?
남 아니요, 걸어서 10분 정도 걸려요.
여 거기에 어떻게 가죠?
남 Lake 가까지 직진해서 좌회전하세요.
여 Lake 가에서 좌회전이요?
남 네. 오른쪽에 있을 겁니다. 학교와 서점 사이에 있어요
여 감사합니다.

15 ④

해설 남자가 기타를 칠 줄 아는 여자에게 기타 치는 법을 가르쳐 달라고 부탁했다.

어휘 violin[vàiəlín] 바이올린
guitar[gitáːr] 기타
try[trai] 시도하다
easy[íːzi] 쉬운

W Wow! You are really good at playing the violin.
M Thanks. Can you play the violin?
W No, I can't. But I can play the guitar.
M Really? I want to play the guitar, too.
W You should try it. It is really easy.
M Can you teach me how to play the guitar later?
W Sure.

여 왜! 너는 정말 바이올린을 잘 연주하는구나.
남 고마워. 너는 바이올린을 연주할 수 있니?
여 아니, 못해. 하지만 기타는 칠 수 있어.
남 정말? 나도 기타를 치고 싶어.
여 한번 해 봐. 정말 쉬워.
남 나중에 기타 치는 법을 가르쳐줄래?
여 물론이지.

16 ⑤

해설 남자가 여행 장소인 울릉도에 눈이 오고 있다고 하자 여자는 모자와 장갑을 가져갈 것을 제안했다.

W Are you ready for your trip to Ulleung-do today?
M Yes. I already checked the weather forecast.

여 오늘 울릉도 여행 갈 준비는 다 됐니?
남 네. 일기예보도 이미 확인했어요.

weather forecast 일기 예보
glove[glʌv] 장갑

W How's the weather there?	여 그곳 날씨는 어떠니?
M It's snowing. It <u>snows a lot</u> in the winter there.	남 눈이 오고 있어요. 그곳은 겨울에 눈이 많이 오잖아요.
W Then you should take <u>a hat and gloves</u>.	여 그러면 모자와 장갑을 가져가거라.
M Okay, Mom. Thanks.	남 그럴게요, 엄마. 고마워요.

17 ⑤

해설 주말에 여자는 연날리기를 했고 남자는 여동생의 숙제를 도와주었다.

어휘 kite[kait] 연
fly[flai] (연 등을) 날리다

M What did you do over the weekend?	남 주말에 뭐 하면서 지냈니?
W I made a kite and <u>flew it</u> at the park.	여 나는 연을 만들어서 공원에서 날렸어.
M Did you enjoy it?	남 재미있었니?
W Yes, it <u>was wonderful</u>. My kite was great! What did you do over the weekend?	여 응. 너무 좋았어. 내가 만든 연이 근사했어! 너는 주말에 뭐 했어?
M I helped with <u>my sister's homework</u> during the weekend.	남 나는 주말 동안 여동생의 숙제를 도와주었어.
W You are very nice.	여 넌 정말 다정하구나.

18 ③

해설 여자가 머리 스타일을 바꾸고 싶어 했고 머리를 감은 뒤에 남자가 다시 오겠다는 말로 보아 남자의 직업은 미용사이다.

어휘 hairstyle[héərstàil] 머리 스타일
wash[waʃ] (머리를) 감기다

M Long time <u>no see</u>, Sandy. How are you doing?	남 오랜만이에요, Sandy. 어떻게 지내세요?
W Fine, thanks. And you?	여 잘 지내요, 고마워요. 당신은요?
M Great, thanks. What <u>can I do</u> for you today?	남 좋아요, 고마워요. 오늘은 무엇을 해드릴까요?
W I'd like to change my hairstyle.	여 머리 스타일을 바꾸고 싶어요.
M Jason will <u>wash your hair</u> first, and then I'll be <u>with you</u>.	남 Jason이 먼저 머리를 감기고 나서 제가 맡을게요.
W All right.	여 알겠어요.

19 ②

해설 여자가 성적이 올랐다고 좋아하고 있으므로 칭찬해주는 응답이 적절하다.

어휘 report card 성적표
grade[greid] 성적
go up 올라가다

M You look very happy today. What's going on?	남 너 정말 행복해 보여. 무슨 일 있니?
W I just got my <u>report card</u>.	여 방금 성적표를 받았어.
M How are your grades?	남 성적은 어때?
W I did <u>pretty well</u>. That's why I'm <u>so happy</u>.	여 난 꽤 잘했어. 그래서 난 너무 기뻐.
M Did your grades <u>go up</u>?	남 성적이 올랐어?
W Yes, they did. I worked <u>really hard</u>.	여 응, 그랬지. 난 정말 열심히 공부했거든.
M <u>Good for you!</u>	남 잘했어!

① 힘내!
③ 어떻게 지내?
④ 만나서 반가워.
⑤ 다음엔 더 잘 할 거야.

20 ⑤

해설 동남아시아로 왜 가야 하는지 묻는
여자의 말에 비싸지 않기 때문이라 설명
하는 응답이 가장 적절하다.

어휘 abroad[əbrɔ́ːd] 해외로
cousin[kʌ́zən] 사촌
decide[disáid] 결정하다
Southeast Asia 동남아시아
[선택지]
busy[bízi] 바쁜

M Do you have any plans for this winter?
W I'm going to travel abroad with my cousin.
M Did you decide where to go yet?
W Not yet, but I don't want to spend too much money.
M Then you should go to a country in Southeast Asia.
W Why do you say that?
M Because it's not expensive to travel there.

남 이번 겨울에 어느 계획이라도 있니?
여 사촌이랑 해외로 여행 갈 거야.
남 어디로 갈 건지 정했니?
여 아직 정하지 않았는데 너무 많은 돈을 쓰고 싶지는 않아.
남 그럼, 동남아시아에 있는 나라로 가는 게 좋을 거야.
여 이유가 뭔데?
남 그곳을 여행하는 것이 비싸지 않기 때문이야.

① 날씨가 매우 더울 것이기 때문이야.
② 네가 많이 피곤할 것이기 때문이야.
③ 네가 비행기를 타고 싶어 하지 않아서야.
④ 네가 일 때문에 매우 바쁘기 때문이야.

01 ②	02 ②	03 ④	04 ④	05 ④	06 ①	07 ④
08 ⑤	09 ⑤	10 ③	11 ③	12 ①	13 ③	14 ②
15 ③	16 ⑤	17 ②	18 ③	19 ①	20 ⑤	

01 ②

[해설] 한국 음식 중에서 파와 해산물로 만들고 팬케이크나 피자처럼 생긴 것은 파전이다.

[어휘] popular[pɑ́pulər] 인기 있는
dish[diʃ] 요리
green onion 파
flour[fláuər] 밀가루
foreigner[fɔ́(:)rinər] 외국인

M This is a popular Korean dish. You need green onions, eggs, flour, and some seafood to make this. Because this looks like a pancake or pizza, some foreigners call this a Korean pancake. What is this?

남 이것은 인기 있는 한국 음식이에요. 이것을 만들려면 파, 달걀, 밀가루, 그리고 약간의 해산물이 필요해요. 팬케이크나 피자처럼 생겼기 때문에 일부 외국인들은 이것을 한국 팬케이크라고 불러요. 이건 무엇일까요?

02 ②

[해설] 남자는 엄마에게 줄 선물로 줄무늬가 있는 스카프를 샀다.

[어휘] scarf[skɑːrf] 스카프, 목도리
stripe[straip] 줄무늬
excellent[éksələnt] 탁월한, 훌륭한

W Good afternoon. May I help you?
M Yes, please. I'm looking for a scarf for my mom.
W How do you like this one with dots on it?
M I like it. But the one with stripes looks better. I'll take it.
W Excellent. I'm sure she'll love it.

여 안녕하세요. 무엇을 도와드릴까요?
남 네, 도와주세요. 엄마에게 드릴 스카프를 찾고 있어요.
여 물방울무늬가 있는 이것은 어때요?
남 마음에 드네요. 하지만 줄무늬가 있는 것이 더 좋아 보여요. 이걸 살게요.
여 탁월한 선택이네요. 틀림없이 좋아하실 겁니다.

03 ④

[해설] 오늘 아침에는 눈이 조금 내리지만 오후에는 따뜻하고 맑은 하늘이 될 거라고 했다.

[어휘] area[ɛ́əriə] 지역
clear[kliər] 맑은, 화창한
heavy[hévi] 두꺼운

M Here is the weather report for our area. We'll have a little snow this morning, but there's nothing to worry about. This afternoon, it's going to be warm, and we'll have clear skies. You don't have to wear a heavy coat today.

남 우리 지역에 대한 일기예보입니다. 오늘 아침에는 눈이 조금 오겠으나 걱정할 필요는 없습니다. 오후에는 따뜻하고 하늘이 맑을 것입니다. 오늘은 두꺼운 코트를 입지 않아도 됩니다.

04 ④

[해설] 여자가 숙제 때문에 같이 스케이트를 타러 갈 수 없다고 하자 다음에 같이 가자는 남자의 제안에 여자가 동의했다.

[어휘] go skating 스케이트를 타러 가다
another time 언제 다시 한번

M Seri, why don't we go skating this afternoon?
W This afternoon? I'm afraid I can't.
M Why not?
W Going skating is fun, but I have to finish my math homework.
M Then we should go another time.
W That sounds great.

남 세리야, 오늘 오후에 스케이트 타러 가지 않을래?
여 오늘 오후에? 아무래도 안 될 것 같아.
남 왜 안 되는데?
여 스케이트 타러 가는 건 재미있지만 수학 숙제를 끝내야 하거든.
남 그럼 다음에 가자.
여 좋아.

05 ④

해설 회원 자격(음악을 좋아하고 악기를 다루는 사람), 이름(Rhythm Factory), 활동 내용(방과 후에 연습하고 매달 공연), 가입 방법(Green 선생님께 말씀드리기)에 대해 언급하지만 모임 장소에 대한 언급은 없다.

어휘 instrument[ínstrəmənt] 악기
practice[prǽktis] 연습하다
perform[pərfɔ́ːrm] 공연하다
have fun 재미있게 놀다

M Do you like music? Do you play any musical instruments? Then why don't you join our music club, Rhythm Factory. We practice after school every Friday and perform once a month. If you want to join us, talk to Mr. Green. Let's have fun together!

남 음악 좋아하세요? 다루는 악기가 있나요? 그렇다면, 우리 음악 동아리 Rhythm Factory에 가입하면 어떨까요? 우리는 매주 금요일 방과 후에 연습하고 한 달에 한 번 공연해요. 우리와 함께 하려면 Green 선생님한테 말씀드리세요. 우리 함께 재미있게 놀아봅시다!

06 ①

해설 현재 남자가 있는 곳은 오후 4시이지만 시차 때문에 Daniel이 있는 곳은 새벽 1시이다.

어휘 chat[tʃæt] 채팅하다, 잡담하다

W Chad, who are you chatting with?
M I am chatting with my cousin Daniel in Austin, in the U.S.
W What time is it there?
M Let me see. It's 4 p.m. here, so it's 1 a.m. there.
W 1 a.m.? Does he go to bed late?
M Yes, he always goes to bed at around 2 a.m.

여 Chad, 누구랑 채팅하고 있니?
남 미국 오스틴에 사는 사촌 Daniel과 채팅하고 있어.
여 거기는 몇 시인데?
남 어디 보자. 여기가 오후 4시니까 거기는 새벽 1시야.
여 새벽 1시라고? 네 사촌은 늦게 자니?
남 응, 걔는 항상 새벽 2시쯤에나 자.

07 ④

해설 여자는 만화가가 되고 싶다고 했다.

어휘 cook[kuk] 요리사
cartoonist[kɑːrtúːnist] 만화가
cartoon[kɑːrtúːn] 만화
famous[féiməs] 유명한

W James, are you good at cooking?
M I think so. I love food and enjoy making it, too.
W Do you want to be a cook in the future?
M Yes, I do. What about you, Amy?
W I want to be a cartoonist. I love drawing cartoons.
M That sounds great! I'm sure you'll be a famous cartoonist.

여 James, 너 요리 정말 잘하니?
남 그런 것 같아. 나는 음식을 좋아하고, 만드는 것도 좋아하거든.
여 너는 미래에 요리사가 되고 싶니?
남 응, 되고 싶어. 너는 어떠니, Amy?
여 나는 만화가가 되고 싶어. 나는 만화 그리는 것을 좋아하거든.
남 멋지다! 너는 분명히 유명한 만화가가 될 거야.

08 ⑤

해설 여자의 개 Coco는 작년에 도그 쇼에 나갔지만 상은 타지 못했다.

어휘 dog show 도그 쇼, 애완견 대회
smart[smɑːrt] 똑똑한
prize[praiz] 상

W Look at this picture, Jay.
M Oh, is that your dog Coco?
W Yes. He was in the dog show last year.
M Really? How old was he?
W He was only 2 years old then. But he was very smart.
M Did he win a prize?
W No, he didn't win a prize.
M That's too bad.

여 이 사진 좀 봐, Jay.
남 아, 네 강아지 Coco니?
여 응. 걔는 작년에 도그 쇼에 나갔어.
남 정말? 몇 살이었어?
여 그때 겨우 두 살이었어. 하지만 아주 똑똑했지.
남 Coco가 상을 탔니?
여 아니, 상은 타지 못했어.
남 안됐구나.

09 ⑤

해설 야구 경기 티켓을 구했는지 물어보는 남자에게 여자는 지금 온라인으로 사겠다고 하였다.

어휘 online[ɔnlain] 온라인으로
seat[siːt] 자리, 좌석

W Do you have any plans for this Saturday?
M No, nothing special. How about you?
W I'm going to watch a baseball game with my dad.
M That sounds like fun. Do you have tickets?
W No. I'm going to buy them online soon.
M You should hurry if you want to get good seats.
W All right. I'll get them now.

여 이번 토요일에 무슨 계획 있니?
남 아니, 별다른 건 없어. 너는?
여 나는 아빠와 함께 야구 경기를 볼 거야.
남 재밌겠다. 티켓은 구했어?
여 아니, 곧 온라인으로 사려고 해.
남 좋은 자리를 구하려면 서둘러야 할 거야.
여 알겠어. 지금 살게.

10 ③

해설 생일날 작은 파티를 하고 싶다는 여자에게 초대할 인원수와 준비할 음식에 대해 묻는 것으로 보아 생일 파티에 대한 내용이다.

어휘 invite over 집으로 초대하다
a few (수가) 여러, 몇
prepare[pripɛ́ər] 준비하다
snack[snæk] 간식
drink[driŋk] 음료

M Julie, next Friday is your birthday. What do you want to do?
W I want to invite a few friends over for a small party.
M How many friends do you want to invite?
W Maybe 4 or 5.
M What kind of food should I prepare?
W Just snacks and drinks. Thanks, Dad.

남 Julie, 다음 주 금요일이 네 생일이잖아. 뭐 하고 싶니?
여 친구 여러 명을 집으로 초대해서 작은 파티를 하고 싶어요.
남 몇 명쯤 초대하고 싶니?
여 아마 네다섯 명 정도요.
남 내가 어떤 음식을 준비하면 좋을까?
여 그냥 간식과 음료 정도면 돼요. 감사해요, 아빠.

11 ③

해설 지하철이 버스보다 더 빠르다는 여자의 말에 남자는 지하철을 타겠다고 했다.

어휘 subway station 지하철역
connect[kənékt] 연결되다, 이어지다

M Mom, I'm going to meet Cindy at the mall.
W Okay. Are you going to take the bus?
M Yes. Then I have to walk from the bus stop to the mall for 10 minutes.
W Why don't you take the subway? The subway station connects to the mall, so it's faster.
M Really? I'll take the subway then.

남 엄마, 쇼핑몰에서 Cindy를 만날 거예요.
여 그래. 버스를 탈 거니?
남 네. 그러고 나서 버스 정류장에서 쇼핑몰까지 10분은 걸어야 해요.
여 지하철을 타는 게 어떠니? 지하철역이 쇼핑몰과 연결되어 있어서 더 빠르거든.
남 정말요? 그럼 지하철을 타고 갈게요.

12 ①

해설 남자는 아침 일찍 시작하는 축구 연습 때문에 일찍 일어났다.

어휘 practice[prǽktis] 연습
match[mætʃ] 경기, 시합

W Suho, you look tired.
M Yes. I'm a bit tired. I get up early these days.
W Why do you get up early?
M I have soccer practice at school. It starts at 6:30 in the morning.
W Oh, that's right. You have a soccer match next week. Good luck.

여 수호야, 너 피곤해 보인다.
남 응. 좀 피곤해. 요즘 일찍 일어나거든.
여 왜 일찍 일어나는데?
남 학교에서 축구 연습이 있어. 아침 6시 30분에 시작하거든.
여 아, 맞다. 너 다음 주에 축구 경기가 있지. 행운을 빌어.

13 ③

해설 남자에게 자동차의 최신 모델에 대해 설명하는 것으로 보아 자동차 판매원과 고객의 대화임을 알 수 있다.

어휘 latest[léitist] 최신의, 최근의
run on 작동하다
gas[gæs] 휘발유, 가솔린
electricity[ilektrísəti] 전기
explain[ikspléin] 설명하다

W Can I help you?
M Yes. I'm interested in this car.
W This is our latest model. It runs on gas and electricity.
M That's very interesting. Could you explain more about it?
W Sure. Let me open the car door first.

여 도와 드릴까요?
남 네. 저는 이 차에 관심이 있어요.
여 이것은 우리 최신 모델이에요. 이것은 휘발유와 전기로 움직여요.
남 흥미롭네요. 그것에 대해 좀 더 설명해 주시겠어요?
여 물론이죠. 먼저 차 문을 열어드릴게요.

14 ②

해설 남자는 나무 밑이 아닌 쓰레기통 옆에서 휴대 전화를 찾았다.

어휘 get dark 어두워지다
lose[luːz] 잃어버리다 (lose-lost-lost)
trash can 쓰레기통

W Honey, it's getting dark. Let's go home.
M Wait. I think I lost my cell phone here.
W Did you check on the bench?
M Yes, I did. But it wasn't there.
W Did you look under the tree?
M Yes. [Pause] Oh, there it is. It's next to the trash can.

여 여보, 어두워지고 있어요. 집에 가요.
남 잠깐만요. 여기서 휴대 전화를 잃어버린 것 같아요.
여 벤치 위는 확인해 봤어요?
남 네, 했어요. 그런데 거기에 없었어요.
여 나무 밑은 봤어요?
남 네. [잠시 후] 아, 저기 있어요. 쓰레기통 옆에 있네요.

15 ③

해설 여자가 아침에 개를 산책시키지 못했다며 남자에게 산책시켜달라고 부탁했다.

어휘 walk[wɔːk] (동물을) 산책시키다

[Cell phone rings.]
M Hello.
W Hello, Kyle. Did you finish your homework?
M Yes, I did. Why?
W I have to visit your grandmother after work. So I'll be home late.
M Okay.
W Can you walk the dog please? I didn't do it this morning.
M Sure. I'll do it.

[휴대 전화가 울린다.]
남 여보세요.
여 여보세요, Kyle. 숙제는 다 했니?
남 네, 다 했어요. 왜요?
여 내가 퇴근 후에 너희 할머니를 방문해야 해. 그래서 집에 늦게 들어갈 거야.
남 알았어요.
여 개를 산책시켜 줄래? 오늘 아침에 산책을 못 시켰거든.
남 네. 제가 할게요.

16 ⑤

해설 매직 쇼를 보러 가기 위해 여자는 도서관에서 만날 것을 제안했다.

어휘 free[friː] 무료의
ticket[tíkit] 입장권
magic show 매직 쇼

W Do you have any plans for tomorrow?
M No, nothing. Why?
W I have free tickets to the magic show. Do you want to come?
M Sure, I'd love to go.
W Great. It starts at 6, so we should meet at 4:30.
M Okay. Where do you want to meet?
W How about meeting at the library?
M That sounds great.

여 내일 어떤 계획이라도 있니?
남 아니, 아무것도 없어. 왜?
여 매직 쇼 무료입장권이 생겼어. 같이 갈래?
남 물론 가야지.
여 좋아. 그건 6시에 시작해서 우린 4시 30분에 만나야 해.
남 알겠어. 어디서 만날까?
여 도서관에서 만나는 게 어때?
남 그거 좋은 것 같아.

17 ②

해설 남자는 오늘 오후에 도서관에서 과학책을 읽었다.

어휘 great[greit] 위대한
scientist[sáiəntist] 과학자

W Tim, where were you in the afternoon?
M I was in the library.
W Why were you there?
M I had to read some science books. It's for my science homework.
W Were there any interesting books?
M Sure. I read a book about great scientists. It was interesting.

여 Tim, 오후에 어디 있었어?
남 도서관에 있었어.
여 왜 거기 있었니?
남 과학책을 좀 읽어야 했어. 과학 숙제가 있거든.
여 재미있는 책이 있었니?
남 물론이지. 나는 위대한 과학자들에 대한 책을 읽었다. 흥미롭더라.

18 ③

해설 소설을 다 썼다고 했고 독자들이 자신의 새 소설을 좋아했으면 좋겠다는 것으로 보아 남자는 소설가임을 알 수 있다.

어휘 novel[návəl] 소설
Congratulations. 축하합니다.
send[send] 보내다 (send-sent-sent)
reader[rí:dər] 독자

[Cell phone rings]
M Hello.
W Hello, Steven. It's Lisa. How are you?
M Great. I finished my novel this morning.
W Oh, really? Congratulations!
M Thanks. I already sent it to you by e-mail.
W Great. I'll check it right away.
M I hope my readers love my new novel.
W I hope so, too.

[휴대 전화가 울린다.]
남 여보세요.
여 안녕하세요, Steven 씨. 저 Lisa예요. 잘 지내셨어요?
남 잘 지냈어요. 오늘 아침에 소설을 다 썼거든요.
여 아, 정말요? 축하해요!
남 고마워요. 당신에게 이미 이메일로 보냈어요.
여 좋아요. 지금 바로 확인해 볼게요.
남 독자들이 저의 새 소설을 좋아했으면 좋겠어요.
여 저도 그랬으면 좋겠네요.

19 ①

해설 공원이 조깅하기에 좋은 장소여서 다음 주에 조깅하자는 여자의 제안에 대한 응답이므로 수락하거나 거절하는 말이 와야 적절하다.

어휘 even[í:vən] ~도[조차]
pond[pɑ:nd] 연못, 샘
close[klous] 가까운
often[ɔ́(:)fən] 자주, 종종
jogging[dʒɑ́giŋ] 조깅, 달리기
[선택지]
be over 끝나다
cut down (잘라서) 쓰러뜨리다

M This park is so beautiful!
W I know. Look at all these trees. They're very tall.
M There's even a little pond here.
W I'm glad that this park is really close to my house.
M Yes, I should come here more often. This place is perfect for jogging.
W You're right. Let's go jogging here next weekend.
M Sure. That's a good idea.

남 이 공원은 정말 아름다워!
여 맞아. 이 나무들 좀 봐. 엄청 크다.
남 여기 작은 연못도 있어.
여 이 공원이 우리 집에서 아주 가까워서 기뻐.
남 맞아. 여기 좀 더 자주 와야겠어. 이곳은 조깅하기에 완벽한 곳이네.
여 네 말이 맞아. 다음 주에 여기서 조깅하자.
남 그래. 좋은 생각이야.

② 아니, 파티는 이미 끝났어.
③ 그래. 내가 즉시 경찰에 전화할게.
④ 우리는 이 나무들을 베어내야 해.
⑤ 여기는 사람이 너무 많아.

20 ⑤

해설 남자에게 여자가 안경을 쓰라면서 어디에 있는지 물었으므로 안경의 위치나 안경을 쓰지 않고 있는 이유가 이어져야 적절하다.

어휘 read out loud 크게 소리 내어 읽다
letter[létər] 글자
glasses[glæs] 안경
[선택지]
gain[ɡein] (무게 등을) 늘리다
weight[weit] 무게

M Can you do me a favor, Anna?
W Of course. What is it, Dad?
M Can you read this out loud for me?
W Sure. Are the letters too small to read?
M Yes, they're too small for me.
W Well, you should wear your glasses. Where did you put them?
M Actually, I broke them yesterday.

남 Anna, 부탁 하나 들어줄래?
여 네, 물론이지요. 뭔데요, 아빠?
남 이것 좀 크게 읽어 줄래?
여 그러죠. 글자가 너무 작아서 읽기 어려우세요?
남 응, 나한테는 글자가 너무 작구나.
여 음, 안경을 쓰셔야겠네요. 어디에 두셨어요?
남 사실, 내가 어제 부러뜨렸어.

① 내가 읽어줄게.
② 나는 공부를 더 열심히 해야 해.
③ 이름이 뭐라고 했니?
④ 나는 몸무게를 더 늘려야 해.

01 ④

해설 자신의 모습을 볼 수 있고 보통 외출하기 전에 사용하는 유리 조각은 거울이다.

어휘 a piece of 하나의, 한 조각의
come[kʌm] (상품 등이) 나오다
shape[ʃeɪp] 모양
usually[júːʒuəli] 보통, 대개
go out 외출하다

M This is a piece of special glass. This comes in many different shapes and sizes. You can find this at home or in your bag. When you look in this, you can see yourself. You usually use this before you go out. What is this?

남 이것은 특별한 유리 조각이에요. 이것은 다양한 모양과 크기로 나와요. 집이나 가방 안에서 이것을 찾을 수 있어요. 이것을 들여다보면 자기 자신을 볼 수 있어요. 보통 외출하기 전에 이것을 사용해요. 이것은 무엇일까요?

02 ③

해설 가족사진 아래에 '행복한 가족'이라는 제목이 배치된 표지의 사진첩이다.

어휘 cover[kʌ́vər] 표지
photo album 사진첩
middle[mídl] (한)가운데의, 중앙의
title[táitl] 제목

M Ann, what are you doing?
W I'm making a cover for my family's photo album. Can you help me?
M Sure. How about putting your family's picture in the middle?
W Okay. Now I want to put a title under the picture.
M Good idea! How about "Happy Family"?
W That's a good title.

남 Ann, 뭐 하고 있니?
여 가족 사진첩의 표지를 만들고 있어. 좀 도와줄래?
남 물론이지. 가운데에 가족사진을 넣는 게 어때?
여 알았어. 이제 나는 사진 아래에 제목을 붙이고 싶어.
남 좋은 생각이야! '행복한 가족'은 어때?
여 좋은 제목이야.

03 ②

해설 제주도는 하루 종일 비가 올 거라고 했다.

어휘 snowy[snóui] 눈이 내리는
all day 하루 종일

W Welcome to today's weather forecast. In Seoul, it's very windy and cold. In Daegu, it is sunny now, but it'll be snowy this afternoon. In Busan, the snow will stop later this afternoon, and there will be sunny skies. In Jeju-do, it'll rain all day.

여 오늘의 일기예보를 전해드립니다. 서울은 바람이 많이 불고 춥습니다. 대구는 지금은 맑지만, 오늘 오후에는 눈이 올 것입니다. 부산에서는 오늘 오후 늦게 눈이 그치고, 맑은 하늘이 될 것입니다. 제주도는 하루 종일 비가 올 것입니다.

04 ③

해설 여자는 남자에게 식당을 추천받은 후에 거기서 같이 점심을 먹자고 제안했다.

W Eric, do you know any good restaurants?
M Of course. What kind of food would you like to eat?

여 Eric, 괜찮은 식당 알고 있니?
남 물론이지. 어떤 종류의 음식을 먹고 싶은데?

어휘 kind[kaind] 종류
right[rait] 바로, 정확히
down the street 길 아래로

W I'd like to eat some Chinese food.
M There's a Chinese restaurant right down the street.
W Great. Why don't we eat lunch there tomorrow?

여 중국 음식을 먹고 싶어.
남 길 바로 아래쪽에 중국 식당이 있어.
여 좋아. 내일 거기서 점심 먹는 게 어때?

05 ④

해설 개최 시기(매년 10월), 개최 장소 (광주), 축제 기간(3일간), 행사 내용(다양한 종류의 김치를 만들고 맛봄)에 관해 언급하였지만 참가 자격에 대한 언급은 없다.

어휘 miss[mis] 놓치다
festival[féstivəl] 축제
take place 개최되다
last[læst] 계속되다
taste[teist] 맛보다

M If you like kimchi, don't miss the World Kimchi Festival. This festival takes place every October in Gwangju in Korea. It'll last for 3 days this year. At the festival, visitors can make different kinds of kimchi and taste them.

남 김치를 좋아한다면 세계 김치 축제를 놓치지 마세요. 이 축제는 한국 광주에서 매년 10월에 개최됩니다. 올해는 3일간 계속될 것입니다. 축제에 참여한 사람들은 다양한 종류의 김치를 만들고 맛볼 수 있습니다.

06 ④

해설 두 사람은 함께 쇼핑 가기 위해 5시 30분에 만나기로 했다.

어휘 go shopping 쇼핑하러 가다
after school 방과 후에
lesson[lésən] 수업
bus stop 버스 정류장

W I'm going to go shopping after school. Do you want to go with me?
M Sure. What time shall we meet?
W Let's meet at 4 o'clock.
M Well, I have a taekwondo lesson from 4 to 5. How about 5:30?
W All right. Let's meet at the bus stop.
M Okay.

여 나는 방과 후에 쇼핑을 가려고 해. 같이 갈래?
남 좋아. 몇 시에 만날까?
여 4시에 만나자.
남 음, 난 4시부터 5시까지 태권도 수업이 있어. 5시 30분은 어때?
여 좋아. 버스 정류장에서 만나자.
남 그래.

07 ②

해설 여자는 여행하는 걸 좋아해서 여행 작가가 되고 싶다고 했다.

어휘 video clip 비디오 클립(짧은 동영상)
tour guide 여행 가이드
travel writer 여행 작가
actually[ǽktʃuəli] 사실은

M What are you watching?
W I'm watching a video clip about travel.
M Do you like traveling?
W Yes, I'm interested in visiting new places and trying new things.
M Then do you want to be a tour guide in the future?
W I actually want to be a travel writer.

남 너는 무엇을 보는 중이니?
여 여행에 관한 동영상을 보고 있어.
남 여행하는 것을 좋아하니?
여 응, 나는 새로운 곳에 가고 새로운 것을 해보는 것에 관심이 있어.
남 그러면 너는 미래에 여행 가이드가 되고 싶니?
여 나는 사실 여행 작가가 되고 싶어.

08 ④

해설 해설 남자는 자신이 그린 그림이 일등상을 받았고 교실에도 붙여놓을 거라고 자랑스러워하고 있다.

어휘 space travel 우주여행
first prize 일등상
drawing[drɔ́ːiŋ] 그림

M Mom, look at this!
W What is it, Minsu?
M I drew this at school. It's about space travel.
W Wow, it looks great.
M I also got first prize in my class. So the teacher is going to put my drawing in the classroom.
W Really? That sounds wonderful.

남 엄마, 이것 좀 봐요!
여 그게 뭐니, 민수야?
남 학교에서 이걸 그렸어요. 우주여행에 관한 거예요.
여 와, 멋지구나.
남 우리 반에서 일등상도 받았어요. 그래서 선생님이 내 그림을 교실에 놓을 거예요.
여 정말? 그거 멋진데.

① 실망한 ② 긴장한 ③ 지루해하는
④ 자랑스러운 ⑤ 슬픈

09 ②

해설 남자가 저녁으로 피자를 먹고 싶다고 하자 여자가 지금 주문한다고 했다.

어휘 order[ɔ́ːrdər] 주문하다

W Why don't we make some food for dinner?
M I forgot to go to the supermarket this week. There is nothing to cook with.
W Then how about ordering some food?
M Okay. I'd like to eat pizza.
W Me, too. I'll order it now.

여 저녁 먹을 음식을 좀 만들어 볼까요?
남 이번 주에 슈퍼마켓에 가는 걸 깜빡했어요. 요리할 재료가 없네요.
여 그럼 음식을 주문하는 건 어때요?
남 좋아요. 저는 피자가 먹고 싶어요.
여 저도 그래요. 지금 주문할게요.

10 ④

해설 여자가 프린터의 수리를 부탁하자 남자가 방문하겠다고 했으므로 수리 센터에 수리를 의뢰하는 내용이다.

어휘 printer[príntər] 프린터
fix[fiks] 수리하다
low[lou] (양이) 부족한, 줄어든

[Telephone rings.]
M Ace Computer Shop.
W Hello. Do you fix printers?
M Sure. What's the problem?
W I changed the ink. But the printer keeps saying it's low.
M I see. We can visit you at 3 o'clock this afternoon. Is that okay?
W Yes, that's fine.

[전화벨이 울린다.]
남 Ace 컴퓨터 상점입니다.
여 안녕하세요. 프린터를 수리하시나요?
남 물론이죠. 문제가 무엇인가요?
여 잉크를 교체했어요. 그런데도 프린터에는 계속 부족하다고 나오네요.
남 그렇군요. 오늘 오후 3시에 방문할 수 있어요. 괜찮으신가요?
여 네, 괜찮아요.

11 ①

해설 잠실 운동장에 가는 방법으로 버스와 지하철이 있지만 버스정류장이 가까운 곳에 있어서 버스를 타고 가기로 했다.

어휘 get to ~에 도착하다, 닿다
stadium[stéidiəm] 경기장
corner[kɔ́ːrnər] 모퉁이

M I'm so excited to see the baseball game today.
W Me, too. How can we get to Jamsil Stadium?
M We can get there by bus or subway.
W Then let's take the bus. The bus stop is just around the corner.
M Okay.

남 오늘 야구 경기를 보러 가서 너무 신나.
여 나도 그래. 잠실 운동장에 어떻게 갈까?
남 버스나 지하철을 타고 갈 수 있어.
여 그럼 버스를 타자. 저 모퉁이를 돌면 바로 버스정류장이잖아.
남 좋아.

12 ④

해설 휴대 전화를 집에 두고 영화 보러
나가서 전화를 받지 못했다고 했다.

어휘 several times 수차례
out[aut] 외출 중인
leave[li:v] 두고 오다 (leave-left-left)

M I called you 3 times last night, but you didn't answer.
W Sorry, I was out at that time. I left my cell phone at home.
M Where did you go?
W I went to see a movie with my parents.
M Oh, what movie did you watch?
W The Queen. It was the best movie of the year.

남 어젯밤에 너한테 3번이나 전화했었는데, 받지 않더라.
여 미안, 그때 외출 중이었어. 집에 휴대 전화를 두고 나왔거든.
남 어디 갔었어?
여 부모님과 영화 보러 갔어.
남 아, 무슨 영화를 봤니?
여 〈The Queen〉. 올해 최고의 영화였어.

13 ⑤

해설 코알라와 캥거루를 보고 함께 사진
을 찍으려는 것으로 보아 대화하는 장소
는 동물원임을 알 수 있다.

어휘 koala[kouá:lə] 코알라
kangaroo[kæŋgərú:] 캥거루
take a picture 사진을 찍다
bite[bait] 물다

W Come and look at this koala!
M How cute! He's sleeping on the tree!
W Oh, look under the tree! Do you see the kangaroos?
M Yes. Wow, they're so big. Oh, can you take a picture of me with them?
W Sure. But don't get too close. They might bite you.
M Okay. I won't.

여 와서 이 코알라 좀 봐!
남 정말 귀여워! 나무 위에서 자고 있네!
여 아, 나무 아래를 봐! 캥거루 보여?
남 응. 와, 진짜 크다. 아, 쟤네들이랑 같이 내 사진을 찍어줄래?
여 물론이지. 하지만 너무 가까이 가지 마. 물지도 몰라.
남 알았어. 안 그럴게.

14 ④

해설 여자가 안경을 의자 위에서 찾았
다.

어휘 check[tʃek] 확인하다
sofa[sóufə] 소파

W Chris, I lost my glasses. Did you see them?
M No, Grandma.
W I put them on the table, but they're not there.
M Did you check on the bed?
W Yes, but I couldn't find them.
M Oh! They are on the chair over there.
W I see them. Thank you, Jamie.

여 Chris, 내가 안경을 잃어버렸단다. 혹시 내 안경을 봤니?
남 아니요, 할머니.
여 그걸 테이블 위에 놓았는데, 거기 없구나.
남 침대 위는 확인하셨어요?
여 했는데, 찾을 수 없었단다.
남 아! 저기 의자 위에 있어요.
여 보인다. 고맙구나, Jamie.

15 ①

해설 아빠에게 줄 셔츠를 산 남자는 선
물 포장을 해 달라고 요청했다.

어휘 on sale 할인 중인
wrap up 포장하다
gift[gift] 선물

W May I help you?
M Hi. I'm looking for a shirt for my dad.
W All right. How about this blue one?
M It looks nice. How much is it?
W It's on sale, so now it's $40.
M Great! I'll take it. Can you wrap it up as a gift?
W Of course.

여 도와드릴까요?
남 안녕하세요. 저는 아빠한테 줄 셔츠를 찾고 있어요.
여 알겠어요. 이 파란색 셔츠는 어때요?
남 멋지네요. 얼마예요?
여 할인 중이라서 지금은 40달러입니다.
남 잘됐네요! 그걸 살게요. 선물 포장을 해 주실 수 있나요?
여 물론이죠.

16 ④

해설 남자가 피아노 수업이 취소되어 특별히 할 것이 없다고 하자 여자는 보드게임을 하자고 제안했다.

어휘 cancel[kǽnsəl] 취소하다
board game 보드게임

W Ben, don't you have a piano lesson today?
M My teacher is sick, so she canceled my lesson today.
W Oh, then what will you do instead?
M I don't know. I just want to watch TV at home.
W Why don't we play a board game?
M That's a good idea.

여 Ben, 오늘 피아노 수업 없니?
남 선생님이 편찮으셔서 오늘 수업을 취소하셨어.
여 아, 그럼 이제 대신 뭘 할 거니?
남 나도 몰라. 그냥 집에서 TV를 볼까 봐.
여 우리 보드게임 할래?
남 좋은 생각이야.

17 ③

해설 남자는 어제 하루 종일 수학을 공부했고 여자는 친구와 집에서 파자마 파티를 했다고 했다.

어휘 boring[bɔ́ːriŋ] 지루한
math[mæθ] 수학
pillow[pílou] 베개
pajamas[pədʒɑ́ːməz] 잠옷, 파자마
all night 밤새도록

W Brad, how was your day yesterday?
M It was boring. I studied math all day. How about you?
W I went to Kate's house with my pillows and pajamas.
M Wow, you had a pajama party.
W Yes. We talked all night. It was really fun.

여 Brad, 어제 하루는 어땠어?
남 지루했어. 하루 종일 수학을 공부했거든. 너는 어땠어?
여 베개와 잠옷을 들고 Kate네 집에 갔거든.
남 와, 파자마 파티를 했구나.
여 응. 우린 밤새도록 얘기했어. 정말 재미있었어.

18 ③

해설 영화에 출연한 여자를 남자가 인터뷰하고 있는 상황이다. 다음 영화에서 기자를 연기할 것이라는 여자의 말로 보아 여자의 직업은 영화배우이다.

어휘 recent[ríːsənt] 최근의
part[pɑːrt] 일원, 구성원
like[laik] ~처럼

M Hi. My name is Jiho. Nice to meet you.
W Nice to meet you, too.
M I really liked your recent movie. How do you feel about your new movie?
W I feel happy to be a part of the movie.
M What's your next movie about?
W It's an action movie. I'll play a reporter like you.

남 안녕하세요. 저는 지호입니다. 만나서 반가워요.
여 저도 반갑습니다.
남 최근에 나온 당신의 영화가 정말 좋았어요. 새 영화에 대해 어떻게 생각하세요?
여 그 영화에 출연하게 되어 행복해요.
남 다음 영화는 어떤 건가요?
여 액션 영화예요. 지호 씨처럼 기자를 연기할 거예요.

19 ①

해설 여자가 날씨가 너무 춥다며 집에 가서 옷을 갈아입자고 했으므로 이 제안에 수락하거나 반대하는 내용이 오면 적절하다.

어휘 get cold 추워지다
almost[ɔ́ːlmoust] 거의
clothes[klouðz] 옷, 의복

W Why is it so cold today?
M I have no idea. It keeps getting colder and colder these days.
W It's only November. But it feels like winter is almost here.
M You're right.
W Should we go home and change our clothes?
M Yes, we'd better do that.

여 오늘은 왜 이렇게 추울까?
남 모르겠어. 요즘 날씨가 점점 추워지고 있어.
여 이제 겨우 11월이야. 그런데 겨울이 거의 다 온 것 같아.
남 맞아.
여 집에 가서 옷을 갈아입어야 할까?
남 그래, 그렇게 하는 게 좋겠어.

② 응, 얼음 좀 더 가져올게.
③ 아니, 나는 그렇게 덥진 않아.
④ 우리는 해가 질 때까지 기다려야 해.
⑤ 아니, 날씨를 이미 확인했어.

20 ④

해설 남자가 6시까지 집에 가야 해서 4시 30분에 만날 수 없다고 하자 여자가 한 시간이면 된다고 했으므로 그대로 4시 30분으로 하자는 응답이 적절하다.

어휘 finish[fíniʃ] 끝내다
project[prádʒekt | prədʒékt] 프로젝트, 과제

W Do you want to meet again tomorrow to finish our project?

M Yes. What time do you want to meet?

W How about the same time?

M Oh, I can't meet at 4:30 tomorrow. I have to be home before 6 o'clock tomorrow.

W It will only take one hour.

M 4:30 sounds good then.

여 우리 프로젝트를 끝내기 위해 내일 다시 만날까?

남 그래, 몇 시에 만날래?

여 같은 시간 어때?

남 아, 내일은 4시 30분에 만날 수 없어. 나는 내일 6시 전에 집에 들어가야 하거든.

여 한 시간밖에 안 걸릴 거야.

남 그렇다면 4시 30분도 좋아.

① 5시 30분에 만나자.
② 나는 이미 그것을 알고 있었어.
③ 다음 주에 봐.
⑤ 나는 늦을 거야.

01 ③	02 ④	03 ④	04 ②	05 ⑤	06 ③	07 ⑤
08 ⑤	09 ③	10 ⑤	11 ②	12 ②	13 ②	14 ②
15 ④	16 ④	17 ③	18 ③	19 ⑤	20 ⑤	

01 ③

해설 음식을 데워 주고 완료되면 소리가
나는 것은 전자레인지이다.

어휘 put[put] ~에 놓다
get hot 뜨거워지다
sound[saund] 소리

W You can see this in every house. People use
this when they want to eat food. When you
use this, you put food in this and the food
gets hot. This also makes a sound when the
food is ready. What is this?

여 이것은 모든 집에서 볼 수 있어요. 사
람들은 음식을 먹고 싶을 때 이것을
사용해요. 이것을 사용할 때 이 안에
음식을 넣으면 음식이 데워 져요. 이
것은 또한 음식이 준비되면 소리를 내
요. 이것은 무엇일까요?

02 ④

해설 남자는 여동생이 당근 모양의 필통
을 좋아할 거라며 사겠다고 했다.

어휘 pencil case 필통
popular[pápulər] 인기 있는
carrot[kǽrət] 당근
shaped[ʃeipt] ~의 모양을 한

M Excuse me. I'm looking for a pencil case for
my sister.
W How about this one with a puppy on it? It's
very popular with girls.
M She has the same one. How much is this
one?
W Do you mean the carrot-shaped one?
M Yes. I think she'll like it.
W It's $8
M Okay. I'll take it.

남 안녕하세요. 여동생에게 줄 필통을 찾
고 있는데요.
여 강아지가 그려진 이건 어떠세요? 여
자아이들한테 아주 인기가 많아요.
남 동생이 같은 것을 가지고 있어요. 이
건 얼마예요?
여 당근 모양의 필통을 말하는 건가요?
남 네. 그걸 좋아할 것 같아요.
여 8달러입니다.
남 알겠어요. 이걸 살게요.

03 ④

해설 눈은 오늘 밤에 그치지만 내일은
매우 춥고 바람이 많이 불 것이라고 했다.

어휘 stop[stɑp] 그치다, 멎다
strong[strɔ(:)ŋ] 강한

W Good evening, everyone! Here is tomorrow's
weather report. It's snowing a lot right now,
but the snow will stop tonight. However, it
will be very cold and we will have strong
winds all day tomorrow.

여 안녕하세요, 여러분! 내일의 일기예보
입니다. 지금은 눈이 많이 오는데, 오
늘 밤에는 눈이 그칠 겁니다. 하지만,
내일은 하루 종일 매우 춥고 강한 바
람이 불 것입니다.

04 ②

해설 시험을 잘 보지 못한 여자에게 남
자가 다음번에는 잘 할 수 있을 거라고 격
려했다.

어휘 math[mæθ] 수학
maybe[méibiː] 아마도
nervous[nə́ːrvəs] 긴장한

M How was the math test?
W Oh, Dad. I didn't do so well.
M Didn't you study hard for it?
W Yes, but maybe I was too nervous.
M Don't worry, Jane. You'll do better next time.

남 수학 시험은 어땠니?
여 아, 아빠. 그렇게 잘하지 못했어요.
남 그걸 위해 열심히 공부하지 않았니?
여 그랬는데 아마 너무 긴장했었나봐요.
남 걱정하지 마, Jane. 다음번에는 더 잘
할 수 있을 거야.

05 ⑤

해설 무게(700g), 색깔(검은색, 흰색, 회색), 크기(작은, 중간, 큰 사이즈), 가격(50 달러)에 대해 언급하였지만, 판매 장소에 대해 언급하지 않았다.

어휘 amazing[əméiziŋ] 놀라운
light[lait] 가벼운
gray[grei] 회색
medium[míːdiəm] 중간의

M Let me tell you about this amazing coat. It is very light. It's only 700 grams. There are 3 different colors, black, white, and gray. And it comes in 3 different sizes, small, medium, and large. You can get one for only $50.

남 오늘은 이 멋진 코트에 대해 말하려고 합니다. 이것은 매우 가볍습니다. 이것은 700그램에 불과합니다. 색상은 검은색, 흰색, 회색 등 세 가지가 있습니다. 그리고 작은, 중간, 큰 것의 세 가지의 다른 크기로 나옵니다. 단돈 50달러에 하나를 살 수 있습니다.

06 ③

해설 지금 시각이 10시 30분인데 요가 수업이 11시에 시작하므로 서둘러야 한다고 했다.

어휘 yoga[jóugə] 요가
hurry[həːri] 서두름, 급함
start[staːrt] 시작하다
noon[nuːn] 정오, 낮 12시
lesson[lésən] 수업

M Hurry up! We're going to be late for the yoga class.
W What's the hurry? It's 10:30.
M Yes. And the class starts at 11.
W Really? Doesn't it start at noon?
M No, that's our swimming lesson on Tuesdays.

남 서둘러! 요가 수업에 늦겠어.
여 왜 그렇게 서둘러? 10시 30분인데.
남 맞아. 그리고 수업이 11시에 시작하잖아.
여 정말? 정오에 시작하지 않아?
남 아니, 그건 화요일에 하는 수영 수업이야.

07 ⑤

해설 남자의 꿈은 건축가이고 여자의 꿈은 교사이다.

어휘 busy[bízi] 바쁜
architect[áːrkətèkt] 건축가
in the future 미래에

W Jinho, you look busy.
M Hi, Somi. I'm writing about my future dreams.
W Can I see it? [Pause] Oh, do you want to be an architect?
M Yes, I do. How about you?
W I want to become a teacher in the future.
M I think you will be a good teacher.

여 진호야, 너 바쁜가 보네.
남 안녕, 소미야. 내 미래의 꿈에 대해 쓰고 있는 중이야.
여 좀 봐도 될까? [잠시 후] 아, 너 건축가가 되고 싶니?
남 응, 그리고 싶어. 너는 어때?
여 나는 미래에 교사가 되고 싶어.
남 난 네가 좋은 교사가 될 거라고 생각해.

08 ⑤

해설 시계의 끈은 초록색이라고 하였다.

어휘 watch[watʃ] 손목시계
be famous for ~로 유명하다
simple[símpl] 단순한
band[bænd] 끈

W Peter, can I see your new watch?
M Sure, but be careful. It's a gift from my grandfather.
W Okay. Oh, it doesn't have any numbers on it.
M Yes. It's famous for its simple design. It's also very light.
W I like the color of the band. It's green.
M Yes, it's my favorite color.

여 Peter, 새로 산 시계 좀 봐도 되니?
남 물론 봐도 되는데 조심해. 할아버지가 주신 선물이거든.
여 알았어. 아, 숫자가 하나도 없네.
남 응. 이 시계는 단순한 디자인으로 유명해. 아주 가볍기도 하고.
여 끈의 색깔이 마음에 들어. 초록색이네.
남 맞아, 내가 가장 좋아하는 색깔이야.

09 ③

해설 손님이 오기 전에 남자는 거실을 청소하고 여자는 음식을 준비하기로 했다.

어휘 living room 거실
guest[gest] 손님
prepare[pripέər] 준비하다

W Honey, the living room is not clean at all.
M Oh no! The guests will be here soon.
W We'd better hurry then.
M Don't worry. I'll clean the living room.
W Okay, then I'll start preparing the food.

여 여보, 거실이 전혀 깨끗하지 않네요.
남 이런! 손님들이 곧 올 텐데요.
여 그럼 서두르는 게 좋겠어요.
남 걱정하지 마요. 제가 거실을 청소할게요.
여 알겠어요, 그럼 전 음식을 준비하기 시작할게요.

10 ⑤

해설 남자가 자기 전에 TV를 보지 않고 따뜻한 우유를 마신다고 하자 여자가 자신도 그렇게 해보겠다는 것으로 보아 건강한 수면 습관에 대한 내용이다.

어휘 bedtime[bédtàim] 취침 시간, 잘 시간
fall asleep 잠들다

W What time do you usually go to bed?
M I go to sleep at 10 and wake up at 6 every day.
W Wow! How do you do that?
M I don't watch TV before bedtime.
W Okay, and?
M I drink a glass of warm milk, too.
W Okay. I'll try it tonight.

여 넌 보통 몇 시에 자니?
남 나는 매일 10시에 자고 6시에 일어나.
여 왜! 어떻게 그렇게 하니?
남 나는 자기 전에 TV를 보지 않아.
여 그렇구나, 그리고?
남 따뜻한 우유도 마셔.
여 좋아. 오늘 밤에 해볼래.

11 ②

해설 지하철역이 더 가깝다는 여자의 말에 남자는 지하철을 타겠다고 했다.

어휘 nearest[níərist] 가장 가까운
for[fɔːr] ~동안
far[fɑːr] 먼, 멀리 떨어진
city museum 시립 박물관
close[klous] 가까운

M Excuse me. Where's the nearest bus stop?
W You have to go straight for 10 minutes.
M 10 minutes? That's very far!
W Where are you going?
M I'm going to the city museum.
W Why don't you take the subway? The subway station is closer from here.
M Oh, I'll take the subway then.

남 실례합니다. 가장 가까운 버스 정류장이 어디인가요?
여 10분 동안 직진해야 해요.
남 10분이요? 너무 머네요!
여 어디를 가시는데요?
남 시립 박물관에 가려고 해요.
여 지하철을 타는 건 어떨까요? 지하철역은 여기서 더 가까워요.
남 아, 그럼 지하철을 탈게요.

12 ②

해설 남자는 자신의 개를 공원에 데리고 갔다가 잃어버려서 슬퍼하고 있다.

어휘 remember[rimémbər] 기억하다
happen[hǽpən] 일어나다, 생기다
run after ~을 따라가다, 뒤쫓다
lose[luːz] 잃어버리다 (lose-lost-lost)

W Why do you look so sad, Henry?
M Do you remember my dog Max?
W Yes, of course. He's such a cute dog.
M I took him to a park yesterday.
W And did something happen to Max?
M He ran after another dog, and I lost him.
W Oh, I'm so sorry to hear that.

여 Henry, 왜 그렇게 슬퍼 보이니?
남 너 우리 개 Max 기억하니?
여 응, 물론이지. 정말 귀여운 개잖아.
남 내가 어제 걔를 공원에 데리고 갔거든.
여 그런데 Max한테 무슨 일이 생겼니?
남 다른 개를 따라가 버려서 Max를 잃어버렸어.
여 아, 정말 안됐구나.

13 ②

해설 남자가 물을 달라고 하자 여자가 요청에 응하고 안전벨트를 매라고 하는 것으로 보아 승무원과 승객의 대화이다.

어휘 arrive[əráiv] 도착하다
put on ~을 매다, 입다, 쓰다
seat belt (비행기, 자동차 등의) 안전벨트

W What would you like to drink, sir?
M I'll just have a glass of water, please.
W Of course. [Pause] Here you are.
M Thank you very much.
W Sir, we will arrive in New York soon. Could you please put on your seat belt?
M Sure.

여 음료는 무엇으로 하시겠습니까?
남 그냥 물 한 잔만 주세요.
여 네. [잠시 후] 여기 있습니다.
남 감사합니다.
여 손님, 우리는 곧 뉴욕에 도착할 겁니다. 안전벨트를 매 주시겠습니까?
남 그럴게요.

14 ②

해설 도시락을 테이블 위에 올려두었다고 했으나 싱크대 안에서 발견되었다.

어휘 lunch box 도시락(통)
sink[siŋk] (부엌의) 싱크대

M Sophia, did you see my lunch box?
W I didn't. Where did you put it?
M I put it on the table when I got home.
W [Pause] Look! It's in the sink. I think Mom put it in there to wash it.
M Oh, there it is. Thank you.

남 Sophia, 내 도시락통 봤어?
여 아니. 어디에 두었는데?
남 집에 와서 테이블 위에 올려두었어.
여 [잠시 후] 이것 봐! 싱크대 안에 있어. 엄마가 설거지하려고 넣어둔 것 같아.
남 아, 거기 있네. 고마워.

15 ④

해설 남자가 보고서 작성을 도와주겠다고 했지만 여자는 저녁 식사 준비를 해달라고 부탁했다.

어휘 report[ripɔ́ːrt] 보고서, 리포트
do A's best 최선을 다하다

M What are you doing, Claire?
W I'm doing my science homework, Dad.
M You need to finish it by tomorrow, right?
W Yes, I do.
M Can I help you with that?
W No, it's all right. Oh, can you prepare dinner instead? Mom is going to be home soon.
M Okay. I'll do my best!

남 뭐 하고 있니, Claire?
여 나는 과학 숙제를 하고 있어요, 아빠.
남 내일까지 끝내야 하는 거지?
여 네, 맞아요.
남 내가 도와줄까?
여 아니요, 괜찮아요. 아, 대신 저녁 식사를 준비해 주실래요? 엄마가 곧 집에 오실 거예요.
남 그래. 최선을 다해볼게!

16 ④

해설 계단으로 걸어 올라와서 힘겨워하는 남자의 평소 운동량이 부족하다고 여긴 여자는 함께 조깅하자고 제안했다.

어휘 break down 고장 나다
how often 얼마만큼 자주
exercise[éksərsàiz] 운동하다
enough[ináf] 충분한
go jogging 조깅하러 가다

W Jay, what's the problem?
M The elevator broke down, so I used the stairs to get here.
W How often do you exercise?
M Well, I ride my bike every weekend.
W I don't think that's enough exercise. Why don't you go jogging with me?
M I'll think about that.

여 Jay, 어디 안 좋니?
남 엘리베이터가 고장 나서 계단으로 여기까지 왔어.
여 너는 얼마나 자주 운동을 하니?
남 음, 난 주말마다 자전거를 타.
여 그것만으로는 충분한 운동이 될 것 같지 않아. 나랑 조깅하는 게 어때?
남 생각해 볼게.

17 ③

해설 여자는 주말에 삼촌과 함께 낚시를 했다.

어휘 fish[fiʃ] 낚시하다
catch[kætʃ] 잡다

W How was your weekend, Hojun?
M It was nice. How was yours?
W I had a great time.
M What did you do?
W I went to the river with my uncle. He taught me how to fish.
M Oh, that sounds fun! Did you catch anything?
W No, I didn't. It wasn't easy.

여 호준아, 주말 잘 보냈니?
남 좋았어. 너는 어땠니?
여 좋은 시간을 보냈어.
남 뭘 했는데?
여 나는 삼촌과 함께 강에 갔어. 삼촌이 낚시하는 법을 가르쳐 주셨어.
남 아, 재미있었겠다! 뭐 좀 잡았어?
여 아니, 못 잡았어. 쉽지 않더라.

18 ③

해설 피자를 주문하지 않았다는 여자에게 남자가 집의 호수를 확인하는 것으로 보아 남자의 직업은 배달원임을 알 수 있다.

어휘 order[ɔ́ːrdər] 주문하다
wrong[rɔ(ː)ŋ] 틀린, 잘못된

[Doorbell rings.]
W Who is it?
M Your pizza is here.
W Excuse me? I didn't order any pizza.
M Let me see. Isn't this apartment number 404?
W No, this is 504.
M Oh, I'm sorry. I think I have the wrong house.
W That's okay.

[초인종이 울린다.]
여 누구세요?
남 피자 왔습니다.
여 네? 저는 피자를 주문하지 않았어요.
남 잠시만요. 여기가 404호 아닌가요?
여 아니요, 여기는 504호입니다.
남 아, 죄송합니다. 집을 잘못 왔나 봐요.
여 괜찮아요.

19 ⑤

해설 남자가 한국은 어떠냐고 물었기 때문에 한국에 대해 설명하는 응답이 이어져야 한다.

어휘 some day 언젠가
[선택지]
amazing[əméiziŋ] 놀라운
city[síti] 도시

W Hi, my name is Sujin. What is your name?
M My name is Jason. Nice to meet you.
W Nice to meet you too, Jason. Are you from here?
M Yes, I'm from London. Where are you from?
W I'm from Seoul, Korea.
M Oh, I want to visit Korea some day. What is Korea like?
W Korea has many beautiful places.

여 안녕, 내 이름은 수진이야. 네 이름이 뭐니?
남 내 이름은 Jason이야. 만나서 반가워.
여 나도 만나서 반가워, Jason. 너 여기 출신이니?
남 응, 나는 런던 출신이야. 너는 어디에서 왔니?
여 나는 한국의 서울에서 왔어.
남 아, 나도 언젠가 한국에 가보고 싶어. 한국은 어떠니?
여 한국은 아름다운 곳이 많아.

① 나는 한국에 살지 않아.
② 런던은 놀라운 도시야.
③ 다음 주에 런던에 가자.
④ 너는 다시 서울을 방문해야 해.

20 ⑤

해설 개를 키워보라는 남자의 말에 키울 수 없는 이유를 설명하는 것이 상황상 가장 적절하다.

어휘 pet[pet] 반려동물
pretty[príti] 아주, 매우
[선택지]
be scared of ~을 두려워하다

M Do you have a pet, Janice?
W No, I don't. How about you?
M Yes, I have a dog.
W How big is your dog?
M He's pretty small.
W I love small dogs. They are so cute!
M Why don't you get a dog?
W My parents don't like dogs.

남 넌 반려동물을 키우니, Janice?
여 아니, 키우지 않아. 너는 어때?
남 응, 난 개를 키우고 있어.
여 너희 개는 얼마나 크니?
남 우리 개는 아주 작아.
여 난 작은 개를 좋아해. 너무 귀엽잖아!
남 너도 개를 키우지 그래?
여 우리 부모님이 개를 좋아하지 않으셔.

① 나는 고양이를 키워.
② 나는 개를 좋아하지 않아.
③ 너의 개는 정말 크네.
④ 나는 동물을 무서워해.

01 ③

해설 몸이 크고 무거우며 먹을 때 긴 코를 이용하는 동물은 코끼리이다.

어휘 land[lænd] 육지, 땅
zoo[zuː] 동물원

M I live on the land. I am big and heavy. People can see me in a zoo. I have a long nose. I use my nose when I eat something. What am I?

남 나는 육지에 살아요. 나는 몸이 크고 무거워요. 사람들은 나를 동물원에서 볼 수 있어요. 나는 코가 길어요. 뭔가를 먹을 때 코를 이용하지요. 나는 누구일까요?

02 ④

해설 털이 곱슬곱슬하고 셔츠를 입고 있는 작은 개를 찾고 있다고 했다.

어휘 look for ~을 찾다
lose[luːz] 잃어버리다
outside[àutsáid] 밖에서
look like ~처럼 보이다
curly[kə́ːrli] (머리카락, 털이) 곱슬곱슬한
wear[wɛər] 착용하다

W Sejun, what are you doing?
M I'm looking for my dog. I lost him outside.
W What does he look like?
M He has curly hair and he is small.
W Is he wearing anything?
M Yes, he is wearing a shirt.
W Okay. I'll look for him, too.
M Thanks.

여 세준아, 뭐 하고 있니?
남 우리 개를 찾고 있어. 밖에서 잃어버렸거든.
여 걔가 어떻게 생겼는데?
남 털이 곱슬곱슬하고 작은 개야.
여 뭔가 몸에 착용하고 있니?
남 응, 셔츠를 입고 있어.
여 알겠어. 나도 찾아볼게.
남 고마워.

03 ②

해설 수요일에는 다시 눈이 내린다고 했다.

어휘 weekend[wíːkènd] 주말
almost[ɔ́ːlmoust] 거의
be over ~이 끝난
a lot of 많은
windy[wíndi] 바람이 부는

M Hello, everyone. The weekend is almost over. Tonight, we will see a lot of snow. On Monday, it's going to be cold and windy. On Tuesday, the weather will be cloudy. It's going to snow again on Wednesday and Thursday.

남 여러분, 안녕하세요. 주말이 거의 다 지나갔네요. 오늘 밤에는 눈이 많이 내리겠습니다. 월요일에는 춥고 바람이 불겠습니다. 화요일에는 날씨가 흐리겠습니다. 수요일과 목요일에는 다시 눈이 내리겠습니다.

04 ④

해설 도움이 필요한지 묻는 남자의 말에 여자는 남동생과 같이 하면 된다며 거절했다.

어휘 go skating 스케이트를 타러 가다
clean up ~을 치우다, 청소하다
take care of ~을 처리하다

M Jinhee, shall we go skating today?
W I'd love to, but I can't.
M Do you have a lot of homework?
W No. I have to clean up my house with my brother today.
M Do you need any help with that?
W No, it's okay. My brother and I can take care of it.

남 진희야, 오늘 스케이트 타러 갈까?
여 그러고 싶지만, 갈 수 없어.
남 숙제가 많니?
여 아니. 오늘 남동생과 함께 집을 치워야 해.
남 그거 하는 데 도움이 필요하니?
여 아니, 괜찮아. 남동생하고 내가 할 수 있어.

05 ⑤

회의 주제(프로젝트 변경), 시작 시간(오전 9시), 종료 시간(오전 11시 50분), 당부 내용(휴대 전화 전원 끄기)에 대해 언급하지만 점심 식사에 대한 언급은 없다.

어휘 about[əbáut] ~에 관한
coffee break (커피를 마시는) 휴식 시간
turn off (전기 등을) 끄다
cell phone 휴대 전화

M Good morning, teachers. Today's meeting is about changing our school project. This meeting is going to start at 9:00 a.m. We'll have a coffee break at 10:30 and the meeting will be over at 11:50 a.m. Please turn off your cell phones. Thank you.

남 선생님들, 안녕하세요. 오늘 회의는 우리 학교의 프로젝트 변경에 관한 것입니다. 이 회의는 오전 9시에 시작할 예정입니다. 휴식 시간이 10시 30분에 있고 회의는 오전 11시 50분에 종료됩니다. 휴대 전화는 꺼 주시기 바랍니다. 감사합니다.

06 ③

해설 7시 30분은 너무 이르다며 여자는 8시에 만나자고 했고 남자가 동의했다.

어휘 get up 일어나다
early[ə́ːrli] (시간이) 이른

M Jina, let's ride our bikes tomorrow morning.
W Okay. What time shall we meet?
M I get up at 7 o'clock. How about 7:30?
W That's too early for me. Let's meet at 8 o'clock.
M Okay. See you tomorrow.

남 Jina, 내일 아침에 자전거 타러 가자.
여 좋아, 몇 시에 만날까?
남 나는 7시에 일어나거든. 7시 30분은 어때?
여 나한테는 너무 일러. 8시에 만나자.
남 알겠어. 내일 보자.

07 ④

해설 여자는 패션 디자이너가 되어 아름다운 옷을 디자인하고 싶다고 하였다.

어휘 magazine[mǽgəzíːn] 잡지
be interested in ~에 관심이 있다
clothes[klouðz] 옷
design[dizáin] (상품 등을) 디자인하다

M Jisu, what are you doing now?
W I'm reading a fashion magazine.
M Oh, are you interested in fashion?
W Yes. My dream is to be a fashion designer. I'd like to design beautiful clothes.
M I see. I am interested in designing cars.
W You should think about a car designer, then.

남 지수야, 지금 뭐 하고 있니?
여 패션 잡지를 읽고 있어.
남 아, 너 패션에 관심이 있니?
여 응. 내 꿈은 패션 디자이너가 되는 거야. 나는 아름다운 옷을 디자인하고 싶어.
남 그렇구나. 나는 자동차 디자인에 관심이 있어.
여 그럼 너는 자동차 디자이너에 대해 생각해 봐.

08 ②

해설 미술관은 화요일에서 토요일까지만 연다고 했다.

어휘 art gallery 미술관
open[óupən] (영업을 위한) 문을 열다
(↔ close[klouz] 문을 닫다)
cost[kɔːst] (비용이) ~ 들다
cheap[tʃiːp] (값이) 싼
art[ɑːrt] 미술품
painter[péintər] 화가

M Let's go to the new art gallery this weekend.
W Okay. When is it open?
M It is open from Tuesday to Saturday. It opens at 9 a.m. and closes at 6 p.m.
W How much is a ticket?
M It costs $10.
W That's cheap! What kind of art is there?
M There is art by Korean painters.

남 이번 주말에 새로 생긴 미술관에 가자.
여 좋아. 언제 문을 여니?
남 화요일부터 토요일까지 열어. 오전 9시에 열고 오후 6시에 닫아.
여 입장권 가격은 얼마야?
남 10달러야.
여 저렴하네! 어떤 종류의 미술품이 있니?
남 한국 화가들의 미술품이 있어.

09 ③

차가 막혀서 친구에게 늦을 것 같다고 전화하라는 남자의 말에 여자가 그러겠다고 했다.

어휘 safety[séifti] 안전
first[fə:rst] 우선 맨 먼저
traffic[trǽfik] 교통(량)

W Dad, can you hurry? My friends are waiting for me.
M I can't. Safety comes first.
W Okay, but how long will it take to get to the mall?
M The traffic is bad, so I think it'll take about 20 minutes.
W 20 minutes?
M Why don't you call your friends? Tell them you're going to be late.
W All right.

여 아빠, 서둘러줄 수 있어요? 제 친구들이 기다리고 있어요.
남 안 돼. 안전이 우선이야.
여 네, 하지만 쇼핑몰까지 가는 데 얼마나 걸릴까요?
남 차가 막혀서 20분 정도 걸릴 것 같네.
여 20분이라고요?
남 친구한테 전화하는 게 어떠니? 네가 늦을 것 같다고 말하렴.
여 알겠어요.

10 ②

해설 사진과 동영상을 찍으려는 남자에게 여자가 촬영이 금지된 곳이라고 알려주는 것으로 보아 촬영 제한 안내에 대한 대화이다.

어휘 anywhere[énihwὲ∂r] 어디든지
outside[àutsáid] 바깥에, 밖에

M Excuse me, please put your camera in your bag.
W Oh, sorry. I didn't know.
M You can't take any pictures or videos in this room.
W Where can I take pictures, then?
M Anywhere outside this room will be okay.
W I see.

남 실례합니다. 가방 안에 카메라를 넣어주세요.
여 아, 죄송합니다. 몰랐어요.
남 이 방에서는 어떠한 사진이나 동영상을 촬영할 수 없습니다.
여 그럼 사진을 어디에서 찍을 수 있나요?
남 이 공간의 바깥이면 어디든 됩니다.
여 알겠습니다.

11 ③

해설 통학 버스를 놓친 여자에게 남자가 차로 학교에 데려다주겠다고 하였다.

어휘 school bus 통학 버스
leave[li:v] 떠나다
miss[mis] (탈 것을) 놓치다
drive A to B (운전을 해서) A를 B로 데려다주다

M You should hurry. What time does the school bus leave?
W It leaves at 9:00. I still have time, Dad.
M Jenny, it's 9:05. You just missed the bus.
W Oh no! I thought it was 8:40. Should I take the subway?
M Don't worry. I'll drive you to school.
W Really? Thank you.

남 서둘러야겠구나. 통학 버스가 몇 시에 떠나니?
여 9시에 떠나요. 아직 시간 있어요, 아빠.
남 Jenny, 지금 9시 5분이야. 방금 막 놓쳤구나.
여 이런! 8시 40분인 줄 알았어요. 지하철을 타야 할까요?
남 걱정하지 마. 내가 학교까지 차로 데려다줄게.
여 정말요? 고마워요.

12 ③

해설 여자가 여가 시간에 요리 수업을 듣는 이유는 가족에게 음식을 만들어 주고 싶기 때문이라고 했다.

어휘 free time 여가, 자유 시간
chef[ʃef] 요리사
future[fjú:tʃ∂r] 미래, 장래
make A for B B에게 A를 만들어 주다
dish[diʃ] 음식, 요리

M What do you do in your free time?
W I go to a cooking class on Thursdays and Fridays.
M Oh, do you like cooking?
W Yes, I do.
M Do you want to be a chef in the future?
W No. I just want to make dishes for my family sometimes.

남 너는 여가 시간에 뭘 하니?
여 목요일과 금요일에 요리 수업을 들어.
남 아, 요리하는 것을 좋아하니?
여 응, 좋아해.
남 너는 미래에 요리사가 되고 싶니?
여 아니. 그냥 가끔씩 가족에게 음식을 만들어 주고 싶거든.

13 ②

남자가 커피와 케이크를 주문하고 여자가 주문을 받고 있으므로 커피숍에서 나누는 대화로 적절하다.

어휘 iced coffee 아이스커피
else[els] 그 밖의, 다른
a piece of ~ 한 조각의

W   May I <u>take your order</u>?
M   Yes. <u>Can I have</u> an iced coffee and 2 hot coffees, please?
W   Okay. Do you need <u>anything else</u>?
M   Do you have cake?
W   Yes, we have chocolate, strawberry, and carrot cakes.
M   I'll have <u>a piece of</u> strawberry cake. How much is everything?
W $15, please.

여   주문하시겠어요?
남   네. 아이스커피 한 잔과 따뜻한 커피 두 잔 주세요.
여   알겠습니다. 다른 필요한 건 없으신가요?
남   케이크 있나요?
여   네, 초콜릿, 딸기, 그리고 당근 케이크가 있어요.
남   딸기 케이크 한 조각 주세요. 모두 다 해서 얼마죠?
여   15달러입니다.

14 ④

해설 한 블록을 똑바로 가서 우회전하면 왼편에 은행과 우체국 사이에 있다고 했다.

어휘 straight[streit] 곧, 똑바로
turn right 오른쪽으로 향하다[돌다]
between A and B A와 B사이에

M   Excuse me. Can you tell me how to <u>get to</u> Sarang Supermarket?
W   Sure. <u>Go straight</u> one block and <u>turn right</u>.
M   Go straight one block and turn right?
W   Yes. It will be <u>on your left</u>, between the bank and the post office.
M   Thank you so much.

남   실례합니다. 사랑 슈퍼마켓으로 가는 길 좀 알려 주시겠어요?
여   물론이죠. 한 블록을 직진해서 우회전하세요.
남   한 블록을 직진해서 우회전이요?
여   네. 그건 은행과 우체국 사이 왼편에 있습니다.
남   감사합니다.

15 ⑤

해설 남자는 여자에게 민지가 전화를 받지 않는다며 전화했다고 전해 달라고 부탁했다.

어휘 answer the phone 전화를 받다

[Telephone rings.]
W   Hello.
M   Hello. Can I speak to Minji, please?
W   <u>Who is calling</u>?
M   This is Inho, Minji's friend. She didn't answer her cell phone.
W   <u>I'm afraid</u> she is sleeping now.
M   Okay. Could you <u>tell her I called</u>?
W   No problem. I will do that.
M   Thank you.

[전화벨이 울린다.]
여   여보세요.
남   여보세요, 민지 좀 바꿔주시겠어요?
여   누구니?
남   민지의 친구인 인호예요. 민지가 전화를 받지 않아요.
여   걔가 지금 자고 있는 것 같구나.
남   알겠습니다. 제가 전화했다고 전해 주시겠어요?
여   그럼. 그렇게 할게.
남   감사합니다.

16 ③

해설 여자가 남자에게 자신의 엄마가 만들어준 떡볶이를 먹어 볼 것을 제안했다.

어휘 spicy[spáisi] 매운
delicious[dilíʃəs] 맛있는
favorite[féivərit] 가장 좋아하는
try[trai] (음식을) 먹어 보다

M   Lily, what is that?
W   I'm eating tteokbokki.
M   It <u>looks spicy</u>. Is it delicious?
W   Yes, this is my <u>favorite Korean food</u>.
M   Where did you <u>get it</u>?
W   My mom made it for me. Do you <u>want to try</u> it?
M   Yes, I'd love to.

남   Lily, 그게 뭐야?
여   떡볶이를 먹고 있어.
남   매워 보이네. 맛있어?
여   응, 내가 가장 좋아하는 한국 음식이야.
남   이거 어디에서 났어?
여   우리 엄마가 만들어 주셨어. 너도 한 번 먹어볼래?
남   응, 그럴게.

17 ③

해설 여자는 휴일에 인천에 있는 친구를 만났고 남자는 친구들과 캠핑을 하러 갔다.

어휘 over the holiday 휴일에
have fun 재미있게 놀다
go camping 캠핑 가다
next time 다음번에

M Jane, what did you do <u>over the holiday</u>?
W I visited my friend in Incheon.
M Really? Did you <u>have fun</u>?
W Yes, of course! How was your holiday?
M It was great. I <u>went camping</u> with my friends.
W Oh, good! Take me with you <u>next time</u>!

남 Jane, 휴일에 뭐 했니?
여 인천에 있는 친구를 방문했어.
남 정말? 즐겁게 보냈니?
여 그럼, 물론이지! 너의 휴일은 어땠어?
남 아주 좋았어. 친구들과 같이 캠핑을 하러 갔어.
여 아, 좋네! 다음번에는 나도 데려가 줘.

18 ②

해설 남자가 여자에게 토마토를 팔고 있으므로 남자의 직업은 식료품점 주인이다.

어휘 over here 이쪽에
Will that be all? 다른 주문할 것은 없으세요? 그게 전부인가요?

M What can I <u>do for you</u>?
W Where can I find the tomatoes?
M They are <u>over here</u>. How many would you like?
W I'll take 5 tomatoes.
M *[Pause]* <u>Will that be all</u>?
W Yes. How much is everything?
M It's $3.

남 무엇을 도와 드릴까요?
여 토마토는 어디에 있나요?
남 이쪽에 있습니다. 몇 개 필요하세요?
여 토마토 다섯 개를 살게요.
남 *[잠시 후]* 다른 건 필요 없으신가요?
여 네. 다해서 얼마죠?
남 3달러입니다.

19 ②

해설 팔이 부러져서 두 달이 지나야 나아질 거라는 여자의 말에 이어질 응답으로 회복을 빌어주는 말이 적절하다.

어휘 break[breik] (뼈를) 부러뜨리다
(break-broke-broken)
fall down 넘어지다
while[hwail] ~ 하는 동안[사이]
skate[skeit] 스케이트를 타다
get well 회복하다

M What's wrong with your arm?
W I <u>broke my arm</u> yesterday.
M That's too bad, Cindy. How did it happen?
W I <u>fell down</u> while I was skating.
M Did you see a doctor?
W Yes, I did. My arm <u>will be better</u> in 2 months.
M <u>I hope you get well soon.</u>

남 팔에 무슨 문제가 생겼니?
여 어제 팔이 부러졌어.
남 안됐구나, Cindy. 어쩌다 그렇게 됐어?
여 스케이트를 타다가 넘어졌어.
남 병원에는 가봤어?
여 응, 가봤지. 하지만 팔이 두 달이 지나야 나아질 거야.
남 <u>빨리 회복하기를 바랄게.</u>

① 곧 병원에 갈 거야.
③ 너는 좀 자는 게 좋겠어.
④ 너를 이해하지 못하겠어.
⑤ 내일 눈이 내릴 것 같아.

20 ④

피아노 경연 대회를 위해 연습을 많이 했지만 여전히 걱정하는 여자의 말에 이어질 응답으로 격려해주는 말이 적절하다.

어휘 be worried about ~에 대해 걱정하다
practice[prǽktis] 연습하다
still[stil] 아직도, 여전히
[선택지]
prepare[pripέər] 준비하다

M What's wrong? You look nervous.
W I am worried about the piano contest tomorrow.
M You will be fine. You practiced a lot.
W Well, I am still worried.
M Don't worry. You will do great!

남 무슨 일 있니? 초조해 보여.
여 내일 있을 피아노 경연 대회가 걱정 돼.
남 넌 괜찮을 거야. 연습 많이 했잖아.
여 글쎄, 여전히 걱정되는걸.
남 걱정 마. 너는 잘 해낼 거야!

① 마음껏 먹어!
② 정말 고마워!
③ 너는 더 열심히 공부해야 해.
⑤ 나는 대회 준비를 하지 않았어.

01 ③	02 ④	03 ③	04 ①	05 ⑤	06 ①	07 ②
08 ⑤	09 ④	10 ③	11 ②	12 ①	13 ③	14 ③
15 ④	16 ②	17 ④	18 ③	19 ①	20 ④	

01 ③

해설 플라스틱으로 만든 작고 얇은 조각이고 주머니나 지갑 속에 보관하면서 대중교통을 이용할 때 사용하는 것은 교통카드이다.

어휘 piece[piːs] 조각
thin[piːs] 얇은, 가는
keep[kiːp] 가지다, 보유하다
wallet[wɑ́lit] 지갑
usually[júːʒuəli] 보통, 대개
subway[sʌ́bwèi] 지하철

M This is a small piece of plastic. It is very thin. People keep this in their pockets or wallets. They usually use this when they take a bus or the subway. What is this?

남 이것은 작은 플라스틱 조각이에요. 이것은 아주 얇아요. 사람들은 이것을 주머니나 지갑에 가지고 있어요. 그들은 버스나 지하철을 탈 때 이것을 사용해요. 이것은 무엇일까요?

02 ④

해설 여자를 만나러 온 남자는 안경을 쓰고 곱슬머리라고 하였다.

어휘 out[aut] 자리에 없는, 외출 중인
handsome[hǽnsəm] 잘생긴
curly[kə́ːrli] 곱슬머리의

M Kate! A man was here to see you while you were out.
W A man?
M Yes. He was very handsome.
W Really? Hmm... Was he wearing a hat?
M No, he wasn't. But he was wearing glasses. And he had curly hair.
W Oh, I see. That's John.

남 Kate! 네가 나간 사이에 어떤 남자가 너를 만나러 왔었어.
여 남자라고?
남 응. 아주 잘생겼던데.
여 정말? 음… 그가 모자를 쓰고 있었니?
남 아니, 쓰고 있지 않았어. 하지만 안경을 쓰고 있었어. 그리고 곱슬머리였어.
여 아, 알겠다. John이구나.

03 ③

해설 화요일 오전에는 화창하지만, 오후에는 비가 다시 올 것이라 했다.

어휘 weather report 일기예보
across the country 전국적으로

W Good evening! Welcome to the weather report. Tomorrow we'll have a lot of rain all across the country. However, on Tuesday, it'll be sunny in the morning, but in the afternoon it'll start to rain again. Thank you.

여 안녕하세요! 일기 예보를 전해드립니다. 내일은 전국적으로 많은 비가 내리겠습니다. 하지만 화요일에는 오전에는 화창하지만 오후에는 비가 다시 오기 시작하겠습니다. 감사합니다.

04 ①

해설 여름 방학에 파리에 간다는 여자에게 남자는 멋진 그림이 많으니 박물관에 가라며 충고하였다.

어휘 summer break 여름 방학
(= summer vacation)
the Eiffel Tower 에펠탑
view[vjuː] 경치
painting[péintiŋ] 그림

M What are you going to do this summer break?
W I am going to travel to Europe.
M Where in Europe are you going to visit?
W To Paris. I'm going to go up the Eiffel Tower and enjoy the beautiful view of Paris.
M You should go to a museum, too. There are many wonderful paintings.

남 이번 여름 방학에 무엇을 할 계획이니?
여 유럽으로 여행 갈 예정이야.
남 유럽 어디를 방문할거니?
여 파리에 가. 에펠탑에 올라가서 아름다운 파리 경치를 즐겨 보려고 해.
남 너는 박물관도 가야 해. 멋진 그림들이 많거든.

05 ⑤

해설 기상 시간(아침 6시), 운동 시간(30분), 아침 식사(토스트와 우유), 등교 시간(8시)에 대해 언급하였지만 등교 방법에 대해서는 언급하지 않았다.

어휘 get up 일어나다
go jogging 조깅하러 가다
brush A's teeth 양치질하다
take a shower 샤워하다
go to school 등교하다

M I usually get up at 6 o'clock in the morning. Then, I go jogging for half an hour. After that, I brush my teeth and take a shower. I have breakfast at 7:20. I have 2 slices of toast with butter and a glass of milk. At 8 o'clock I leave for school.

남 저는 보통 아침 6시에 일어납니다. 그러고 나서 30분 동안 조깅을 합니다. 그 후에는 양치질과 샤워를 합니다. 저는 7시 20분에 아침 식사를 합니다. 버터 바른 토스트 2개와 우유 한 잔을 마십니다. 저는 8시에 학교에 갑니다.

06 ①

해설 여자는 콘서트 시작 전에 점심을 사준다며 1시에 만나자고 제안했고, 남자는 이에 동의했다.

어휘 in front of ~ 앞쪽에[앞에]
then[ðen] 그때

M Amy, would you like to go to the BSS concert today? I have 2 tickets.
W Great! What time does the concert begin and where is it?
M At 3 o'clock at the Olympic Concert Hall.
W Okay. Let's meet in front of the concert hall at 1. I will buy you lunch before the concert.
M Okay, see you then.

남 Amy, BSS 콘서트에 갈래? 표가 두 장 있거든.
여 좋아! 콘서트가 몇 시에 시작하고 어디에서 하니?
남 올림픽 콘서트홀에서 3시 정각에 시작해.
여 알았어. 콘서트홀 앞에서 1시에 만나자. 콘서트 시작 전에 점심 사줄게.
남 알겠어, 그때 보자.

07 ②

해설 나중에 훌륭한 음악가가 될 거라고 생각한다는 여자의 말에 남자도 그러길 바란다고 했으므로 남자의 장래 희망은 음악가이다.

어휘 write[rait] (음악 작품 등을) 쓰다
be good at ~을 잘하다
musician[mju(ː)zíʃən] 음악가

W I love the song. What are you playing?
M Thanks. I wrote it yesterday.
W Wow, you're really good at writing songs.
M Thanks. I like to play the guitar and the drums, too.
W You have a great talent. I think you'll become a great musician.
M I hope so.

여 그 노래 정말 좋다. 무슨 노래를 연주하고 있어?
남 고마워. 내가 어제 작곡했어.
여 와, 너는 작곡을 정말 잘하는구나.
남 고마워. 나는 기타와 드럼 연주하는 것도 좋아해.
여 너는 재능이 아주 많구나. 나는 네가 훌륭한 음악가가 될 거라고 생각해.
남 나도 그렇게 되었으면 좋겠어.

08 ⑤

해설 남자의 남동생은 어젯밤에 잠을 잘 못 잤다고 하였다.

어휘 pajama[pədʒáːmə] 잠옷, 파자마
dinosaur[dáinəsɔ̀ːr] 공룡
touch[tʌtʃ] 만지다
wake up (잠에서) 깨우다
then[ðen] 그러면

W Jackson, is this your brother?
M Yes. His name is Jeremy.
W He's wearing pajamas. How old is he?
M He is 2 years old. He likes dinosaurs.
W Can I touch his feet?
M No, he didn't sleep well last night. You will wake him up.
W Okay. I'll just look, then.

여 Jackson, 얘가 네 남동생이니?
남 응. 이름은 Jeremy야.
여 걔가 잠옷을 입고 있구나. 몇 살이야?
남 두 살이야. 걔는 공룡을 좋아해.
여 동생의 발을 만져 봐도 되니?
남 안 돼, 어젯밤에 잠을 잘 못 잤거든. 네가 걔를 깨울 거야.
여 알겠어. 그럼 그냥 보기만 할게.

09 ④

[해설] 비가 많이 와서 버스 정류장에 있
는 남자에게 여자는 우산을 가져다주겠다
고 했다.

[어휘] near[niər] ~에서 가까이
bring[briŋ] 가져오다

[Cell phone rings.]
M Hello.
W Where are you, Ted?
M I'm at the bus stop near home, Mom.
W Is it raining a lot outside?
M Yes, it's raining heavily.
W Okay. Wait for me there. I'll bring you an umbrella.
M Thanks, Mom.

[휴대 전화가 울린다.]
남 여보세요.
여 어디니, Ted?
남 집 근처 버스 정류장이에요, 엄마.
여 밖에 비가 많이 오니?
남 네. 아주 많이 오고 있어요.
여 알았어. 거기서 기다려. 내가 우산 가
  져다줄게.
남 고마워요, 엄마.

10 ③

[해설] 지갑을 잃어버린 여자가 남자에게
자신의 지갑임을 확인받은 뒤 돌려받는 것
으로 보아 분실물 회수에 대한 대화이다.

[어휘] wallet[wálit] 지갑
student card 학생증
guess[ges] 추측하다

W Excuse me. I'm looking for my wallet.
M What color is it?
W It's black.
M Is there anything in it?
W My student card and two pictures of myself.
M Okay. I guess this is the one. Is it yours?
W Yes. Thank you.

여 실례합니다. 제 지갑을 찾고 있어요.
남 무슨 색깔인가요?
여 검정색이에요.
남 안에 뭔가 들어 있나요?
여 학생증과 제 사진 두 장이요.
남 알겠습니다. 이게 그것인 것 같네요.
  당신 것이 맞나요?
여 네. 감사합니다.

11 ②

[해설] 여자는 평소에 자전거를 타고 등교
하는데 오늘은 너무 추워서 버스를 타고
학교에 갔다.

[어휘] walk to school 학교에 걸어서
가다 (= go to school on foot)

W How do you go to school?
M I always walk to school. It only takes about 10 minutes from my house. How about you?
W I usually go to school by bike. Riding a bike is faster.
M Did you go to school by bike today?
W No. I took a bus today because it was too cold.

여 너는 어떻게 학교에 가니?
남 나는 항상 걸어서 등교해. 우리 집에
  서 10분 정도밖에 걸리지 않아. 너는
  어때?
여 나는 보통 자전거를 타고 학교에 가.
  자전거 타면 더 빠르거든.
남 오늘도 자전거로 등교했니?
여 아니. 너무 추워서 오늘은 버스를 탔
  어.

12 ①

[해설] 여자는 배구를 좋아하지만 학교에
배구 동아리가 없어서 동아리에 가입하지
않았다.

[어휘] act[ækt] (연극 등에서) 연기하다
play[plei] 연극
volleyball[válibɔːl] 배구

W What club are you in?
M I'm in the drama club. I like to act in plays.
W Wow, I didn't know you liked acting.
M I do. Are you in any clubs?
W No, I'm not. I like volleyball. But there is no volleyball club at our school.
M Oh, that's too bad.

여 너는 어떤 동아리에 들었니?
남 나는 연극 동아리에 들었어. 연극에서
  연기하는 것을 좋아해.
여 와, 네가 연기하는 걸 좋아하는 줄 몰
  랐네.
남 좋아해. 너는 동아리에 들었니?
여 아니, 안 들었어. 나는 배구를 좋아해.
  하지만 우리 학교에 배구 동아리가 없
  거든.
남 아, 안됐다.

13 ③

해설 호텔 방을 예약한 남자가 체크인을 하고 있고 여자는 예약 내용을 확인한 후 카드 열쇠를 건네며 방 번호를 알려 주고 있는 것으로 보아 두 사람의 관계는 호텔 직원과 고객이다.

어휘 reservation[rèzərvéiʃən] 예약
spell[spel] 철자를 말하다
key card 카드 열쇠, 키 카드

W Good evening.
M Hello, I have a reservation. My name is Tim Jennings.
W Can you spell that, please?
M J-E-N-N-I-N-G-S.
W For 2 nights?
M Yes, that's right.
W Here is your key card. Your room number is 1325.

여 안녕하세요.
남 안녕하세요, 예약을 했거든요. 제 이름은 Tim Jennings입니다.
여 철자를 말씀해주시겠어요?
남 J-E-N-N-I-N-G-S.
여 이틀 밤이죠?
남 네, 맞습니다.
여 여기 카드 열쇠 받으세요. 방 번호는 1325입니다.

14 ③

해설 남자는 찾고 있는 손목시계를 여자가 말한 소파 위와 탁자를 살펴보았으나 찾지 못했고 피아노 밑에서 발견했다.

어휘 a few (수가) 여러, 몇
under[ʌ́ndər] ~아래에

M Mom, did you see my watch?
W Well, I saw it on the sofa a few hours ago.
M No, there isn't anything on the sofa.
W Then check the table.
M No, it isn't there. [Pause] Mom, I found it under the piano.

남 엄마, 제 손목시계 보셨어요?
여 음, 몇 시간 전에 소파 위에 있는 걸 봤어.
남 아니요, 소파 위에는 아무것도 없어요.
여 그럼 탁자를 살펴보렴.
남 아니요, 거기에도 없어요. [잠시 후] 엄마, 피아노 밑에서 찾았어요.

15 ④

해설 휴대 전화를 집에 두고 온 여자는 남자에게 전화기를 빌려달라고 부탁했다.

어휘 favor[féivər] 부탁, 호의
leave[li:v] ~을 두고 오다[가다]
call[kɔ:l] ~에게 전화하다

W Minho, can you do me a favor?
M What is it, Eunhye?
W I left my cell phone at home today.
M Do you need to call someone?
W Yes. Can I use your phone to call my mom?
M Sure. Here you are.

여 민호야, 내 부탁 좀 들어줄래?
남 뭔데, 은혜야?
여 오늘 내 휴대 전화를 집에 두고 왔거든.
남 누군가에게 전화해야 하니?
여 응. 우리 엄마한테 전화하게 네 전화기 좀 써도 될까?
남 그래. 여기 있어.

16 ②

해설 여자는 쇼핑하러 가자는 남자의 제안에 돈이 없다며 거절했고 집에서 만화책을 보자고 제안했다.

어휘 special[spéʃəl] 특별한
go shopping 쇼핑하러 가다
spend[spend] (시간, 돈 등을) 쓰다
instead[instéd] 대신에

[Cell phone rings.]
W Hello.
M Hi, Julia. Do you have any plans this afternoon?
W Nothing special.
M Why don't we go shopping, then?
W Well, I don't have any money now. How about reading comic books at my house, instead?
M Great! I will call you again later.

[휴대 전화가 울린다.]
여 여보세요.
남 안녕, Julia. 오늘 오후에 계획 있니?
여 특별한 건 없는데.
남 그럼 쇼핑 같이 가는 게 어때?
여 글쎄, 내가 지금 돈이 없거든. 대신 우리 집에서 만화책 보는 건 어때?
남 좋아! 내가 나중에 다시 전화할게.

17 ④

해설 남자는 할아버지가 몸이 편찮으셔서 주말마다 조부모님을 방문한다고 했다.

어휘 go on a picnic 소풍가다
often [ɔ́(ː)fən] 자주, 종종
recently [ríːsəntli] 최근에
such a nice ~ 아주 착한[멋진] ~
grandson [grǽndsʌn] 손자

M　How was your weekend, Jimin?
W　Wonderful! I went on a picnic with my family. How about you?
M　It was good. I visited my grandparents in Jeonju.
W　Do you visit them often?
M　My grandfather was ill recently so I visit them every weekend.
W　You are such a nice grandson!

남　주말을 어떻게 보냈니? 지민아?
여　멋졌어! 가족과 함께 소풍을 갔어. 너는 어땠니?
남　좋았어. 전주에 계신 조부모님을 방문했어.
여　자주 찾아뵙니?
남　할아버지가 최근에 편찮으셔서 주말마다 조부모님을 찾아뵙고 있어.
여　넌 정말 착한 손자로구나!

18 ③

해설 감기 증상을 호소하는 남자에게 약을 주며 나아지지 않으면 병원에 가 보라는 말로 보아 여자의 직업은 약사이다.

어휘 fever [fíːvər] 열
have a runny nose 콧물이 나다
take [teik] (약을) 복용하다
medicine [médisn] 약
see a doctor 병원에 가다

W　How can I help you?
M　I have a fever and a runny nose.
W　Okay. Take this medicine 3 times a day. If you do not feel better by tomorrow, you have to see a doctor.
M　All right. How much is it?
W　That will be $5.

여　무엇을 도와 드릴까요?
남　열이 있고 콧물이 나요.
여　알겠습니다. 이 약을 하루에 세 번 드세요. 내일까지 좋아지지 않으면 병원에 가 보셔야 해요.
남　알겠어요. 얼마죠?
여　5달러입니다.

19 ①

해설 여자가 치마를 사기에 돈이 충분하지 않다고 했고 남자가 돈이 얼마나 더 필요하냐고 물었으므로 필요한 액수를 말하는 내용이 와야 적절하다.

어휘 enough [inʌ́f] 충분한
skirt [skəːrt] 치마

M　Are you going to buy that T-shirt?
W　Well, I have to check my wallet first.
M　How much do you have?
W　[Pause] I have $20 right now. But I don't have enough to buy a skirt.
M　How much more do you need?
W　I need 5 more dollars.

남: 너 그 티셔츠 살 거니?
여　글쎄, 먼저 내 지갑을 확인해봐야 해.
남　얼마나 가지고 있는데?
여　[잠시 후] 나는 지금 20달러가 있어. 하지만 치마를 사기에는 돈이 충분하지 않아.
남　돈이 얼마나 더 필요하니?
여　나는 5달러가 더 필요해.

② 내가 연필을 좀 가져다줄게.
③ 내 재킷에는 주머니가 4개 있어.
④ 나는 오늘 오후에 쇼핑하러 가.
⑤ 미안해. 나는 지금 돈이 하나도 없어.

20 ④

해설 남자가 교통이 혼잡하니 차를 갖고 가지 말라고 했으므로 이어질 응답으로 여자가 다른 교통수단을 이용하겠다고 말하는 것이 적절하다.

어휘 drive[draiv] 운전하다
traffic[tréfik] 교통(량)

M How are you going to go to Henry's fan meeting at 3 this afternoon?
W I'm going to drive.
M I don't think that's a very good idea.
W Why not?
M Traffic is very bad at that time of day.
W Okay, I'll take the subway then.

남 오늘 오후 3시에 있는 Henry의 팬 미팅에 어떻게 갈 거야?
여 운전을 해서 가려고 해.
남 별로 좋은 생각 같지 않아.
여 왜 아니야?
남 그 시간에 교통은 매우 혼잡하거든.
여 알겠어, 그럼 지하철을 탈게.

① 다시는 지각하지 않을게.
② 그를 어서 빨리 보고 싶어.
③ 걷는 것은 건강에 좋아.
⑤ 아니, 나는 노래를 잘 못 해.

01 ③	02 ①	03 ②	04 ②	05 ③	06 ③	07 ③
08 ⑤	09 ②	10 ②	11 ④	12 ②	13 ⑤	14 ⑤
15 ⑤	16 ①	17 ②	18 ③	19 ①	20 ②	

01 ③

해설 노란색과 검은색 줄무늬가 몸에 있고, 꿀을 만들고, 독으로 사람들을 다치게 할 수 있는 것은 꿀벌이다.

어휘 wing[wiŋ] 날개
stripe[straip] 줄무늬
honey[hʌ́ni] 꿀
hurt[həːrt] 다치게 하다
poison[pɔ́izən] 독

W I can fly with my wings. Some birds can eat me. My body has yellow and black stripes. I like eating sweet things. I make honey. I can hurt people with my poison. What am I?

여 나는 날개로 날 수 있어요. 어떤 새들은 나를 먹을 수 있지요. 내 몸에는 노란색과 검은색 줄무늬가 있어요. 나는 달콤한 것들을 먹는 것을 좋아해요. 나는 꿀을 만들어요. 나는 독으로 사람들을 다치게 할 수 있어요. 나는 누구일까요?

02 ①

해설 여자가 모자를 쓴 펭귄 인형을 권하자 남자는 딸이 그것을 좋아할 거라면서 사기로 했다.

어휘 stuffed animal (봉제) 동물 인형
favorite[féivərit] 가장 좋아하는
penguin[péŋgwin] 펭귄

W May I help you?
M Yes. I'm looking for a toy for my daughter.
W Does she like animals? We have many stuffed animals.
M Her favorite animal is a penguin.
W How about this penguin with a hat?
M Great! I'm sure she'll like it. I'll take it.
W Here you are.

여 도와 드릴까요?
남 네. 딸에게 줄 인형을 찾고 있어요.
여 따님이 동물을 좋아하나요? 저희는 동물 인형이 많이 있습니다.
남 딸이 가장 좋아하는 동물은 펭귄이에요.
여 모자를 쓴 이 펭귄은 어떤가요?
남 좋아요! 분명 걔가 그걸 좋아할 거예요. 그걸로 살게요.
여 여기 있습니다.

03 ②

해설 토요일 오전에는 비가 오겠지만, 오후에는 비가 그치고 흐리겠다고 했다.

어휘 weather[wéðər] 날씨
anymore[ènimɔ́ːr] 더 이상
clear[kliər] 맑은

M Good morning! Here is the weather for this weekend. On Saturday, it will be rainy in the morning. The rain will stop in the afternoon, but it's going to be cloudy. On Sunday, the sky will not be cloudy any more. You will see sunny and clear skies.

남 안녕하세요! 이번 주말 일기 예보입니다. 토요일에는 오전에 비가 오겠습니다. 비는 오후에 그치겠지만, 흐리겠습니다. 일요일에는 하늘에 더 이상 구름이 없겠습니다. 화창하고 맑은 하늘을 보게 되실 겁니다.

04 ②

해설 감기에 걸려 몸이 좋지 않은 남자에게 여자가 집에 가서 쉬라고 조언하자, 남자도 그 말에 동의하고 있다.

어휘 well[wel] (몸이) 건강한
terrible[térəbl] 지독한, 심한
cold[kould] 감기
get some rest 약간의 휴식을 취하다

W Hi, Mason. How are you doing?
M I'm not feeling well today.
W What's wrong?
M I have a terrible cold.
W That's too bad. You should go home and get some rest.
M You're right. I should.

여 안녕, Mason. 어떻게 지내니?
남 오늘 몸이 좋지 않아.
여 무슨 일 있니?
남 지독한 감기에 걸렸거든.
여 안됐구나. 집에 가서 좀 쉬어야겠네.
남 네 말이 맞아. 그래야겠어.

05 ③

해설 재료(돌), 건축 연도(647년), 용도 (별 관측), 위치(경주)는 언급하고 있지만 층수는 언급하지 않았다.

어휘 structure[strʌ́ktʃər] 구조물
national treasure 국보
build[bild] (건물을) 짓다, 건축하다
(build-built-built)

W This stone structure is one of the national treasures of Korea. People built it in 647. It's about 9 meters tall. People used it to watch stars in the sky. You can visit Gyeongju to see this.

여 이 석조 구조물은 한국의 국보들 중 하나입니다. 사람들은 그것을 647년 에 세웠습니다. 그것은 약 9미터입니 다. 사람들은 하늘의 별을 관측하기 위해서 그것을 사용했습니다. 여러분 은 이것을 보려면 경주를 방문하면 됩 니다.

06 ③

해설 두 사람은 여자의 일이 3시 30분 에 끝나서 4시에 만나기로 했다.

어휘 go shopping 쇼핑하러 가다
finish[fíniʃ] 끝나다
work[wəːrk] 일

M Mom. Can we go shopping today? I need new socks.
W Sure. Do you want to meet me at the shopping mall this afternoon?
M Okay. How about 3:30?
W Oh, I finish work at 3:30. How about 4 o'clock?
M Okay. I'll see you then.

남 엄마. 오늘 쇼핑하러 갈 수 있으세요? 저 새 양말이 필요해요.
여 물론이지. 오늘 오후에 쇼핑몰에서 만 날까?
남 좋아요. 3시 30분 어떠세요?
여 아, 나는 3시 30분에 일이 끝나는데. 4시 어떠니?
남 좋아요. 그때 뵐게요.

07 ③

해설 여자는 공책에 글쓰기를 연습하고 미래에 신문에 기사를 쓰고 싶다고 했고 남자는 훌륭한 신문 기자가 될 거라고 하 였다.

어휘 practice[prǽktis] 연습하다
newspaper[njúːzpèipər] 신문
in the future 미래에
write a story 기사를 쓰다
reporter[ripɔ́ːrtər] 신문 기자

M What's in your shopping bag?
W I bought some notebooks.
M I see. Are they for school?
W No, they're for me. I practice my writing in them.
M Why do you do that?
W I want to write stories for a newspaper in the future.
M I'm sure you will be a great reporter.

남 쇼핑백에 뭐가 들어 있니?
여 공책을 좀 샀어.
남 그렇구나. 학교에서 쓸 거니?
여 아니, 나를 위한 거야. 나는 거기에 글 쓰기를 연습해.
남 왜 그렇게 하는데?
여 나는 미래에 신문에 기사를 쓰고 싶 어.
남 너는 분명 훌륭한 신문 기자가 될 거 야.

08 ⑤

해설 남자는 새로 산 신발을 지하철 안 에 두고 내려서 찾지 못할까 봐 걱정했다.

어휘 lose[luːz] 잃어버리다
Lost and Found office 분실물 보관소

W What's wrong?
M I bought new shoes, but I lost them.
W Where did you lose them?
M I think I left them in the subway. What should I do?
W You should go to the Lost and Found office. Maybe you can find your shoes there.
M I will. I hope I can find them soon.

여 무슨 일 있니?
남 내가 새 신발을 샀는데, 그걸 잃어버 렸어.
여 어디에서 잃어버렸는데?
남 지하철에 두고 내린 것 같아. 어떻게 하지?
여 분실물 보관소에 가봐. 아마 거기서 네 신발을 찾을 수 있을 거야.
남 그럴게. 얼른 신발을 찾을 수 있으면 좋겠다.

09 ②

해설 해설 다른 선수들이 배드민턴 경기를 마치자 두 사람은 코트를 사용할 수 있게 되었다.

어휘 be good at ~을 잘하다
keep v-ing 계속 ~하다
turn[təːrn] 차례
badminton court 배드민턴장

W Look at those players. They are really good at badminton.
M Yes. I hope I can play badminton like them.
W You will. Let's keep practicing it.
M Oh, it looks like they are done now. It's our turn to use the badminton court.
W All right. Let's go!

여 저 선수들을 봐. 배드민턴을 정말 잘하네.
남 응. 나도 배드민턴을 저 사람들처럼 할 수 있으면 좋겠다.
여 그렇게 될 거야. 계속 연습하자.
남 아, 이제 그들이 끝난 거 같아. 우리가 배드민턴장을 사용할 차례야.
여 좋아. 가자!

10 ②

해설 몸무게가 늘어서 간식을 먹지 않겠다는 여자에게 남자는 운동을 해야 한다고 말하며 체중 조절에 대해 이야기 하고 있다.

어휘 look good on ~에게 잘 어울리다
gain weight 몸무게가 늘다
from now on 지금부터
snack[snæk] 간식
lose weight 몸무게가 줄다

W Oh no. These pants are too small.
M Really? The pants still look good on you.
W I think I gained some weight. From now on, I will stop having snacks.
M Good for you! You should exercise, too. You can lose weight faster.
W You're right. I should go jogging every day.

여 이런. 이 바지가 너무 작아.
남 정말? 그래도 그 바지는 너에게 어울리는데.
여 몸무게가 좀 늘어난 것 같아. 지금부터 간식을 먹지 않을 거야.
남 잘 생각했어! 운동도 해야 해. 더 빨리 몸무게를 줄일 수 있어.
여 네 말이 맞아. 매일 조깅을 해야겠어.

11 ④

해설 여자는 부산으로 여행을 가는데 자동차로 가기에 너무 멀어서 기차를 타고 갈 거라고 했다.

어휘 travel[trǽvəl] 여행하다
far[fɑːr] 거리가 먼

M Stella, where are you going to travel to?
W I'm going to go to Busan with my friends.
M When are you going to leave?
W I'll leave tomorrow morning.
M That sounds great. Are you going to go there by car?
W No, it's too far. I'm going to take the train.
M I see. Have a nice trip!

남 Stella, 너 어디로 여행을 갈 거니?
여 나는 친구들과 부산으로 여행을 갈 거야.
남 언제 떠나니?
여 내일 아침에 떠날 거야.
남 좋겠다. 자동차로 갈 거니?
여 아니, 너무 멀어. 나는 기차를 탈 거야.
남 그렇구나. 여행 잘 다녀와!

12 ②

해설 남자는 자신이 찾는 책을 누군가 이미 빌려 가서 빌릴 수 없었다.

어휘 mean[miːn] 의미하다
look around 둘러보다
check[tʃek] 확인하다
already[ɔːlrédi] 이미, 벌써
borrow[bárou] 빌리다
guess[ges] ~이라고 생각하다

M Excuse me. I'm looking for Amazing Grace.
W Do you mean the book by Judy Kim?
M Yes. I looked around, but I couldn't find it.
W Let me check. [Pause] Oh, someone already borrowed it.
M I see. I guess I should come back next week.

남 실례합니다. 〈Amazing Grace〉를 찾는데요.
여 Judy Kim이 쓴 책 말이죠?
남 네. 제가 둘러봤는데, 찾을 수가 없었어요.
여 확인해 볼게요. [잠시 후] 아, 어떤 분이 이미 빌려 가셨네요.
남 알겠습니다. 다음 주에 다시 와야겠네요.

13 ⑤

해설 남자는 공부할 때 집중하기가 어렵다고 여자에게 상담하고 있으므로, 남자는 학생이고, 여자는 상담 교사이다.

어휘 focus[fóukəs] 집중하다
subject[sʌ́bdʒikt] 과목
be different from ~와 다르다
elementary school 초등학교
grade[greid] 성적
important[impɔ́ːrtənt] 중요한

M Ms. Smith, I can't focus when I study.
W Do you have many subjects to study?
M Yes. I have 7 different subjects.
W Well, middle school is very different from elementary school.
M You're right. School hours are longer. Grades become important.
W Don't worry. Many students feel the same.

남 Smith 선생님, 제가 공부할 때 집중하기가 어려워요.
여 공부할 과목이 많니?
남 네. 다른 과목이 7개나 있어요.
여 음, 중학교는 초등학교와 매우 다르지.
남 맞아요. 수업 시간이 더 길고요. 성적이 중요해졌어요.
여 걱정하지 마라. 많은 학생들이 똑같이 느끼고 있단다.

14 ⑤

해설 병원은 오른쪽으로 돌아 직진하다 보면 은행 맞은편에 있을 것이라 했다.

어휘 around[əráund] 주변에
across from ~의 맞은편에

W Excuse me, is Hanguk Hospital around here?
M Yes, go straight one block and turn right.
W Is that all?
M No. You have to go straight two blocks again. You can see the hospital on your right. It's across from the bank.
W Across from the bank? Okay. Thank you for your help.

여 실례합니다. 이 근처에 한국 병원이 있나요?
남 네, 한 블록 직진하시고 우회전하세요.
여 그게 다 인가요?
남 아니요. 두 블록 더 직진하셔야 해요. 오른편에 병원을 볼 수 있을 거예요. 그건 은행 맞은편에 있어요.
여 은행 맞은편이라고요? 알겠어요. 도와주셔서 감사합니다.

15 ⑤

해설 여자는 친구를 만나러 가는데 비가 와서 남자에게 버스 정류장까지 태워다 달라고 부탁했다.

어휘 busy[bízi] 바쁜
outside[àutsáid] 밖에
drive[draiv] 태워다 주다

W Dad, are you busy right now?
M No. What's up?
W I'm going out to meet my friend, but it's raining outside.
M Oh, really?
W Yes. So, can you drive me to the bus stop?
M Of course. Let me get my car key.
W Thank you.

여 아빠, 지금 당장 바쁘세요?
남 아니. 무슨 일인데?
여 친구를 만나러 나갈 건데, 밖에 비가 와서요.
남 아, 정말?
여 네. 그래서 버스 정류장에 저를 태워다 주실 수 있나요?
남 물론이지. 자동차 열쇠를 가져올게.
여 고마워요.

16 ①

해설 서로 쉽고 어려운 과목이 정반대여서 여자가 서로 도우면서 함께 공부하자고 제안했다.

어휘 difficult[dífəkʌlt] 어려운
easy[íːzi] 쉬운
fun[fʌn] 재미있는
each other 서로

M I don't like math. It's too difficult.
W Really? For me, science is difficult. Math is easy.
M Science can be easy and fun, too.
W Oh, I have an idea.
M What is it?
W How about studying together? We can help each other with math and science.
M That sounds great!

남 나는 수학을 좋아하지 않아. 너무 어려워.
여 정말? 나에게는 과학이 어려워. 수학은 쉬워.
남 과학도 쉽고 재미있을 수 있어.
여 아, 좋은 생각이 있어.
남 그게 뭔데?
여 같이 공부하는 거 어때? 우리는 서로 수학과 과학 공부를 도울 수 있을 거야.
남 그거 좋은데!

17 ②

해설 여자가 어제 피자를 먹어서 한국 음식을 먹자고 제안했고 두 사람은 비빔밥을 먹을 수 있는 한식당에 가기로 했다.

어휘 nearby[nìərbái] 가까운 곳에
vegetable[védʒitəbl] 채소

W What do you want to have for lunch?
M How about pizza?
W No, I ate it yesterday. How about Korean food?
M Sure. Do you know any good Korean restaurant nearby?
W There's one right there. We can have bibimbap.
M Rice with vegetables? I like that. Let's go.

여 너는 점심으로 무엇을 먹고 싶니?
남 피자는 어때?
여 아니, 나 어제 피자 먹었어. 한국 음식 어때?
남 그래. 근처에 괜찮은 한식당 아는 곳 있니?
여 저쪽에 하나 있어. 우리는 비빔밥을 먹을 수 있어.
남 채소가 들어 있는 밥 말이니? 나 그거 좋아해. 가자.

18 ③

해설 병원에서 일하고 아픈 사람들을 도와주고, 의사를 돕는 직업은 간호사이다.

어휘 describe[diskráib] 묘사하다
sick[sik] 아픈
treat[triːt] 치료하다

M Aunt May, can you help me with my homework?
W Sure. What is it?
M I have to write about my family members. Can you describe your job?
W Sure. I work in a hospital and help sick people.
M Do you also treat sick people?
W No, I don't. I help doctors.

남 May 이모, 제가 숙제하는 것을 도와주실래요?
여 그래. 그게 뭔데?
남 제가 가족 구성원에 대해서 써야 해요. 이모의 직업에 대해 설명해주실래요?
여 그래. 나는 병원에서 일하고 아픈 사람들을 돕지.
남 아픈 사람들을 치료도 하시나요?
여 아니, 치료는 하지 않아. 나는 의사들을 돕거든.

19 ①

해설 남동생을 돌봐야 해서 내일 영화를 보러 갈 수 없다는 여자가 다음 주 일요일에 가자고 했으므로 여자의 제안에 수락하거나 거절하는 응답이 이어져야 한다.

어휘 take care of ~을 돌보다
[선택지]
Don't mention it. 천만에요. 별 말씀을요

[Cell phone rings.]
M Hello.
W Hello, Mike. It's Kate.
M Hi, Kate. What's up?
W I can't go to the movies tomorrow.
M Why not?
W I have to stay home and take care of my little brother.
M Really? Well, we can go another time.
W How about next Sunday?
M Sure, I'd love to.

[휴대 전화가 울린다.]
남 여보세요.
여 안녕, Mike. 나 Kate야.
남 안녕, Kate. 무슨 일이야?
여 나 내일 영화 보러 갈 수 없을 것 같아.
남 왜 못 가는데?
여 나는 집에 있으면서 내 남동생을 돌봐야 하거든.
남 정말? 음, 우리는 다음번에 가면 돼.
여 다음 주 일요일은 어때?
남 물론, 좋을 것 같아.

② 나는 너의 말에 동의해.
③ 천만에.
④ 우리는 즐거운 시간을 보냈어.
⑤ 나는 생선 요리를 잘해.

20 ②

해설 상자 옮기는 것을 도와주겠다는 남자에게 여자가 고맙다고 했으므로 여자의 고마움에 답하는 응답이 이어져야 한다.

어휘 quite[kwait] 꽤
heavy[hévi] 무거운
carry[kǽri] 운반하다, 나르다
[선택지]
pleasure[pléʒər] 기쁜[즐거운] 일

M What is in the box?
W There are some books in the box. It's quite heavy.
M Do you need any help?
W Yes, please. Can you help me carry the box to my room, please?
M Of course.
W Thanks a lot.
M It's my pleasure.

남 그 상자 안에 뭐가 있니?
여 상자 안에 책이 좀 있어. 꽤 무거워.
남 도움이 필요하니?
여 응, 부탁할게. 상자를 내 방으로 옮기는 것을 도와줄래?
남 물론이야.
여 정말 고마워.
남 천만에.

① 난 그것을 믿을 수 없어.
③ 그 말을 들으니 기뻐.
④ 좋은 생각이야.
⑤ 아니, 괜찮아.

01 ②	02 ③	03 ④	04 ③	05 ④	06 ③	07 ①
08 ①	09 ②	10 ③	11 ③	12 ④	13 ②	14 ②
15 ④	16 ②	17 ④	18 ②	19 ②	20 ②

01 ②

[해설] 나무에 오르며, 알을 낳고, 독이 있고, 개구리나 쥐를 먹는 것은 뱀이다.

[어휘] both A and B A와 B 둘 다
climb[klaim] 오르다
lay[lei] 알을 낳다
poison[pɔ́izən] 독
kill[kil] 죽이다
mice[mais] mouse(쥐)의 복수형

W I live both in water and on land. I can swim, but I can't fly. Also, I can climb trees. I lay eggs. I have poison to kill people. I usually eat frogs and mice. What am I?

여 나는 물속과 땅 위에서 모두 살아요. 나는 헤엄을 칠 수 있지만, 날 수는 없지요. 또한 나는 나무를 오를 수 있어요. 나는 알을 낳아요. 나는 사람들을 죽일 수 있는 독을 가지고 있어요. 나는 보통 개구리나 쥐를 먹어요. 나는 누구일까요?

02 ③

[해설] 남자가 큰 꽃이 달린 구두를 신어 보라고 하자 여자가 신어 본 후에 그것을 사겠다고 했다.

[어휘] try[trai] 신어 보다
look good on ∼에게 어울리다
perfect[pɔ́:rfikt] 완벽한

W How do you like these shoes?
M They're pretty. I like the ribbons.
W Yes, but the ribbons are a little big for me.
M Then try these ones with big flowers. I think they will look better on you.
W Okay. [Pause] They're perfect. I'll take them.

여 이 구두 어때?
남 예쁘다. 나는 리본이 마음에 들어.
여 응, 하지만 나에게 리본이 좀 크네.
남 그럼, 큰 꽃이 달린 이 구두를 신어 봐. 너에게 더 잘 어울릴 것 같아.
여 좋아. [잠시 후] 완벽해. 그걸로 살래.

03 ④

[해설] 제주도는 하루 종일 맑겠다고 했다.

[어휘] weather forecast 일기 예보
temperature[témpərətʃər] 기온
go up 올라가다
because of ∼ 때문에

M Good morning. Here is the local weather forecast. The temperature is going up and it will be a hot day in Seoul. Busan will be cool because of rain and strong winds. Jeju-do will have clear skies all day. Thank you.

남 안녕하세요. 지역 일기 예보입니다. 서울은 기온이 올라가고 더운 날이 되겠습니다. 부산은 비와 강한 바람이 불어서 서늘하겠습니다. 제주도는 하루 종일 맑겠습니다. 감사합니다.

04 ③

[해설] 여자의 아버지가 차 사고를 당해서 입원한 상황에서 남자가 곧 나아질 거라고 위로하자, 여자도 그랬으면 좋겠다고 소망하고 있다.

[어휘] car accident 자동차 사고
be in the hospital 입원해 있다

W My father had a car accident last week.
M I'm sorry to hear that. Is he all right?
W He broke his arm and leg. He's still in the hospital.
M That's too bad. I hope your father will get better soon.
W I really hope so, too.

여 우리 아버지가 지난주에 자동차 사고를 당하셨어.
남 유감이구나. 괜찮으시니?
여 팔과 다리가 부러지셨어. 아직도 입원해 계셔.
남 그거 안됐구나. 너의 아버지가 곧 나아지시길 바랄게.
여 나도 정말 그랬으면 좋겠다.

05 ④

해설 좋아하는 것(동물), 애완동물(고양이 두 마리), 방과 후 활동(동물 관련 책 읽기), 장래 희망(수의사)은 언급하고 있지만, 부모의 직업에 대해서는 언급하지 않았다.

어휘 introduce[ìntrədjúːs] 소개하다
library[láibrèri] 도서관

W   I'd like to introduce my best friend to you. Her name is Alice. She likes animals very much and has 2 cats. After school, she usually reads books about animals in the library. Her parents want her to be a doctor, but she hopes to be an animal doctor.

여   저의 가장 친한 친구를 소개할게요. 그녀의 이름은 Alice예요. 그녀는 동물을 매우 좋아해서, 고양이 두 마리를 길러요. 방과 후에 그녀는 도서관에 가서 동물에 대한 책을 읽어요. 그녀의 부모님은 그녀가 의사가 되기를 원하지만, 그녀는 수의사가 되고 싶어 해요.

06 ③

해설 두 사람은 15분 일찍인 6시 45분에 나가기로 했다.

어휘 eat out 외식하다
early[ə́ːrli] 일찍, 이른
by then 그때까지는

M   Tiffany, shall we eat out for dinner?
W   That sounds great. What time shall we leave the house?
M   How about 7 o'clock?
W   That's a little late. How about 15 minutes earlier?
M   Sure. Let's leave at 6:45.
W   Okay. I'll be ready by then.

남   Tiffany, 나가서 저녁 먹을래?
여   좋아. 몇 시에 집에서 나갈까?
남   7시 어때?
여   좀 늦어. 15분 정도 더 일찍 어때?
남   좋아, 6시 45분에 나가자.
여   알았어. 그때까지 준비하고 있을게.

07 ①

해설 남자는 꿈이 무대에서 노래하는 것이라고 했으므로, 장래 희망이 가수임을 알 수 있다.

어휘 finally[fáinəli] 드디어, 결국
during[djúəriŋ] ~ 동안
vocal[vóukəl] 목소리의, 음성의
stage[steidʒ] 무대
believe[bilíːv] 믿다

M   The winter vacation finally started.
W   What are you going to do during the winter vacation?
M   I'm thinking of taking vocal lessons.
W   Why do you want to take vocal lessons?
M   It's because my dream is to sing on stage.
W   I believe you will be a good singer.
M   Thanks.

남   겨울방학이 드디어 시작됐어.
여   너는 겨울방학 동안 무엇을 할 거니?
남   나는 보컬 수업을 받을까 생각 중이야.
여   왜 보컬 수업을 받고 싶은데?
남   왜냐하면 내 꿈은 무대에서 노래하는 것이거든.
여   나는 네가 좋은 가수가 될 거라 믿어.
남   고마워.

08 ①

해설 뉴욕으로 일주일 동안 여행 가게 되어 기대된다고 했으므로 남자는 설렌다는 것을 알 수 있다.

어휘 travel[trǽvəl] 여행가다
invite[inváit] 초대하다
stay[stei] 머무르다

M   I'm going to travel to New York this winter.
W   Wow, that's nice. Do you know anybody in New York?
M   My friend Peter invited me to his house. I'm going to stay with his family.
W   How long will you stay there?
M   For a week. I can't wait.

남   나 이번 겨울에 뉴욕으로 여행 갈 거야.
여   와, 그거 좋다. 뉴욕에 누구 아는 사람 있어?
남   내 친구 Peter가 나를 자기 집에 초대했어. 나는 그의 가족과 함께 지낼 거야.
여   그곳에 얼마나 오래 있을 거니?
남   일주일 동안. 너무 기대돼.

09 ②

해설 남자는 욕실에 있었지만, 친구에게 전화가 온 것을 알고 바로 받으러 가겠다고 했다.

어휘 phone call 전화 (통화)
bathroom[bǽθrù(:)m] 욕실
wait a second 잠깐 기다리다

W William, you have a phone call.
M Mom, I'm in the bathroom. I can't answer it right now.
W All right. I'll tell Vicky to call later.
M Wait! Who called?
W Vicky did.
M I'm coming! Please tell her to wait a second.
W Okay.

여 William, 너한테 전화 왔다.
남 엄마, 저 욕실에 있어요. 지금 당장은 받을 수 없어요.
여 알았다. Vicky에게 나중에 전화하라고 말할게.
남 잠깐만요! 누가 전화했다고요?
여 Vicky가 했어.
남 저 지금 가요! 그 애한테 잠시만 기다리라고 말해 주세요.
여 알았어.

10 ③

해설 식탁에서 코를 풀지 않는 행동과 입안이 가득 찬 상태로 말하지 않는 행동은 식사 예절에 대한 것이다.

어휘 blow A's nose 코를 풀다
polite[pəláit] 예의 바른
keep ~ in mind ~을 명심하다
full[ful] 가득 찬
careful[kέərfəl] 조심하는, 주의 깊은

W Jack, don't blow your nose at the table.
M Why is that?
W It isn't polite.
M Oh, I didn't know that. I'll keep that in mind.
W Also, you shouldn't talk with your mouth full.
M Okay. I'll be more careful.

여 Jack, 식탁에서 코를 풀지 마.
남 왜 그러는데?
여 그건 예의 바르지 않아.
남 아, 나는 그걸 몰랐어. 명심할게.
여 또 너는 입 안이 가득 찬 상태로 말하지 말아야 해.
남 알겠어. 더 조심할게.

11 ③

해설 지하철이 버스보다 더 빠르다는 여자의 말에 남자는 지하철을 타겠다고 했다.

어휘 Incheon International Airport 인천국제공항
usually[júːʒuəli] 보통
plane[plein] 비행기

M Hayun, how can I get to Incheon International Airport?
W You can take an airport bus or the subway.
M How long does it take by bus?
W Usually about an hour.
M My plane leaves at 9 and I have to be there before 7:30
W Why don't you take the subway? It's faster than the bus.
M Okay. I'll take the subway then.

남 하윤아, 인천국제공항에 어떻게 갈 수 있니?
여 공항버스나 지하철을 타면 돼.
남 버스로 가면 얼마나 걸리니?
여 보통 1시간 정도 걸려.
남 내 비행기가 9시에 출발해서, 난 7시 30분 전에 그곳에 가야 해.
여 지하철을 타는 게 어때? 버스보다 더 빠르거든.
남 알겠어. 그럼 지하철을 탈게.

12 ④

해설 남자는 자동차가 정비소에 있어서 여자를 도서관에 차로 데려다 줄 수 없다고 했다.

어휘 mechanic[məkǽnik] 정비소; 정비공
borrow[bárou] 빌리다
a bit 약간
far from ~에서 먼
helmet[hélmit] 헬멧

W Dad, can you drive me to the library right now?
M I'm sorry, but I can't.
W Why not?
M My car is still at the mechanic.
W Really? Then can I borrow your bike? The library is a bit far from here.
M Of course. Don't forget to wear a helmet.

여 아빠, 지금 바로 저를 도서관에 태워다 주실 수 있으세요?
남 미안하지만, 그럴 수 없어.
여 왜 안돼요?
남 내 차가 아직 정비소에 있거든.
여 정말요? 그럼 아빠의 자전거를 빌릴 수 있을까요? 도서관은 여기서 좀 멀거든요.
남 물론이지. 헬멧 쓰는 것을 잊지 마라.

13 ②

해설 남자가 주문을 받고 여자는 음식을 주문하므로, 남자는 식당 종업원이고 여자는 고객이다.

어휘 lunch special 점심 특선 메뉴
order[ɔ́ːrdər] 주문하다
a cup of 한 잔의
bring[briŋ] 가지고 오다

M Are you ready to order?
W Yes, I'll have today's lunch special, please.
M Which one would you like, potato salad or chicken salad?
W I'll have the chicken salad.
M Would you like something to drink?
W Yes, I'll have a cup of coffee.
M Okay. I'll bring you the coffee first.

남 주문하시겠어요?
여 네, 오늘의 점심 특선으로 주세요.
남 감자 샐러드와 치킨 샐러드 중에서 어느 것으로 하시겠어요?
여 치킨 샐러드로 할게요.
남 마실 것을 드릴까요?
여 네, 커피 한 잔 주세요.
남 알겠습니다. 먼저 커피를 가져다드릴게요.

14 ②

해설 우체국은 두 블록 직진해서 좌회전하고, 오른편에 있는 빵집 옆에 있다고 했다.

어휘 post office 우체국
get to ~에 도착하다
pass[pæs] 지나가다
bakery[béikəri] 빵집

M Excuse me. I'm looking for the post office. Is it around here?
W Yes, it is.
M How do I get to the post office?
W Go straight two blocks and turn left. Then, you will see a bakery on your right.
M A bakery on the right. Okay.
W Yes. The post office is next to the bakery.

남 실례합니다. 저는 우체국을 찾고 있는데요. 이 주변에 있나요?
여 네, 있습니다.
남 우체국에 어떻게 가요?
여 두 블록 직진해서 좌회전하세요. 오른편에 있는 빵집이 보일 거예요.
남 오른편에 빵집이요. 알겠습니다.
여 네. 우체국은 빵집 옆에 있어요.

15 ④

해설 여자는 자전거 브레이크를 바꾸고 싶은데 3일 정도 걸린다고 해서, 남자에게 준비되면 전화해 달라고 부탁했다.

어휘 change[tʃeindʒ] 바꾸다
brake[breik] 브레이크, 제동 장치
order[ɔ́ːrdər] 주문하다
part[pɑːrt] 부품
ready[rédi] 준비가 된

M Can I help you?
W Yes, I'd like to change my bike's brakes, please.
M Sure, but I'm afraid it'll take about 3 days.
W Why is that?
M I have to order some brake parts.
W Okay. Can you call me when my bike is ready?
M Of course.

남 도와 드릴까요?
여 네, 제 자전거 브레이크를 바꾸고 싶어요.
남 알겠습니다. 하지만 3일 정도 걸릴 것 같습니다.
여 왜 그런 거죠?
남 브레이크 부품을 주문해야 해요.
여 알겠습니다. 제 자전거가 준비되면 전화해 주실래요?
남 물론이죠.

16 ②

해설 여자는 클래식 음악 콘서트의 무료 티켓이 생겼다면서 남자에게 같이 가자고 제안했다.

어휘 fan[fæn] 팬
classical music 클래식 음악
free[friː] 무료의

W David, you are a fan of classical music, right?
M I am. Why do you ask?
W I got 2 free tickets to a classical music concert. Would you like to go with me?
M Of course. When is the concert?
W It's next Saturday at 7 p.m.
M Sure. I'll buy you dinner before the concert.

여 David, 너 클래식 음악 팬이지, 맞지?
남 맞아. 왜 묻는데?
여 나 클래식 음악 콘서트의 무료 티켓이 두 장 있어. 나랑 같이 갈래?
남 물론이지. 콘서트가 언제야?
여 다음 주 토요일 오후 7시야.
남 그래. 콘서트 전에 내가 저녁 살게.

17 ④

[해설] 여자는 2년 전에 잉글랜드, 프랑스, 이탈리아에 갔었고, 스페인은 이번 여름 방학에 갈 계획이라고 했다.

[어휘] travel[trǽvəl] 여행하다
museum[mjuːzíːəm] 박물관

M When did you go to Europe, Jenny?
W I went there 2 years ago. I traveled to England, France, and Italy.
M Which country did you like most?
W I liked France most. There were many beautiful restaurants and museums.
M How about Spain?
W I didn't visit that country. I'm planning to go there this summer vacation.

남 Jenny, 너 유럽에 언제 갔었니?
여 나는 2년 전에 갔었어. 나는 잉글랜드, 프랑스, 이탈리아를 여행했어.
남 어느 나라가 가장 마음에 들었니?
여 나는 프랑스가 가장 좋았어. 아름다운 식당과 박물관이 많았어.
남 스페인은 어떠니?
여 나는 그 나라에 방문하지 않았어. 이번 여름 방학에 갈 예정이야.

18 ②

[해설] 여자는 고등학교 때 남자의 역사 수업을 들었고, 지금은 가르치는 일을 하고 있다고 했으므로, 여자의 직업은 교사이다.

[어휘] history[hístəri] 역사
remember[rimémbər] 기억하다
teach[tiːtʃ] 가르치다
same[seim] 같은
job[dʒɑb] 직업

W Excuse me. Aren't you Mr. Jones?
M Yes, I am. Do I know you?
W My name is Helen Miller. I took your history class in high school.
M Oh, now I remember. Hi, Helen. Long time no see.
W I really liked your class, so now I'm teaching, too.
M I'm glad to hear that we have the same job.

여 실례합니다. Jones 선생님 아니세요?
남 맞는데요. 저를 아시나요?
여 제 이름은 Helen Miller입니다. 저는 고등학교 때 선생님의 역사 수업을 들었어요.
남 아, 이제 기억나네. 안녕, Helen. 오랜만이야.
여 저는 선생님의 수업을 정말 좋아했어요. 그래서 지금 저도 가르치는 일을 하고 있어요.
남 우리가 같은 직업을 가졌다고 하니 기쁘구나.

19 ②

[해설] 남자가 카메라를 바다에 빠뜨렸고 물속에 가라앉았다고 했으므로 이어질 응답으로 유감을 표현하는 말이 와야 적절하다.

[어휘] trip[trip] 여행
accident[ǽksidənt] 사고
dolphin[dɑ́lfin] 돌고래
ship[ʃip] 배
drop[drɑp] 떨어뜨리다
sink into ~으로 가라앉다
(sink-sank-sunk)

[선택지]
fault[fɔːlt] 잘못

W How was your trip, Jack?
M It was great, but I had an accident on the last day.
W What happened?
M I was taking pictures of dolphins on the ship. But I dropped my camera into the sea.
W Did you find your camera?
M No. It sank into the water.
W That's too bad.

여 Jack, 여행은 어땠니?
남 좋았어. 하지만 마지막 날에 사고가 있었어.
여 무슨 일이 있었니?
남 내가 배에서 돌고래 사진을 찍고 있었거든. 그런데 카메라를 바다에 빠뜨렸어.
여 카메라는 찾았니?
남 아니. 그건 물속에 가라앉았어.
여 그거 안됐구나.

① 그것은 내 잘못이야.
③ 나도 그걸 잘해.
④ 좋아. 조심할게.
⑤ 너의 사진을 보고 싶어.

20 ②

해설 빌려간 노트를 내일 돌려줘도 된다
는 남자의 말에 이어서 감사를 표하는 응
답이 이어져야 자연스럽다.

어휘 miss[mis] 놓치다
borrow[bárou] 빌리다
notes[nouts] 노트, 필기, 기록

M Bona, why did you miss school yesterday?
W I wasn't feeling well. I had to stay home.
M Are you feeling any better now?
W Yes, I'm fine now. Oh, can I borrow your notes from yesterday's class?
M Of course. Just give them back tomorrow.
W I will. Thanks a lot.

남 보나야, 어제 왜 학교에 안 왔어?
여 몸이 안 좋았어. 집에 있어야 했어.
남 지금은 좀 나아진 거야?
여 응, 지금은 괜찮아. 아, 나 어제 수업 노트 좀 빌려도 될까?
남 물론이지. 그냥 내일 돌려주면 돼.
여 그럴게. 정말 고마워.

① 괜찮아. 나 배불러.
③ 그러고 싶은데, 그럴 수 없어.
④ 갈 수 없을 것 같아.
⑤ 그거 참 안됐다.

01   ⑤

해설 물고기나 물개를 사냥하며, 몸이 크고 흰색 털을 가지고 있고, 추운 곳에서 사는 것은 북극곰이다.

어휘 be good at ~을 잘하다
hunt[hʌnt] 사냥하다
seal[si:l] 물개
place[pleis] 장소

W I am good at swimming. I hunt fish or seals. I am big and have white hair. I live in a very cold place. What am I?

여 나는 헤엄을 잘 쳐요. 나는 물고기나 물개를 사냥해요. 나는 몸이 크고 흰색 털을 가지고 있어요. 나는 매우 추운 곳에서 살아요. 나는 누구일까요?

02   ④

해설 여자가 단순하고 인기가 있는 줄무늬 우산을 권하자, 남자는 그것을 사겠다고 했다.

어휘 stripe[straip] 줄무늬
simple[símpl] 단순한
popular[pápulər] 인기 있는

W How may I help you?
M I'm looking for an umbrella for my mother.
W Sure. How about this one with stars on it?
M It looks good, but there are too many stars. She won't like it.
W Then how about this one with stripes? It's simple and popular.
M It's great. I'll take it.

여 어떻게 도와 드릴까요?
남 어머니께 드릴 우산을 찾고 있어요.
여 네. 별이 있는 이 우산은 어떠세요?
남 좋은 것 같은데, 별이 너무 많네요. 어머니가 그것을 좋아하지 않으실 거예요.
여 그럼 줄무늬가 있는 이 우산은 어떠세요? 단순하고 인기가 있어요.
남 좋네요. 그걸로 살게요.

03   ①

해설 지금은 비가 오지만 오늘 밤에 그치고 내일은 다시 해가 날 거라고 했다.

어휘 Weather Center 기상청
enjoy[indʒói] 즐기다

M Good morning. This is the Weather Center. It's very cloudy and rainy now, but the rain will stop tonight. Tomorrow it will be sunny again. I hope you enjoy the sunny skies.

남 안녕하세요. 기상청입니다. 지금은 매우 흐리고 비가 옵니다만, 비는 오늘 밤에 그치겠습니다. 내일은 다시 해가 나겠습니다. 화창한 하늘을 즐기시길 바랍니다.

04   ⑤

해설 같이 볼링을 치러 가자는 여자의 제안에 남자는 집에 가서 쉬겠다고 거절했다.

어휘 excited[iksáitid] 신이 난
free[fri:] 한가한
go bowling 볼링을 치러 가다
join[dʒɔin] 함께 하다
rest[rest] 쉬다

W You look so excited. What's up?
M I don't have to go to my violin class today. So I'm free this afternoon.
W That's good. So, what are you going to do?
M I don't know.
W I'm going bowling with some friends. Do you want to join us?
M No, thanks. I'll just go home and rest.

여 너 아주 신이 나 보이는데. 무슨 일이야?
남 나 오늘 바이올린 수업에 안 가도 되거든. 그래서 오늘 오후에 한가해.
여 잘됐다. 그래서 넌 뭘 할 거야?
남 모르겠어.
여 나는 친구들 몇 명이랑 볼링 치러 갈 거야. 우리랑 같이 갈래?
남 아니, 괜찮아. 그냥 집에 가서 쉴래.

05 ③

발생지(잉글랜드), 경기 시간(90분), 팀의 인원수(11명), 경기 방법(공을 발로 차서 득점하기)에 대해 언급했지만, 쉬는 시간은 언급하지 않았다.

어휘 usually[júːʒuəli] 보통, 대개
long[lɔ(ː)ŋ] (시간이) ~걸리는
each[iːtʃ] 각각의
kick[kik] 발로 차다
score[skɔːr] 득점하다
goalkeeper[goulkipər] 골키퍼
touch[tʌtʃ] 만지다, 건드리다

M Soccer started in England. Soccer games are usually 90 minutes long. There are 11 players on a team. Each player can kick the ball to score. Only the goalkeeper can touch the ball with his hands.

남 축구는 잉글랜드에서 시작했습니다. 축구 경기는 보통 90분입니다. 한 팀에 11명의 선수들이 있습니다. 각 선수는 득점하기 위해 공을 찰 수 있습니다. 오직 골키퍼만 손으로 공을 만질 수 있습니다.

06 ②

해설 현재 시각은 정오 12시이고, 10분 후에 구내식당에서 만나기로 했으므로, 두 사람이 만날 시각은 12시 20분이다.

어휘 cafeteria[kæfətíəriə] 구내식당
already[ɔːlrédi] 벌써, 이미
noon[nuːn] 정오, 낮 12시
locker[lákər] 사물함

M I'm going to the cafeteria for lunch.
W I'll go with you. It's already noon.
M Okay. I'm really hungry. [Pause] Oh no!
W What's wrong?
M I need to get my money from my jacket. It's in my locker.
W Okay. Then meet me in 10 minutes in the cafeteria.

남 나는 점심 먹으러 구내식당에 갈 거야.
여 나 너랑 같이 갈 거야. 벌써 12시네.
남 그래. 나 정말 배가 고파. [잠시 후] 이런!
여 무슨 일 있어?
남 나 내 재킷에서 돈을 꺼내 와야 해. 그게 내 사물함에 있어.
여 좋아. 그러면 10분 후에 구내식당에서 만나.

07 ③

해설 여자는 여름에 작문 수업을 듣고 싶다고 하면서 좋은 작가가 되고 싶다고 했다.

어휘 list[list] 목록
be interested in ~에 관심이 있다
writer[ráitər] 작가

M Mary, what's that?
W It's the list for summer classes, Dad.
M I see. What class are you going to take?
W I want to take a writing class.
M Writing class? I thought you were interested in dancing.
W I was. But now I want to be a good writer.

남 Mary, 그게 뭐니?
여 여름 수업 목록이에요, 아빠.
남 그렇구나. 넌 어떤 수업을 들을 거니?
여 저는 작문 수업을 듣고 싶어요.
남 작문 수업? 나는 네가 춤추는 데 관심이 있다고 생각했어.
여 그랬었죠. 하지만 지금은 좋은 작가가 되고 싶어요.

08 ④

해설 남자가 여자에게 보고 싶었다고 하자 여자도 그랬다며 반가워하고 있다.

어휘 grandson[grǽndsʌn] 손자
surprise[sərpráiz] 놀람; 놀라게 하다
Come on in. 어서 들어오세요.
miss[mis] 그리워하다

[Doorbell rings.]
W Who's there?
M It's me, Michael.
W I'm sorry, but can you say that again?
M It's your grandson, Michael.
W Oh, Michael! What a surprise! Come on in. I didn't know you were coming.
M I wanted to surprise you. I missed you so much.
W Me, too. I'm so glad to see you.

[초인종이 울린다.]
여 거기 누구세요?
남 저예요, Michael이요.
여 죄송하지만, 다시 말씀해 주실래요?
남 할머니 손자 Michael이에요.
여 아, Michael이구나! 깜짝 놀랐네! 안으로 들어오렴. 나는 네가 올지 몰랐어.
남 할머니를 깜짝 놀라게 하고 싶었어요. 할머니가 너무 보고 싶었어요.
여 나도 그랬단다. 너를 봐서 너무 기쁘구나.

[해설] 남자가 차를 좀 마실 수 있는지 물었고 여자는 물을 끓여주겠다고 했다.

[어휘] **have a seat** 앉다
actually[ǽktʃuəli] 저, 실은
tea[ti:] (음료의) 차
instead[instéd] 대신
boil[bɔil] 끓이다

M Hello. I came to see Mr. Jonas.
W Please have a seat here. He'll <u>be here</u> soon.
M Okay.
W Would you like some coffee?
M Oh, actually can I have <u>some tea</u> instead?
W Sure. I'll boil <u>some</u> <u>water</u> <u>for you</u>.

남 안녕하세요. Jonas 씨를 만나러 왔어요.
여 여기 앉으세요. 곧 여기로 오실 거예요.
남 알겠습니다.
여 커피 좀 드릴까요?
남 아, 저 대신 차 좀 마실 수 있을까요?
여 물론이죠. 제가 물을 좀 끓일게요.

[해설] 기계를 사용하여 영화와 시간을 고른 후에 좌석을 고른다고 했으므로 영화표 구매에 관한 대화이다.

[어휘] **line**[lain] (사람들의) 줄
machine[məʃíːn] 기계
how to ~하는 방법
choose[tʃuːz] 선택하다
seat[siːt] 좌석

W The line is too long. Let's use the machine.
M Do you know how to use it?
W Sure. Choose <u>the movie</u> first.
M Okay.
W Then choose <u>the time</u>.
M 4:20 seems good.
W Okay. Then we have to choose <u>our seats</u>.
M I see. I want to sit <u>in the back</u>.
W Good idea.

여 줄이 너무 기네. 기계를 사용하자.
남 어떻게 사용하는지 아니?
여 물론이지. 먼저 영화를 선택해.
남 알았어.
여 그 다음에 시간을 선택해.
남 4시 20분이 좋은 것 같아.
여 좋아. 그 다음에 좌석을 선택해야 해.
남 그렇구나. 나 뒤쪽에 앉고 싶어.
여 좋은 생각이야.

[해설] 여자는 자전거를 타고 치과에 가겠다고 했지만 비가 올 거라는 남자의 말에 차를 태워다 달라고 하였다.

[어휘] **see the dentist** 치과 진료를 받다
drive[draiv] 태워다 주다

M Anna, what time are you going to <u>see the dentist</u>?
W At 4 o'clock.
M I'll take you there <u>by car</u>.
W No thanks, Dad. I want to take my bike.
M But it's going to rain this afternoon.
W Really? Then can you <u>drive me there</u> after school?
M Of course.

남 Anna, 몇 시에 치과 진료를 받을 거니?
여 4시에요.
남 내가 거기에 차로 데려다줄게.
여 아니, 괜찮아요, 아빠. 자전거를 타고 가고 싶어요.
남 하지만 오늘 오후에 비가 올 거란다.
여 정말요? 그럼 방과 후에 거기로 태워다 주실 수 있으세요?
남 물론이지.

[해설] 문에서 가까운 곳이지만 주차 금지 표시가 있기 때문에 다른 곳에 주차하겠다고 했다.

[어휘] **until**[əntíl] ~까지
park[pɑːrk] 주차하다
area[ɛ́əriə] 구역, 지역
close to ~와 가까운
entrance[éntrəns] 입구
no-parking 주차 금지의
sign[sain] 표시
somewhere else 어딘가 다른 곳에서

M What time is it now?
W It's 1:50. We only have 10 minutes until the concert.
M I see. Let's park here.
W Oh, we <u>cannot park</u> here. Let's try a <u>different area</u>.
M Why not? It's close to the entrance.
W Look at the sign. <u>There is</u> a no-parking sign here.
M I didn't see the sign. I'll <u>park somewhere</u> else.

남 지금 몇 시예요?
여 1시 50분이에요. 콘서트까지 10분밖에 안 남았어요.
남 알겠어요. 여기에 주차해요.
여 아, 여기에 주차할 수 없어요. 다른 구역을 찾아봐요.
남 왜 안 돼요? 여기는 입구에서 가깝잖아요.
여 저 표시를 봐요. 여기 주차 금지 표시가 있어요.
남 그 표시를 못 봤네요. 다른 곳에 주차할게요.

---

13 ③

해설 목이 아프고 기침을 한다는 남자에게 여자는 주사를 맞고 집에서 쉬라고 했으므로 여자는 의사이고 남자는 환자임을 알 수 있다.

어휘 throat[θrout] 목(구멍)
hurt[həːrt] 아프다
cough[kɔ(ː)f] 기침
give A a shot A에게 주사를 놓다

W Hello. What can I do for you?
M My throat really hurts. I have a cough, too.
W Let me see. [Pause] It looks like you have a cold.
M What should I do?
W I will give you a shot. Get some rest at home. You will get better.

여 안녕하세요. 무엇을 도와 드릴까요?
남 저는 목이 정말 아파요. 기침도 하고요.
여 어디 봅시다. [잠시 후] 감기에 걸린 것 같네요.
남 어떻게 해야 하나요?
여 주사를 놔 드릴게요. 집에서 쉬세요. 나아지실 겁니다.

14 ①

해설 여자가 찾고 있는 호텔은 두 블록 가서 좌회전한 다음에 다시 블록 하나를 가면 서점의 맞은편에 있다고 했다.

어휘 across from ~의 바로 맞은편에

W Excuse me, will you show me the way to Valentine Hotel?
M Go straight two blocks and turn left.
W Okay. Is that all?
M No, you have to go straight one block again. The hotel will be on your right. It's across from the bookstore.
W I see. Thank you very much.

여 실례합니다. Valentine 호텔로 가는 길을 알려주실래요?
남 두 블록 직진해서 좌회전하세요.
여 네. 그게 다인가요?
남 아니요, 다시 블록 하나 더 가야 해요. 호텔은 오른편에 있을 겁니다. 서점 건너편에 있어요.
여 그렇군요. 정말 감사합니다.

15 ③

해설 여자는 음료를 구입 할 돈이 부족해서 남자에게 돈을 빌려 달라고 했다.

어휘 order[ɔ́ːrdər] 주문하다
drink[driŋk] 음료
lend[lend] 빌려 주다
pay back 갚다

W This hamburger looks good. I'll order one.
M I'll have the same thing.
W How much is it?
M It's $4 each. Do you want a drink with it, too?
W Yes, but I only have $4 now. Can you lend me some money?
M Sure. You can pay me back later.

여 이 햄버거가 맛있어 보이네. 하나 주문할래.
남 나도 같은 거로 할게.
여 얼마야?
남 하나에 4달러야. 그것하고 음료도 마실 거니?
여 응, 근데 나 지금 4달러밖에 없어. 돈 좀 빌려 줄래?
남 물론이지. 나중에 갚아도 돼.

16 ③

해설 남자는 한국전쟁에 대해 물어보는 여자에게 자신보다 역사에 대해 많이 아는 미나에게 물어보라고 제안했다.

어휘 busy[bízi] 바쁜
history[hístəri] 역사
war[wɔːr] 전쟁

W Jason, are you busy now?
M I'm okay. What's up?
W I have a question about the history homework.
M What is it about?
W It's about the Korean War.
M You should ask Mina. She knows more about history than I do.
W Really? I will ask her then.

여 Jason, 너 지금 바쁘니?
남 괜찮아. 무슨 일이야?
여 나 역사 숙제에 대해 질문이 있어.
남 뭐에 관한 거야?
여 한국전쟁에 관한 거야.
남 너는 미나에게 물어보는 게 좋을 것 같아. 걔가 나보다 역사에 대해 더 많이 알거든.
여 정말? 그럼 걔한테 물어볼게.

17 ③

해설 10번, 16번, 20번 버스가 정류장에 서는데, 여자는 16번 버스를 타고 싶다고 했다.

어휘 nearest[niərist] 가장 가까운
bus stop 버스 정류장
stop[stɑp] 서다, 멈추다

W Excuse me, where is the nearest bus stop?
M There is a bus stop just around the corner.
W Which buses stop there?
M Numbers 10, 16, and 20.
W I want to take the number 16 bus. How often does it come?
M Every 15 minutes.
W Thank you.

여 실례합니다. 가장 가까운 버스 정류장이 어디에 있나요?
남 모퉁이를 돌면 바로 하나 있어요.
여 거기에 어떤 버스가 서나요?
남 10번, 16번, 그리고 20번 버스요.
여 저는 16번 버스를 타고 싶은데요. 얼마나 자주 오나요?
남 15분마다 와요.
여 감사합니다.

18 ④

해설 여자의 음식 주문을 받고 있으므로 남자의 직업이 식당 종업원임을 알 수 있다.

어휘 onion[ʌnjən] 양파
well-done 잘 익힌
a glass of 한 잔의
wine[wain] 와인, 포도주

M May I take your order?
W I'll have an onion soup and a steak.
M How would you like your steak?
W Well-done, please.
M Sure. Would you like something to drink?
W I'll have a glass of wine, please.
M Of course. I'll be back with your drink.

남 주문하시겠어요?
여 양파 수프와 스테이크 주세요.
남 스테이크를 어떻게 익혀 드릴까요?
여 완전히 익혀 주세요.
남 알겠습니다. 음료수는 무엇으로 하시겠습니까?
여 와인 한 잔 주세요.
남 네. 곧 주문하신 음료 가지고 오겠습니다.

19 ③

해설 남자가 탈의실이 어디인지 물었고 여자가 위치를 알려주었으므로 감사를 표현하는 응답이 이어져야 한다.

어휘 dark[dɑːrk] 칙칙한, 어두운
try on 입어 보다
fitting room 탈의실
next to ~의 옆에

M This shirt is too dark for me.
W Then how about this one in blue?
M That's not bad. Do you have it in small?
W Yes, here it is. Would you like to try it on?
M Sure. Where is your fitting room?
W It's over there next to the sweaters.
M Thanks. I'll be back.

남 이 셔츠는 저한테 너무 칙칙하네요.
여 그럼 이 셔츠로 파란색은 어때요?
남 나쁘지 않네요. 작은 사이즈로 있나요?
여 네, 여기 있어요. 입어 보시겠어요?
남 네. 탈의실이 어디죠?
여 저쪽 스웨터 옆에 있어요.
남 감사합니다. 다시 올게요.

① 마음껏 드세요.
② 나는 이것을 사고 싶어요.
④ 나는 당신을 위해 이것을 만들었어요.
⑤ 그것은 당신의 건강에 좋아요.

20 ①

W What did you do last weekend?
M I cooked with my father.
W That's nice. What did you make?
M We made a pizza and pasta for dinner.
W That sounds like fun. Maybe I should try to cook with my dad, too.
M That's a good idea.

여 너 지난 주말에 뭘 했니?
남 아버지와 요리했어.
여 그거 좋다. 어떤 걸 만들었어?
남 저녁으로 피자와 파스타를 만들었어.
여 재밌겠다. 나도 아빠랑 같이 요리해봐 야겠어.
남 좋은 생각이야.

② 나는 너에게 동의하지 않아.
③ 그는 일주일에 한 번 요리해.
④ 너는 그것을 할 필요가 없어.
⑤ 충고 고마워.

01 ④

해설 큰 눈과 녹색 피부를 가지고 있고, 피부에 털이 없고 항상 젖어 있으며, 파리 같은 곤충을 먹는 것은 개구리이다.

어휘 both A and B A와 B 둘 다
skin[skin] 피부
wet[wet] 젖은
bug[bʌg] (작은) 곤충
fly[flai] 파리

W I live both in water and on land. I have big eyes and green skin. My skin has no hair and is always wet. I can swim and jump well. I usually eat bugs like flies. What am I?

여 나는 물속과 땅 위에서 모두 살아요. 나는 큰 눈과 녹색 피부를 가지고 있어요. 내 피부는 털이 없고 항상 젖어 있어요. 나는 수영과 점프를 잘 할 수 있어요. 나는 보통 파리 같은 곤충을 먹어요. 나는 누구일까요?

02 ⑤

해설 여자는 하트 모양 상자가 선물을 담기에 너무 작아서 해바라기 그림이 있는 둥근 상자를 산다고 하였다.

어휘 gift[gift] 선물
heart-shaped 하트 모양의
round[raund] 둥근
sunflower[sʌ́nfláuər] 해바라기
popular[pápulər] 인기 있는

M Good afternoon. May I help you?
W Yes, please. I'm looking for a gift box.
M How about this heart-shaped one?
W It's too small for my gift. I think this round one is better. The sunflower on it is pretty.
M That one is popular.
W Great. I'll take it.

남 안녕하세요. 도와 드릴까요?
여 네. 저는 선물 상자를 찾고 있어요.
남 이 하트 모양 상자는 어떠세요?
여 제 선물을 담기에는 너무 작은데요. 이 둥근 상자가 더 나을 것 같아요. 그 위에 있는 해바라기도 예쁘고요.
남 그 상자는 인기가 있어요.
여 좋네요. 그걸로 살게요.

03 ①

해설 오늘은 흐리고 조금 쌀쌀한 날씨라고 했다.

어휘 chilly[tʃíli] (날씨 등이) 쌀쌀한
carry[kǽri] 가지고 다니다, 휴대하다

M Good morning. This is Paul Evans. Did you enjoy the sunny weather yesterday? Today will be cloudy and a little chilly. You don't need an umbrella because it won't rain today. But tomorrow, you'll have to carry your umbrella. Thank you for joining us.

남 안녕하세요. Paul Evans입니다. 어제 화창한 날씨를 만끽하셨나요? 오늘은 흐리고 조금 쌀쌀할 것입니다. 오늘은 비가 내리지 않기 때문에 우산이 필요하지 않습니다. 하지만 내일은 우산을 가지고 다녀야 하겠습니다. 함께 해 주셔서 감사합니다.

04 ③

해설 여자가 친한 친구와의 문제로 조언을 요청하자 남자는 친구에게 편지를 써 보라고 제안했다.

어휘 problem[prábləm] 문제
any more (부정문에서) 이제, 더 이상

[Telephone rings.]
M Hello.
W Hello, Jihun. It's Jessica.
M Oh, hi, Jessica. What's up?
W I have a big problem. Can you help me?

[전화벨이 울린다.]
남 여보세요.
여 안녕. 지훈아. 나 Jessica야.
남 아, 안녕, Jessica. 무슨 일이니?
여 나에게 큰 문제가 하나 있어. 날 도와 줄래?

letter [létər] 편지

M	What is it?	남	그게 뭔데?
W	My best friend, Eve, doesn't talk to me any more. What should I do?	여	내 가장 친한 친구 Eve가 더 이상 나에게 말을 하지 않아. 어떡하지?
M	Well, why don't you write her a letter?	남	음, 걔한테 편지를 쓰는 게 어때?

05 ④

해설 장소(지리산), 텐트 설치 여부(했음), 기간(3일), 한 일(등산, 수영)은 언급하고 있지만, 음식에 대해서는 언급하지 않았다.

어휘 go camping 캠핑하러 가다
arrive at ~에 도착하다
campsite [kǽmpsàit] 캠프장, 야영지
put up 설치하다
climb [klaim] 오르다

| W | My family went camping last summer vacation. We went to Jiri Mountain by car. We arrived at the campsite and put up our tent. We stayed there for 3 days. We did many things there. In the morning, we climbed a small mountain. In the afternoon, we went swimming. | 여 | 우리 가족은 지난 여름방학에 캠핑하러 갔어요. 우리는 차를 타고 지리산으로 갔어요. 캠프장에 도착해서 텐트를 설치했어요. 우리는 그곳에서 3일을 지냈어요. 그곳에서 많은 것들을 했어요. 아침에 우리는 작은 산을 올랐어요. 오후에는 수영했어요. |

06 ④

해설 남자는 여자를 자신의 집으로 초대했고 여자는 30분 후에 갈 수 있다고 하였다. 현재 시각은 4시 30분이므로, 두 사람이 만날 시각은 5시이다.

어휘 listen to music 음악을 듣다

	[Cell phone rings.]		[휴대전화가 울린다.]
W	Hello.	여	여보세요.
M	Hi, Lily. This is Tom. What are you doing now?	남	안녕, Lily. 나 Tom이야. 너 지금 뭐 하고 있니?
W	I am just listening to music. What's up?	여	그냥 음악 듣고 있어. 무슨 일이야?
M	How about coming to my house? Henry and Alice are here.	남	우리 집에 올래? Henry와 Alice가 여기 있어.
W	Okay. I'll see you in 30 minutes.	여	좋아. 30분 후에 갈게.
M	What time is it now?	남	지금 몇 시야?
W	It's 4:30.	여	4시 30분이야.

07 ④

해설 남자는 자신의 아버지처럼 과학자가 되고 싶다고 하였다.

어휘 scientist [sáiəntist] 과학자
like [laik] ~처럼
create [kriéit] 만들다, 창조하다
save [seiv] 구하다
amazing [əméiziŋ] 놀라운

M	What do you want to be in the future?	남	너는 미래에 무엇이 되고 싶니?
W	I want to be a doctor. How about you?	여	나는 의사가 되고 싶어. 너는 어때?
M	I want to be a scientist like my father.	남	나는 아버지처럼 과학자가 되고 싶어.
W	Why?	여	왜?
M	My father creates robots to save people. I want to do the same.	남	나의 아버지는 사람들을 구하는 로봇을 만드셔. 나는 같은 일을 하고 싶어.
W	Wow! That sounds amazing.	여	왜! 그거 멋지다.

08 ①

해설 여자가 줄을 서서 버스를 기다리고 있는데 한 남자가 새치기했으므로 여자가 화났음을 추측할 수 있다.

M	Are you all right?	남	너 괜찮아?
W	No, I'm having a bad day.	여	아니, 오늘은 운이 좋지 않아.
M	Why?	남	왜?

W This morning, I was waiting in line for the bus.
M And then?
W The bus arrived and I tried to get on it. But a man cut in line in front of me.
M What a rude man!

여 오늘 아침에 나는 줄 서서 버스를 기다리고 있었어.
남 그리고는?
여 버스가 도착해서 내가 버스를 올라타려고 했거든. 그런데 한 남자가 내 앞에서 새치기했어.
남 정말 무례한 사람이구나!

09 ②

W What time does the shopping mall close today?
M It's Friday. So it is open until 8 p.m.
W I see. There is enough time to go shopping, then.
M Do you need to buy something?
W I have to buy new running shoes.
M Oh, can I go with you? I need to buy something for my mom.
W Sure.

여 쇼핑몰이 오늘 몇 시에 문을 닫지?
남 오늘은 금요일이야. 그래서 오후 8시까지 영업을 해.
여 알겠어. 그럼, 쇼핑하러 가기에 시간이 충분하네.
남 너 사야 할 것 있니?
여 나는 새 운동화를 사야 해.
남 아, 같이 가도 되니? 나는 엄마에게 드릴 것을 사야 해.
여 물론이지.

10 ②

M Why are you so late?
W Sorry. The traffic was very heavy.
M At this time? Did something happen?
W Yes, there was a car accident on a street downtown.
M Was it a big accident?
W I think so. I saw many police officers there.

여 너 왜 이렇게 늦었니?
남 미안. 교통이 매우 혼잡했거든.
여 이 시간에? 무슨 일 있었어?
남 응, 시내 도로에서 자동차 사고가 났어.
여 큰 사고였어?
남 그런 것 같아. 내가 거기서 경찰들을 많이 봤거든.

11 ④

M You don't look good. What's the matter?
W I have a terrible headache. I should go home and rest.
M I think you have a fever. You'd better take a taxi.
W But I don't have any money. I'll just take the bus.
M Don't worry. I have some money.
W Thanks. I'll pay you back.

남 너 안 좋아 보여. 무슨 문제 있니?
여 머리가 너무 아파. 집에 가서 쉬어야 해.
남 너 열이 있는 것 같구나. 택시를 타는 게 좋겠어.
여 하지만 나는 돈이 없어. 나는 그냥 버스 탈거야.
남 걱정하지 마. 나 돈이 조금 있어.
여 고마워. 다시 갚을게.

12 ⑤

해설 여자는 집에 개를 혼자 둘 수 없어서 야구 경기에 갈 수 없다고 했다.

어휘 leave A alone A를 혼자 남겨두다
work[wəːrk] 직장, 회사

M Do you want to go to a baseball game with me?
W When is the game?
M This Saturday at 4 p.m.
W Oh, I'm afraid I can't go.
M Why not?
W I can't leave my dog alone at home. My parents come home from work at 5.
M All right, then.

남 나랑 야구 경기 보러 갈래?
여 경기가 언젠데?
남 이번 주 토요일 오후 4시야.
여 아, 난 갈 수 없을 것 같아.
남 왜 못 가?
여 집에 개를 혼자 남겨둘 수 없어서. 부모님이 5시에 퇴근하시거든.
남 그럼, 알았어.

13 ④

해설 여자가 남자의 학생증을 확인한 후 책을 찾아 주고 있으므로 여자는 도서관 사서이고 남자는 학생이다.

어휘 space[speis] 우주
library card (도서관의) 대출 카드
student ID 학생증
project[prádʒekt] 과제

W Can I help you?
M Yes, I'm looking for some books about space.
W Do you have a library card or a student ID?
M Yes, I have a student ID.
W Okay. This way, please. What are these books for?
M They're for my science project.

여 도와 드릴까요?
남 네, 저는 우주에 관한 책을 좀 찾고 있어요.
여 도서관 카드나 학생증이 있으신가요?
남 네, 학생증이 있어요.
여 좋아요. 이쪽으로 오세요. 이 책들은 무엇을 위한 것인가요?
남 제 과학 과목 과제를 위한 거예요.

14 ⑤

해설 남자가 찾고 있는 꽃집은 두 블록 곧장 가다가 모퉁이에서 우회전해서 오른쪽에서 두 번째 건물이고 공원 건너편에 있다.

어휘 lost[lɔːst] 길을 잃은
corner[kɔ́ːrnər] 모퉁이
across from ~의 맞은편에

M Excuse me. I'm lost.
W What are you looking for?
M I'm looking for a flower shop.
W Oh, walk straight for two blocks and turn right at the corner.
M Turn right?
W Yes, it's the second building on your right. It's across from the park.
M Thank you.

남 실례합니다. 저는 길을 잃었어요.
여 무엇을 찾고 있나요?
남 저는 꽃 가게를 찾고 있어요.
여 아, 두 블록 곧장 걸어가다가 모퉁이에서 우회전하세요.
남 우회전하라고요?
여 네, 오른쪽에서 두 번째 건물이에요. 공원 건너편에 있어요.
남 감사합니다.

15 ⑤

해설 남자가 생일 케이크를 사 올 동안 여자에게 잠시 기다려 달라고 부탁했다.

어휘 scarf[skaːrf] 스카프
minute[mínit] 잠깐; (시간 단위의) 분

W Paul, I made this scarf for Christine. What do you think of it?
M It's nice. Is it her birthday?
W Yes, I'm going to her house right now.
M Then I'll go and buy a cake for her. Can you wait for a minute?
W Sure.
M I'll be back in 10 minutes.

여 나 Christine에게 주려고 이 스카프를 만들었어. 어떻게 생각해?
남 멋지다. 그녀의 생일이니?
여 응, 나는 지금 바로 그녀의 집에 갈 거야.
남 그럼 내가 가서 그녀에게 줄 케이크를 사 올게. 잠시 기다려줄래?
여 물론이지.
남 10분 후에 돌아올게.

16 ③

해설 남자는 점심으로 카레라이스를 만들고 있고 여자에게 함께 요리하자고 제안했다.

어휘 prepare[pripέər] 준비하다
smell[smel] 냄새가 나다
delicious[dilíʃəs] 맛있는
curry rice 카레라이스
hungry[hʌ́ŋgri] 배가 고픈

W Hi, Peter. What are you doing now? Are you preparing lunch?
M Yes, I am. I'm very hungry.
W What are you cooking? It smells delicious.
M My special curry rice. Do you want to cook with me?
W Okay. I like cooking.

여 안녕, Peter. 너 지금 뭐 하고 있니? 점심 준비하고 있니?
남 응. 나 너무 배가 고프거든.
여 뭘 만드는데? 맛있는 냄새가 나네.
남 내 특별 카레라이스야. 나랑 같이 요리할래?
여 좋아. 나 요리하는 거 좋아해.

17 ②

해설 두 사람은 금요일 방과 후에 버스 정류장에서 만나기로 했다.

어휘 work on 준비하다
have time 시간이 있다
after school 방과 후에

M We need to work on our group project. Do you have time this Saturday?
W Sorry, but I have a violin lesson that day. Is Friday okay with you?
M Yes. I have time after school.
W That sounds great. Shall we meet at the bus stop after school? We can go to the library together.
M Okay. I'll see you then.

남 우리 그룹 프로젝트를 준비해야 하잖아. 이번 주 토요일에 시간 있니?
여 미안하지만, 나는 그날 바이올린 수업이 있어. 너 금요일은 괜찮니?
남 응. 나 방과 후에 시간 있어.
여 잘됐다. 방과 후에 버스 정류장에서 만날래? 같이 도서관에 가면 돼.
남 좋아. 그때 보자.

18 ③

해설 여자에게 여자의 어머니가 자신과 같이 요리사가 되기를 바라고 있다고 했으므로 여자의 어머니의 직업은 요리사이다.

어휘 cook[kuk] 요리사
like[laik] ~처럼
make a decision 결정하다
yourself[juərsélf] 너 자신

W What do you want to be in the future?
M I want to be a pianist. What about you?
W I don't know yet. My mother hopes that I will be a cook like her.
M Do you want to be a cook, too?
W I'm still not sure.
M You have to make a decision for yourself, not your mother.
W You're right.

여 너는 미래에 무엇이 되고 싶니?
남 나는 피아니스트가 되고 싶어. 너는 어때?
여 나는 아직 모르겠어. 우리 어머니는 내가 어머니처럼 요리사가 되길 바라셔.
남 너도 요리사가 되고 싶니?
여 아직 확실하지 않아.
남 너는 네 어머니가 아니라, 너 자신을 위해서 결정해야 해.
여 네 말이 맞아.

19 ⑤

해설 여자가 꽃이 매우 신선하다면서 남자에게 어디서 샀는지 물었으므로 이어질 응답으로 꽃을 구입한 곳의 위치를 알려주는 말이 와야 적절하다.

어휘 present[prézənt] 선물
fresh[freʃ] 신선한

M Jenny, this is a present for you.
W A present for me? Thank you, Mark. Can I open it now?
M Yes, of course.
W Oh, flowers! I love flowers. What a nice present!
M I'm glad you like it.

남 Jenny, 이거 널 위한 선물이야.
여 날 위한 선물이라고? 고마워, Mark. 지금 열어봐도 돼?
남 응, 물론이야.
여 아, 꽃이네! 나 꽃을 아주 좋아해. 멋진 선물이구나!
남 네가 좋아하니 기뻐.

W The flowers are very fresh. Where did you get them?
M I bought them near my house.

여 꽃들이 매우 신선해. 어디서 샀니?
남 우리 집 근처에서 샀어.

① 아니, 괜찮아.
② 너를 곧 만났으면 좋겠다.
③ 너는 그것을 명심해야 해.
④ 미안하지만 나는 너와 갈 수 없어.

20 ⑤

해설 만화를 보느라 너무 늦게 잔다는 여자의 말에 이어질 응답으로 충고하는 내용의 말이 와야 적절하다.

어휘 all the time 항상
spend[spend] (시간을) 보내다
cartoon[kɑːrtúːn] 만화
[선택지]
latest[léitist] 최신의, 최근의

W I feel tired and sleepy all the time.
M What's wrong? Are you sick?
W No. It's because I usually go to bed very late.
M What do you do at night?
W I spend a lot of time watching cartoons. When I start watching them, I can't stop.
M You should try to go to bed earlier.

여 나는 항상 피곤하고 졸려.
남 무슨 일 있어? 너 아프니?
여 아니. 내가 주로 너무 늦게 자서 그래.
남 밤에 뭘 하는데?
여 나는 만화를 보는 데 많은 시간을 보내. 만화를 보기 시작하면, 멈출 수가 없어.
남 너는 더 일찍 자려고 노력해야 해.

① 괜찮을 거야.
② 나는 즐거운 시간 보냈어.
③ 나는 새 컴퓨터를 원해.
④ 나는 최신 스마트폰을 가지고 있어.

01 ②

해설 흰색과 검은색 털이 있고, 나뭇잎을 먹고 하루 종일 잠을 자며, 중국에서 온 것은 판다이다.

어휘 climb[klaim] 오르다
leaves[liːvz] leaf(나뭇잎)의 복수형
all day 하루 종일

W I have white and black hair. I like to climb trees. I eat a lot of leaves and sleep all day. I come from China and live in the mountains. What am I?

여 나는 흰색과 검은색 털을 가지고 있어요. 나는 나무타기를 좋아해요. 나는 나뭇잎을 많이 먹고 하루 종일 잠을 자요. 나는 중국에서 왔고 산속에 살아요. 나는 누구일까요?

02 ③

해설 남자는 딸이 줄무늬 스타일을 좋아하지 않는다며 꽃무늬 치마를 사겠다고 했다.

어휘 daughter[dɔ́ːtər] 딸
stripe[straip] 줄무늬

M Excuse me, I'd like to buy a skirt for my daughter.
W How about this one with stripes?
M She doesn't like that style. How much is that skirt with flowers over there?
W It's $25.
M That's good. I'll take it.

남 실례합니다. 제 딸에게 줄 치마를 사고 싶은데요.
여 이 줄무늬 치마는 어떠세요?
남 제 딸은 그 스타일을 좋아하지 않아요. 저쪽에 있는 저 꽃무늬 치마는 얼마인가요?
여 25달러입니다.
남 좋네요. 그걸로 살게요.

03 ①

해설 부산은 오늘 오후에 비가 오기 시작한다고 했다.

어휘 windy[wíndi] 바람이 부는

W Good morning! Here is today's weather forecast. In Seoul, there will be snow all day long. In Daegu, it will be windy and very cold. In Busan, it will start raining this afternoon.

남 안녕하세요! 오늘의 일기예보입니다. 서울에는 하루 종일 눈이 오겠습니다. 대구에는 바람이 불고 매우 춥겠습니다. 부산에는 오늘 오후에 비가 오기 시작하겠습니다.

04 ②

해설 여자가 남동생이 다리가 부러져 입원해 있어서 걱정하자, 남자는 곧 나을 테니 걱정하지 말라고 위로하고 있다.

어휘 call[kɔːl] 전화하다
break[breik] 부러뜨리다
get better (병이) 낫다

M I called you yesterday. But you didn't answer.
W I'm sorry. I was in the hospital all day yesterday.
M Hospital? Were you sick?
W No, my brother broke his leg.
M I'm sorry to hear that.
W I'm so worried about him.
M Don't worry. He'll get better soon.

남 내가 어제 너한테 전화했어. 근데 네가 받지 않더라.
여 미안해. 어제 하루 종일 병원에 있었어.
남 병원에? 너 아팠니?
여 아니, 내 남동생이 다리가 부러졌어.
남 안됐구나.
여 나는 걔가 너무 걱정돼.
남 걱정하지 마. 곧 나을 거야.

05 ①

활동 시간(밤), 먹이(고기), 생김새
(작은 눈과 귀, 검은 줄무늬), 수명(15년)
은 언급하고 있지만 사는 곳에 대해서는
언급하지 않았다.

어휘 introduce[ìntrədjúːs] 소개하다
during the day 낮 동안에
hunt[hʌnt] 사냥하다
meat[miːt] 고기

M Let me introduce you to my favorite animal, tigers. They sleep during the day and hunt at night. They eat meat. They have small eyes, small ears and black stripes. They are 3 meters long. They can live for 15 years.

남 제가 가장 좋아하는 동물인 호랑이를 소개할게요. 그들은 낮 동안에 자고 밤에 사냥해요. 그들은 고기를 먹어요. 그들은 작은 눈과 작은 귀에 검은 줄무늬가 있어요. 그들은 몸 길이가 3미터나 돼요. 그들은 15년 동안 살 수 있어요.

06 ③

해설 남자가 3시 45분쯤에 커피를 주문
했는데 아직 나오지 않았다고 하자 여자
가 그때가 15분 전이라고 했으므로 현재
시각은 4시이다.

어휘 order[ɔ́ːrdər] 주문하다
yet[jet] 아직
right away 곧바로

M Excuse me.
W Can I help you?
M I ordered coffee but I didn't get it yet.
W I'm sorry, sir. When did you order?
M It was about 3:45.
W That was 15 minutes ago. I'm very sorry. I'll get your coffee right away.
M Okay, thanks.

남 실례합니다.
여 도와 드릴까요?
남 제가 커피를 주문했는데 아직 나오지 않았어요.
여 죄송합니다, 손님. 언제 주문하셨죠?
남 3시 45분쯤이었어요.
여 15분 전이네요. 정말 죄송합니다. 곧 바로 커피를 드릴게요.
남 네, 감사합니다.

07 ④

해설 남자는 테니스 수업을 받고 있다고
했으며 미래에 테니스 선수가 되고 싶다
고 했다.

어휘 get harder 더 어려워지다
be good at ~을 잘하다
come true 이루어지다, 실현되다

M Are you still taking violin lessons?
W Yes, but they're getting harder. What about you?
M I'm taking tennis lessons now.
W That sounds interesting. Are you good at it?
M I just started, but I really want to be a tennis player in the future.
W I hope your dream comes true.

남 너 아직 바이올린 수업 받고 있니?
여 응, 하지만 더 어려워지고 있어. 넌 어때?
남 나는 지금 테니스 수업을 듣고 있어.
여 재미있겠다. 너는 테니스를 잘 치니?
남 이제 막 시작했지만, 나는 미래에 테니스 선수가 너무 되고 싶어.
여 네 꿈이 이루어졌으면 좋겠다.

08 ②

해설 남자가 말하는 남자아이는 Lopez
아저씨의 아들이 아니라 손자이다.

어휘 cute[kjuːt] 귀여운
grandson[grǽndsʌn] 손자
same[seim] 같은
age[eidʒ] 나이
hurt[hə:rt] 다치다
fall off 떨어지다

W Who's that cute boy?
M His name is James. He's Mr. Lopez's grandson.
W How old is he?
M He's 5 years old. My little sister and he are the same age.
W How did he hurt his leg?
M He fell off his bike yesterday.

여 저 귀여운 남자아이는 누구니?
남 그 애 이름은 James야.
    그 애는 Lopez 아저씨의 손자야.
여 걔는 몇 살이니?
남 5살이야. 내 여동생과 같은 나이야.
여 걔가 어쩌다 다리를 다쳤니?
남 어제 자전거에서 떨어졌거든.

09 ④

여자가 거울을 본 후에 머리를 좀 빗어야겠다고 하자 남자가 머리빗을 가져 오겠다고 했다.

어휘 passport[pǽspɔːrt] 여권
take off (옷을) 벗다
brush[brʌʃ] 머리를 빗다
a bit 약간
hairbrush[heəbrʌʃ] 머리빗

M Good morning. May I help you?
W I need a new picture for my passport.
M I see. Please take off your coat.
W All right. Do you have a mirror here?
M Yes, it's right over there.
W Thanks. Oh, I need to brush my hair a bit.
M Okay. I'll get a hairbrush for you.

남 안녕하세요. 도와 드릴까요?
여 저는 여권용 새 사진이 필요해요.
남 알겠습니다. 외투를 벗으세요.
여 알겠어요. 여기 거울이 있나요?
남 네, 바로 저쪽에 있어요.
여 고마워요. 아, 머리를 좀 빗어야겠는데요.
남 좋아요. 제가 머리빗을 가져올게요.

10 ④

해설 여자가 남자의 경력에 대해 묻고 나서 내일 아침에 일할 수 있는지 물어보는 내용으로 보아 아르바이트 면접에 대한 대화임을 알 수 있다.

어휘 job[dʒab] 일
quickly[kwíkli] 빨리

W What's your name?
M I'm Ted Morris.
W Did you work at a restaurant before?
M No. But I can learn the job quickly.
W Good. Can you begin working tomorrow morning?
M Sure. What time should I come?
W You should be here by 8 o'clock.

여 성함이 어떻게 되시나요?
남 Ted Morris입니다.
여 전에 식당에서 일했나요?
남 아니요. 하지만 저는 일을 빨리 배울 수 있어요.
여 좋아요. 내일 아침에 일을 시작할 수 있나요?
남 물론입니다. 몇 시에 오면 되나요?
여 8시까지 이곳으로 오셔야 합니다.

11 ②

해설 남자는 오토바이 대신 자전거를 탔다고 했다.

어휘 weekend[wíːkènd] 주말
perfect[pə́ːrfikt] 완벽한
motorcycle[móutərsàikl] 오토바이
island[áilənd] 섬

W How was your weekend, Hajun?
M It was wonderful. I went to U-do with my family.
W That's nice. How was the weather?
M It was perfect.
W I heard many people ride motorcycles there. Did you ride one too?
M No. Instead, I took a bike around the island.

여 하준아, 주말 어땠니?
남 멋졌어. 나는 가족과 우도에 갔어.
여 좋네. 날씨는 어땠니?
남 완벽했어.
여 나는 많은 사람들이 그곳에서 오토바이를 탄다고 들었어. 너도 탔니?
남 아니. 대신에, 나는 자전거를 타고 섬을 돌아다녔어.

12 ⑤

해설 남자는 학교 축제에서 춤을 추기 위해 춤 연습을 했다.

어휘 finish[fíniʃ] 끝내다
tired[táiərd] 피곤한
practice[prǽktis] 연습하다
festival[féstivəl] 축제
important[impɔ́ːrtənt] 중요한
next time 다음번에

W Mark, you didn't finish your homework.
M I'm sorry, Ms. Clark. I was tired.
W Why were you tired?
M I practiced dancing for 3 hours yesterday.
W Dancing?
M Yes, I'm going to dance at the school festival.
W Doing homework is important, too.
M Yes, I'll finish my homework first next time.

여 Mark, 숙제를 끝내지 않았구나.
남 죄송해요, Clark 선생님. 제가 피곤했거든요.
여 왜 피곤했는데?
남 어제 3시간 동안 춤 연습을 했어요.
여 춤이라고?
남 네, 저는 학교 축제에서 춤 출 거예요.
여 숙제를 하는 것도 중요해.
남 네, 다음번에는 숙제를 먼저 끝낼게요.

13 ④

해설 여자가 헤드폰을 끼고 음악을 듣는 남자에게 사람들이 아주 조용히 공부하고 있다면서 소리를 줄여달라고 하는 상황으로 보아 두 사람은 도서관에 있음을 알 수 있다.

어휘 turn down 소리를 줄이다
quietly[kwáiətli] 조용하게
noise[nɔiz] 소음

W Excuse me.
M Yes?
W Will you turn your music down, please? Everyone here is studying very quietly.
M But I'm wearing headphones.
W I can still hear the noise from your headphones.
M Oh, I'm sorry. I didn't know that. I'll turn my music down right away.
W Thank you.

여 실례합니다.
남 네?
여 음악 소리 좀 줄여주실래요? 여기 있는 모든 사람들이 아주 조용히 공부하고 있어요.
남 하지만 저는 헤드폰을 끼고 있는데요.
여 당신의 헤드폰에서 나오는 소음이 여전히 들려요.
남 아, 죄송합니다. 저는 몰랐어요. 당장 제 음악 소리를 줄일게요.
여 감사합니다.

14 ④

해설 남자가 찾고 있는 백화점은 두 블록 가서 좌회전하면 지하철역 맞은편에 있다고 했다.

어휘 department store 백화점
far from ~에서 먼
subway station 지하철역

M Excuse me, where is the *Hana Department Store*?
W Well, it's a little far from here. It takes 20 minutes on foot.
M That's fine.
W All right. Go straight two blocks and turn left.
M Okay. And then?
W The department store will be on your right. It's across from the subway station.
M Thank you.

남 실례합니다. Hana 백화점이 어디에 있나요?
여 음, 여기서 좀 멀어요. 걸어서 20분 걸려요.
남 괜찮아요.
여 좋아요. 두 블록 곧장 가서 좌회전하세요.
남 네. 그다음은요?
여 백화점은 오른쪽에 있을 거예요. 지하철역 맞은편에 있어요.
남 감사합니다.

15 ①

해설 여자는 내일 흰색 티셔츠가 필요하다면서 남자에게 세탁해 달라고 부탁했다.

어휘 work[wɜːrk] 직장, 일
favor[féivər] 부탁, 청
wash[wɑʃ] 세탁하다

[Telephone rings.]
M Hello.
W Oh, honey. I'm glad you are home.
M I just came home. Where are you?
W I'm still at work. Can I ask you a favor?
M Sure. What is it?
W Can you wash my white T-shirt? I need it tomorrow.
M Sure. Where is it?
W It's in the bedroom.

[전화벨이 울린다.]
남 여보세요.
여 아, 여보. 당신이 집에 있어서 다행이에요.
남 방금 막 집에 왔어요. 당신 어디예요?
여 아직 직장이에요. 부탁 하나 해도 될까요?
남 물론이죠. 그게 뭐예요?
여 내 흰색 티셔츠를 세탁해줄래요? 내일 그게 필요해서요.
남 알았어요. 그게 어디에 있어요?
여 침실에 있어요.

16 ⑤

해설 여자는 남자에게 고기와 같이 채소를 먹으면 더 맛이 좋다고 하면서 그렇게 먹을 것을 제안했다.

M Mom, the dinner was delicious.
W Wait. You didn't eat any carrots.

남 엄마, 저녁 맛있었어요.
여 잠깐만. 너 당근을 전혀 먹지 않았구나.

어휘 carrot[kǽrət] 당근
vegetable[védʒitəbl] 채소
body[bάdi] 신체
strong[strɔ(ː)ŋ] (몸이) 튼튼한
healthy[hélθi] 건강한
taste[teist] 맛; 맛이 나다
try[trai] 시도하다

M I don't like to eat vegetables.
W You have to. Then, your body can be strong and healthy.
M But I don't like the taste.
W Why don't you eat them with meat? It tastes better.
M Okay. I will try that.

남 저는 채소 먹는 거 싫어해요.
여 먹어야 해. 그러면, 네 몸이 튼튼해지고 건강해질 수 있어.
남 하지만 그 맛이 싫어요.
여 고기와 함께 먹는 게 어때? 더 좋은 맛이 난단다.
남 알겠어요. 그렇게 해볼게요.

17 ②

해설 여자는 일요일에 쇼핑몰에서 쇼핑했다고 했다.

어휘 rest[rest] 쉬다
clean[kliːn] 청소하다
whole[houl] 전체의
spend[spend] (시간을) 보내다
mall[mɔːl] 쇼핑몰

M Miranda, you look tired.
W I am. I had a busy weekend. I had no time to rest.
M What did you do?
W On Saturday, I cleaned the whole house with my family.
M Wow. What about Sunday?
W That day we went shopping. We spent the whole day at the mall.

남 Miranda, 너 피곤해 보여.
여 피곤해. 바쁜 주말을 보냈거든. 쉴 시간이 없었어.
남 뭘 했는데?
여 토요일에 가족들과 함께 집 전체를 청소했어.
남 와. 일요일은?
여 그날 우리는 쇼핑하러 갔어. 우리는 하루 종일 쇼핑몰에서 시간을 보냈어.

18 ④

해설 여자는 바다에 빠진 남자의 딸을 구해주었고 그것이 자신의 일이라고 했으므로 여자의 직업은 인명 구조원임을 알 수 있다.

어휘 sea water 바닷물
warm[wɔːrm] 따뜻한
towel[táuəl] 수건
job[dʒάb] 직업

W Are you her father?
M Yes, I am. Is she all right?
W She's fine. She drank too much sea water.
M Thank you so much for your help. You saved her life.
W That's my job. Just keep her warm with a towel. You should take her to the hospital, too.
M I will do that right away.

여 그녀의 아버지세요?
남 네. 제 딸이 괜찮은가요?
여 괜찮아요. 따님이 바닷물을 너무 많이 먹었어요.
남 도와주셔서 정말 감사합니다. 제 아이의 목숨을 구하셨어요.
여 그게 제 일인걸요. 수건으로 그녀를 따뜻하게 해주세요. 병원에도 데려가셔야 합니다.
남 바로 그렇게 할게요.

19 ①

해설 여자가 저녁이 준비되었으니 옷을 갈아입고 손을 씻으라고 했으므로 수락하거나 거절하는 말이 와야 적절하다.

어휘 forget[fərgét] 잊다 (forget-forgot-forgotten)
change[tʃeindʒ] (옷을) 갈아입다

M Mom, I'm home. I'm hungry.
W You're late, Tony. Where were you?
M I played soccer with Eric. I forgot to call you.
W I was worried about you.
M I'm sorry. I'll call you next time.
W Okay. Please change and wash your hands first. Dinner is ready.
M Okay, I will.

남 엄마, 저 집에 왔어요. 배고파요.
여 늦었구나, Tony. 어디 있었니?
남 Eric과 축구를 했어요. 엄마에게 전화하는 걸 깜빡했어요.
여 널 걱정했단다.
남 죄송해요. 다음번에는 전화할게요.
여 알았어. 먼저 옷을 갈아입고 손을 씻으렴. 저녁이 준비되었단다.
남 알겠어요, 그럴게요.

② 네, 환상적이었어요.
③ 정말 감사합니다.
④ 저는 더 열심히 연습해야 해요.
⑤ 저희 팀이 축구 경기에서 이겼어요.

20 ⑤

해설 남자가 통화하려는 사람이 집에 없으니 메시지를 남길지 물어보는 여자의 말에 대한 응답으로 이를 수락하거나 거절하는 말이 와야 적절하다.

어휘 hold on 기다리다

[선택지]

Make yourself at home. 편하게 있으세요.

[Telephone rings.]

W Hello.

M Hello. This is Andy. May I speak to Matthew?

W Hold on, please. Let me check.

M All right.

W *[Pause]* I'm sorry, he's not home. May I take a message?

M No, thanks. I'll call back later.

[전화벨이 울린다.]

여 여보세요.

남 여보세요. 저 Andy인데요. Matthew와 통화할 수 있나요?

여 잠시만 기다리렴. 확인해 볼게.

남 알겠습니다.

여 *[잠시 후]* 미안한데, 그는 집에 없단다. 메시지 남겨 줄까?

남 아니요, 괜찮습니다. 나중에 다시 전화할게요.

① 오랜만이에요.

② 전화 주셔서 감사해요.

③ 편하게 있으세요.

④ 저 Andy예요.

01 ④	02 ②	03 ③	04 ③	05 ④	06 ③	07 ②
08 ⑤	09 ④	10 ②	11 ②	12 ②	13 ⑤	14 ④
15 ⑤	16 ⑤	17 ②	18 ②	19 ①	20 ④	

01 ④

[해설] 사막에서 볼 수 있고, 등에 물건을 지고 가며, 사람들이 말 대신에 타기도 하는 것은 낙타이다.

[어휘] country[kʌ́ntri] 나라
desert[dézərt] 사막
carry ~ on A's back A가 등에 ~을 지고 가다
sometimes[sʌ́mtàimz] 가끔, 때때로
ride[raid] 타다
instead of ~ 대신에
without[wiðáut] ~ 없이

W I come from hot countries in Africa and Asia. You can find me in the desert. I can carry many things on my back. Sometimes, people ride me instead of horses. I can live without drinking water for 5 days. What am I?

여 나는 아프리카와 아시아의 더운 나라에서 왔어요. 여러분은 나를 사막에서 찾을 수 있어요. 나는 많은 것들을 등에 지고 가요. 가끔 사람들이 말 대신에 나를 타기도 해요. 나는 5일 동안 물을 마시지 않고 살 수 있어요. 나는 누구일까요?

02 ②

[해설] 여자가 별이 그려진 털장갑을 권하자 남자는 그것을 사기로 했다.

[어휘] gloves[glʌv] 장갑
wool[wul] 털
soft[sɔ(:)ft] 부드러운
warm[wɔːrm] 따뜻한

M Emma, tomorrow is Tina's birthday. What should I buy for her?
W What about these gloves? They are wool gloves.
M Those are nice. They are soft and warm.
W I think she will like the ones with stars.
M Do you think so? Then, I'll buy them.

남 Emma, 내일이 Tina의 생일이야. 그녀에게 무엇을 사줘야 할까?
여 이 장갑은 어때? 털장갑이야.
남 그거 좋다. 부드럽고 따뜻해.
여 그녀가 별이 있는 장갑을 좋아할 거 같아.
남 그렇게 생각해? 그럼, 나는 그걸 살게.

03 ③

[해설] 내일은 하루 종일 날씨가 화창하겠다고 했다.

[어휘] weather forecast 일기 예보
a few 조금
however[hauévər] 그러나
all day long 하루 종일

M Good afternoon, everyone. Here is today's weather forecast. It's very cold and rainy now, but the rain is going to stop this evening. Tonight, there will be a few clouds in the sky. However, it will be sunny all day long tomorrow.

남 안녕하세요, 여러분. 오늘의 일기 예보입니다. 지금은 매우 춥고 비가 옵니다만, 비는 오늘 저녁에 그치겠습니다. 오늘 밤 하늘에 구름이 좀 끼겠습니다. 하지만 내일은 하루 종일 화창하겠습니다.

04 ③

[해설] 겨울 방학에 뉴질랜드에 있는 이모네 가서 스노보드를 탈거라는 남자는 빨리 가고 싶다며 기대함을 표현하고 있다.

W Do you have any plans for winter vacation?
M Yes. I'll visit my aunt and her family. She lives in New Zealand.
W Wow, that's great. What will you do there?

여 겨울 방학에 무슨 계획이 있니?
남 응. 나는 이모네 가족을 방문할 거야. 이모는 뉴질랜드에 사셔.
여 와, 좋겠다. 거기서 무엇을 할 거니?

aunt[ænt] 이모
go snowboarding 스노보드 타러 가다
cousin[kʌ́zən] 사촌
can't wait to-v 빨리 ~하고 싶다

M I'll go snowboarding with my cousins.
W That sounds exciting.
M Yes. I can't wait to go.

남 나는 사촌들과 스노보드 타러 갈 거야.
여 신나겠다.
남 그래. 나는 빨리 가고 싶어.

05 ④

해설 이름(Stewart), 출신 국가(캐나다), 한국에 온 이유(한국어 공부), 취미(한국 책 읽기, 한국 노래 부르기)는 언급하고 있지만 성격에 대해서는 언급하지 않았다.

어휘 be from ~ 출신이다
university[jùːnəvə́ːrsəti] 대학교

W Hi, everyone. I'm going to tell you about my English teacher. Her name is Ms. Stewart, and she is from Canada. She first came here to study Korean at a university. She loves reading Korean books. She has many books at home. Also, she likes to sing Korean songs.

여 안녕하세요, 여러분. 제 영어 선생님에 대해 말씀드리겠습니다. 선생님의 이름은 Stewart이고, 캐나다 출신입니다. 선생님은 대학교에서 한국어를 공부하기 위해 처음 이곳에 오셨습니다. 선생님은 한국 책 읽기를 아주 좋아합니다. 집에 책이 많습니다. 선생님은 한국 노래 부르기도 좋아합니다.

06 ③

해설 남자가 지금 시각은 3시가 되기 전까지 5분 남았다고 했으므로 현재 시각은 2시 55분임을 알 수 있다.

어휘 wait for ~을 기다리다
exactly[igzǽktli] 정확하게

W David, did you see Jessy around?
M No. Are you waiting for her?
W Yes. She told me to meet her here at 3.
M Well, it's not 3 yet.
W Really? What time is it?
M There are 5 minutes left until 3.
W Then I will wait 5 more minutes.

여 David, 근처에서 Jessy 봤니?
남 아니. 너 걔 기다리고 있어?
여 응. 3시에 여기서 만나자고 했어.
남 음. 아직 3시 안 됐어.
여 정말? 지금 몇 신데?
남 3시까지 5분 더 남았어.
여 그럼 5분 더 기다려야겠네.

07 ②

해설 남자가 여자에게 여전히 수의사가 되고 싶은지 묻자 여자는 동물 조련사가 되고 싶다고 했다.

어휘 toy maker 장난감 제작자
still[stil] 아직도, 여전히
owner[óunər] 주인

W What are you planning to do in the future?
M I want to become a toy maker. I like making toys.
W I'm sure you'll make great toys.
M Do you still want to be an animal doctor?
W No, I want to be a an animal trainer. I want to work with animals and help their owners, too.

여 너는 미래에 무엇을 할 계획이니?
남 나는 장난감 제작자가 되고 싶어. 나는 장난감 만들기를 좋아해.
여 넌 분명히 멋진 장난감을 만들 거야.
남 너는 아직도 수의사가 되고 싶니?
여 아니, 나는 동물 조련사가 되고 싶어. 나는 동물과 일하고 동물 주인들도 도와주고 싶거든.

08 ⑤

해설 지역 문화 센터의 모든 수업은 무료라고 했다.

어휘 community center 지역 문화 센터
Spanish[spǽniʃ] 스페인어
cost[kɔːst] (비용이) 들다

M Jane. Where are you going?
W Hi. I'm going to the community center near the station.
M Why are you going there?
W I learn jazz dance there. There are 10 different classes.
M Really? I want to learn Spanish.

남 안녕, Jane. 너 어디 가고 있니?
여 나는 역 근처에 있는 지역 문화 센터에 가고 있어.
남 거기에 왜 가는데?
여 나는 거기서 재즈 댄스를 배워. 그곳은 10개의 다양한 수업이 있어.
남 정말? 나는 스페인어를 배우고 싶어.

free[fri:] 무료의

W There's a Spanish class every Thursday.
M How much does it cost?
W All classes are free.

여 매주 목요일에 스페인어 수업이 있어.
남 비용은 얼마나 드니?
여 모든 수업이 무료야.

09 ④

해설 남자는 산책하자는 여자의 제안을 수락했다.

어휘 fall asleep 잠이 들다
stay up all night 밤을 새다
sleepy[slí:pi] 졸린
take a walk 산책하다
wake A up A를 깨우다

M I almost fell asleep during class.
W Me, too. I'm not going to stay up all night again.
M Yes. We should start studying earlier.
W I'm still sleepy. How about drinking some coffee?
M I already drank coffee.
W Then why don't we take a walk? It will wake us up.
M Okay. Let's go!

남 나 수업 중에 거의 잠들 뻔했어.
여 나도. 나는 다시는 밤을 새지 않을 거야.
남 맞아. 우리는 더 일찍 공부를 시작해야 해.
여 나 아직도 졸려. 커피를 좀 마시는 게 어때?
남 나는 이미 커피를 마셨어.
여 그럼 산책을 좀 할까? 그게 우리를 깨워줄 거야.
남 좋아. 가자!

10 ②

해설 여자는 용돈을 받는 것이 돈을 더 현명하게 쓸 수 있다고 생각하는 반면, 남자는 돈이 필요하면 엄마에게 그냥 물어본다고 했으므로 용돈에 대한 대화임을 알 수 있다.

어휘 allowance[əláuəns] 용돈
prefer[prifə́:r] 더 좋아하다
spend[spend] (돈을) 쓰다
wisely[wáizli] 현명하게

M Do you get an allowance, Bomi?
W Yes. I get $20 a week. How about you?
M I just ask my mother when I need money.
W I prefer to get an allowance. I can spend money more wisely.
M You're right. Maybe I should talk to my mother about it.

남 보미야, 너는 용돈을 받니?
여 응. 나는 일주일에 20달러를 받아. 너도 용돈을 받니?
남 나는 돈이 필요할 때 엄마에게 그냥 물어봐.
여 난 용돈을 받는 게 더 좋아. 돈을 더 현명하게 쓸 수 있거든.
남 네 말이 맞아. 우리 엄마한테 그것에 대해 이야기해봐야겠어.

11 ②

해설 지하철보다는 버스 타는 것이 가장 좋은 방법이라는 여자의 말에 남자는 버스를 타겠다고 했다.

어휘 museum[mju:zí:əm] 박물관
directly[diréktli] 바로

M Excuse me. How can I get to the National Museum?
W The best way is to take the bus.
M Isn't it faster by subway?
W The bus goes there directly. If you take the subway, you have to walk 10 more minutes.
M Okay. I should take the bus then. Thank you so much.

남 실례합니다. 국립박물관에 어떻게 가나요?
여 가장 좋은 방법은 버스를 타는 거예요.
남 지하철이 더 빠르지 않나요?
여 버스가 그곳에 바로 가요. 지하철을 타면, 10분을 더 걸어야 해요.
남 알겠어요. 그럼 버스를 타야겠네요. 정말 감사합니다.

12 ②

해설 여자는 이틀 전에 구입한 책에 몇 페이지가 빠져 있어서 교환하기 위해 전화를 했다.

[Telephone rings.]
M Dream Bookstore. What can I do for you?

[전화벨이 울린다.]
남 Dream 서점입니다. 무엇을 도와 드릴까요?

W	Hi. I bought a book 2 days ago, but there's something wrong with it.
M	What's the problem?
W	A few pages are missing. I'd like to exchange it for a new one.
M	I'm very sorry. When you bring it in, I'll give you a new one.
W	Okay. I'll go there tomorrow morning.

여	안녕하세요. 제가 이틀 전에 책을 한 권 샀는데, 그 책에 문제가 있어요.
남	어떤 문제인가요?
여	몇 페이지가 빠져 있어요. 그것을 새 책으로 바꾸고 싶어요.
남	정말 죄송합니다. 가져오시면, 새것을 드릴게요.
여	알겠습니다. 내일 오전에 그곳에 가겠습니다.

13 ⑤

M	I'm very hungry.
W	What's today's menu?
M	It is spaghetti and pizza.
W	Oh, I like both.
M	I can't find the trays. Where are they?
W	They're in the corner over there.
M	Let's hurry and get in line.

남	나 배가 너무 고파.
여	오늘의 메뉴가 뭐니?
남	스파게티와 피자야.
여	아, 둘 다 좋아하는 거네.
남	식판을 찾을 수 없어. 어디에 있지?
여	저쪽 구석에 있어.
남	서둘러 가서 줄을 서자.

14 ④

W	Excuse me. Do you know how to get to the hospital from here?
M	Yes. Go along this street to River Street. And then turn to the right.
W	Go to River Street and turn to the left?
M	No. Turn right. It will be on your right.
W	Thank you very much.
M	You're welcome.

여	실례합니다. 여기서 병원에 가는 방법을 아시나요?
남	네. 이 길을 따라 River 가까지 가세요. 그런 다음 오른쪽으로 도세요.
여	River 가까지 가서 좌회전으로 돌라고요?
남	아니요. 우회전하세요. 그 곳은 오른쪽에 있을 겁니다.
여	정말 감사합니다.
남	천만에요.

15 ⑤

M	Hannah, can I ask you a favor?
W	What is it?
M	Can you change seats with me?
W	Sure, but why?
M	I didn't bring my glasses today. So, I can't see the screen clearly.
W	Oh, okay. No problem.

남	Hannah, 부탁 하나 해도 될까?
여	그게 뭔데?
남	나랑 자리 바꿔줄래?
여	그래, 근데 왜?
남	내가 오늘 안경을 가지고 오지 않았어. 그래서 화면을 또렷하게 볼 수 없어.
여	아, 알겠어. 문제 없어.

16 ⑤

해설 컴퓨터가 너무 느리다는 여자의 말에 남자는 자신의 컴퓨터를 고쳐준 또 다른 친구에게 그것에 대해 물어보라고 제안했다.

어휘 finish[fíniʃ] 끝마치다
slow[slou] 느린
terrible[térəbl] 끔찍한
fix[fiks] 수리하다

M Did you finish writing the science report?
W No, I didn't.
M Why not?
W My computer is too slow. I can't do anything.
M Oh, that's terrible. Why don't you ask Jimin about it? He fixed my computer a few months ago.
W Oh, really? I'll ask him then.

남 너 과학 보고서 다 썼니?
여 아니, 다 못 썼어.
남 왜 못 썼는데?
여 내 컴퓨터가 너무 느려. 아무것도 할 수가 없어.
남 아, 큰일이네. 지민에게 그것에 대해 물어보는 게 어떠니? 걔가 몇 달 전에 내 컴퓨터를 고쳤어.
여 아, 정말이야. 그럼 걔한테 물어볼게.

17 ②

해설 여자는 어제 캐나다로 떠나는 여동생을 배웅하러 공항에 갔다.

어휘 match[mætʃ] 경기, 시합
win[win] 이기다
miss[mis] 놓치다
abroad[əbrɔ́ːd] 해외에서
airport[έərpɔ̀ːrt] 공항

M Did you watch the soccer match last night?
W No, but I heard Korea won.
M Why did you miss the game?
W Oh, my sister left for Canada yesterday to study abroad.
M Already? I thought she was leaving next month.
W No, it was yesterday. So I had to go to the airport.

남 너 어젯밤에 축구 경기 봤니?
여 못 봤는데 한국이 이겼다고 들었어.
남 왜 경기를 못 봤어?
여 아, 내 여동생이 어제 유학하러 캐나다로 떠났거든.
남 벌써? 나는 그녀가 다음 달에 떠나는 줄 알았는데.
여 아니, 그게 어제였어. 그래서 나는 공항에 가야 했어.

18 ②

해설 여자는 패션 매거진 사진 촬영을 하며, 자신의 스튜디오가 있다는 것으로 보아 여자의 직업은 사진작가임을 알 수 있다.

어휘 work for ~에서 일하다
newspaper[njúːzpèipər] 신문사
fashion magazine 패션 잡지
studio[stjúːdiòu] 스튜디오
business card 명함

W You are Jeff, right? I'm Carry. Do you remember me?
M Yes, of course.
W Do you still work for the *Daily Newspaper*?
M I do. You take pictures for a newspaper, too, don't you?
W Not any more. Now I take pictures for a fashion magazine.
M I see. Then do you have your own studio?
W I do. Here is my new business card.

여 Jeff 씨죠, 맞나요? 저 Carry예요. 저 기억나세요?
남 네, 물론이죠.
여 아직 Daily Newpaper에서 일하시나요?
남 네. Carry 씨도 신문사에서 사진을 찍죠, 그렇지 않나요?
여 이제는 아니에요. 지금은 패션 잡지사에서 사진을 찍어요.
남 그렇군요. 그러면 스튜디오가 있으신가요?
여 있어요. 여기 제 명함이에요.

19 ①

해설 남자가 몇 시에 만날지 묻는 말에 만날 시간을 제안하는 응답이 이어져야 한다.

어휘 free[friː] 한가한
stadium[stéidiəm] 경기장

W Hi, Noah. Are you free tomorrow evening?
M Yes, I am. Why?
W There will be a baseball game at the stadium at 6:30. Do you want to go with me?
M Yes, I'd love to.

여 안녕, Noah. 너 내일 저녁에 한가하니?
남 응, 한가해. 왜?
여 6시 30분에 경기장에서 야구 경기가 있을 거야. 나랑 같이 갈래?
남 응, 그렇게 할게.

W Let's eat something before the game.
M Okay. What time shall we meet?
W How about 5?

여 경기 전에 뭘 좀 먹자.
남 좋아. 우리 몇 시에 만날까?
여 5시 어때?

② 야구 경기를 하자.
③ 그건 6시 반에 시작해.
④ 내가 햄버거를 살게.
⑤ 우리는 경기장에서 만날 거야.

20 ④

해설 음식을 권하는 남자의 말에 대한 응답으로 이를 수락하거나 거절하는 내용이 이어지는 것이 가장 적절하다.

어휘 by oneself 혼자서
cook[kuk] 요리하다; 요리사
meal[miːl] 식사
[선택지]
full[ful] 배부르게 먹은

M How did you like the food?
W It was very delicious. Did you make it by yourself?
M No. My brother and I cooked together.
W You both are really good cooks.
M Thanks. I'm glad you enjoyed the meal. Would you like some more?
W No, thanks. I'm full.

남 음식은 어떠셨어요?
여 아주 맛있었어요. 그걸 혼자서 만드셨나요?
남 아니요. 남동생과 제가 같이 요리했어요.
여 두분 다 정말 훌륭한 요리사네요.
남 고마워요. 식사를 맛있게 드셨다니 기쁘네요. 좀 더 드실래요?
여 아니요, 괜찮아요. 배불러요.

① 나는 요리하는 것을 좋아해요.
② 내가 직접 그것을 했어요.
③ 좋아요. 내가 당신을 도울게요.
⑤ 나는 같이 요리하고 싶어요.

01 ②	02 ④	03 ④	04 ③	05 ④	06 ④	07 ②
08 ③	09 ④	10 ②	11 ②	12 ⑤	13 ⑤	14 ⑤
15 ①	16 ③	17 ②	18 ④	19 ④	20 ⑤	

01 ②

[해설] 식탁에서 볼 수 있으며 나무, 강철, 플라스틱으로 만들고 국을 먹을 때 사용하는 것은 숟가락이다.

[어휘] wood[wud] 나무
steel[stiːl] 강철
plastic[plǽstik] 플라스틱
soft[sɔ(ː)ft] 부드러운
shell[ʃel] 조개껍질

M You can see this at the table every day. You can make this with wood, steel, or plastic. You usually use this to eat soup or something soft. A long time ago, people used shells instead of this. What is this?

남 여러분은 매일 이것을 식탁에서 볼 수 있어요. 이것은 나무, 강철, 또는 플라스틱으로 만들 수 있어요. 여러분은 보통 국과 부드러운 것을 먹기 위해 이것을 사용합니다. 오래전에는, 사람들이 이것 대신에 조개껍질을 사용했어요. 이것은 무엇일까요?

02 ④

[해설] 남자는 햄 피자를 주문했지만 없어서 대신 햄버거와 음료를 먹기로 한다.

[어휘] a slice of 한 조각의
drink[driŋk] 음료

W Hello. May I take your order?
M Yes, please. I'd like to order a slice of ham pizza.
W I'm sorry, but we only have cheese pizza.
M Do you have hamburgers then?
W Yes. Would you like a hamburger?
M Yes, please. I will have one with a drink.

여 안녕하세요. 주문하시겠어요?
남 네. 햄 피자 한 조각 주문할게요.
여 죄송합니다만, 치즈피자만 있어요.
남 그럼 햄버거가 있나요?
여 네. 햄버거를 드시겠어요?
남 네. 주세요. 음료와 함께 먹을게요.

03 ④

[해설] 오늘 밤 늦게 비가 많이 내리기 시작할 거라고 했다.

[어휘] outside[àutsáid] 밖에
a little 약간의
heavily[hévili] 아주 많이, 심하게

M Good morning. Here is today's weather forecast. It's sunny outside now. But this afternoon, it'll get a little cloudy. Then later tonight, it will start raining heavily. But the rain will stop tomorrow morning.

남 안녕하세요. 오늘의 일기 예보입니다. 지금 밖은 화창한 날씨입니다. 하지만 오늘 오후에는 조금 흐리겠습니다. 그러고 나서 오늘 밤 늦게 비가 아주 많이 내리기 시작하겠습니다. 하지만 비는 내일 아침에 그치겠습니다.

04 ③

[해설] 영화를 보러 몇 시에 만날지 묻는 남자에게 여자가 6시에 Dream 시네마에서 만나자고 제안했다.

[어휘] go to the movies 영화 보러 가다

[Telephone rings.]
M Hello.
W Hello, may I speak to John?
M This is he. Who's calling?
W It's Maria. Do you have any plans for tonight?
M No, I don't. Why?
W Do you want to go to the movies?
M Sure. What time should we meet?
W Let's meet at 6 at Dream Cinema.

[전화벨이 울린다.]
남 여보세요.
여 여보세요, John과 통화할 수 있나요?
남 전데요. 누구세요?
여 나 Maria야. 너 오늘 밤에 무슨 계획이 있니?
남 아니, 없어. 왜?
여 영화 보러 갈래?
남 물론이지. 몇 시에 만날까?
여 6시에 Dream 시네마에서 만나자.

05 ④

전화한 이유(생일 파티 초대), 파티 장소(Sally의 집), 파티 시각(7시), 그리고 여자의 전화번호(342-7887)는 언급되었지만, 파티 준비물은 언급되지 않았다.

invite[inváit] 초대하다
message[mésidʒ] 메시지
call back 다시 전화를 하다

W [Beep] Hello, Edward. This is Sally. I'm calling to invite you to my birthday party. The party will be at my house. You can come at 7 o'clock today. When you get this message, please call me back at 342-7887. Talk to you soon.

여 [삐] 안녕, Edward. 나 Sally야. 내 생일 파티에 널 초대하려고 전화했어. 파티는 우리 집에서 열릴 거야. 오늘 7시에 오면 돼. 이 메시지를 받으면, 342-7887로 전화해줘. 곧 통화하자.

06 ④

남자가 학교에 가는 데 15분 걸린다고 했고 여자가 8시에 집에서 나가자고 했으므로 학교에 도착하는 시각은 8시 15분이다.

wake up 일어나다
how to ～하는 방법
get[get] (장소에) 도착하다
take[teik] (시간이) 걸리다
take a shower 샤워하다

W Luke, wake up! It's 7:30.
M Okay, Mom.
W It's your first day at the new school. Do you know how to get there?
M Yes. It takes about 15 minutes.
W Then let's leave at 8 o'clock.
M All right. I'll go and take a shower now.

여 Luke, 일어나! 7시 30분이야.
남 알겠어요, 엄마.
여 새로운 학교에서의 첫날이네. 그곳에 가는 방법은 알고 있니?
남 네. 15분 정도 걸려요.
여 그럼 8시에 나가자.
남 알겠어요. 지금 가서 샤워할게요.

07 ②

여자는 미래에 계속 만화를 그리고, 자신의 만화로 사람들을 행복하게 하는 만화가가 되고 싶다고 했다.

drawing[drɔ́:iŋ] 그림
draw[drɔ:] 그리다 (draw-drew-drawn)
amazing[əméiziŋ] 놀라운, 굉장한
cartoon[ka:rtú:n] 만화
cartoonist[ka:rtú:nist] 만화가

M Your drawings are amazing.
W Thanks. Do you want to see more?
M Sure. [Pause] Wow, you drew cartoons.
W Yes. I want to keep drawing cartoons in the future.
M Do you want to be a cartoonist?
W Yes. I want to make people happy with my cartoons.

남 너의 그림들은 너무 멋져.
여 고마워. 더 보고 싶니?
남 물론이지. [잠시 후] 와, 너 만화를 그렸구나.
여 응. 나는 미래에 계속 만화를 그리고 싶어.
남 너는 만화가가 되고 싶니?
여 응. 나는 내 만화로 사람들을 행복하게 만들고 싶어.

08 ③

Judy는 남동생이 없고 외동이다.

look like ～처럼 보이다
curly[kə́:rli] 곱슬곱슬한
only child 외동
elementary school 초등학교
book club 독서 동아리

W Do you know Judy?
M What does she look like?
W She has blue eyes and curly hair.
M Does she have a little brother?
W No, she is an only child.
M Did Judy go to James Elementary School?
W Yes, she did.
M I know her. She is in the book club.

여 너 Judy를 아니?
남 그녀는 어떻게 생겼는데?
여 푸른 눈을 가졌고 곱슬머리야.
남 그녀는 남동생이 있니?
여 아니, 그녀는 외동이야.
남 Judy가 James 초등학교에 다녔니?
여 응, 다녔어.
남 나 걔를 알아. 그녀는 독서 동아리야.

09 ④

해설 여자가 애완동물인 Teddy가 아파서 먹지도 않는다고 하자 남자는 수의사에게 데려가자고 했다.

어휘 either[íːðər] ~도 또한 (아니다)
treat[triːt] 치료하다
cage[keidʒ] 우리

M How is Teddy doing?
W Not very well. He's not eating either.
M We should take him to Dr. Smith.
W Is he a good animal doctor?
M Yes. I heard that he treats pets very well.
W All right. I'll get the cage. Let's take Teddy to Dr. Smith.

남 Teddy는 어때?
여 아주 좋지 않아. 걔는 먹지도 않고 있어.
남 Smith 선생님에게 데려가야 해.
여 그분은 좋은 수의사이시니?
남 응. 그가 애완동물을 매우 잘 치료하신다고 들었어.
여 좋아. 내가 우리를 가져올게. Smith 선생님에게 Teddy를 데려가자.

10 ②

해설 남자가 금요일 밤에 테이블을 예약하였고 여자는 예약을 받고 있으므로 식당 예약에 대한 내용임을 알 수 있다.

어휘 make a reservation 예약하다

[Telephone rings.]
W Joe's Dining. May I help you?
M Yes. Can I make a reservation for this Friday night?
W Sure. For what time and how many people?
M 5 people at 7.
W May I have your name and phone number?
M My name is Bill Cooper. My phone number is 345-7890.
W Okay, Mr. Cooper. That's a table for 5 at 7 on Friday.

[전화벨이 울린다.]
여 Joe's Dining입니다. 도와 드릴까요?
남 네. 이번 금요일 밤에 예약할 수 있나요?
여 물론이죠. 몇 시에 몇 명인가요?
남 7시에 5명이요.
여 성함과 전화번호를 알려 주실래요?
남 제 이름은 Bill Cooper입니다. 제 전화번호는 345-7890입니다.
여 알겠습니다, Cooper 씨. 금요일 7시에 5명으로 한 테이블이 예약되었습니다.

11 ②

해설 남자가 엄마 생신 선물로 꽃을 사러 가자고 하면서 꽃집이 멀지 않아서 자전거를 타자고 했고 여자도 동의했다.

어휘 present[prézənt] 선물
neither[níːðər] (부정문에서) ~도 마찬가지이다[그렇다]
far[faːr] 거리가 먼

W Danny, it's Mom's birthday.
M Did you get a present for her?
W Not yet. What about you?
M Me, neither. [Pause] I have an idea. Let's buy some flowers for her.
W Sure. How about going to the flower shop now?
M Okay. The flower shop is not too far. Let's take the bikes.
W Okay.

여 Danny, 엄마 생신이야.
남 엄마 선물 샀니?
여 아직 못 샀어. 너는 어때?
남 나도 그래. [잠시 후] 나한테 좋은 생각이 있어. 엄마에게 드릴 꽃을 좀 사러 가자.
여 그래. 지금 꽃집에 가는 게 어때?
남 좋아. 꽃집은 아주 멀지 않아. 자전거를 타자.
여 좋아.

12 ⑤

해설 남자는 집 청소를 하면서 무거운 상자들을 들어 올려서 허리를 다쳤다고 했다.

어휘 hurt[həːrt] 다치다
back[bæk] 허리, 등
lift[lift] 들어 올리다
careful[kɛ́ərfəl] 조심하는
heavy[hévi] 무거운

M Ouch!
W What's wrong? Are you hurt?
M My back hurts.
W That's not good. What happened?
M Yesterday, I lifted heavy boxes when I was cleaning the house.
W You should be very careful when you lift heavy things.

남 아야!
여 무슨 일이야? 너 어디 다쳤니?
남 허리가 아파.
여 좋지 않네. 무슨 일이 있었는데?
남 어제, 집 청소를 하면서 무거운 상자들을 들어 올렸어.
여 무거운 물건을 들어 올릴 때는 매우 조심해야 해.

13 ⑤

여자가 자신의 시계의 수리를 부탁했고 남자가 수리에 1시간 정도 걸린다고 했으므로 두 사람의 관계는 시계 수리공과 손님이다.

어휘 slow[slou] 느린
never[névər] 결코[한 번도] ~ 않다
correct[kərékt] 정확한
be able to ~할 수 있다
fix[fiks] 수리하다

M How may I help you?
W There is <u>something wrong</u> with my watch.
M What's the problem?
W The watch is a little slow. The time is <u>never correct</u>.
M Let me see.
W Will you be able to <u>fix it</u>?
M Yes. It'll <u>take an hour</u>.
W Okay. I'll come back then.

남 어떻게 도와 드릴까요?
여 제 시계에 문제가 있어요.
남 무슨 문제인가요?
여 시계가 좀 느려요. 시간이 전혀 정확하지 않아요.
남 어디 봅시다.
여 수리하실 수 있나요?
남 네. 1시간 걸릴 겁니다.
여 좋아요. 그럼 다시 올게요.

14 ⑤

해설 여자가 책상 옆에 있는 가방 안에 지갑이 있는지 확인해 보라고 했고 남자가 찾았다고 했다.

어휘 wallet[wɑ́lit] 지갑
backpack[bǽkpæ̀k] 책가방
next to ~의 옆에

W What's the matter?
M I can't find my wallet.
W I saw it <u>on the desk</u> this morning.
M I <u>already looked there</u>.
W Did you check your backpack next to the desk?
M *[Pause]* Oh, it's <u>in the backpack</u>. Thanks.

여 무슨 일 있니?
남 내 지갑을 찾을 수가 없어.
여 나 오늘 아침에 그것을 책상 위에서 봤는데.
남 그곳은 이미 봤어.
여 책상 옆에 있는 네 가방을 확인했니?
남 *[잠시 후]* 아, 가방 안에 있네. 고마워.

15 ①

해설 여자는 자러 간다고 하면서 남자에게 전등을 꺼 달라고 부탁했다.

어휘 midnight[midnáit] 자정
finish[fíniʃ] 끝내다, 마치다
turn off (전원을) 끄다

M Why are you still up? It's midnight.
W I want to <u>finish this book</u> before I go to bed.
M You <u>have school</u> tomorrow. You can finish the book later.
W Okay, Dad. I'll <u>go to bed</u> now. Can you <u>turn off</u> the light for me?
M Sure. Good night.
W Good night, Dad.

남 왜 아직도 깨어 있니? 자정이잖니.
여 자러 가기 전에 이 책을 끝까지 읽고 싶어요.
남 너는 내일 수업이 있잖니. 나중에 그 책을 마저 다 읽으면 돼.
여 알겠어요, 아빠. 지금 자러 갈게요. 전등을 꺼 주실래요?
남 물론이지. 잘 자라.
여 안녕히 주무세요, 아빠.

16 ③

해설 여자는 남자에게 자신이 속한 배드민턴 동호회에 가입해서 함께 배드민턴을 치자고 제안했다.

어휘 uniform[júːnəfɔ̀ːrm] 유니폼
ours[auərz] 우리의 것
partner[pɑ́ːrtnər] 상대, 파트너

M Wow, I love your T-shirt.
W Thanks. It's the <u>uniform for</u> my club.
M What club are you in?
W It's a <u>badminton club</u>.
M Really? I wanted to join a badminton club, too.
W Why don't you <u>join ours</u>? I need a partner to <u>play with</u>.
M Maybe I should.

남 와, 나는 네 티셔츠가 아주 맘에 들어.
여 고마워. 우리 동호회 유니폼이야.
남 너는 어느 동호회에 있어?
여 나는 배드민턴 동호회야.
남 정말? 나도 배드민턴 동호회에 가입하고 싶었는데.
여 우리 동호회에 가입하는 게 어떠니? 나는 함께 칠 상대가 필요해.
남 그래야겠다.

17 ②

해설 남자는 집에서 영화를 보면서 주말을 보냈다고 했다.

어휘 rock climbing 암벽 등반
exciting[iksáitiŋ] 흥미진진한
spend+시간+v-ing ~하느라고 (시간을) 보내다

W Hi, Paul.
M Hi, Gina. How was your weekend?
W It was good. I went rock climbing.
M Did you enjoy it?
W Yes, it was very exciting. How about you?
M It was fine. I spent my weekend watching movies at home.
W It sounds like you had a good time, too.

여 안녕, Paul.
남 안녕, Gina. 주말 잘 보냈니?
여 좋았어. 나는 암벽 등반하러 갔어.
남 재미있었니?
여 응, 아주 흥미진진했어. 너는 어때?
남 괜찮았어. 나는 집에서 영화를 보면서 주말을 보냈어.
여 너도 즐겁게 지낸 것 같구나.

18 ④

해설 남자가 주말에 쓸 방을 예약하고 여자는 예약을 돕고 있으므로 여자의 직업은 호텔 직원임을 알 수 있다.

어휘 weekend[wíːkènd] 주말
ocean view 바다가 보이는 전망

[Telephone rings.]
W Thank you for calling. How may I help you?
M Hello. I'd like a room for this weekend, please.
W Of course. What kind of room would you like?
M Do you have a room with an ocean view?
W Sure. It's $100 a night.
M Okay. I'll take the room.

[전화벨이 울린다.]
여 전화 주셔서 감사합니다. 어떻게 도와드릴까요?
남 안녕하세요. 이번 주말에 쓸 방을 하나 원해요.
여 네. 어떤 종류의 방을 원하세요?
남 바다가 보이는 방이 있나요?
여 그럼요. 하룻밤에 100달러입니다.
남 좋아요. 그 방으로 할게요.

19 ④

해설 남자는 어젯밤에 여동생이 매우 아파서 밤새도록 울었다고 했으므로 이어질 응답으로 유감의 표현이 와야 적절하다.

어휘 well[wel] 건강한; 잘
sick[sik] 아픈 cry[krai] 울다
all night 밤새도록
[선택지]
exercise[éksərsàiz] 운동하다

M Hi, Jiwon.
W Hello, Taeho. Are you all right? You don't look well.
M I didn't sleep well at all last night.
W What's the matter?
M My baby sister was very sick last night. She cried all night.
W I'm sorry to hear that.

남 안녕, 지원아.
여 안녕, 태호야. 너 괜찮아? 안 좋아 보여.
남 어젯밤에 전혀 잠을 잘 못 잤어.
여 무슨 일 있니?
남 어젯밤에 내 어린 여동생이 매우 아팠어. 걔가 밤새도록 울었어.
여 그것참 안됐다.

① 그 말을 들으니 기뻐.
② 그것에 대해 걱정하지 마.
③ 너는 운동하는 게 좋겠어.
⑤ 나는 곧 나아지길 바라.

20 ⑤

해설 남자가 사물함에 우산이 하나 더 있으니 자신의 우산을 가져가라고 했으므로 이어질 응답으로 고마움을 표현하는 말이 와야 적절하다.

어휘 be over 끝나다
outside[àutsáid] 밖에
mine[main] 나의 것
locker[lάkər] 사물함
bring ~ back ~을 돌려주다

M The exams <u>are</u> <u>over</u>. I want to go home.
W Me, too. I want to <u>get</u> some <u>sleep</u>.
M *[Pause]* Look! It's raining outside.
W Oh no. I don't have an umbrella.
M <u>Take</u> <u>mine</u>. I have another one in my locker.
W Thanks. I'll bring it back tomorrow.

남 시험이 끝났어. 집에 가고 싶어.
여 나도 그래. 좀 자고 싶거든.
남 *[잠시 후]* 봐! 밖에 비가 오고 있어.
여 이런. 나 우산이 없는데.
남 내 걸 가져가. 나는 사물함에 하나 더 있거든.
여 <u>고마워. 내일 우산을 돌려줄게.</u>

① 여기 있어.
② 나는 그 색을 좋아하지 않아.
③ 나는 그것에 관심이 있어.
④ 아니, 너는 가지고 있지 않아.

01 ④	02 ③	03 ④	04 ②	05 ③	06 ③	07 ②
08 ③	09 ②	10 ④	11 ②	12 ④	13 ②	14 ④
15 ④	16 ④	17 ④	18 ③	19 ②	20 ③	

01 ④

해설 캠핑 도구로 접어서 가지고 다닐 수 있고 밖에서 잘 때 안에서 잘 수 있는 것은 침낭이다.

어휘 tool[tu:l] 도구
fold[fould] 접다
carry[kǽri] 가지고 다니다, 휴대하다
easily[íːzili] 쉽게
outside[àutsáid] 밖에서

M This is a camping tool. You can fold and carry this easily. You can make this into a bag. You need this when you sleep outside. When you sleep in this, you won't feel cold. What is this?

남 이것은 캠핑 도구예요. 여러분은 이것을 접어서 쉽게 가지고 다닐 수 있어요. 여러분은 이것을 가방으로 만들 수 있어요. 밖에서 잘 때 이것이 필요해요. 이 안에서 자면 추위를 느끼지 않을 거예요. 이것은 무엇일까요?

02 ③

해설 남자는 아들에게 줄 자전거로 물병 거치대가 있는 자전거를 사겠다고 했다.

어휘 wheel[wi:l] 바퀴
same[seim] 같은
water bottle 물병
holder[hóuldər] 거치대, 받치는 것

W How may I help you?
M I'd like to buy a bike for my son.
W Okay. How about this one with a basket over the wheel?
M It's okay, but I have the same one at home.
W Then, how about this one with a water bottle holder?
M Wow, it's perfect. I'll take it.

여 무엇을 도와 드릴까요?
남 제 아들에게 줄 자전거를 사고 싶어요.
여 알겠습니다. 바퀴 위쪽에 바구니가 달린 이것은 어떠세요?
남 괜찮네요, 하지만 집에 똑같은 것을 가지고 있어요.
여 그러면 물병 거치대가 있는 이 자전거는 어떠세요?
남 와, 완벽하네요. 그걸로 살게요.

03 ④

해설 인천은 바람이 많이 불 거라고 했다.

어휘 windy[wíndi] 바람이 부는

M Good evening. Here is the weather forecast for tomorrow. In Seoul, it's going to be sunny all day. It will be very windy in Incheon and Suwon. In Busan and Gwangju, it's going to be cold and cloudy.

남 안녕하세요. 내일의 일기 예보입니다. 서울은 하루 종일 화창하겠습니다. 인천과 수원은 바람이 많이 불겠습니다. 부산과 광주는 춥고 흐리겠습니다.

04 ②

해설 남자가 9시쯤 자신의 집에서 만나자고 하자, 여자는 남자의 제안을 승낙했다.

어휘 volunteer[vàləntíər] 자원봉사하다
public health center 보건소
around[əráund] 약, 대략
close[klous] 가까운

M I'm volunteering at a public health center this Saturday. Do you want to join me?
W Sure. What time should we meet?
M How about around 9 o'clock?
W Okay. Where do you want to meet?
M How about my house? It's very close to the center.
W Sure. I'll see you then.

남 나는 이번 주 토요일에 보건소에서 자원봉사 할 거야. 나와 함께 할래?
여 물론이야. 우리 몇 시에 만날까?
남 9시쯤 어때?
여 좋아. 어디서 만나고 싶니?
남 우리 집 어때? 보건소에서 아주 가까워.
여 좋아. 그때 보자.

05 ③

위치(속초), 객실 개수(200개), 식당의 개수(3개), 편의 시설(체육관, 수영장)에 대해 언급하고 있지만 객실 사용료에 대해서는 언급하지 않았다.

어휘 welcome to ~ ~에 오신 것을 환영하다
different[dífərənt] 다른
guest[gest] 투숙객, 손님
gym[dʒim] 헬스클럽, 체육관
for free 무료로

M Welcome to the Rainbow Hotel. It is in Sokcho near the beach. The hotel has 200 rooms. There are 3 different restaurants: Korean, Italian and Chinese. Guests can use the gym and the swimming pool for free.

남 Rainbow 호텔에 오신 것을 환영합니다. 그것은 해변 근처에 있는 속초에 있습니다. 호텔에는 200개의 방이 있습니다. 한식당, 이탈리아 식당, 그리고 중식당의 3개의 다양한 식당이 있습니다. 투숙객들은 헬스클럽과 수영장을 무료로 사용할 수 있습니다.

06 ③

해설 9시에는 다른 환자 예약이 있어서 10시는 괜찮은지 물어보는 여자의 말에 남자가 좋다고 했으므로 예약 시각은 10시임을 알 수 있다.

어휘 make an appointment 예약하다
patient[péiʃənt] 환자

[Telephone rings.]
W Dr. Peterson's Office.
M Hello. This is Peter Clark. I'd like to make an appointment for tomorrow.
W Sure. What time would you like to visit?
M At 9 in the morning.
W I'm sorry. There is another patient at 9. How about 10?
M That's fine with me. Thank you.

[전화벨이 울린다.]
여 Peterson 의원입니다.
남 안녕하세요. 저는 Peter Clark입니다. 내일 예약을 하고 싶은데요.
여 네. 몇 시에 방문하시겠어요?
남 오전 9시에요.
여 죄송합니다. 9시에는 다른 환자가 있어요. 10시는 어떠세요?
남 좋습니다. 감사합니다.

07 ②

해설 남자는 집을 설계하는 것에 관심이 있어서 건축가가 되고 싶어 한다.

어휘 myself[maisélf] 나 자신, 나 스스로
clothes[klouðz] 옷
fashion designer 패션 디자이너
architect[áːrkətèkt] 건축가
be interested in ~에 관심이 있다
design[dizáin] 디자인하다, 설계하다
come true (소망 등이) 이루어지다

W What do you think of my skirt? I made it myself.
M It's really nice. You like making clothes, don't you?
W Yes. I want to be a fashion designer. How about you?
M I want to be an architect. I'm interested in designing houses.
W That's nice. I hope our dreams come true.

여 내 치마에 대해서 어떻게 생각해? 내가 직접 만들었어.
남 정말 멋진데. 너는 옷을 만드는 것을 좋아하는구나, 그렇지 않니?
여 응. 나는 패션 디자이너가 되고 싶어. 너는 어때?
남 나는 건축가가 되고 싶어. 나는 집을 설계하는 것에 관심이 있어.
여 멋지다. 우리의 꿈이 이루어졌으면 좋겠다.

08 ③

해설 여자는 오빠와 여동생이 한 명씩 있다고 했다.

어휘 firefighter 소방관
grandparent[grǽndpɛ̀ərənt] 조부[모]

M Olivia, what do your parents do?
W My father is a firefighter and my mother is a teacher.
M Do you have any brothers and sisters?
W Yes, I have one older brother and one younger sister.
M Do your grandparents live with you?
W Yes, they live with us. There are 7 people in my family.

남 Olivia, 네 부모님은 무슨 일을 하시니?
여 나의 아버지는 소방관이고 나의 어머니는 교사야.
남 너는 형제자매가 있니?
여 응, 나는 오빠와 여동생이 한 명씩 있어.
남 너는 조부모님과 함께 사니?
여 응, 함께 살아. 우리 가족은 7명이야.

09 ②

해설 남자가 여자에게 먼저 수리점에 가 볼 것을 제안하자 여자는 바로 가겠다고 했다.

어휘 work[wəːrk] 작동하다
repair shop 수리점

W Jacob, my computer is not working.
M Did you start it again?
W I tried many times, but it didn't work. Can I use your computer?
M Sure, but why don't you take your computer to a repair shop first?
W Okay. I'll go there right now.

여 Jacob, 내 컴퓨터가 작동이 안 돼.
남 컴퓨터를 다시 시작해 봤니?
여 여러 번 해봤는데, 소용이 없어. 네 컴퓨터를 사용해도 되니?
남 물론이야, 하지만 먼저 컴퓨터를 수리점에 가지고 가는 게 어떠니?
여 알았어. 지금 바로 그곳에 갈게.

10 ④

해설 여가 시간에 여자는 영화 보는 것을 좋아하고 남자는 그림을 그리고 자전거 타는 것을 좋아한다고 했으므로 취미 활동에 관한 내용임을 알 수 있다.

어휘 free time 여가 시간
hobby[hábi] 취미

M What do you like to do in your free time?
W I like watching movies. What about you?
M My hobbies are drawing pictures and riding my bike.
W Oh, I like riding my bike, too.
M Really? I'm going to ride my bike this weekend. Do you want to join?
W Yes, I'd love to.

남 너는 여가 시간에 무엇을 하는 것을 좋아하니?
여 나는 영화 보는 것을 좋아해. 너는 어때?
남 내 취미는 그림을 그리고 자전거를 타는 거야.
여 아, 나도 자전거 타는 거 좋아해.
남 정말? 나는 이번 주말에 자전거를 타러 갈 거야. 함께 갈래?
여 그래, 그렇게 할게.

11 ②

해설 남자가 온라인으로 기차표를 살 수 있으니 기차를 타자는 남자의 제안에 여자가 동의했다.

어휘 late[leit] 늦은
guess[ges] 추측하다
instead[instéd] 대신에
online[ɔnlain] 온라인으로

W You bought the bus tickets to Busan for tomorrow, right?
M Sorry, honey. I'll get them now.
W It's too late. I guess we should drive instead.
M How about taking the train? We can still buy train tickets online.
W For what time?
M At 8 in the morning.
W Okay. Let's do that instead of driving.

여 당신 내일 가는 부산 행 버스표를 샀죠, 그렇죠?
남 미안해요, 여보. 지금 표를 살게요.
여 너무 늦었어요. 우리는 대신에 자동차로 가야 할 듯해요.
남 기차를 타는 건 어때요? 아직 온라인으로 기차표를 살 수 있어요.
여 몇 시 기차요?
남 아침 8시요.
여 좋아요. 운전하는 것 대신 그렇게 해요.

12 ④

해설 여자는 많은 종류의 꽃들을 볼 수 있어서 봄을 좋아한다고 했다.

어휘 which[hwitʃ] 어느, 어떤
season[síːzn] 계절
spring[spriŋ] 봄
warm[wɔːrm] 따뜻한
many kinds of 많은 종류의

W Which season do you like better, spring or summer?
M I like spring better.
W Why?
M It's usually warm and sunny in spring.
W I like spring, too. We can see many kinds of flowers.
M Right. I think spring is more beautiful than summer.

여 너는 봄과 여름 중에서 어느 계절을 더 좋아하니?
남 나는 봄을 더 좋아해.
여 왜?
남 봄에는 보통 날씨가 따뜻하고 화창해.
여 나도 봄을 좋아해. 많은 종류의 꽃들을 볼 수 있어.
남 맞아. 봄이 여름보다 더 아름다운 것 같아.

13 ②

남자는 소포를 받을 사람의 주소를 확인하고 있고 여자는 잘못된 주소라고 했으므로 두 사람의 관계는 택배 기사와 집주인이다.

어휘 package[pǽkidʒ] 소포
address[ədrés] 주소

M Excuse me, ma'am.
W Can I help you?
M I have a package for Luke Dunphy. Does he live here?
W I'm sorry. I think you have the wrong address.
M Is this 15 Maple Road?
W No, the address here is 20 Maple Road.
M I'm sorry. Thank you for your help.

남 실례합니다. 부인.
여 도와 드릴까요?
남 Luke Dunphy 씨에게 드릴 소포가 있는데요. 그가 여기 사나요?
여 죄송한데요. 잘못된 주소인 것 같아요.
남 Maple 가 15번지인가요?
여 아니요, 여기 주소는 Maple 가 20번지예요.
남 죄송해요. 도와주셔서 감사해요.

14 ④

남자가 찾고 있는 리모컨이 탁자와 카펫 위에는 없고 의자 아래에 있다고 했다.

어휘 remote control 리모컨
put A back A를 제자리에 두다
carpet[káːrpit] 카펫

M Jian, did you use the remote control?
W Yes. I just used it to turn on the TV.
M You should put it back after you use it.
W Sorry. I think I left it on the table.
M I checked, but it's not there. Maybe it's on the carpet.
W I don't see anything on the carpet.
M [Pause] Look! There it is. It's under the chair.

남 지안아, 너 리모컨 사용했니?
여 네. 저는 그저 TV를 켜려고 그걸 사용했어요.
남 리모컨을 사용한 후에 제자리에 두어야 해.
여 죄송해요. 제가 탁자 위에 둔 것 같아요.
남 내가 확인했는데 거기 없어. 아마 카펫 위에 있을 거야.
여 카펫 위에도 아무것도 보이지 않아요.
남 [잠시 후] 봐! 저기 있네. 의자 아래에 있어.

15 ④

여자는 남자에게 거실을 칠할 페인트와 붓을 사 오라고 부탁했다.

어휘 paint[peint] 페인트를 칠하다; 페인트
brush[brʌʃ] 붓

M I want to make some changes to the house.
W How about painting the living room?
M That sounds great. What color?
W How about yellow?
M Yellow is fine with me. But we need paint and brushes.
W Right. Can you go and buy some? I have to clean the living room first.
M Okay.

남 나는 집에 변화를 좀 주고 싶어요.
여 거실에 페인트를 칠하는 게 어때요?
남 좋아요. 무슨 색으로요?
여 노란색 어때요?
남 나는 노란색 괜찮아요. 하지만 우리는 페인트와 붓이 필요해요.
여 맞아요. 나가서 좀 사올래요? 나는 먼저 거실을 청소해야 해요.
남 알겠어요.

16 ④

남자는 여자에게 공원에서 산책하자고 제안하고 있다.

어휘 go for a walk 산책하러 가다
enjoy[indʒɔ́i] 즐기다

M What a beautiful day!
W Yes. On days like this, I just want to go outside.
M Me, too. Do you want to go for a walk?
W Where?
M How about the park next to the library? We can walk around and enjoy this beautiful weather.
W Okay. Let's go now.

남 정말 아름다운 날이구나!
여 응. 이런 날에는, 나는 그냥 밖에 나가고 싶더라.
남 나도 그래. 산책하러 갈래?
여 어디에?
남 도서관 옆의 공원은 어때? 우리는 돌아다니면서 이 아름다운 날씨를 즐길 수 있어.
여 좋아. 지금 가자.

17 ④

해설 여자는 지난 일요일에 여동생과 미술 전시회에 갔었다고 했다.

어휘 movie theater 영화관
art show 미술 전시회
fun[fʌn] 재미있는

M Lisa, did you go to the movie theater last Sunday?
W No, I didn't.
M Really? I thought I saw you there.
W That wasn't me. I went to see an art show with my sister.
M How was it?
W It was fun. We took many pictures there.

남 Lisa, 지난 일요일에 영화관에 갔었니?
여 아니, 안 갔어.
남 정말? 거기서 널 봤다고 생각했는데.
여 그건 내가 아니었어. 나는 내 여동생과 미술 전시회를 보러 갔었어.
남 어땠어?
여 재미있었어. 우리는 그곳에서 사진을 많이 찍었어.

18 ③

해설 여자가 지갑을 도서관에서 발견해서 경찰서로 가져왔고 남자가 지갑의 주인을 찾겠다고 했으므로 남자의 직업은 경찰관임을 알 수 있다.

어휘 wallet[wálit] 지갑
station(= police station)[stéiʃən] 경찰서
near[niər] ~의 가까이에
officer[ɔ́(ː)fisər] 경(찰)관
return[ritə́ːrn] 돌려주다
owner[óunər] 주인

M May I help you?
W I found this wallet in the street. Can I leave it here at the station?
M Of course. Where did you find it?
W Near the library, officer.
M Thanks. That's very kind of you.
W I wanted to return the wallet to the owner.
M Don't worry. We will find him.

남 도와 드릴까요?
여 길에서 이 지갑을 발견했어요. 제가 여기 경찰서에 두고 가도 되나요?
남 그럼요. 그걸 어디서 발견하셨나요?
여 도서관 근처에서요, 경관님.
남 감사합니다. 매우 친절하시네요.
여 지갑을 주인에게 돌려주고 싶었어요.
남 걱정하지 마세요. 여기 경찰들이 그를 찾을 거예요.

19 ②

해설 여자가 남자의 책을 잃어버려 미안하다며 새 책을 사준다고 했으므로 이를 수락하거나 거절하는 응답이 이어져야 한다.

어휘 lose[luːz] 잃어버리다
sure[ʃuər] 확실한

W I have something to tell you.
M What is it?
W I'm afraid that I lost your book.
M Are you sure? Where did you lose it?
W I think I left it on the bus. I'm really sorry. I'll buy you a new one.
M No, that's all right.

여 너에게 말할 게 있어.
남 그게 뭔데?
여 내가 너의 책을 잃어버린 것 같아.
남 확실해? 어디서 그걸 잃어버렸니?
여 버스에 두고 내린 것 같아. 정말 미안해. 너에게 새 책을 사줄게.
남 아니야, 괜찮아.

① 그것은 내 실수야.
③ 나는 이것을 믿을 수 없어.
④ 나는 그걸 살 필요가 없어.
⑤ 나는 그 책 읽는 것을 좋아해.

20 ③

얼마나 기다려야 하는지 묻는 여자의 말에 기다려야 하는 시간을 알려주는 남자의 응답이 이어져야 한다.

past[pæst] ~을 지나서
all over 곳곳에
floor[flɔːr] 바닥
dangerous[déindʒərəs] 위험한
cleaning[klíːniŋ] 청소
for a while 잠시 동안

M I'm sorry. You can't walk past this line.
W What is happening here?
M There is water all over the floor. It's dangerous to walk here.
W Okay.
M The cleaning people will be here soon. Please wait for a while.
W How long do I have to wait?
M Just a few more minutes.

남 죄송합니다. 이 선을 지나서 가실 수 없습니다.
여 여기에 무슨 일 있나요?
남 바닥 곳곳에 물이 있어요. 여기를 걸으시면 위험합니다.
여 알겠어요.
남 곧 청소하는 사람들이 여기 올 겁니다. 잠시 기다려주세요.
여 얼마나 기다려야 하나요?
남 몇 분만 더요.

① 너무 기대 돼!
② 쇼핑몰 앞에서요.
④ 기다려줘서 감사합니다.
⑤ 당신은 비누로 그것을 씻어야 해요.

01 ②

해설 흰색이고 반짝이며 바다에서 얻을 수 있고 태양이 바닷물을 건조시키면 땅에서 볼 수 있는 것은 소금이다.

어휘 shiny[ʃáini] 반짝이는
be good for ~에 좋다
dry up 건조시키다, 말리다
seawater[síːwɔ̀ːtər] 바닷물
tiny[táini] 아주 작은
ground[graund] 땅

M This is white and shiny. You can get this from the sea. You can eat it, but too much isn't good for you. When the sun dries up the seawater, you can see tiny pieces of this on the ground. What is this?

남 이것은 흰색이고 반짝입니다. 여러분은 이것을 바다로부터 얻을 수 있어요. 여러분은 이것을 먹을 수 있지만, 너무 많이 먹으면 좋지 않아요. 태양이 바닷물을 건조시키면, 여러분은 땅에서 이것의 아주 작은 조각들을 볼 수 있어요. 이것은 무엇일까요?

02 ⑤

해설 욕실에 놓을 거울로 남자가 둥근 거울을 제안하자 여자도 가장 마음에 든다고 했다.

어휘 mirror[mírər] 거울
bathroom[bǽθrù(ː)m] 욕실
heart-shaped 하트 모양의
simple[símpl] 단순한
enough[inʌ́f] 충분히

W Which mirror would you like for our bathroom?
M I like this heart-shaped mirror.
W Hmm... I want something simple.
M Then, how about this round one? I think it is big enough.
W Yes. I like this round one the best.
M All right. Let's get this one.

여 우리 욕실에 어느 거울이 좋을까요?
남 전 이 하트 모양 거울이 마음에 들어.
여 음… 전 단순한 것을 원해요.
남 그럼 이 둥근 거울은 어때요? 충분히 큰 것 같아요.
여 네. 이 둥근 거울이 가장 마음에 들어요.
남 좋아요. 이 거울을 사요.

03 ④

해설 내일 오후에 매우 춥고 바람이 불겠다고 했다.

어휘 weather report 일기 예보

W This is Grace Johnson from Daily Weather Report. It's sunny now, but it'll be cloudy and rainy this afternoon. The rain will stop tomorrow morning. It'll be very cold and windy tomorrow afternoon.

여 Daily 일기 예보의 Grace Johnson입니다. 지금은 날씨가 화창하지만, 오늘 오후에 흐리고 비가 오겠습니다. 비는 내일 오전에 그치겠습니다. 내일 오후에는 매우 춥고 바람이 불겠습니다.

04 ②

해설 여자는 남자에게 책을 도서관에 대신 반납해 달라고 요청했고 남자는 그것을 수락했다.

어휘 bring[briŋ] 가지고 오다
get up (잠에서) 일어나다

W Eric, did you bring the book today?
M I'm sorry. I got up late this morning. I forgot about it.
W Oh no. I have to return it to the library today.
M What library is that?

여 Eric, 오늘 그 책 가져왔니?
남 미안해. 오늘 아침에 늦게 일어났어. 그것에 대해 깜빡했어.
여 아, 이런. 나는 오늘 도서관에 그 책을 반납해야 해.
남 어느 도서관이야?

forget[fərgét] 잊다
(forget-forgot-forgotten)
return[ritə́:rn] 반납하다, 돌려주다
near[niər] ~의 근처에

W It's the one near the subway station. <u>Can you return</u> it to the library for me?
M <u>Okay</u>. <u>I will</u>.

여 지하철역 근처에 있는 도서관이야. 나 대신에 도서관에 책을 반납해줄래?
남 좋아. 그럴게.

05 ④

해설 제품명(Fantastic V), 회사명(Vita 주스), 종류(베리, 사과-당근, 토마토), 가격(8달러)에 대해 언급하고 있지만 하루 섭취량에 대해서는 언급하지 않았다.

어휘 company[kʌ́mpəni] 회사
create[kriéit] 만들다, 창조하다
healthy[hélθi] 건강한
kind[kaind] 종류
berry[béri] 베리, 산딸기류 열매
vitamin[váitəmin] 비타민
bottle[bátl] 병

W This new <u>juice's name</u> is Fantastic V. Vita Juice company <u>created this</u> healthy drink with fruits and vegetables. There are 3 kinds: berry, apple-carrot, and tomato. The <u>juice has many</u> vitamins in it, and <u>one bottle</u> is $8.

여 이 새로운 주스의 이름은 Fantastic V 입니다. Vita 주스 회사가 과일과 채소가 들어간 이 건강 음료를 만들었습니다. 베리, 사과-당근, 토마토 3가지 종류가 있습니다. 주스 안에 많은 비타민이 들어 있으며, 한 병에 8달러입니다.

06 ⑤

해설 여자는 3시 30분 이후로 간식을 주문할 수 있다고 했다.

어휘 serve[sə:rv] 제공하다
meal[mi:l] 식사
order[ɔ́:rdər] 주문하다
snack[snæk] 간식

M Excuse me. What time is the plane going to <u>leave for</u> Turkey?
W In 15 minutes, sir.
M I see. What time are you going to <u>serve the meal</u>?
W It will be at 4 o'clock.
M Okay. Can I order a snack now?
W I'm sorry, you can't. But you can <u>order snacks after</u> 3:30.

남 실례합니다. 터키로 가는 비행기가 몇 시에 출발하나요?
여 15분 후입니다, 손님.
남 알겠습니다. 식사는 몇 시에 주나요?
여 4시에 드릴 겁니다.
남 네. 지금 간식을 주문해도 되나요?
여 죄송하지만, 주문하실 수 없습니다. 하지만 3시 30분 이후에 간식을 주문하실 수 있습니다.

07 ④

해설 남자는 자동차와 빠르게 운전하는 것에 흥미가 있어서 자동차 경주자가 되고 싶다고 했다.

어휘 actress[ǽktris] 여배우
race car driver 자동차 경주자

M Did you finish the homework?
W <u>Drawing your dream</u>? Yes. Do you want to see it?
M Sure. [Pause] Oh, you want to be an actress.
W What about you? Can I <u>see yours</u>?
M Sure. Here.
W Wow, is this a <u>race car driver</u>?
M Yes, I'm interested in cars and <u>driving fast</u>.

남 너 숙제 끝냈니?
여 꿈 그리기? 응. 그것을 보고 싶니?
남 좋아. [잠시 후] 아, 너는 여배우가 되고 싶구나.
여 넌 어때? 네 것을 봐도 되니?
남 그럼. 여기.
여 와, 이거 자동차 경주자야?
남 응. 나는 자동차와 빠르게 운전하는 것에 흥미가 있거든.

08 ④

해설 가방은 15퍼센트 할인해서 50달러이다.

어휘 behind[biháind] ~의 뒤에
mean[mi:n] 의미하다
leather[léðər] 가죽
smooth[smu:ð] 매끄러운
light[lait] 가벼운
on sale 할인 판매 중인

W May I help you?
M Yes, please. Can you show me that bag behind you?
W Do you mean the brown one?
M Yes.
W Here you are. This leather bag feels smooth and soft.
M Oh, it's very light. How much is it?
W It's on sale for 15% off. The price is now $50.

여 도와 드릴까요?
남 네. 당신 뒤에 있는 저 가방을 보여주시겠어요?
여 갈색 가방 말씀이세요?
남 네.
여 여기 있어요. 이 가죽 가방은 매끄럽고 부드러운 느낌이 나요.
남 아, 아주 가볍네요. 얼마인가요?
여 15퍼센트 할인 중이거든요. 가격은 지금 50달러예요.

09 ②

해설 여자가 주스 대신 물 한 잔을 달라고 했으므로 남자는 물을 가져올 것이다.

어휘 room[ru(:)m] 방
orange juice 오렌지 주스
a glass of 한 잔의

M This is my room.
W Your room is very nice.
M Would you like something to drink?
W Sure. Can I have some milk?
M Sure. [Pause] There's no milk. How about orange juice?
W I don't like juice. Just a glass of water, please.
M Okay.

남 이곳이 내 방이야.
여 네 방 아주 좋다.
남 마실 것 좀 줄까?
여 응. 우유 좀 줄래?
남 물론이지. [잠시 후] 우유가 없네. 오렌지 주스는 어때?
여 나는 주스를 좋아하지 않아. 그냥 물 한 잔 줘.
남 그래.

10 ⑤

해설 도시의 과거 모습과 50년 후에 어떻게 변화될지에 관해 이야기하고 있다.

어휘 believe[bilí:v] 믿다
back then 그 당시에
happen[hǽpən] 일어나다, 발생하다
space[speis] 우주

W It's a picture of our city in 1970. Can you believe it?
M We have so many tall buildings now. But back then there was nothing.
W What will happen in another 50 years from now?
M I think there will be cities in space and under water.
W I think so, too.

여 1970년에 우리 도시의 사진이야. 믿어지니?
남 우리는 지금 큰 건물들이 아주 많이 있어. 하지만 그 당시에는 아무것도 없었어.
여 지금부터 50년 후에는 무슨 일이 일어날까?
남 우주와 물속에 도시들이 생길 거 같아.
여 나도 그렇게 생각해.

11 ④

해설 지하철이 택시보다 빠르고 더 저렴하다고 했으므로 두 사람은 지하철을 이용할 것이다.

어휘 take the subway 지하철을 타다
cheap[tʃi:p] 값이 싼
nearest[níərist] 가장 가까운
just around the corner 모퉁이를 돈 곳에

W We're late. Why don't we take a taxi?
M I think we should take the subway.
W You're right. The subway is much faster than a taxi at this time of day.
M It is cheaper, too.
W Yes, it is. Where is the nearest subway station?
M It is just around the corner.

여 우리 늦었네. 택시를 타는 게 어때?
남 지하철을 타는 게 좋을 것 같아.
여 네 말이 맞아. 이 시간에는 지하철이 택시보다 훨씬 더 빠르지.
남 더 저렴하기도 하고.
여 그래. 가까운 지하철역이 어디 있지?
남 모퉁이를 돌면 바로 있어.

12 ④

해설 남자가 여자에게 오늘 동아리 모임이 없다는 메시지를 전해 달라고 했으므로 동아리 모임 취소를 전하려고 전화한 것이다.

어휘 out[aut] 외출 중인
walk[wɔːk] 산책
classmate[klǽsmeit] 반 친구
meeting[míːtiŋ] 모임

[Telephone rings.]
W Hello.
M Hello. May I talk to Jessica?
W I'm sorry, but she's out for a walk. Who's calling?
M This is Daniel, Jessica's classmate. When will she be back?
W Well, I'm not sure. May I take a message?
M Yes, please. Can you tell her there is no club meeting tomorrow?
W I will.

[전화벨이 울린다.]
여 여보세요.
남 여보세요. Jessica와 통화할 수 있나요?
여 미안한데, 그 애는 산책하러 나갔단다. 누구니?
남 저는 Jessica의 반 친구 Daniel이에요. 그 애가 언제 돌아올까요?
여 글쎄, 확실하지 않구나. 메시지를 남길래?
남 네, 그럴게요. 내일 동아리 모임이 없다고 전해주시겠어요?
여 그럴게.

13 ⑤

해설 여자가 남자에게 버스로 이동하는 장소와 관람 규정에 대해 설명하고 있으므로 두 사람의 관계는 여행 가이드와 관광객임을 알 수 있다.

어휘 get off ~에서 내리다
next stop 다음 정류장
art museum 미술관
famous[féiməs] 유명한

W We are going to get off the bus soon.
M Where are we going this time?
W The next stop will be the art museum. You will see many famous paintings.
M Can I take pictures in the museum?
W No, you may not take any pictures there.
M Okay. I will put my camera in my bag.
W We're here now. Let's get off the bus.

여 우리는 곧 버스에서 내릴 겁니다.
남 이번에 우리는 어디로 갈 건가요?
여 다음 장소는 미술관입니다. 유명한 그림들을 많이 보시게 될 겁니다.
남 그 미술관 안에서 사진을 찍어도 될까요?
여 아니요, 그곳에서는 사진을 찍으면 안 됩니다.
남 알겠어요. 제 가방 안에다가 카메라를 넣을게요.
여 이제 도착했어요. 버스에서 내립시다.

14 ④

해설 여자가 찾고 있는 귀걸이는 소파와 탁자 위에는 없었고 소파 아래에 있었다.

어휘 earring[íriŋ] 귀걸이
anywhere[énihwɛ̀ər] 어디에도
check[tʃek] 확인하다

W I can't find my earrings anywhere.
M Did you check the sofa?
W I checked. They weren't on the sofa.
M What about on the table?
W No, I already looked there.
M Oh, there they are!
W Where are they?
M They are under the sofa.

여 내 귀걸이를 어디에도 찾을 수가 없어.
남 소파를 확인했니?
여 확인했어. 소파 위에 없었어.
남 탁자 위는 어때?
여 아니, 거기는 이미 봤어.
남 아, 저기 있다!
여 어디에 있어?
남 소파 아래에 있어.

15 ③

해설 남자는 출근할 수 없다고 직장에 알리기 위해 여자에게 자신의 휴대전화를 건네 달라고 부탁했다.

W Are you all right?
M I'm not feeling well. I have a fever.
W Really? I'll take you to the doctor.

여 당신 괜찮아요?
남 몸 상태가 안 좋아요. 열이 있어요.
여 정말요? 의사에게 데려다줄게요.

M Okay. Oh, can you pass me my cell phone?
W Why?
M I need to call Andrew. I can't go to work today.
W Okay.

남 알겠어요. 아, 내 휴대전화를 건네줄래요?
여 왜요?
남 Andrew에게 전화해야 해요. 오늘 출근 못할 것 같아요.
여 알았어요.

16 ③

해설 여자는 남자에게 새로운 머리 색깔을 시도해 보라고 제안하고 있다.

어휘 something[sʌ́mθiŋ] 무언가, 어떤 것
light[lait] (색이) 연한, 옅은
suit[suːt] 어울리다
hairdresser[hɛ́ərdrèsər] 미용사, 헤어 디자이너

M I love your new hairstyle.
W Thanks. It's summer soon. So I wanted to try something new.
M The light brown color really suits you.
W You should try a new hair color, too.
M I'm not sure.
W I'll take you to my hairdresser. She is very good.
M Okay. I'll think about it.

남 나는 너의 새로운 헤어스타일이 아주 마음에 들어.
여 고마워. 곧 여름이잖아. 그래서 나는 뭔가 새로운 것을 시도해 보고 싶었어.
남 연한 갈색이 정말 너에게 어울려.
여 너도 새로운 머리 색깔을 시도해봐.
남 잘 모르겠어.
여 너를 내 미용사에게 데리고 갈게. 그녀는 실력이 좋거든.
남 알겠어. 생각해볼게.

17 ③

해설 남자는 오후에 친구들과 농구를 했다.

어휘 go swimming 수영하러 가다
active[ǽktiv] 활동적인

W Hi, Fred. How was your day?
M It was good. I went swimming in the morning.
W What did you do in the afternoon?
M I played basketball with my friends.
W Wow, you are so active. Then are you going home now?
M No, I'm going to the library to study.
W You're amazing!

여 안녕, Fred. 오늘 하루는 어땠니?
남 좋았어. 나는 아침에 수영하러 갔어.
여 오후에는 뭘 했니?
남 나는 친구들과 농구 경기를 했어.
여 와, 너는 아주 활동적이구나. 그러면 지금 집에 가는 거니?
남 아니, 나는 공부하러 도서관에 갈 거야.
여 넌 정말 대단하구나!

18 ②

해설 여자가 갓 나온 빵에 대해서 설명해주며 남자에게 빵을 팔고 있으므로 여자의 직업은 제빵사임을 알 수 있다.

어휘 fresh[freʃ] 갓 만든, 신선한
take A out of B A를 B에서 꺼내다
taste[teist] 맛이 나다
sweet[swiːt] 달콤한, 단

W Good morning, sir.
M Good morning. This bread looks so delicious.
W It's fresh. I just took it out of the oven.
M Does the bread have chocolate cream?
W Yes, so it tastes very sweet.
M Good. I'll take this one.
W Okay. It's $4.

여 안녕하세요, 손님.
남 안녕하세요. 이 빵 아주 맛있어 보이네요.
여 갓 만든 거예요. 제가 방금 오븐에서 꺼냈어요.
남 그 빵은 안에 초콜릿 크림이 있나요?
여 네, 그래서 아주 달콤한 맛이 납니다.
남 좋네요. 이것으로 살게요.
여 네. 4달러입니다.

19 ④

해설 남자가 스테이크와 함께 샐러드를 더 먹겠다고 했으므로 이어질 응답으로 음식의 위치를 알려주는 것이 적절하다.

어휘 leave[liːv] 남겨 두다
counter[káuntər] 조리대
[선택지]
advice[ədváis] 조언
helpful[hélpfəl] 도움이 되는
help yourself 마음껏 드세요
save[seiv] 남겨 두다

M Mom, your steak was very good.
W I'm glad you liked it. Do you want more?
M I do, but what about Dad?
W Don't worry. I left some for him.
M Okay. I'll have more salad with it, too.
W It's on the counter. Help yourself.

남 엄마, 스테이크가 아주 맛있었어요.
여 네가 좋아하니 기쁘구나. 더 먹을래?
남 네, 하지만 아빠는요?
여 걱정하지 마. 아빠건 좀 남겨두었어.
남 좋아요. 그거랑 샐러드도 더 먹을래요.
여 그것은 조리대에 있어. 많이 먹으렴.

① 안됐구나.
② 아빠를 위해 좀 남겨두었어.
③ 나도 동의해. 샐러드가 너무 신선해.
⑤ 고맙다. 너의 충고가 도움이 돼.

20 ④

해설 남자가 시티 투어는 얼마나 걸리는지 묻고 있으므로 이어질 응답으로 소요되는 시간을 알려주는 것이 적절하다.

어휘 take[teik] (시간이) 걸리다

M Excuse me. Do you have a city tour bus?
W Yes, we have one.
M What time does it start?
W The bus leaves at 12 o'clock from Central Hotel.
M How long does it take?
W It takes about 2 hours.

남 실례합니다. 시티 투어 버스가 있나요?
여 네, 하나 있어요.
남 몇 시에 출발하나요?
여 버스는 Central 호텔에서 12시에 떠납니다.
남 투어는 얼마나 걸리나요?
여 2시간 정도 걸려요.

① 비용이 20달러 들어요.
② 20킬로미터예요.
③ 저는 여행을 하고 싶어요.
⑤ 저는 일주일에 세 번 버스를 타요.

01 ④	02 ⑤	03 ⑤	04 ②	05 ②	06 ③	07 ②
08 ⑤	09 ④	10 ②	11 ④	12 ⑤	13 ⑤	14 ①
15 ②	16 ①	17 ⑤	18 ⑤	19 ④	20 ②	

01 ④

[해설] 호주에서 인기 있는 동물이며 작은 곰처럼 생겼고 나무에서 하루의 대부분을 자면서 보내는 동물은 코알라이다.

[어휘] thick[θik] 숱 많은
fur[fəːr] 털
tail[teil] 꼬리
climb[klaim] ~에 오르다

M I am a popular animal in Australia. I look like a small bear. I have thick gray fur, large ears, and no tail. I'm good at climbing trees. I sleep in the tree for 18 to 22 hours each day and eat leaves for food. What am I?

남 나는 호주에서 인기 있는 동물이에요. 나는 작은 곰처럼 보여요. 숱 많은 회색 털과 큰 귀를 가지고 있고 꼬리는 없어요. 나는 나무를 잘 타요. 나무에서 하루에 18시간에서 22시간까지 자고, 식사로 나뭇잎을 먹어요. 나는 누구일까요?

02 ⑤

[해설] 별 모양 종이 위에 스프레이 페인트를 뿌린 후 그 종이를 떼어낸 것이므로 별 형태 주위에 페인트가 묻어 있는 디자인이다.

[어휘] cool[kuːl] 멋진
unique[juːníːk] 독특한
spray paint 스프레이 페인트
shape[ʃeip] 형태, 모양
spray[sprei] (스프레이로) 뿌리다; 스프레이
take off ~을 벗겨내다

M Hey, Suji. Your T-shirt is cool and unique.
W Thanks.
M Where did you buy it?
W I made it myself with spray paint.
M Really? How did you make it?
W I placed a star-shaped paper on the T-shirt and sprayed around the shape.
M And then?
W After about 20 minutes, I took off the star shape. Done!
M Wow! That's so easy and simple.

남 수지야. 네 티셔츠 멋지고 독특하다.
여 고마워.
남 그거 어디서 샀니?
여 스프레이 페인트로 내가 직접 만들었어.
남 정말? 어떻게 만들었는데?
여 티셔츠 위에 별 모양의 종이를 놓고 그 주위를 스프레이로 뿌렸어.
남 그리고 그 다음엔?
여 20분쯤 지난 후에 별 모양을 떼어냈지. 완성!
남 와! 정말 쉽고 간단하구나.

03 ⑤

[해설] 내일 오후에는 바람이 불어 기온이 내려갈 것이라 했다.

[어휘] temperature[témpərətʃər] 기온
go down (기온 등이) 낮아지다, 내려가다
high[hai] 높은
chance[tʃæns] 가능성
shower[ʃáuər] 소나기

M Good evening, everyone! Tomorrow, it'll be sunny with clear skies in the morning. But in the afternoon, it will get windy and the temperature will go down. In the evening, there is a high chance of showers.

남 좋은 저녁입니다, 여러분! 아침에는 맑아서 화창한 하늘을 볼 수 있을 것입니다. 하지만 오후에는 바람이 불 것이고 기온이 낮아지겠습니다. 저녁에는 소나기가 내릴 가능성이 높습니다.

04 ②

[해설] 이메일로 보낸 글을 살펴보았냐는 남자의 말에 이메일을 확인할 시간이 없었다며 미안하다고 사과하고 있다.

[Telephone rings.]
W Hello.
M Hello, may I speak to Ms. Wells?

[전화벨이 울린다.]
여 여보세요.
남 여보세요, Wells 씨와 통화할 수 있을까요?

어휘 look over ~을 살펴보다
article[ɑ́ːrtikl] 글, 기사

W This is she. May I ask who's calling?
M This is Brad Cook. We spoke on the phone last week.
W Oh, how are you, Mr. Cook?
M I'm good, Ms. Wells. Did you look over my article?
W Did you send it by email?
M Yes, I did. I sent it this morning.
W I'm sorry, Mr. Cook. I didn't have time to check my email today.

여 전데요. 누구시죠?
남 저는 Brad Cook입니다. 저희 지난주에 통화했었지요.
여 아, 잘 지내세요, Cook 씨?
남 잘 지내요, Wells 씨. 제 글을 살펴보셨어요?
여 이메일로 보내셨나요?
남 네, 그랬어요. 오늘 아침에 보냈어요.
여 미안합니다, Cook 씨. 오늘 이메일을 확인할 시간이 없었네요.

05 ②

해설 종목(축구), 날짜(이번 주 금요일), 장소(같은 경기장), 시작 시간(저녁 7시)에 대해 언급하였지만 상대 팀에 대해서는 언급하지 않았다.

어휘 round[raund] 한 경기[시합]
tournament[túərnəmənt] 토너먼트, 시합, 경기
take place 개최되다, 일어나다
stadium[stéidiəm] 경기장

M Hello, everyone. Last week our soccer team went to the next round in the tournament. The next game will take place this Friday at the same stadium. The game time, however, will be 7 o'clock in the evening. Hope to see you on Friday!

남 여러분, 안녕하십니까. 지난주에 우리 축구팀은 토너먼트에서 다음 경기에 진출했습니다. 다음 경기는 이번 주 금요일에 같은 경기장에서 열릴 것입니다. 하지만 경기 시간은 저녁 7시입니다. 금요일에 봐요!

06 ③

해설 콘서트에 함께 가기로 하고 먼저 4시 30분에 만나자고 했으나 늦고 싶지 않아서 4시에 만나기로 했다.

어휘 together[təgéðər] 함께

M Are you going to Kelly's concert this Saturday?
W Of course, I am. Aren't you?
M Yes, I am going with my brother Jim.
W Oh, I'd like to meet him.
M Why don't we all go together, then?
W Good idea! Should we meet at 4:30?
M Let's meet at 4 o'clock. I don't want to be late for the concert.
W Sure.

남 이번 주 토요일에 Kelly의 콘서트에 갈 거니?
여 물론이지. 너는 안 가?
남 가지, 난 내 동생 Jim과 함께 갈 거야.
여 아, 네 동생 만나고 싶어.
남 그럼 우리 모두 함께 가는 게 어때?
여 좋은 생각이야! 4시 30분에 만날까?
남 4시에 만나자. 콘서트에 늦고 싶지 않거든.
여 물론이지.

07 ②

해설 남자는 수의사가 되고 싶어 하고 여자는 음악가가 되고 싶어 한다.

어휘 take care of ~을 돌보다
musician[mju(ː)zíʃən] 음악가, 뮤지션
instrument[ínstrəmənt] 악기
practice[préktis] 연습하다
get better (솜씨가) 나아지다

W What do you want to be when you grow up?
M I want to be an animal doctor. I love taking care of animals. What about you?
W I want to be a musician.
M That sounds great. What instrument do you play?
W I play the piano, but I'm not good at it.
M It's all right. Just keep practicing. You'll get better.
W Thanks.

여 넌 커서 뭐가 되고 싶니?
남 난 수의사가 되고 싶어. 나는 동물을 돌보는 것을 좋아하거든. 너는?
여 난 음악가가 되고 싶어.
남 그거 좋다. 어떤 악기를 연주하니?
여 나는 피아노를 치는데, 잘하지는 못해.
남 괜찮아. 계속 연습해. 나아질 거야.
여 고마워.

08 ⑤

W Is this your new cell phone, Jason?
M Yes. It used to be my older brother's.
W It looks really new.
M Yes. It's only 2 months old. He didn't like its color.
W I see. A green phone is very unusual.
M I like its color. I think it's cool.
W But isn't it small?
M It is, but it has a lot of space.

여 이게 네 새 전화기니, Jason?
남 맞아. 원래는 우리 형 것이었어.
여 정말 새것 같아.
남 그래. 두 달밖에 안 됐거든. 형은 그 색깔이 마음에 들지 않는대.
여 그렇구나. 녹색 전화기는 아주 드물지.
남 난 그 색깔이 좋아. 멋진 것 같아.
여 하지만 작지 않아?
남 그렇긴 해. 하지만 저장 공간은 커.

09 ④

M Why is the front door open, Mom?
W That's strange. I locked it when I left home.
M The living room is really dirty, too.
W Oh no! I think there was a thief in our house.
M Is anything missing, Mom?
W I don't know. I'll look around.
M I'll call the police right now.

남 왜 현관문이 열려 있죠, 엄마?
여 이상하네. 외출할 때 잠갔었는데.
남 거실도 아주 더러워요.
여 이런! 우리 집에 도둑이 든 것 같구나.
남 없어진 거 있어요, 엄마?
여 모르겠어. 내가 둘러볼게.
남 저는 지금 바로 경찰에 신고할게요.

10 ②

W The light is on in the bathroom.
M Oh, sorry. I forgot.
W Leaving the light on is bad for the environment.
M Of course, Mom. I learned about that at school.
W What else did you learn?
M We should recycle paper. We waste too much of it.
W That's right. It's very important to save the environment.

여 화장실에 불이 켜져 있구나.
남 아, 죄송해요. 깜박했어요.
여 불을 켠 채로 두는 것은 환경에 좋지 않아.
남 물론이죠, 엄마. 학교에서 그것에 대해 배웠어요.
여 그 밖에 어떤 걸 배웠니?
남 종이를 재활용해야 해요. 우리는 종이를 너무 많이 낭비하거든요.
여 맞아. 환경을 지키는 것은 매우 중요한 일이지.

11 ④

M Don't you have basketball practice today?
W Yes, it starts at 4:30.
M Well, it's 4:15 now.
W What? I thought it was only 3:15.
M You should hurry.

남 너 오늘 농구 연습이 없니?
여 있어요. 4시 30분에 시작해요.
남 음, 지금 4시 15분이야.
여 네? 저는 아직 3시 15분인 줄 알았어요.
남 서두르는 게 좋겠구나.

W Can you drive me there, Dad? I don't want to be late for practice.

M I can't, because your mom took the car to work.

W Then I'll have to ride my bicycle.

여 아빠, 거기까지 태워다 주실 수 있어요? 연습에 늦고 싶지 않아요.

남 네 엄마가 차를 가지고 출근해서 태워 줄 수 없단다.

여 그럼 저는 자전거를 타야겠네요.

12 ⑤

[해설] 남자는 도서관에 소설책을 두고 온 것을 알게 되어 내일 찾으러 갈 것이다.

[어휘] novel[návəl] 소설
leave[liːv] ~을 두고 오다

M Mom, I'm home!

W Dinner's ready, so wash your hands, Martin.

M Yes, Mom. It smells good!

W [Pause] So did you finish your homework at the library?

M Yes, I did, and I also read a novel.

W Really? Which one?

M [Pause] Oh no. I think I left the book in the library.

W Call the library first. You can go back to get it tomorrow.

남 엄마, 저 왔어요!

여 저녁 준비됐으니, 손을 씻으렴, Martin.

남 네, 엄마. 냄새가 좋네요!

여 [잠시 후] 그래서 도서관에서 숙제는 끝냈니?

남 네, 끝냈어요. 그리고 소설책도 읽었어요.

여 그래? 어떤 건데?

남 [잠시 후] 이런. 도서관에 그 책을 두고 온 것 같아요.

여 먼저 도서관에 전화해보렴. 내일 찾으러 다시 가면 돼.

13 ⑤

[해설] 소포를 중국으로 보내기 위해 배송 방법을 선택 후 계산하는 상황이므로 두 사람은 우체국에 있음을 알 수 있다.

[어휘] regular[régjələr] 보통의, 표준의
express[iksprés] 속달의

M Hello, how can I help you?

W I would like to send this to China.

M What is in the box?

W Just a T-shirt and a Christmas card for my sister.

M Do you want to send it by regular or express mail?

W Regular mail, please.

M Okay, then it'll be $20.

남 안녕하세요, 어떻게 도와드릴까요?

여 이걸 중국으로 보내려고 해요.

남 상자 안에 뭐가 들었죠?

여 여동생에게 줄 티셔츠와 크리스마스 카드뿐이에요.

남 일반 우편으로 보내시겠습니까, 속달 우편으로 보내시겠습니까?

여 일반 우편으로요.

남 알겠습니다. 그럼 20달러입니다.

14 ①

[해설] 두 블록 직진해서 슈퍼마켓에서 좌회전한 뒤 몇 분만 걸어가면 오른쪽에 있다고 했다.

[어휘] supermarket[súpərmɑ̀rkit] 슈퍼마켓

repeat[ripíːt] 반복하다
a few 조금

W Excuse me. Can you tell me how to get to Duri Cinema?

M Duri Cinema? Go straight two blocks and then turn left at the big supermarket.

W I'm sorry but could you please repeat that?

M Okay. First, go straight two blocks and turn left at the big supermarket.

W I see.

M Then walk straight for a few minutes, and you'll see Duri Cinema on the right.

W Okay. Thank you very much.

여 실례합니다. Duri 시네마에 어떻게 가는지 알려주실래요?

남 Duri 시네마요? 두 블록 직진한 후 대형 슈퍼마켓에서 왼쪽으로 도세요.

여 죄송하지만, 다시 한번 말씀해 주실래요?

남 그러죠. 먼저, 두 블록 직진해서 대형 슈퍼마켓에서 좌회전하세요.

여 알겠습니다.

남 그러고 나서 몇 분만 걸어가면 오른쪽에 Duri 시네마가 보일 거예요.

여 알겠습니다. 정말 감사합니다.

15 ②

해설 남자는 여자에게 보고서에 쓸 정보를 더 찾아달라고 부탁했다.

어휘 project[prάdʒekt] 프로젝트, 과제
report[ripɔ́ːrt] 보고서
prepare[pripέər] 준비하다
presentation[prèzəntéiʃən] 발표
information[ìnfərméiʃən] 정보
topic[tάpik] 주제

M This is too much.
W What's wrong, Tim?
M I have to finish a history project by tomorrow.
W What do you have to do?
M I have to write a report and also prepare a presentation.
W Can I help you at all?
M I'll start writing my report now. Can you find more information about the topic?
W Of course.

남 이건 너무 심해.
여 무슨 일이야, Tim?
남 내일까지 역사 프로젝트를 끝내야 해.
여 무엇을 해야 하는데?
남 보고서를 쓰고 발표도 준비해야 해.
여 내가 조금이라도 도와줄까?
남 나는 지금 보고서를 쓰기 시작할 거야. 그 주제에 대해 정보를 더 찾아 줄래?
여 물론이지.

16 ①

해설 남자가 기타 연습을 매일 해도 여전히 어렵다고 하자 여자가 기타 레슨을 받아보라고 제안하고 있다.

어휘 try to-v ～하려고 노력하다
hard[haːrd] 어려운

W Is this your guitar, Anthony?
M Yes, it is.
W Are you good at playing the guitar?
M No, I'm not. But I'm trying to get better at it.
W Do you practice a lot?
M Yes, I practice every day, but it's still hard.
W Then, why don't you take some guitar lessons?
M I guess I should.

여 이거 네 기타니, Anthony?
남 그래, 내 거야.
여 너 기타 잘 치니?
남 아니, 잘 못 쳐. 하지만 나는 더 잘하려고 노력하고 있어.
여 연습을 많이 하니?
남 응, 매일 연습하는데, 아직도 어렵네.
여 그러면 기타 레슨을 좀 받는 게 어때?
남 그래야 할 것 같아.

17 ⑤

해설 남자는 집에서 동생과 컴퓨터 게임을 했다고 했다.

어휘 have fun 재미있게 놀다

M What did you do yesterday, Rachel?
W I went to the park with my family.
M Did you have fun?
W Yes, we had a great time. What about you?
M I was going to go to the library, but I just stayed home.
W What did you do at home?
M I played computer games with my little brother.

남 어제 뭐 했어, Rachel?
여 나는 가족과 함께 공원에 갔어.
남 재미있었니?
여 응, 우리는 아주 좋은 시간을 보냈어. 너는?
남 도서관에 가려고 했는데 그냥 집에 있었어.
여 집에서 뭐 했어?
남 남동생과 컴퓨터 게임을 했어.

18 ⑤

해설 남자가 찍은 사진을 보면서 여자가 사진작가는 언제 되었는지, 직업이 마음에 드는지 물었으므로 남자의 직업은 사진작가임을 알 수 있다.

어휘 professional[prəféʃənəl] 전문가의, 프로의
photographer[fətάgrəfər] 사진작가

W This is a beautiful picture!
M Thank you. Do you like it?
W I love it. Where did you take it?
M I took it when I went to England last year.
W When did you become a professional photographer?
M Oh, about 10 years ago.
W Do you like your job?
M Yes, I love it.

여 이건 아름다운 사진이네요!
남 고마워요. 마음에 드세요?
여 정말 좋아요. 어디서 찍은 건가요?
남 작년에 영국에 갔을 때 찍었어요.
여 언제 전문 사진작가가 되셨어요?
남 아, 10년 전쯤이요.
여 작가님의 직업이 마음에 드세요?
남 네, 저는 이 일을 좋아해요.

19 ④

[해설] 일찍 기상하게 될 것이라는 남자의 격려의 말에 여자도 그러기를 바란다는 소망이 담긴 말이 와야 적절하다.

[어휘] go jogging 조깅하러 가다
have trouble ~하느라 애먹다, 곤란을 겪다

M What time should we meet for jogging tomorrow?
W Can we meet a little later than today?
M Yes, we can meet at 7:30.
W That's much better.
M Are you having trouble getting up in the morning?
W Yes, I am. I'm sorry.
M Don't worry. You'll be able to get up early soon.
W I hope you're right.

남 내일 몇 시에 조깅하러 만날까?
여 오늘보다는 조금 더 늦게 만나도 될까?
남 응, 7시 30분에 만나도 돼.
여 그게 훨씬 낫네.
남 아침에 일어나는 게 어렵니?
여 응, 그러네. 미안.
남 걱정하지 마. 곧 일찍 일어날 수 있을 거야.
여 네 말이 맞으면 좋겠다.

① 사용하지 않으면 잃거든.
② 나는 이미 그것을 사용했어.
③ 부모님께 여쭤볼게.
⑤ 너는 그걸 하지 않는 것이 낫겠어.

20 ②

[해설] 남자와 초등학교 동창인 것 같다고 하자 여자에게 그녀를 소개해 달라고 했으므로 수락하거나 거절하는 말이 와야 적절하다.

[어휘] familiar[fəmíljər] 낯익은, 친숙한
elementary school 초등학교
introduce[ìntrədjúːs] 소개하다

M Do you know that girl?
W Who are you talking about?
M I'm talking about the one in the blue dress.
W She's my sister's best friend.
M She looks familiar.
W I think you two went to the same elementary school.
M Really? Can you introduce me to her?
W Sure, follow me.

남 저 애가 누군지 아니?
여 누굴 말하는 거야?
남 파란 드레스를 입고 있는 애 말이야.
여 응. 걔는 내 여동생의 가장 친한 친구야.
남 그녀는 낯이 익어.
여 너희 둘은 같은 초등학교에 다닌 것 같아.
남 정말? 그녀에게 나를 소개해 줄래?
여 물론이지, 따라와.

① 그래, 집에 가자.
③ 나는 그녀를 몰라.
④ 나는 빨간 드레스를 더 좋아해.
⑤ 응, 우리는 같은 학교에 다녔어.

01 ②	02 ④	03 ⑤	04 ④	05 ②	06 ④	07 ②
08 ④	09 ④	10 ③	11 ③	12 ⑤	13 ⑤	14 ②
15 ③	16 ④	17 ②	18 ③	19 ③	20 ④	

01 ②

해설 사막처럼 건조한 곳에서 서식하는 식물이며, 오랫동안 물 없이도 살 수 있는 것은 선인장이다.

어휘 desert[dézərt] 사막
without[wiðáut] ~없이
careful[kéərfəl] 조심스러운
touch[tʌtʃ] 만지다
hurt[həːrt] 다치게 하다

M I'm a type of plant. You can find me in dry places like a desert. That's because I can live without water for a long time. You have to be careful when you touch me. I can hurt people. What am I?

남 난 식물의 일종이에요. 사막처럼 건조한 곳에서 날 찾을 수 있어요. 그건 내가 오랫동안 물 없이 살 수 있기 때문이죠. 나를 만질 때는 조심해야 해요. 사람들을 다치게 할 수 있거든요. 나는 무엇일까요?

02 ④

해설 빵을 곁들인 생선과 레모네이드 한 잔을 주문했다.

어휘 prefer[prifə́ːr] ~을 택하다
lemonade[lèmənéid] 레모네이드

W What would you like?
M I'll have the fish.
W You can choose bread or rice with the fish.
M I prefer bread.
W Would you like a drink with it?
M Yes. I'd like a glass of lemonade.
W Okay. The fish with bread and a glass of lemonade. Right?
M Yes, that's right.

여 어떤 거로 드릴까요?
남 생선으로 할게요.
여 생선과 드실 것으로 빵과 밥 중에서 선택할 수 있습니다.
남 빵이 더 좋습니다.
여 그리고 음료도 드릴까요?
남 네. 레모네이드 한 잔 주세요.
여 알겠습니다. 생선과 빵, 레모네이드 한 잔, 맞지요?
남 네, 맞습니다.

03 ⑤

해설 저녁에는 비가 그치고 바람이 많이 불 것이라고 했다.

어휘 continue[kəntínjuː] 계속되다

M Good morning, everyone! The time is now 6 o'clock, and here's your weather forecast for today. It is raining right now, and the rain will continue until this afternoon. The rain will stop in the evening, but it'll be very windy.

남 안녕하세요, 여러분! 지금 시간은 6시이고, 오늘 일기예보를 전해드립니다. 지금은 비가 오고 있고, 비는 오늘 오후까지 계속될 것입니다. 비는 저녁에 그치겠지만, 바람이 많이 불 것입니다.

04 ④

해설 남자가 수학 숙제를 도와달라고 했지만 여자는 다른 사람에게 부탁하라며 거절했다.

어휘 church[tʃəːrtʃ] 교회
else[els] 다른

M What are you doing this weekend, Jane?
W I'm planning to finish my science project on Saturday.
M Are you busy on Sunday?
W I'm going to church in the morning. After that, I have no plans.
M Really? Can you help me with my math homework?
W I'm sorry, but I'm not good at math. You should ask someone else.

남 Jane, 이번 주말에 뭐 할 거야?
여 난 토요일에 과학 프로젝트를 끝낼 계획이야.
남 일요일에는 바쁘니?
여 아침에 교회에 갈 거야. 그 후에는 계획 없어.
남 정말? 내 수학 숙제 좀 도와줄 수 있니?
여 미안하지만, 난 수학을 잘 못해. 다른 사람에게 부탁해 봐.

05 ②

해설 목적지(Wonder World), 교통편(관광버스), 점심시간(정오), 준비물(점심값)에 대해 언급하였지만 복장에 대해서는 언급하지 않았다.

어휘 detail[ditéil] 세부 사항
tour bus 관광버스
lunch money 점심값

M I finally have all the details about our school trip. We are going to Wonder World next Friday. We'll take <u>tour buses</u> there. We'll arrive there at 10 a.m. and have lunch <u>at noon</u>. We'll stay there until 4 p.m. and <u>come back</u> to school at 5 p.m. Don't forget to bring <u>your lunch money</u>.

남 드디어 수학여행에 대한 모든 세부 사항이 나왔어요. 다음 주 금요일에 Wonder World에 갈 것입니다. 그곳까지는 관광버스를 타고 갑니다. 오전 10시에 그곳에 도착해서 정오에 점심을 먹을 거예요. 오후 4시까지 그곳에 머물다가 오후 5시에 학교로 돌아올 것입니다. 점심값 가져오는 것을 잊지 마세요.

06 ④

해설 남자가 1시 30분까지 바이올린 레슨이 있다고 해서 두 사람은 2시에 만나기로 했다.

어휘 shopping mall 쇼핑몰

M Did you get a birthday present for Kevin?
W Not yet. How about you?
M Me neither. Do you want to buy something together tomorrow afternoon?
W That's a great idea. Let's meet at <u>the shopping mall</u>.
M Sure. What time <u>should we</u> meet?
W How about 1 o'clock?
M I have a violin lesson until 1:30. How about 2 o'clock?
W That sounds great. <u>I'll see you then</u>.

남 Kevin의 생일 선물은 샀니?
여 아니, 아직. 너는?
남 나도 안 샀어. 내일 오후에 같이 사러 갈까?
여 좋은 생각이야. 쇼핑몰에서 만나자.
남 그래. 몇 시에 만날까?
여 1시는 어때?
남 난 1시 30분까지 바이올린 레슨이 있어. 2시는 어때?
여 좋아. 그때 보자.

07 ②

해설 남자는 컴퓨터 게임을 좋아하고 정말 잘하기 때문에 프로게이머가 되고 싶다고 했다.

어휘 worried[wə́:rid] 걱정스러운
professional gamer 프로게이머

W Tim, you look so worried these days. Is everything all right?
M My parents want me to be a doctor, <u>but I don't want</u> to be one.
W What do you want to be then?
M I <u>want to become</u> a professional gamer.
W Why do you want to become a professional gamer?
M I <u>like playing</u> computer games and I'm really good at them.
W Then you should <u>follow your dream</u>, Tim.

여 Tim, 너 요즘 너무 걱정스러워 보여. 괜찮니?
남 저희 부모님은 제가 의사가 되길 원하시는데, 저는 되고 싶지 않아요.
여 그럼 뭐가 되고 싶니?
남 전 프로게이머가 되고 싶어요.
여 왜 프로게이머가 되고 싶어?
남 저는 컴퓨터 게임을 좋아하고 정말 잘하거든요.
여 그렇다면 네 꿈을 좇으럼, Tim.

08 ④

해설 식당에 두고 온 여자의 볼펜은 생일 선물로 받은 것이다.

어휘 laser pointer 레이저 포인터
lose[lu:z] 잃어버리다
expensive[ikspíəriəns] 비싼

W Oh no! I think I left my pen <u>in the restaurant</u>.
M You have it right here.
W No, not this one. It's <u>the blue one</u>.
M Do you mean the one with a laser pointer?

여 이런! 내 볼펜을 식당에 두고 온 것 같아.
남 바로 여기 있잖아.
여 아니, 이건 아니야. 파란 볼펜이야.
남 레이저 포인터가 달린 거 말하는 거야?

W Yes, I got it as a birthday present.
M We should go back to the restaurant to look for it then.
W Yes. It's a very expensive pen, too.

여 응, 생일 선물로 받은 거야.
남 그럼 식당에 다시 가서 그것을 찾아야 겠네.
여 응. 그것은 매우 비싼 볼펜이기도 해.

09 ④

해설 어제와 오늘 계속 잠자리 정리를 하지 않았다는 여자의 말을 듣자 남자는 바로 가서 침대를 정리하겠다고 했다.

어휘 pancake[pǽnkèik] 팬케이크
by the way 그런데 (대화에서 화제를 바꿀 때)
make bed 침대를 정리하다

W Good morning, Ethan. Did you sleep well last night?
M Yes, I did, Mom. Are these pancakes for me?
W Yes. I just made them for you.
M They are so good!
W I'm glad you like them. By the way, did you make your bed this morning?
M No. I forgot.
W You didn't make your bed yesterday, either.
M I'm sorry, Mom. I'll go to my room and do that right now.

여 좋은 아침이야, Ethan. 어젯밤에 잘 잤니?
남 네, 잘 잤어요, 엄마. 이거 제 팬케이크인가요?
여 그래, 방금 만들었단다.
남 정말 맛있네요.
여 그렇다니 다행이네. 그런데 오늘 아침에 침대 정리했니?
남 아뇨, 깜박했어요.
여 너 어제도 침대를 정리하지 않았잖니.
남 미안해요, 엄마. 지금 당장 내 방에 가서 할게요.

10 ③

해설 여자가 남자에게 방학 때 읽으면 좋을 책을 추천해달라고 하였다.

어휘 summer break 여름방학
classic[klǽsik] 고전의
recommend[rèkəménd] 추천하다

W What should I do during summer break, Mr. Baker?
M Why don't you read some books, Karen?
W Okay. What should I read?
M You should try classic novels.
W Can you recommend a book for me?
M Yes, how about the novel War and Peace?
W Oh, that's such a long book!
M I know, but I'm sure you'll like it.

여 Baker 선생님, 여름 방학 때 뭘 해야 할까요?
남 Karen, 책을 좀 읽는 게 어때?
여 좋아요. 뭘 읽으면 좋을까요?
남 고전 소설을 읽어 보렴.
여 책 좀 추천해 주실래요?
남 그래, 소설 〈전쟁과 평화〉는 어떨까?
여 아, 그건 정말 긴 책이잖아요!
남 맞아, 하지만 분명 네가 좋아할 거야.

11 ③

해설 보트가 버스보다 더 빠르다는 여자의 말에 남자는 보트를 타기로 했다.

어휘 fish market 수산 시장
save[seiv] 절약하다

M Excuse me. Where can I get on the bus to go to the fish market?
W The bus stop is right around that corner.
M Thank you so much.
W You can also take a boat. It's faster.
M Really? I didn't know that.
W It's a little more expensive, but you can save time.
M Oh, then I'll take a boat. Thank you.

남 실례합니다. 수산물 시장으로 가는 버스를 어디서 탈 수 있을까요?
여 버스 정류장은 바로 저 모퉁이만 돌면 있어요.
남 감사합니다.
여 보트를 이용할 수도 있어요. 더 빨라요.
남 정말요? 전 몰랐어요.
여 좀 더 비싸긴 하지만, 시간을 절약할 수 있어요.
남 아, 그럼 보트를 타야겠네요. 감사합니다.

12 ⑤

해설 남자가 지난밤에 늦게 잠든 이유는 새로운 노래를 작곡하기 위해서라고 했다.

어휘 **wake up** (잠에서) 깨다
all night long 밤새
stay up 깨어 있다, 안 자다

W Wake up, Patrick!
M What time is it, Mom?
W It's already 11 a.m.
M Oh no! I'm late for my band practice.
W Did you play computer games all night long?
M No, Mom. I stayed up to write a new song.
W Well, your band members are waiting. You need to hurry up.

여 일어나라, Patrick!
남 지금 몇 시예요, 엄마?
여 벌써 오전 11시야.
남 이런! 밴드 연습에 늦었어요.
여 밤새 컴퓨터 게임 했니?
남 아니에요, 엄마. 새 노래를 작곡하느라 밤을 새웠어요.
여 자, 너희 밴드 멤버들이 기다리고 있겠다. 서둘러라.

13 ⑤

해설 책을 찾고 있는 남자에게 여자가 기계를 이용하면 책이 어디에 있고 가격이 얼마인지 알려준다고 한 것으로 보아 대화가 이루어지는 장소는 서점임을 알 수 있다.

어휘 **fiction**[fíkʃən] 소설
section[sékʃən] 부문, 구역
title[táitl] 제목
machine[məʃíːn] 기계

W Can I help you?
M Yes, please. I'm looking for a book in the fiction section.
W What is the title of the book?
M It's *When the Flowers Bloom*.
W You can use this machine to help you. It's a lot easier.
M How do I use it?
W Put in the title of the book. The machine will tell you where to find it.
M Okay. Thanks.

여 도와드릴까요?
남 네. 소설 코너에서 책 한 권을 찾고 있어요.
여 책의 제목이 뭔가요?
남 〈꽃이 필 무렵〉이에요.
여 이 기계가 도움이 될 거예요. 훨씬 쉬워요.
남 어떻게 사용하나요?
여 책의 제목을 입력하세요. 기계가 그 책을 어디서 찾을 수 있는지 알려줄 거예요.
남 알겠어요. 고맙습니다.

14 ②

해설 박물관은 두 블록 직진해서 오른쪽으로 돌면 왼쪽 공원 옆에 있다.

어휘 **Natural History Museum** 자연사 박물관
far from ~에서 멀리

W Excuse me. I'm looking for the Natural History Museum.
M The Natural History Museum? That is on Main Street.
W I'm new here. Can you tell me the way to the museum?
M Sure. Go straight two blocks and turn right. It's next to the park.
W How long will it take?
M It won't take long. It's not far from here.
W Thank you for your help.

여 실례합니다. 자연사 박물관을 찾고 있어요.
남 자연사 박물관이요? 그것은 Main 가에 있어요.
여 제가 여기 처음이라서요. 박물관 가는 길을 알려 주시겠어요?
남 그러죠. 두 블록을 직진해서 오른쪽으로 도세요. 공원 옆에 있어요.
여 얼마나 걸리죠?
남 오래 걸리지 않을 거예요. 여기서 멀지 않거든요.
여 도와주셔서 고맙습니다.

15 ③

해설 남자는 내일 아침에 체육관에 갔다가 시험공부를 하기 위해 여자에게 아침 6시에 깨워 달라고 했다.

M I'm going to bed, Mom.
W It's only 10 p.m., Jimmy.
M I have to get up early in the morning.
W Are you going to the gym tomorrow morning?

남 저 자러가요, 엄마.
여 이제 겨우 10시야, Jimmy.
남 아침에 일찍 일어나야 해요.
여 내일 아침에 체육관에 갈 거니?

어휘 gym[dʒim] 체육관
wake A up A를 깨우다

M Yes, and then I'm going to study for my science test.
W Oh, I see.
M Can you <u>wake me up</u> at 6 in the morning?
W Okay. Good night!

남 네, 그러고 나서 과학 시험공부를 하려고요.
여 아, 그렇구나.
남 아침 6시에 깨워 주실래요?
여 알았다. 잘 자렴!

16 ④

해설 중국어를 독학하고 있다는 여자에게 남자는 문화를 배우면 언어를 더 잘 이해할 수 있다며 중국 영화를 보라고 제안했다.

어휘 Chinese[tʃàiníːz] 중국어
ask for help 도움을 요청하다
by myself 나 혼자서
culture[kʌ́ltʃər] 문화
language[lǽŋgwidʒ] 언어

M Are you still studying Chinese?
W Yes, I am. It's getting <u>a little difficult</u>.
M Really? Did you ask your teacher for help?
W There is no teacher. I study Chinese <u>by myself</u>.
M I think you should <u>watch Chinese movies</u>.
W Chinese movies?
M Yes. You can learn about <u>the culture</u>. Then you'll understand the language better.

남 너 여전히 중국어 공부하고 있니?
여 응, 하고 있어. 좀 어려워지고 있거든.
남 정말? 선생님께 도와달라고 했니?
여 선생님은 없어. 나는 혼자서 중국어를 공부하거든.
남 중국 영화를 보는 게 좋을 것 같아.
여 중국 영화?
남 응. 문화에 대해 배울 수 있어. 그러면 너는 그 언어를 더 잘 이해할 수 있을 거야.

17 ②

해설 여자는 어제 파티에 가는 대신에 팔이 부러진 동생을 병원에 데리고 갔다.

어휘 hospital[háspitəl] 병원
break[breik] 부러지다
get well 병이 나아지다

M Did you have fun at Sumi's party yesterday?
W I <u>couldn't go</u> to her party yesterday.
M Why not?
W I had to take my brother to <u>the hospital</u>.
M Hospital? <u>What happened</u> to him?
W He <u>broke his arm</u> while he was playing soccer. I had to go with him.
M I'm sorry to hear that. I hope he gets well soon.

남 어제 수미네 파티는 재미있었니?
여 난 어제 그녀의 파티에 가지 못했어.
남 왜 못 갔어?
여 내 남동생을 병원에 데려가야 했어.
남 병원? 걔한테 무슨 일이 있었는데?
여 축구를 하다가 팔이 부러졌어. 내가 걔랑 같이 가야 했어.
남 안됐구나. 네 동생이 빨리 낫기를 바랄게.

18 ③

해설 여자가 남자에게 관광지에 대해 설명하고 있으므로 여자의 직업은 여행 가이드가 적절하다.

어휘 temple[témpəl] 절, 사찰
tourist[túərist] 관광객

W Okay, we're here.
M Is this the most famous temple in Thailand?
W Yes, it is. I'll tell you <u>more about it</u> inside the temple.
M <u>How long</u> are we going to stay here?
W We'll <u>stay here</u> for 45 minutes.
M Wow, there are a lot of tourists here.
W Yes. Don't forget to take <u>lots of pictures</u>!

여 자, 도착했습니다.
남 이곳이 태국에서 가장 유명한 절인가요?
여 네, 그렇습니다. 절 안에서 그것에 대해 더 설명해드릴게요.
남 여기에 얼마나 있을 건가요?
여 우리는 여기서 45분 동안 머무를 겁니다.
남 와, 여기는 관광객들이 많네요.
여 네. 사진 많이 찍는 거 잊지 마세요!

19 ③

M Where is your brother, Sandy?
W He's still at school, Dad.
M It's 5 already. Why is he still at school?
W He's playing basketball with his friends.
M It's getting late. I should call him.
W Dad, don't worry. He'll be home before 5:30.
M Did he call you?
W Yes, just 10 minutes ago.

남 Sandy, 네 동생은 어디 있니?
여 아직 학교에 있어요, 아빠.
남 벌써 5시이구나. 걔는 왜 아직도 학교에 있니?
여 친구들과 농구를 하고 있어요.
남 시간이 늦었는데. 걔한테 전화해야겠다.
여 아빠, 걱정하지 마세요. 5시 30분 전에 집에 올 거예요.
남 걔가 너한테 전화했니?
여 네, 10분 전에요.

① 아니, 아빠가 그러지 않았어요.
② 전화해 주셔서 감사합니다.
④ 걔는 지금 도서관에 있어요.
⑤ 그는 학교에서 숙제를 다 끝냈어요.

20 ④

M I have some good news and bad news for you.
W Really? What's the good news?
M You will get a new phone for your Christmas present.
W That's awesome! Thank you so much, Dad!
M You're welcome. I ordered it yesterday.
W Then, what's the bad news?
M It won't get here until December 30th.
W That is completely fine.

남 너한테 좋은 소식과 나쁜 소식이 있어.
여 정말? 좋은 소식은 뭐예요?
남 너는 크리스마스 선물로 새 전화기를 받게 될 거야.
여 굉장하다! 정말 고마워요, 아빠!
남 천만에. 어제 그것을 주문했어.
여 그렇다면, 나쁜 소식은 뭐예요?
남 그게 12월 30일이 되어야 도착할 거야.
여 그건 완전 괜찮아요.

① 저는 새 전화기를 원해요.
② 오늘 주문해 주세요.
③ 선물이 마음에 들지 않아요.
⑤ 저는 그 뉴스를 들을게요.

고난도 모의고사 03

p. 206

01 ③	02 ①	03 ③	04 ③	05 ⑤	06 ④	07 ②
08 ②	09 ④	10 ①	11 ③	12 ④	13 ②	14 ⑤
15 ⑤	16 ③	17 ②	18 ②	19 ④	20 ④	

01 ③

해설 돈을 넣고 휴지, 과자, 음료수 같은 것을 꺼낼 수 있는 기계는 자동판매기이다.

어휘 machine[məʃíːn] 기계
tissue[tíʃuː] 화장지
snack[snæk] 간식
push[puʃ] 누르다
button[bʌ́tən] 누름단추, 단추
drop[drɑp] 떨어지다
take out 꺼내다

M This is a machine. This has many things like tissues, snacks, and drinks. To use this, first you have to put your money in this. Then you choose the item and push the button. The item will drop and you can take it out from this. What is this?

남 이것은 기계예요. 이것은 휴지, 과자, 음료수 같은 것들을 많이 가지고 있어요. 이것을 사용하려면 우선 돈을 여기에 넣어야 해요. 그런 다음 물건을 선택하고 버튼을 누르세요. 그 물건이 떨어지면 여러분은 그걸 꺼낼 수 있어요. 이것은 무엇일까요?

02 ①

해설 여자는 은 사슬이 달린 청반바지를 구입하겠다고 했다.

어휘 jean shorts 청반바지
pattern[pǽtərn] 무늬
unique[juːníːk] 독특한
silver chain 은사슬
take A off A를 떼어내다, 제거하다

M How may I help you?
W I'd like to buy a pair of jean shorts.
M How about these ones with patterns? They are very popular these days.
W I'm looking for something unique, but I don't want any patterns on the jean shorts.
M Hmm... How about these ones with the silver chain? You can take the chain off, too.
W They are perfect for me. I'll take them.

남 무엇을 도와드릴까요?
여 청반바지 한 벌 사고 싶은데요.
남 무늬가 있는 이것은 어떠세요? 요즘에 인기가 많거든요.
여 독특한 걸 찾고는 있는데, 무늬가 있는 청반바지는 원하지 않아요.
남 음… 은 사슬이 달린 이것은 어떠세요? 사슬을 떼어낼 수도 있거든요.
여 저한테 딱 맞네요. 그걸로 살게요.

03 ③

해설 오늘은 날씨가 맑고 따뜻하지만 내일은 종일 비가 온다고 예보하고 있다.

어휘 different[dífərənt] 다른
however[hauévər] 그러나
early[ə́ːrli] 일찍, 빨리
continue[kəntínjuː] 계속되다

M Good morning, everyone! It's a beautiful day today. It's sunny and warm, and there is very little wind. Tomorrow is going to be different, however. It will start raining early in the morning and continue to rain all day long.

남 안녕하세요, 여러분! 오늘은 날씨가 아주 좋습니다. 화창하고 따뜻하며 바람이 거의 없습니다. 하지만 내일은 다르겠습니다. 아침 일찍부터 비가 내리기 시작해서 하루 종일 비가 계속될 것입니다.

04 ③

해설 숙제를 끝내고 피곤해 하는 남자에게 여자는 방에 가서 좀 쉬라고 제안하고 있다.

W Did you finish your history homework?
M Yes, I finished all of my homework.
W Do you want to go out with your friends?
M I don't want to. It's too cold.

여 역사 숙제 끝냈니?
남 네, 모든 숙제를 다 했어요.
여 친구들과 밖에 나가고 싶니?
남 그러고 싶지 않아요. 너무 추워요.

134 정답 및 해설

어휘 **history**[hístəri] 역사
go out 나가다, 외출하다
actually[ǽktʃuəli] 사실은
sleepy[slíːpi] 졸리는
rest[rest] 쉬다, 휴식을 취하다

W Okay. *[Pause]* Are you all right? You look a little tired.
M Actually, I'm feeling a little sleepy.
W Why don't you go to your room and rest for a bit?

여 알았다. *[잠시 후]* 괜찮니? 너 좀 피곤해 보인다.
남 사실 좀 졸려요.
여 네 방에 가서 좀 쉬는 게 어떻겠니?

---

05 ⑤

해설 개최 일시(이번 주 목요일), 참가 자격(작년 수상자를 제외한 모든 학년), 말하기 주제(건강에 좋은 음식과 좋지 않은 음식), 제한 시간(10분)에 대해 언급했지만 시상 내용에 대한 언급은 없었다.

어휘 **speech contest** 말하기 대회
take place 개최되다
except[iksépt] ~을 제외하고는
last year 작년
winner[wínər] 수상자, 우승자
join[dʒɔin] ~에 참가하다
speech[spiːtʃ] 말하기
topic[tápik] 주제
unhealthy[ʌnhélθi] 건강하지 못한
time limit 제한 시간

W We will have a speech contest this Thursday from 10 a.m. to 6 p.m. It will take place in classroom 1A. Everyone except last year's winners can join the contest. The speech topic this year is healthy and unhealthy food. The time limit is 10 minutes. Thank you.

여 이번 주 목요일 오전 10시부터 오후 6시까지 말하기 대회를 합니다. 대회는 1A 교실에서 열릴 것입니다. 작년 수상자를 제외한 모두가 대회에 참가할 수 있습니다. 올해 말하기 주제는 건강에 좋은 음식과 좋지 않은 음식입니다. 제한 시간은 10분입니다. 감사합니다.

---

06 ④

해설 남자가 여자의 방 불이 적어도 밤 12시 15분까지는 켜져 있었다고 하자 여자는 12시 30분에 잠들었다고 했다.

어휘 **stay up** 깨어 있다
midnight[mídnáit] 자정
remember[rimémbər] 기억하다
show[ʃou] (텔레비전 등의) 프로그램

M Jenny, why did you stay up late last night?
W I just couldn't stop reading a book. *[Pause]* Dad, how did you know that?
M When I was watching TV, your light was still on.
W I thought I went to bed before 11:30.
M No, I remember the time because the show finished at 12:15.
W I guess I went to bed at 12:30 then.

남 Jenny, 왜 어제 늦게까지 안 잤니?
여 그냥 책 읽는 것을 멈출 수가 없었어요. *[잠시 후]* 아빠, 어떻게 아셨어요?
남 내가 TV를 보고 있을 때, 네 방 불이 여전히 켜져 있더구나.
여 11시 30분 전에 잠자리에 든 줄 알았어요.
남 아니, TV 프로그램이 12시 15분에 끝났기 때문에 나는 시간이 기억나.
여 그럼 12시 30분에 잠자리에 들었나 봐요.

---

07 ②

해설 여자는 커서 사람들을 돕고 싶어서 간호사가 되고 싶다고 했다.

어휘 **grow up** 성장하다
important[impɔ́ːrtənt] 중요한
nurse[nəːrs] 간호사

W What do you want to do when you grow up?
M I want to make a lot of money.
W Money is important, but it is not everything.
M I agree. What about you?
W I want to help people.
M How do you want to help people?
W I'm going to become a nurse.
M I think you'll be a good nurse.

여 넌 커서 뭘 하고 싶니?
남 난 돈을 많이 벌고 싶어.
여 돈은 중요하지만, 전부는 아니야.
남 나도 동의해. 너는 뭘 하고 싶니?
여 난 사람들을 돕고 싶어.
남 어떻게 사람들을 돕고 싶은데?
여 난 간호사가 될 거야.
남 나는 네가 훌륭한 간호사가 될 거라고 생각해.

08 ②

[해설] 여자가 잃어버린 가방은 갈색이다.

[어휘] lose[luːz] 잃어버리다
(lose-lost-lost)
pocket[pákit] 주머니
strap[stræp] 끈, 띠

M How can I help you?
W I'm looking for my bag. I lost it this morning.
M We have many black ones here. Is yours black, too?
W No, it's brown, and there are 2 pockets in it.
M How big is it?
W It's not that big. It's as big as a book.
M This one has a long strap. Is this yours?
W Yes, that's mine. Thank you.

남 무엇을 도와드릴까요?
여 제 가방을 찾고 있어요. 오늘 아침에 잃어버렸어요.
남 여기에 검은색 가방을 많이 가지고 있는데요. 가방이 검은색인가요?
여 아뇨, 갈색이고 주머니가 두 개 있어요.
남 크기는 얼마나 되나요?
여 그렇게 크진 않아요. 책만큼 큰 정도예요.
남 이 가방은 긴 끈이 있네요. 당신 건가요?
여 네, 그게 제거예요. 감사합니다.

09 ④

[해설] 남자는 더 먹으라는 여자의 권유에 이제 친구들과 배구를 해야 해서 그만 먹겠다고 했다.

[어휘] enough[ináf] 충분히
full[ful] 배부른
volleyball[válibɔ̀ːl] 배구
stomach[stʌ́mək] 배, 위장
on a full stomach 배가 불러서

W Jimin, do you want some more?
M No, thanks. I think I had enough.
W Are you full already?
M No, I'm not full, but I should stop eating.
W Why do you have to stop eating?
M I have to play volleyball with my friends now. I don't want to play on a full stomach.
W Oh, I see.

여 지민아, 더 먹을래?
남 아니, 됐어요. 충분히 먹은 것 같아요.
여 벌써 배부르니?
남 아뇨, 배부르지는 않지만, 그만 먹어야 해요.
여 왜 그만 먹어야 하는 데?
남 이제 친구들과 배구를 해야 해요. 배부른 채로 경기를 하고 싶지 않아요.
여 아, 그렇구나.

10 ①

[해설] 여자가 횡단보도가 없는 곳에서 길을 건너자고 하자 남자가 안전한 것이 빠른 것보다 낫다며 교통안전에 대해 이야기 하고 있다.

[어휘] cross[krɔ(ː)s] 길을 건너다
crosswalk[krɔ́ːswɔ̀ːk] 횡단보도
dangerous[déindʒərəs] 위험한
safety[séifti] 안전
sorry[sɔ́(ː)ri] 후회하는

W Hurry! Let's cross the street here.
M No, Sara! There's no crosswalk here.
W It's okay. No one will see us.
M But it's dangerous. The crosswalk is just down there.
W I know, but it's faster to cross the street here.
M Safety always comes first.
W You're right. We should use the crosswalk.
M It's always better to be safe than sorry.

여 서둘러! 여기서 길을 건너자.
남 안 돼, Sara! 여기는 횡단보도가 없잖아.
여 괜찮아. 보는 사람이 아무도 없어.
남 그렇지만 위험해. 횡단보도는 바로 저 아래에 있어.
여 알아, 하지만 여기서 길을 건너는 게 더 빨라.
남 언제나 안전이 우선이야.
여 네 말이 맞아. 우리는 횡단보도를 이용해야 해.
남 후회하는 것보다 조심하는 것이 언제나 낫지.

11 ③

[해설] 한 정거장 거리이니 걸어가자는 여자에게 몸이 피곤한 남자는 버스를 타고 가겠다고 했다.

M I can't walk any more.
W We're almost there, Ted.
M But I'm too tired to walk.

남 난 더 이상 걸을 수 없어.
여 거의 다 왔어, Ted.
남 하지만 너무 피곤해서 걸을 수가 없어.

어휘 anymore[ènimɔ́ːr] 더 이상
almost[ɔ́ːlmoust] 거의

W	We're not going to take a taxi from here.	여	우리는 여기서 택시를 타지 않을 거야.
M	Why don't we get on the bus then?	남	그럼 버스를 타는 게 어때?
W	Oh, come on. It's only one stop. Walking is good for you.	여	아, 제발. 겨우 한 정거장이야. 걷는 것이 너에게 좋아.
M	Sorry, I can't. I'm going to take the bus. I'll meet you there.	남	미안하지만 난 못 해. 난 버스를 탈 거야. 거기서 만나.

12 ④

해설 남자는 Clara에게 초콜릿을 받아서 기쁨을 감추지 못하고 있다.

어휘 smile[smail] 웃다
Valentine's Day 밸런타인데이
surprised[sərpráizd] 놀란
believe[bilíːv] 믿다

W	Why are you smiling, Patrick?	여	왜 웃고 있니, Patrick?
M	I'm not smiling.	남	아니, 나 안 웃고 있어.
W	Yes, you are.	여	아냐, 넌 웃고 있어.
M	Really? I'm a little surprised but happy about it.	남	정말? 조금 놀랍긴 하지만 기뻐.
W	What is it?	여	그게 뭔데?
M	Clara gave me chocolate for Valentine's Day.	남	Clara가 밸런타인데이에 초콜릿을 줬어.
W	Wow, really? I'm so surprised.	여	와, 정말? 정말 놀라운걸.
M	I still can't believe it.	남	난 지금도 믿을 수가 없어.

13 ②

해설 수업 시간에 집중하지 않았던 남자를 여자가 훈계하고 있는 상황으로 보아 두 사람의 관계는 교사와 학생임을 알 수 있다.

어휘 for a second 잠시
pay attention 집중하다
classmate[klǽsmeit] 반 친구
understand[ʌ̀ndərstǽnd] 이해하다

W	Can I talk to you for a second, Mark?	여	Mark, 잠깐 얘기 좀 할 수 있을까?
M	Of course, Ms. Brown.	남	물론이죠, Brown 선생님.
W	It won't take too long.	여	오래 걸리진 않을 거야.
M	Did I do something wrong?	남	제가 뭘 잘못했나요?
W	You weren't paying attention in class today.	여	너 오늘 수업에 집중하지 않더구나.
M	Oh, I'm sorry. I was just trying to help my classmates.	남	아, 죄송해요. 저는 단지 반 친구들을 도우려는 거였어요.
W	I know you were, but it's also important to pay attention in class.	여	네가 그랬다는 건 알지만, 수업 시간에 집중하는 것도 중요해.
M	I understand, Ms. Brown. It won't happen again.	남	알겠습니다, Brown 선생님. 다시는 그런 일이 없도록 할게요.

14 ⑤

해설 여자가 찾고 있는 머리빗은 조명등 옆에 있었다.

어휘 hairbrush 머리빗
already[ɔːlrédi] 이미, 벌써
maybe[méibiː] 아마
lamp[læmp] 조명등

W	Honey, did you see my hair brush? I can't find it.	여	여보, 제 머리빗 봤어요? 그걸 찾을 수가 없네요.
M	I think I saw it on the bed.	남	침대 위에서 본 것 같아요.
W	I checked the bed already. It's not there.	여	이미 침대를 확인했어요. 거기에 없네요.
M	Maybe it's on the chair. Why don't you look?	남	아마 의자 위에 있겠죠. 살펴보는 게 어때요?
W	I already did, but it wasn't there, either. [Pause] Oh, I found it. It's next to the lamp.	여	이미 했는데, 거기에도 없었어요. [잠시 후] 아, 찾았어요. 그건 조명등 옆에 있네요.

15 ⑤

해설 남자가 여자에게 희곡을 소리 내어
읽어 달라고 부탁했다.

어휘 famous[féiməs] 유명한
play[plei] 희곡, 극, 각본
out loud (다른 사람이 들을 수 있게) 소리
내어

M	What are you doing, Kate?
W	I'm reading *Romeo and Juliet*.
M	That's a famous play by Shakespeare, right?
W	Yes, that's right, Grandpa. It's his most famous play.
M	It's a very old play. Isn't it difficult to read?
W	No, it's not difficult at all. I like reading it.
M	Can you read it out loud for me?
W	Sure, I love reading plays out loud.

남 뭐 하고 있니, Kate?
여 〈로미오와 줄리엣〉을 읽고 있어요.
남 그건 셰익스피어의 유명한 희곡이지?
여 네, 맞아요, 할아버지. 그것은 가장 유명한 그의 희곡이지요.
남 그것은 아주 오래된 희곡인데, 읽기에 어렵지 않니?
여 아니, 전혀 어렵지 않아요. 저는 그것을 읽는 걸 좋아해요.
남 나한테 소리 내어 읽어 줄래?
여 그러죠, 저는 희곡을 소리 내어 읽는 걸 좋아해요.

---

16 ③

해설 매일 7시간씩 자는데도 피곤하다
는 남자에게 여자가 자기 전에 샤워할 것
을 제안했다.

어휘 work out 운동하다
enough[ináf] 충분한
fall into a deep sleep 깊은 잠에 들다,
숙면을 취하다

W	What's the matter, David?
M	I'm really tired.
W	Did you work out yesterday?
M	No, I didn't. Something's wrong with my body.
W	Why do you say that?
M	I get almost 7 hours of sleep every night, and I'm still tired.
W	Maybe you don't fall into a deep sleep. How about taking a shower before you go to bed?
M	Okay. I'll try that tonight.

여 어디 안 좋니, David?
남 정말 피곤해.
여 어제 운동했어?
남 아니, 안 했어. 내 몸이 뭔가 잘못됐나 봐.
여 왜 그렇게 말하는데?
남 난 매일 밤 거의 7시간 동안 잠을 자는데, 아직도 피곤해.
여 아마 깊게 잠들지 못하는 것 같아. 잠 들기 전에 샤워하는 건 어때?
남 알겠어. 오늘 밤에 한번 해볼게.

---

17 ②

해설 여자는 곧 시험이 있어서 생일날에
는 공부하러 도서관에 갔다고 했다.

어휘 besides[bisáidz] 게다가
celebrate[sélabrèit] 기념하다

M	Did you do anything special for your birthday?
W	Not really. I didn't do much.
M	Did you just stay home?
W	Actually, I went to the library.
M	Why did you go to the library on your birthday?
W	Exams are coming soon. Besides, I had a very nice family dinner last weekend to celebrate.
M	Oh, I see.

남 네 생일에 무슨 특별한 거 했어?
여 아니, 특별히 한 일 없었어.
남 그냥 집에 있었어?
여 사실, 나는 도서관에 갔었어.
남 네 생일에 도서관에 왜 갔어?
여 곧 시험이잖아. 게다가, 난 지난 주말에 기념하기 위해 아주 좋은 가족 저녁 식사를 했거든.
남 아, 그랬구나.

---

18 ②

해설 남자의 그림을 좋아하는 여자가 전
시회를 축하하며 사인을 받으려고 하고
있으므로 남자의 직업은 화가임을 알 수
있다.

W	Congratulations on your successful show.
M	Thank you. Do you like my paintings?
W	Yes. I'm a big fan of your work.

여 성공적인 전시회를 축하드립니다.
남 고맙습니다. 제 그림 좋아하세요?
여 그럼요, 저는 작가님의 작품들의 엄청난 팬입니다.

| 어휘 Congratulations | M | I'm glad to hear that. I'm always thankful to fans like you. | 남 | 그 말을 들으니 기쁘군요. 당신과 같은 팬들에게 늘 감사하고 있어요. |

어휘 Congratulations
[kəngrǽtʃəléiʃənz] 축하해요
successful[səksésfəl] 성공적인
painting[péintiŋ] 그림
big fan 열혈 팬
work[wəːrk] 작품
thankful[θǽŋkfəl] 감사하는, 고맙게 여기는
sign[sain] 사인하다

M I'm glad to hear that. I'm always thankful to fans like you.
W My pleasure. <u>Could you please</u> sign my ticket?
M Yes, of course.
W Thank you so much. Again, congratulations, <u>and good luck</u> with your future work!

남 그 말을 들으니 기쁘군요. 당신과 같은 팬들에게 늘 감사하고 있어요.
여 저도 기뻐요. 제 티켓에 사인해 주시겠어요?
남 네, 물론이죠.
여 정말 고맙습니다. 다시 한번 축하드리고, 앞으로 하시는 작품들도 잘되길 바랄게요!

19 ④

해설 더 필요한 것이 있는지 물어보는 남자의 말에 이어서 추가로 필요한 것을 부탁하는 내용이 이어지는 것이 가장 적절하다.

어휘 favor[féivər] 부탁
close[klouz] (문, 가게 등을) 닫다
[선택지]
pick up ~을 태우러 가다

[Cell phone rings.]
M Hello.
W Mark, hi. Will you do me a favor?
M Hi, Mom. Sure. What is it?
W Can you <u>get some milk</u> on your way home?
M Okay. My violin lesson finishes at 8. <u>Is that okay</u>?
W <u>The store closes</u> at 9 p.m. so you will have time.
M Okay. Do you <u>need anything else</u>?
W Can you get some eggs too, please?

[휴대전화가 울린다.]
남 여보세요.
여 여보세요, Mark. 부탁 하나 들어주겠니?
남 네, 엄마. 그럴게요. 뭔데요?
여 집에 오는 길에 우유 좀 사다 줄래?
남 알았어요. 바이올린 레슨은 8시에 끝나거든요. 괜찮나요?
여 그 가게는 오후 9시에 문을 닫으니, 늦지 않을 거야.
남 알겠어요. 그 밖에 더 필요한 게 있나요?
여 계란도 좀 사다 주겠니?

① 7시에 데리러 갈게.
② 날 도와줄 필요 없어.
③ 토요일에 쇼핑하러 가자.
⑤ 죄송하지만, 할 수 없어요. 숙제가 있어요.

20 ④

해설 남자가 세일이 언제 끝나는지 물었으므로 세일이 끝나는 시기를 알려주는 응답이 이어져야 한다.

어휘 clothes[klouðz] 옷, 의복
cheap[tʃiːp] 값이 싼
[선택지]
off[ɔːf] 할인되어
total[tóutl] 총액, 합계
station[stéiʃən] (기차) 역

M You look great today. I love your shirt.
W Thank you. Actually, I bought it last weekend.
M Where did you get it?
W At the City Square Mall. There's <u>a big sale</u> on clothes.
M Wow, really? I need to buy <u>some more clothes</u>, too. How much did you pay for your shirt?
W I only paid $30.
M That's cheap. <u>When does the sale end</u>?
W The sale ends this Saturday.

남 오늘 멋져 보이는데. 네 셔츠 정말 맘에 들어.
여 고마워. 실은 지난 주말에 샀어.
남 어디서 샀어?
여 City Square 쇼핑몰에서. 옷을 크게 할인하고 있어.
남 와, 정말? 나도 옷을 좀 사야 하는데. 네 셔츠는 얼마 주고 샀니?
여 단지 30달러였어.
남 저렴하네. 세일은 언제 끝나니?
여 세일은 이번 토요일에 끝나.

① 50% 할인된 가격이야.
② 총액은 70달러입니다.
③ 역에서 만나자.
⑤ 미안하지만 너와 함께 갈 수 없어.

01 ②	02 ②	03 ③	04 ③	05 ④	06 ②	07 ③
08 ④	09 ④	10 ③	11 ③	12 ③	13 ③	14 ①
15 ①	16 ③	17 ④	18 ②	19 ④	20 ⑤	

01 ②

해설 사진이나 동영상을 찍는 데 쓰는 도구로 렌즈와 셔터(버튼), 플래시가 있는 것은 카메라이다.

어휘 lens[lenz] 렌즈
press[press] 누르다
photo[fóutou] 사진
record[rikɔ́ːrd] 녹화하다
flash[flæʃ] (카메라) 플래시
cell phone 휴대전화

M This has a glass lens and a button. You press a button, and you can take photos or record videos. When you take a picture in a dark place, a flash can help. Many people use their cell phones instead of this. What is this?

남 이것은 유리 렌즈와 누름 버튼이 있어요. 버튼을 누르면 사진을 찍거나 동영상을 녹화할 수 있어요. 어두운 곳에서 사진을 찍을 때 플래시가 도움이 될 수 있어요. 많은 사람들이 이것 대신에 휴대전화를 사용해요. 이것은 무엇일까요?

02 ②

해설 남자는 줄무늬 마스크를 쓰겠다고 했다.

어휘 mask[mæsk] 마스크
stripe[straip] 줄무늬

W Minho, I have something for you.
M Thanks, Mom. What is it?
W The air is not good these days. So I bought 2 masks. Which one do you like better?
M Let me see.
W This one has stripes on it. The other one has stars.
M Then I'll take the one with stripes.
W Okay. I'll give the other one to your brother.

여 민호야, 너한테 줄 게 있어.
남 고마워요, 엄마. 뭔데요?
여 요즘 공기가 나쁘잖아. 그래서 마스크 두 개를 샀어. 너는 어느 것이 더 좋니?
남 좀 볼게요.
여 이것은 줄무늬가 있어. 다른 것은 별 그림이 있고.
남 그럼 줄무늬가 있는 걸로 할게요.
여 알았어. 다른 것은 네 동생한테 줘야겠다.

03 ③

해설 일요일에는 아침에 눈이 그치고 오후에 구름이 많이 낄 것이라고 했다.

어휘 continue[kəntínjuː] 계속되다
all day 하루 종일

M Good morning, everyone! Here is the weekend weather report. On Friday, it will start to snow a lot in the afternoon. The snow will continue all day Saturday, and it will become very cold Saturday night. However, on Sunday, the snow will stop in the morning, and you will see lots of clouds in the afternoon. Have a great weekend!

남 안녕하세요, 여러분! 주말 일기예보입니다. 금요일에는 오후에 눈이 많이 내리기 시작할 것입니다. 눈은 토요일에 하루 종일 이어지겠고, 토요일 밤은 무척 추워질 것입니다. 하지만 일요일에는 아침에 눈이 그치고 오후에는 구름이 많이 낄 것입니다. 즐거운 주말 보내세요!

04 ③

해설 남자는 환불받고 싶지만, 교환만 가능하다는 여자의 말에 타당하지 않다고 하며 불평했다.

M Hello, I'm here to return this shirt.
W Is there something wrong with it?
M I bought it for my son, but it's too big for him.

남 안녕하세요, 이 셔츠를 반품하러 왔어요.
여 셔츠에 무슨 문제라도 있나요?
남 아들에게 주려고 샀는데, 너무 크네요.

어휘 return[ritə́ːrn] 반품하다
final[fáinəl] 마지막의
exchange[ikstʃéindʒ] 교환하다
fair[fɛər] 타당한
get back 되찾다

W May I see the shirt?
M Here you are.
W [Pause] I'm sorry, but this shirt was on final sale. You can only exchange it.
M I can't get my money back? That's not fair.

여 셔츠를 좀 봐도 될까요?
남 여기 있어요.
여 [잠시 후] 죄송합니다만, 이 셔츠는 마지막 세일 중이었어요. 교환만 하실 수 있습니다.
남 제 돈을 돌려받을 수 없다고요? 그런 게 어딨어요.

05 ④

해설 크기(피자 크기), 무게(8kg 이하), 작동 방법(빨간 버튼), 청소 시간(15분)에 대해 언급하였으나 가격에 대해서는 언급하지 않았다.

어휘 right away 즉시
size[saiz] 크기
kilogram[kíləgræm] 킬로그램
push[puʃ] 누르다

M This robot will clean your house right away. It's the same size as a pizza, and it weighs no more than 8 kilograms. It's very easy to use, too. Just push the red button, and your house will be clean in 15 minutes.

남 이 로봇이 즉시 집을 청소할 겁니다! 이것은 피자만 한 크기이며 무게는 8 킬로그램을 넘지 않습니다. 사용하기도 매우 쉽습니다. 빨간 버튼만 누르면 15분 안에 집이 깨끗해질 겁니다.

06 ②

해설 남자는 9시부터로 착각했으나 축구 경기는 6시부터 시작되었다.

어휘 between[bitwíːn] ~ 사이에
turn on (전기 등을) 켜다
over[óuvər] 끝이 난

W Did you watch the soccer game between Korea and Japan?
M No, I missed it.
W How did that happen?
M When I turned on the TV, it was already over.
W What time was it?
M It was 9 o'clock.
W 9 o'clock? The game started at 6 o'clock.
M Really? I thought it was at 9.

여 한국과 일본 간의 축구 경기 봤어?
남 아니, 경기를 놓쳤어.
여 어쩌다가?
남 내가 TV를 켰을 때, 경기는 이미 끝났어.
여 몇 시였는데?
남 9시였어.
여 9시? 경기는 6시에 시작됐는데.
남 정말? 나는 9시에 시작하는 줄 알았어.

07 ③

해설 여자는 자신이 존경하던 선생님 같은 교사가 되고 싶다고 했다.

어휘 graduation ceremony 졸업식
grade[greid] 학년
in fact 사실은

M You're so cute in this picture, Sandy.
W Thanks. It was from my graduation ceremony.
M These are your parents, right?
W Yes, and this tall person is my 6th grade teacher.
M Wow, she is really tall.
W Yes, and she's the best teacher in the world.
M It sounds like you really like her.
W Of course! In fact, I want to become a teacher just like her.

남 너 이 사진에서 정말 귀여워, Sandy.
여 고마워. 내 졸업식 사진이야.
남 이분들은 너희 부모님 맞지?
여 응, 그리고 이 키 큰 분은 내 6학년 선생님이셔.
남 와, 정말 키가 크시다.
여 그래, 그리고 그분은 세상에서 가장 훌륭한 선생님이셔.
남 네가 그 선생님을 정말 좋아했던 것 같네.
여 물론이지! 사실 난 그분 같은 선생님이 되고 싶어.

08 ④

해설 여자는 차 안에서 할 수 있는 게 없어서 지루해하고 있다.

어휘 almost[ɔ́ːlmoust] 거의
choice[tʃɔis] 선택

W Are we almost there, Dad?
M We still have to drive for 2 more hours.
W There is nothing to do in the car.
M You can listen to the radio.
W No, I don't feel like it.
M Then why don't you try to get some sleep?
W Okay, Dad. I guess I have no choice.

여 저희 거의 다 왔어요, 아빠?
남 아직 두 시간 더 운전해서 가야 해.
여 차 안에서 할 게 아무것도 없어요.
남 라디오를 들으면 되잖아.
여 아니요, 그러고 싶지 않아요.
남 그럼 잠을 좀 자는 건 어때?
여 그럴게요, 아빠. 선택의 여지가 없는 것 같네요.

① 신나는 ② 질투하는 ③ 자랑스러운
④ 지루한 ⑤ 화가 난

09 ④

해설 남자는 저녁을 먹기 전에 요리 사진을 찍고 싶다며 휴대전화를 가져오겠다고 했다.

어휘 ready[rédi] 준비된
every minute of ~의 모든 순간
can't wait to-v ~하고 싶다, 기대된다

W Dinner's ready.
M Wow, it smells really good.
W Well, it's just chicken.
M How long did it take you to cook this?
W About 2 hours, but I enjoyed every minute of it.
M I can't wait to eat it!
W I hope you like it.
M Wait, I'll just get my cell phone. I want to take a picture of this.

여 저녁 준비됐다.
남 와, 냄새가 정말 좋아요.
여 뭘, 그냥 닭고기인데.
남 이걸 요리하는 데 얼마나 걸렸어요?
여 한 두 시간 정도, 그래도 매 순간 즐거웠어.
남 빨리 먹고 싶어요!
여 네가 좋아했으면 좋겠네.
남 잠깐만요, 휴대전화를 가져올게요. 이걸 사진 찍고 싶어요.

10 ③

해설 두 사람은 남자가 세워 놓은 여름휴가 계획에 대해 이야기하고 있다.

어휘 prepare[pripɛ́ər] 준비하다
pool[puːl] 수영장
falls[fɔːlz] 폭포

W Did you prepare everything for our summer vacation?
M Don't worry. It'll be our best vacation ever.
W What are we doing on the first day?
M We'll stay in the hotel and swim in the pool.
W All right. What about the next day?
M We are going to visit Niagara Falls and go shopping.
W I'm already excited.

여 여름휴가 준비는 다 하셨나요, 아빠?
남 걱정하지 마. 최고의 휴가가 될 거다.
여 첫날에는 뭘 할 건가요?
남 호텔에 머물면서 수영장에서 수영을 할 거야.
여 좋아요. 다음날은요?
남 나이아가라 폭포를 방문하고 쇼핑을 할 거야.
여 벌써 신나요.

11 ③

해설 친구들과 택시 요금을 나누면 된다는 남자의 말에 여자는 버스 대신 택시를 이용해야겠다고 하였다.

어휘 stadium[stéidiəm] 경기장
cheap[tʃiːp] 싼
share[ʃɛər] 나누다

M Are you going to the music festival tomorrow?
W Yes, I'm going with my friends.
M I can take you to the stadium by car.
W It's okay, Dad. We'll just take the bus.
M Why don't you take a taxi? You can share a taxi with your friends.

남 내일 음악 축제 보러 가니?
여 네, 친구들과 같이 갈 거예요.
남 내가 경기장까지 태워다 줄 수 있는데.
여 괜찮아요, 아빠. 우리 그냥 버스 타고 갈게요.
남 택시를 타는 건 어떠니? 친구들과 택

W I didn't think of that. We will take a taxi instead.

시 요금을 나누면 되잖니.
여 그걸 생각하질 못했어요. 대신 택시를 탈게요.

12 ③

해설 남자는 남동생이 거실에서 축구를 하다가 자신의 기타를 망가뜨려서 화가 나 있다.

어휘 upset[ʌpsét] 화가 난, 속상한
break[breik] 망가뜨리다
living room 거실

W Luke, why are you so upset?
M My little brother doesn't listen to anybody.
W Did something happen today?
M He played soccer in the living room. I told him to stop but he didn't.
W Oh no. Did he break something?
M Yes. In the end, he broke my guitar.
W Don't get too upset with him. He's only 7 years old.

여 Luke, 왜 그렇게 화가 났어?
남 남동생이 누구의 말도 듣지를 않아.
여 오늘 무슨 일이 있었어?
남 걔가 거실에서 축구를 하는 거야. 내가 걔한테 그만하라고 했는데 그러지 않았어.
여 이런. 뭔가를 망가뜨린 거야?
남 그래. 결국엔 내 기타를 망가뜨렸어.
여 동생한테 너무 화내지 마. 겨우 7살이잖아.

13 ③

해설 손가락이 부러진 남자가 여자에게 진찰받는 것으로 보아 대화하는 장소는 병원임을 알 수 있다.

어휘 thumb[θʌm] 엄지손가락
take a look ~을 확인하다
hurt[həːrt] 아프다

M I think I broke my right thumb.
W Okay. Let me take a look.
M Please be careful. It hurts when I try to move it.
W How did you hurt your thumb?
M I was playing basketball with my friends.
W We'll have to get an X-ray of your thumb. Please wait outside. The nurse will call your name.

남 오른쪽 엄지손가락이 부러진 것 같아요.
여 알겠습니다. 한번 볼게요.
남 조심하세요. 그것을 움직이려고 하면 아파요.
여 엄지손가락을 어떻게 하다 다쳤나요?
남 친구들과 농구를 하던 중이었어요.
여 엄지손가락 엑스레이를 찍어야겠네요. 밖에서 기다려주세요. 간호사가 부를 거예요.

14 ①

해설 장난감 가게는 3층 엘리베이터 옆에 있다고 했다.

어휘 floor[flɔːr] 층
toy shop 장난감 가게
elevator[éləvèitər] 엘리베이터

W Welcome to Grand Department Store. May I help you?
M Yes, where can I find men's hats?
W You can find them on the second floor.
M I see. And is there a toy shop here?
W Yes, there is one on the third floor.
M How do I get there?
W Take the elevator over there to the third floor. It's next to the elevator.
M Okay. Thank you so much.

여 Grand 백화점에 온 걸 환영합니다. 도와 드릴까요?
남 네, 어디에서 남자용 모자를 찾을 수 있나요?
여 2층에서 찾으실 수 있어요.
남 그렇군요. 그리고 여기에 장난감 가게가 있나요?
여 네, 3층에 하나 있습니다.
남 그곳은 어떻게 가나요?
여 저쪽에 있는 엘리베이터를 타고 3층으로 가세요. 장난감 가게는 엘리베이터 옆에 있어요.
남 알겠습니다. 정말 고마워요.

15 ①

해설 남자는 춤을 잘 추지 못한다면서 여자에게 춤을 가르쳐달라고 부탁했다.

어휘 performance[pərfɔ́ːrməns] 공연, 연주회
practice[prǽktis] 연습하다

M Jieun, your dance performance was amazing!
W Thanks, Peter. I practiced a lot for the concert today.
M You're such a great dancer.
W But I'm not a good singer like you.
M I'm good at singing, but I just can't dance.
W If you practice, you'll become a much better dancer.
M Can you teach me how to dance better?
W Of course I can! Let's start tomorrow.

남 지은아, 네 춤 공연은 정말 멋졌어!
여 고마워, Peter. 오늘 공연을 위해서 연습 많이 했어.
남 넌 정말 훌륭한 댄서야.
여 하지만 난 너처럼 노래를 잘하지 못해.
남 나는 노래는 잘 부르는데, 춤을 잘 추지 못해.
여 연습을 하면 훨씬 더 잘 추게 될 거야.
남 나에게 춤을 더 잘 추는 법을 가르쳐줄래?
여 당연하지! 내일부터 시작하자.

16 ③

해설 피부 상태가 심각한 남자에게 여자는 피부과 의사에게 가 보라고 제안했다.

어휘 skin[skin] 피부
serious[síəriəs] 심각한
itchy[ítʃi] 가려운
skin doctor 피부과 의사

W What's wrong with your skin, Sam?
M I don't know. Maybe I ate something bad.
W It's really red. It looks pretty serious.
M Does it? It is a little itchy, too.
W When did it start?
M It started 3 days ago.
W I think you should see a skin doctor.
M Yes. I should do that right now.

여 피부가 왜 그러니, Sam?
남 모르겠어. 아마 뭔가 잘못 먹었나 봐.
여 정말 빨갛다. 꽤 심각해 보이는데.
남 그래? 조금 간지럽기도 해.
여 언제부터 그랬는데?
남 3일 전부터 그랬어.
여 피부과 의사에게 가 봐야 할 것 같다.
남 응. 지금 바로 그래야겠어.

17 ④

해설 여자는 새해 첫날에 늦게 일어나서 집에 있었다고 했고 남자는 아침 일찍 체육관에 갔다고 했다.

어휘 New Year's Day 새해 첫날, 설날
New Year's Eve 12월 31일
gym[dʒim] 체육관

M What did you do on New Year's Day?
W I woke up at noon, and I just stayed at home.
M Did you stay up late on New Year's Eve?
W Yes, my family had a small party. What about you?
M On New Year's Eve? I went to bed early that day.
W What did you do on New Year's Day?
M I went to the gym early in the morning.
W Good for you!

남 새해 첫날에 뭐 했어?
여 정오에 일어나서, 그냥 집에 있었어.
남 새해 전날 늦게까지 깨어 있었니?
여 응, 우리 가족은 작은 파티를 했거든. 너는?
남 새해 전날에? 나는 그날 일찍 잤어.
여 새해 첫날에는 뭐 했는데?
남 아침 일찍 체육관에 갔어.
여 잘했네!

18 ②

해설 여자가 남자에게 영화에서 그의 연기가 좋았다고 하였으므로 남자는 영화배우임을 알 수 있다.

어휘 bother[báðər] 귀찮게 하다
big fan 열혈 팬

W I'm sorry to bother you, but are you Tommy Jones?
M Yes, I am.
W I'm a big fan of yours. I really loved your acting in the baseball movie last year.

여 귀찮게 해서 죄송하지만, Tommy Jones 씨인가요?
남 네, 맞아요.
여 저는 당신의 엄청난 팬입니다. 작년에 나온 야구 영화에서 연기가 정말 좋았어요.

act[ækt] 연기하다

M I'm glad you liked it. That's one of <u>my favorite movies</u>, too.

W You were also in a movie about basketball, right?

M Yes, I was. But <u>not many people</u> remember that movie.

남 그것을 좋아해줘서 기뻐요. 그 영화는 제가 가장 좋아하는 영화 중 하나이기도 해요.

여 농구에 관한 영화에도 출연했었죠, 맞나요?

남 네, 그랬었죠. 하지만 그 영화를 기억하는 사람들이 많지 않아요.

19 ④

해설 할 말을 잊어버리지 않도록 메모를 한다는 남자의 말에 여자는 자신도 한번 해봐야겠다고 응답하는 것이 가장 적절하다.

어휘 nervous[nə́ːrvəs] 긴장한, 불안한
in front of ~ 앞에서
note[nout] 메모
[선택지]
borrow[bárou] 빌리다

M What's the matter, Emily?

W I'm worried about my history class.

M Why?

W I have to speak about my project <u>in front of</u> the class.

M Do you <u>get nervous</u> when you speak in front of many people?

W Yes, I do. I just forget <u>what to say</u>.

M When I'm nervous, I have problems, too. I <u>write notes</u>, so I don't forget.

W Maybe I should try that, too.

남 무슨 일 있어, Emily?

여 역사 수업이 걱정돼.

남 왜?

여 반 아이들 앞에서 내 프로젝트를 발표해야 하거든.

남 많은 사람들 앞에서 말할 때 긴장되니?

여 응, 그래. 그냥 무슨 말을 할지 잊어버려.

남 나도 긴장하면 문제가 생겨. 나는 할 말을 잊어버리지 않도록 메모를 해.

여 <u>나도 그렇게 해봐야 할 것 같아.</u>

① 나도 네 말에 동의해.
② 나는 결코 긴장하지 않아.
③ 난 전혀 걱정하지 않아.
⑤ 나는 그 책을 도서관에서 빌렸어.

20 ⑤

해설 더 재밌는 영화를 보자는 남자의 제안에 여자가 수락하며 같이 볼 영화 장르를 제안하는 것이 흐름상 적절하다.

어휘 violent[váiələnt] 폭력적인
fight[fait] 싸우다
funny[fʌ́ni] 재미있는
[선택지]
hobby[hábi] 취미
bored[bɔːrd] 지루한

M What did you think about the movie?

W I <u>didn't like it</u> at all.

M Me, neither. I think it is too violent.

W Yes. And it doesn't have a story.

M I agree. People fight in the movie, and <u>no one knows</u> why.

W It is the worst action movie of the year.

M Let's watch <u>a funnier movie</u> next week.

W Okay. How about an animation?

남 영화 어땠니?

여 전혀 마음에 들지 않았어.

남 나도 그래. 너무 폭력적인 것 같아.

여 그러게. 그리고 줄거리가 없어.

남 맞아. 영화에서 사람들이 싸우는데, 아무도 왜 싸우는지 모르잖아.

여 올해 최악의 액션 영화야.

남 다음 주에 더 재미있는 영화를 보자.

여 <u>그래. 애니메이션 어때?</u>

① 물론, 나는 팝콘을 좋아해.
② 유감이야.
③ 심심해. 쇼핑하러 가자.
④ 나의 취미는 영화 보는 거야.

MEMO

MEMO